L'essentiel de l'AUSTRALIE

Sommaire

Dans ce guide, les pictos mettent en lumière ce que nous vous recommandons tout spécialement :

Les meilleurs...
Un best of thématique – pour être sûr de ne rien manquer.

À ne pas manquer
À voir absolument – ne repartez pas sans y être allé.

Des experts locaux révèlent leurs coups de cœur et lieux secrets.

Vaut le détour
Des sites un peu moins connus qui méritent une visite.

Si vous aimez...
Un choix de visites ou d'activités complémentaires selon vos envies.

Ces pictos vous aident à identifier les points d'intérêt dans le texte et sur les cartes :

À voir

Où se restaurer

Où prendre un verre

Où se loger

Renseignements

Édition écrite et actualisée par

Charles Rawlings-Way,
Brett Atkinson, Jayne D'Arcy, Peter Dragicevich,
Sarah Gilbert, Paul Harding, Catherine Le Nevez,
Virginia Maxwell, Miriam Raphael, Regis St Louis,
Steve Waters, Penny Watson, Meg Worby

Sommaire

Avant le départ

Sur la route

Sommaire

Sur la route

Ailleurs en Australie : le best of........... 337

En savoir plus

Carnet pratique

Quelques mots sur l'Australie

Île, pays, continent… l'Australie captive par son immensité et sa diversité. Préparez-vous à découvrir des déserts, des barrières de corail, des forêts humides, mais aussi des pics enneigés et des cités cosmopolites.

La plupart des Australiens vivent le long du littoral, principalement dans des zones urbaines. L'Australie est le 18e pays le plus urbanisé de la planète, et environ 70% des Australiens habitent dans les 10 plus grandes métropoles du pays. Sydney, cité portuaire baignée de soleil, offre un mélange de plages, de boutiques et de bars. Décontractée, Melbourne est le royaume de l'art urbain et du football australien. Quant à Brisbane, c'est une ville tropicale en plein essor et Perth, une cité empreinte de l'optimisme propre à la côte ouest. Dans toutes les villes, vous n'aurez aucun mal à trouver un bon café, un concert, un vernissage ou encore un festival de musique.

À table ! Le chefs multiculturels de l'Australie allient ingénieusement techniques européennes et ingrédients frais du Pacifique. On y parle de "Mod Oz", ou cuisine australienne moderne. Les produits de la mer occupent une place de choix : des délicieuses cigales de mer (*bugs*) de Moreton Bay au délicat merlan austral. Par ailleurs, les traditionnels barbecues australiens sont l'occasion de se régaler de bœuf, d'agneau ou de poulet, une bière à la main. Vous préférez le vin ? Des rouges corsés de la Barossa Valley au sémillon de la Hunter Valley, les vins australiens comptent parmi les meilleurs au monde. Besoin d'une dose de caféine ? On trouve fréquemment d'excellents stands de café en centre-ville.

Cette immense étendue de terre ocre est sillonnée d'innombrables rubans de bitume. La meilleure façon de vous mesurer à l'Australie est de prendre la route. Rappelez-vous cependant que c'est un pays gigantesque et qu'un *road trip* dans l'outback requiert une préparation minutieuse. Cependant, les capitales d'État et les centres régionaux sont bien desservis en lignes aériennes, qui vous permettront de gagner un temps précieux !

> “On y parle de “Mod Oz”, ou cuisine australienne moderne.”

Opéra de Sydney (p. 65)

OPERA
BAR

Australie

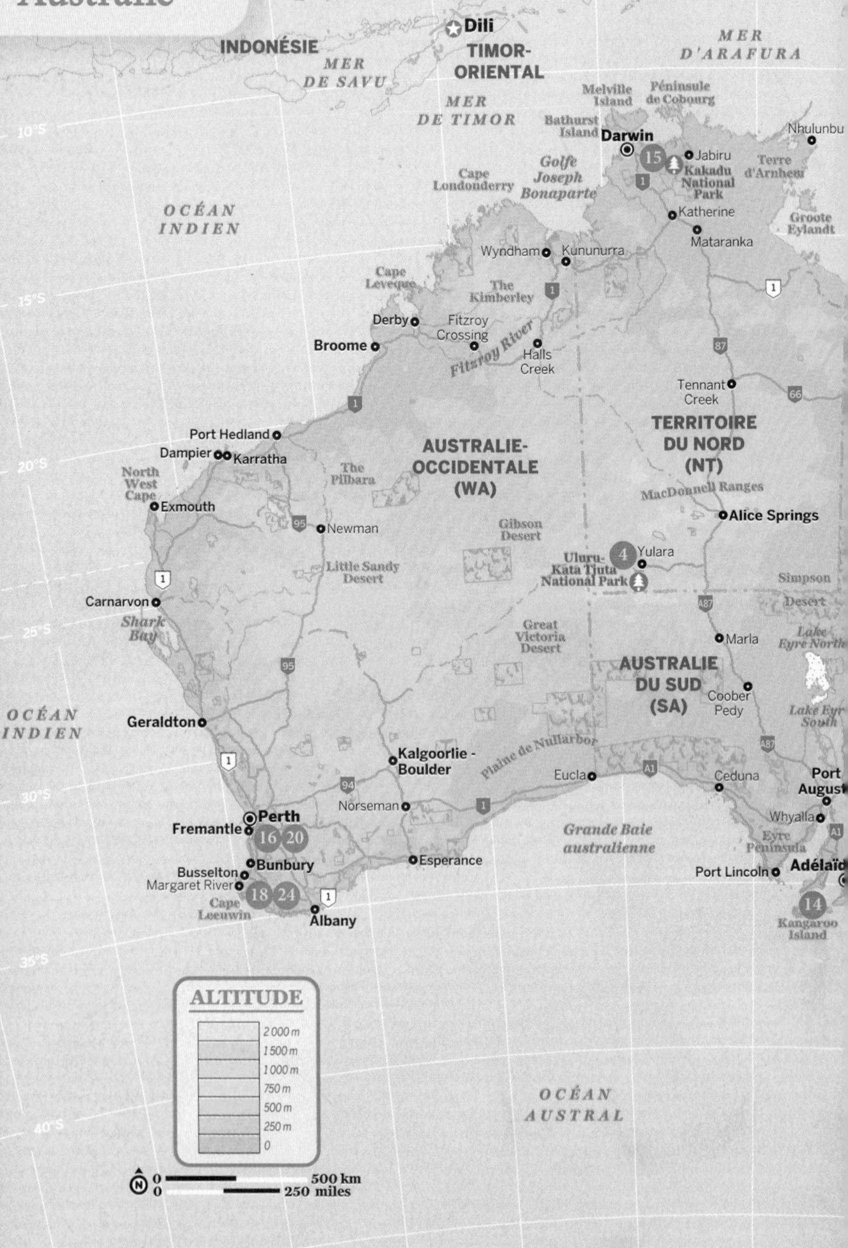

Dili
INDONÉSIE
TIMOR-ORIENTAL
MER DE SAVU
MER DE TIMOR
MER D'ARAFURA
Melville Island
Péninsule de Cobourg
Bathurst Island
Darwin
Nhulunbu
Jabiru
Kakadu National Park
Terre d'Arnhem
Golfe Joseph Bonaparte
Cape Londonderry
Katherine
Groote Eylandt
Mataranka
OCÉAN INDIEN
Wyndham
Kununurra
Cape Leveque
The Kimberley
Derby
Fitzroy Crossing
Broome
Fitzroy River
Halls Creek
Tennant Creek
TERRITOIRE DU NORD (NT)
Port Hedland
Dampier
Karratha
AUSTRALIE-OCCIDENTALE (WA)
The Pilbara
North West Cape
Exmouth
MacDonnell Ranges
Alice Springs
Newman
Gibson Desert
Uluru-Kata Tjuta National Park
Yulara
Little Sandy Desert
Simpson Desert
Carnarvon
Shark Bay
Great Victoria Desert
Marla
Lake Eyre North
AUSTRALIE DU SUD (SA)
Coober Pedy
Lake Eyre South
OCÉAN INDIEN
Geraldton
Plaine de Nullarbor
Kalgoorlie - Boulder
Eucla
Ceduna
Port Augusta
Norseman
Whyalla
Perth
Fremantle
Grande Baie australienne
Eyre Peninsula
Bunbury
Esperance
Port Lincoln
Adélaïde
Busselton
Margaret River
Cape Leeuwin
Albany
Kangaroo Island
ALTITUDE
2 000 m
1 500 m
1 000 m
750 m
500 m
250 m
0
0 500 km
0 250 miles
OCÉAN AUSTRAL
10°S
15°S
20°S
25°S
30°S
35°S
40°S
45°S
110°E
115°E
120°E
125°E
130°E
135°E

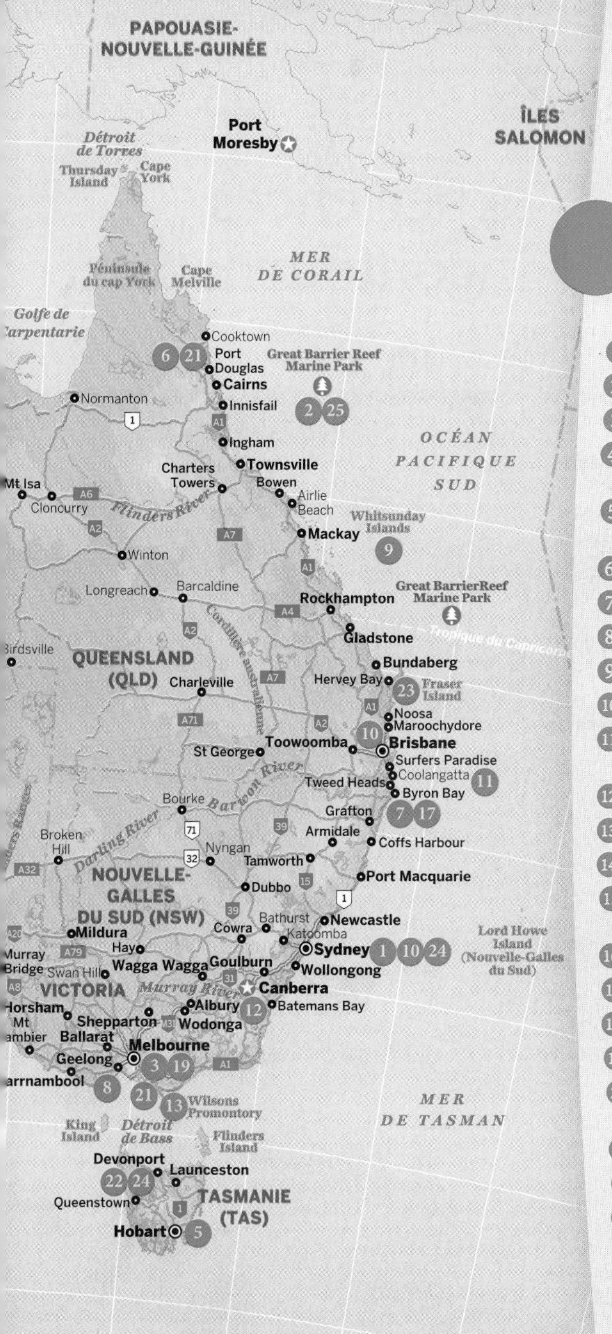

25 expériences incontournables

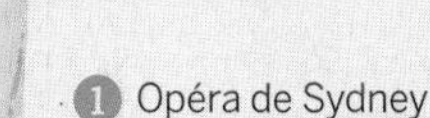

1. Opéra de Sydney
2. Grande Barrière de corail
3. Melbourne
4. Uluru-Kata Tjuta National Park
5. Museum of Old and New Art (MONA)
6. Forêt humide de Daintree
7. Byron Bay
8. Great Ocean Road
9. Les Whitsundays
10. Ascensions de ponts
11. Compétitions annuelles sur la Gold Coast
12. Canberra
13. Wilsons Promontory
14. Kangaroo Island
15. Darwin et Kakadu National Park
16. Perth et Fremantle
17. Cours de surf
18. Margaret River
19. AFL Grand Final
20. Art aborigène en Australie-Occidentale
21. Faune de la côte est
22. Cradle Mountain
23. Fraser Island
24. Randonnée dans le bush
25. Aventures tropicales dans le nord du Queensland

25 expériences incontournables

Opéra de Sydney

Dominant la baie de Sydney, le somptueux Opéra (p. 65) est un spectacle à lui seul. Véritable prouesse architecturale, l'édifice de Jørn Utzon s'élève sur Bennelong Point et contribue à la splendeur du port, avec le pont mythique (le Sydney Harbour Bridge), les eaux scintillantes et les ferries voguant sur les flots. L'offre de restaurants, bars, visites quotidiennes et spectacles étant quasi infinie, tout le monde pourra en profiter.

1

2

Grande Barrière de corail

S'étendant sur plus de 2 000 km le long de la côte du Queensland, la Grande Barrière de corail (p. 172) compte parmi les plus beaux joyaux de la planète. Pour la découvrir dans les meilleures conditions, le mieux est d'enfiler un masque et des palmes et de nager au plus près des coraux, requins et autres poissons tropicaux… ou d'explorer la barrière à travers le fond transparent d'un bateau, puis de se relaxer dans un hôtel (ou un camping), sur une île entourée de corail.

Melbourne

Arpentez les ruelles pavées du centre de Melbourne (p. 212) pour dénicher des restaurants cachés et des œuvres d'art urbain, fidèles à l'esprit alternatif. Installez-vous sur une caisse en plastique dans Degraves St ou Centre Place et laissez le barman vous faire découvrir sa version du café, puis faites les boutiques en quête d'objets et de vêtements "made in Melbourne". Attendez la tombée du jour au bord de la Yarra River, puis, au bout d'une ruelle couverte de graffitis, dénichez un joli endroit où boire du bon vin victorien ou de la bière en écoutant de la musique. Centre Place

3

Les meilleurs... Cafés

FRATELLI PARADISO
Excellent expresso et personnel avenant : on se croirait presque à Rome... (p. 85)

PELLEGRINI'S ESPRESSO BAR
Le plus ancien (et le meilleur) café italien de Melbourne mérite sa réputation. (p. 231)

BLEEDING HEART GALLERY
Art, architecture, concerts. Accessoirement, le meilleur café de Brisbane ! (p. 138)

LITTLE WILLY'S
Notre escale caféine préférée de Perth. (p. 311)

Les meilleurs... Musées

MUSEUM OF OLD & NEW ART (MONA)
Un nouveau musée à l'architecture excentrique (et aux expositions novatrices) au nord de Hobart. (p. 343)

WESTERN AUSTRALIAN MUSEUM – MARITIME
L'histoire maritime de Fremantle, qui a vu passer son lot de bateaux au fil des siècles. (p. 317)

MUSEUM & ART GALLERY OF THE NORTHERN TERRITORY
Cyclone Tracy, art aborigène, histoire maritime et Sweetheart, un crocodile marin de 5 m. (p. 268)

SURFWORLD MUSEUM
Toute l'histoire du surf australien au cœur de la Great Ocean Road. (p. 245)

MUSEUM OF BRISBANE
Plongée dans l'histoire de Brisbane. (p. 133)

FEARGUS COONEY/LONELY PLANET IMAGES ©

4 Uluru-Kata Tjuta National Park

Avec sa situation isolée en plein désert, sa profonde signification culturelle et sa beauté naturelle spectaculaire, c'est un lieu de pèlerinage qui mérite bien le trajet de plusieurs centaines de kilomètres. Mais l'Uluru-Kata Tjuta National Park (p. 290) ne se limite pas au Rock. Outre les fascinants Kata Tjuta (monts Olgas), vous y découvrirez des sentiers mystiques, des couchers de soleil et une culture ancestrale.

Uluru (Ayers Rock)

© MONA/LEIGH CARMICHAEL

5 Museum of Old and New Art (MONA)

Prenez le ferry de Moorilla au Brooke St Pier à Hobart pour visiter ce musée d'envergure internationale, conçu par l'architecte Nonda Katsalidis. Les installations sont réparties sur 3 niveaux souterrains. Des antiquités côtoient des œuvres contemporaines souvent controversées. David Walsh, son créateur, le décrit comme un "Disneyland subversif pour adultes". Unique en son genre.

Forêt humide de Daintree

Palmiers éventail, fougères et mangrove sont quelques exemples parmi les 3 000 espèces identifiées de la forêt humide de Daintree (p. 189), classée au patrimoine mondial. Randonnées, circuits nocturnes d'observation de la faune, balades à cheval, observation des crocodiles, kayak... il y a mille et une façons d'apprécier cet écosystème fascinant.

6

7

Byron Bay

Palpitante, décontractée et originale, autant de qualificatifs souvent employés pour décrire cette destination balnéaire. Semblant à première vue trop touristique et bondée, Byron Bay (p. 122) résiste finalement aux critiques les plus âpres. Les interminables étendues de plages et le charmant centre-ville bien préservé y sont pour beaucoup, de même que le large choix de bars et de restaurants, des plus modestes aux plus branchés. L'ambiance joviale est tellement communicative que vous sourirez sans vous en rendre compte !

Phare du cap Byron

Great Ocean Road

Les Twelve Apostles (les Douze Apôtres), formations rocheuses surgissant des flots, sont peut-être impressionnants, mais la route qui y mène est tout aussi mémorable. Longez les spectaculaires plages du détroit de Bass puis pénétrez dans les terres à travers des forêts humides ponctuées de petites villes et d'arbres énormes. Plus loin, sur la Great Ocean Road (p. 244), vous découvrirez la superbe cité côtière de Port Fairy et le cap Bridgewater. Si vous avez le temps, prévoyez une balade entre Apollo Bay et les Apôtres (Great Ocean Walk).

Point de vue, Twelve Apostles (p. 247)

8

Les meilleures... Plages

BONDI BEACH
Vaste et infiniment attrayante, Bondi est la reine des plages australiennes. (p. 75)

AVALON
Notre préférée parmi les plages du nord de Sydney : forme incurvée, sable doré et excellent surf. (p. 77)

COTTESLOE BEACH
La plage la plus sûre de Perth est bordée d'immenses pubs et lieux pour faire la fête. (p. 315)

LITTLE WATEGOS
Joyau de Byron Bay, la plus orientale des plages de l'Australie. (p. 122)

BELLS BEACH
Une plage de l'océan Austral où pratiquer un surf de légende (mais au "point break" inconstant), où se déroule chaque année à Pâques le Rip Curl Pro, un grand championnat de surf. (p. 245)

Les Whitsundays

Voguer sur les eaux bleues cristallines de la mer de Corail, se prélasser au bord d'une piscine dans un hôtel de luxe ou jouer les Robinsons sur une plage déserte... chacun sa manière de profiter des superbes Whitsunday Islands (p. 173). Le mieux est sans doute d'embarquer sur un voilier et de profiter à loisir du soleil, des embruns, des fantastiques couchers de soleil et des nuits étoilées. Une croisière parmi ces îles paradisiaques est une expérience des plus romantiques.

Hamilton Island (p. 180)

Les meilleurs... Marchés

PADDINGTON MARKET
Il y a foule autour des 250 stands du Paddo : mode vintage, bijoux, livres, massage... (p. 74)

CENTRAL MARKET
Un petit paradis à Adélaïde : légumes, pains, fromages, poisson et produits gastronomiques. (p. 340)

ORIGINAL KURANDA RAINFOREST MARKETS
Sur les hauteurs de Cairns, que l'on rejoint en petit train, Kuranda (un village niché dans la forêt humide) compte un vaste marché bohème. (p. 190)

MINDIL BEACH SUNSET MARKET
Un marché animé installé sous les cocotiers, près de Darwin, avec délices asiatiques et musiciens ambulants. (p. 269)

SALAMANCA MARKET
Le samedi matin sur le front de mer de Hobart, ce marché captive toute l'attention. (p. 343)

9

10 Ascensions de ponts

Vous aimez prendre de la hauteur ? Le vertige ne vous fait pas peur ? Rendez-vous à l'emblématique Sydney Harbour Bridge ou au Story Bridge de Brisbane pour un peu d'escalade. BridgeClimb à Sydney (p. 80) organise des circuits sur la grande arche pour les visiteurs intrépides, depuis plusieurs années : la vue y est (on s'en doute) à couper le souffle. L'escalade de la moitié sud du Story Bridge avec Story Bridge Adventure Climb (p. 136) est, elle aussi, très cotée. Mis à part la vue, les ponts en eux-mêmes sont de formidables constructions !

BridgeClimb, Sydney Harbour

11 Compétitions annuelles sur la Gold Coast

Ils sont les dieux de la plage et les icônes de la culture balnéaire australienne. Depuis l'arrivée de la première ceinture de sauvetage en 1907, les clubs de sauveteurs ont bien évolué ; la sécurité des baigneurs de la Gold Coast est désormais assurée par de véritables athlètes, qui s'affrontent lors de compétitions annuelles (p. 127). Les épreuves sont épuisantes : natation en mer, course à pied sur la plage et course de bateau dans les vagues, mais les paresseux que nous sommes peuvent se contenter d'admirer le spectacle !

12

Canberra

Les musées sont incontestablement le point fort de Canberra. Passionnés d'art, d'histoire ou de cinéma : tout le monde trouve son bonheur dans la capitale du bush. Citons la National Gallery of Australia (p. 338), avec sa collection d'art des Aborigènes et des insulaires du détroit de Torres, d'art australien et d'art asiatique ; le National Museum of Australia (p. 338), dont les expositions vous feront plonger au cœur de la culture australienne ; et le War Memorial (p. 338) avec son Hall of Memory et ses intéressantes collections. Australian War Memorial

KAREN TRIST/LONELY PLANET IMAGES ©

13

Wilsons Promontory

Le Wilsons Promontory (p. 251), ourlé de plages sublimes, est un promontoire classé parc national, qui s'avance dans le détroit de Bass. C'est un paradis pour la randonnée et le camping sauvage. Idéale pour se mettre en jambe, la randonnée avec bivouac à travers le "Prom" part de la Tidal River et rejoint la Sealer's Cove (aller-retour). Les marcheurs aguerris s'attaqueront au parcours de 3 jours (Great Prom Walk), avec une nuit dans le cottage des gardiens du phare.
Tidal River

Kangaroo Island

Avec ses 150 km de long sur 57 de large, "KI" (p. 342) est un fabuleux terrain de jeux pour la faune locale – kangourous, wallabies, bandicoots, opossums, koalas, ornithorynques, cacatoès, échidnés... Les eaux, quant à elles, abondent en dauphins, baleines, manchots et phoques. Après une balade d'exploration, restaurez-vous dans un pub campagnard, un bar à vin ou une échoppe de fruits de mer.

14

Les meilleures... Rues pour se restaurer

BRUNSWICK ST, MELBOURNE
Au cœur de Fitzroy, on y trouve une foule de cafés, de restaurants, ainsi que d'excellents pubs. (p. 231)

CHINATOWN, SYDNEY
Délices asiatiques très abordables. (p. 85)

LYGON ST, MELBOURNE
Lygon St rime avec spaghetti et sauce bolognaise. (p. 232)

MITCHELL ST, DARWIN
Les bars et les terrasses ne sont pas avares en denrées alimentaires. (p. 275)

Les meilleures... Expériences aborigènes

GALERIES D'ART ABORIGÈNE, DARWIN
Les galeries d'art de Darwin vendent de remarquables œuvres aborigènes. (p. 269)

ANANGU TOURS, ULURU
Découvrez le rocher mythique sous la conduite des meilleurs experts. (p. 290)

ART RUPESTRE DE KAKADU
Admirez de superbes peintures rupestres à Ubirr et Nourlangie (Kakadu National Park). (p. 281)

ALICE SPRINGS
Parcourez les rues d'Alice et le massif des MacDonnell Ranges avec un guide warpiri. (p. 284)

Darwin et Kakadu National Park

Bombardée durant la Deuxième Guerre mondiale puis frappée par le cyclone Tracy, Darwin (p. 268) sait ce que réinventer veut dire. Plus proche de Bali que de Sydney, cette ville frontière est devenue une agréable cité cosmopolite. C'est le point d'accès à quelques-uns des plus beaux sites naturels d'Australie. Au sud-est, le Kakadu National Park (p. 281) est l'endroit rêvé pour admirer l'art aborigène et les trous d'eau (*waterholes*). Ne manquez pas les crocodiles marins et les nuées d'oiseaux.

À gauche Jim Jim Falls, Kakadu
Ci-dessus Art rupestre aborigène à Nourlangie Rock, Kakadu

Perth et Fremantle

16

Malgré son isolement, Perth (p. 306) n'a rien d'un coin perdu. Des restaurants sophistiqués concoctent une cuisine moderne australienne, tandis que des ruelles d'apparence quelconque sont égayées d'une multitude de bars à cocktails branchés. Contrastant avec l'aspect clinquant de Perth et de la Swan River, la périphérie de la ville, délicieusement désuète, vit au rythme des guitares et des casseroles. Un peu plus bas au bord de la rivière, le port de Fremantle (p. 317) dispose d'innombrables pubs, hébergements et édifices coloniaux.

Little Creatures (p. 320), Fremantle

ANDREW WATSON/LONELY PLANET IMAGES ©

Cours de surf

17

Quand la houle se lève, les surfeurs (et apprentis) en combinaison affluent sur les plages. L'apprentissage du surf est un rite de passage en Australie. Byron Bay (p. 123)), au nord de la Nouvelle-Galles du Sud, compte plusieurs bonnes écoles. Vous pouvez également faire vos gammes à Noosa dans le Queensland, sur les plages de Bondi et de Manly à Sydney, ou encore à Anglesea, le long de la Great Ocea Ocean Road.

Bondi Beach (p. 75)

Margaret River

Déguster un verre de vin, le long de routes de campagne bordées d'eucalyptus, fait partie des attraits de Margaret River, au sud-ouest de l'Australie-Occidentale (p. 324). La région permet aussi de visiter des grottes et d'admirer les fleurs sauvages au printemps. Si les breaks de "Margs" sont très populaires auprès des surfeurs, on peut aussi profiter des plages de sable blanc en toute intimité. À la fin de l'hiver et au début du printemps, vous apercevrez peut-être les baleines qui sillonnent la Humpback Highway.

18

Les meilleures... Musiques live

HOTEL ESPLANADE
Malgré les rumeurs récurrentes de changement de direction, le fameux "Espy" donne toujours le tempo à Melbourne. (p. 237)

BASEMENT
Près de Circular Quay à Sydney, cette boîte accueille les grands noms du jazz. (p. 92)

ZOO
Découvrez le meilleur lieu de musique indépendante de Brisbane. (p. 140)

BENNETTS LANE
Club de jazz branché dans une ruelle du centre de Melbourne. (p. 237)

ANNANDALE HOTEL
Ce temple du rock à l'ouest de Sydney (Inner West) ravira les amateurs de gros son. (p. 92)

AFL Grand Final

19

La finale de *footy* (ou football australien) de l'Australian Football League (AFL) se joue à Melbourne (p. 220), le dernier samedi de septembre, et c'est le moment idéal pour rejoindre une foule joyeuse de supporters au pub du quartier. En 2010, les Melbourniens ont eu droit à deux finales : après un match nul, il a fallu rejouer la rencontre la semaine suivante ! La saison de football s'étale pendant tout l'hiver, et les bonnets et écharpes colorés sont autant de signes de soutien aux différentes équipes de *footy*.

© THE SLATTERY MEDIA GROUP

Les meilleurs... Achats

QUEEN VICTORIA BUILDING
Sublime temple victorien du shopping à Sydney. (p. 94)

QUEEN VICTORIA MARKET
La meilleure adresse de Melbourne pour le poisson, la viande, les fruits et légumes, sans oublier le marché nocturne du mercredi en été. (p. 239)

PADDINGTON & WOOLLAHRA
Oxford St, Glenmore Rd et Queen St à Sydney raviront les amateurs de marques. (p. 93)

SYDNEY FISH MARKET
Ce marché au poisson (le 2e plus grand au monde après celui de Tokyo) offre : restaurants, bars à sushis, fleuristes, visites guidées, etc. (p. 73)

MARCHÉS DU WEEK-END À SYDNEY
Ruez-vous sur les bonnes affaires. (p. 74)

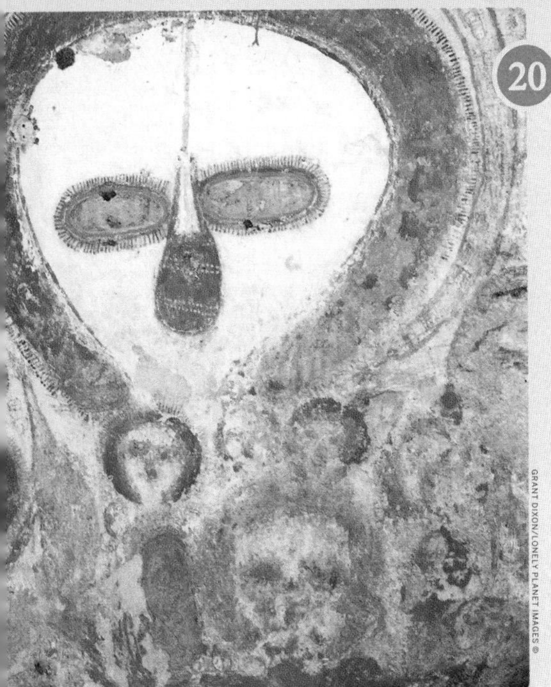

GRANT DIXON/LONELY PLANET IMAGES ©

20 Art aborigène en Australie-Occidentale

Quelque 59 000 Aborigènes vivent en Australie-Occidentale. Ils sont répartis en diverses ethnies parlant des langues différentes. L'Art Gallery of Western Australia (p. 306) conserve des trésors d'art aborigène. Au nord, le Kimberley recèle un patrimoine artistique incomparable, avec les figures ancestrales wandjina et les silhouettes gwion gwion (ou Bradshaw). Les couleurs vives de la côte tropicale et les ocres profondes du bush se mêlent en un vibrant hommage à la terre.

Art rupestre aborigène, le Kimberley

Faune de la côte est

21

L'exploration de la magnifique côte est de l'Australie réserve quantité de surprises. Filez plein sud vers Phillip Island (p. 241), dans le Victoria, pour admirer les manchots et les otaries à fourrure, puis vers le Queensland, au nord, pour saluer les casoars (p. 179) et les crocodiles. Entre les deux, vous croiserez toutes sortes d'animaux : koalas, kangourous, wombats et ornithorynques.

22

Cradle Mountain

Croissant de roche vertigineux creusé par le vent et la glace au fil des millénaires, la Cradle Mountain (p. 344) est le pic le plus connu et le plus spectaculaire de Tasmanie. Il faut marche une journée entière (dans les rochers éboulés) pour atteindre le sommet et redescendre, mais les panoramas sont hallucinants. Vous pourrez aussi rester au pied de la montagne et la photographier depuis le Dove Lake. Si la cime a disparu dans les nuages ou la neige, réchauffez-vous près de la cheminée dans un chalet des environs... et revenez le lendemain !

Fraser Island

Formée par un amoncellement de sable, Fraser Island (p. 151) est un paradis ("K'Gari") unique au monde, où la forêt humide prend racine dans le sable et où les dingos, ces chiens sauvages dont la lignée la plus pure d'Australie se trouve ici, batifolent en toute liberté. Pour explorer cette merveille, le mieux est de rouler en 4x4 le long de l'immense Seventy-Five Mile Beach et sur les pistes sablonneuses de l'intérieur de l'île. Forêt tropicale humide, bassins d'eau douce et camping sur la plage, sous les étoiles : vous serez au plus près de la nature. Seventy-Five Mile Beach

23

Les meilleures... Rencontres avec la vie animale

GRANDE BARRIÈRE DE CORAIL

Tortues, dauphins, baleines, dugongs et poissons en pagaille. La Grande Barrière offre un spectacle sous-marin exceptionnel. (p. 172)

KAKADU NATIONAL PARK

Des animaux (crocodiles, oiseaux, etc.) comme s'il en pleuvait... (p. 281)

ROYAL NATIONAL PARK

Au sud de Sydney, le parc est un havre de paix pour les espèces d'oiseaux locales et les 43 mammifères recensés. (p. 98)

FORÊT D'OTWAY

Ne manquez pas les koalas dans la forêt d'Otway, le long de la Great Ocean Road. (p. 245)

AUSTRALIA ZOO

Si le temps vous manque, allez voir les animaux emblématiques du pays dans les Glass House Mountains. (p. 151)

Randonnée dans le bush

Ce que l'on appelle chez nous randonnée se nomme ici bushwalking. Promenade dans les Blue Mountains ou randonnée dans les étendues sauvages de Tasmanie, il y en a pour tous les goûts. Vous pouvez choisir une randonnée au long cours, comme le Bibbulmun Track en Australie-Occidentale, long de 963 km (p. 327), les rudes parcours de Tasmanie… En cas de séjour court, optez pour des balades d'une demi-journée ou d'une journée, possibles à partir des transports publics, comme dans le Royal National Park de Sydney (p. 98). Royal National Park

Les meilleurs... Parcs nationaux

ULURU-KATA TJUTA NATIONAL PARK
Rochers, ciel, excursions, tout y est immense ! (p. 290)

KAKADU NATIONAL PARK
Zones humides, oiseaux, crocodiles et galeries d'art rupestre aborigène. (p. 281)

SYDNEY HARBOUR NATIONAL PARK
Îles, falaises de grès et sentiers de randonnée. (p. 64)

PORT CAMPBELL NATIONAL PARK
Les Twelve Apostles (Douze Apôtres) ne sont plus que sept mais restent magiques. (p. 249)

DAINTREE NATIONAL PARK
Jungle tropicale, papillons et plages de sable blanc désertes. (p. 189)

CRADLE MOUNTAIN-LAKE ST CLAIR NATIONAL PARK
Lacs glacés, montagnes et sentiers de randonnées épiques. (p. 344)

24

25

Aventures tropicales dans le nord du Queensland

L'exploration du Queensland ne manque pas de piquant. Admirez la forêt tropicale et le Reef en sautant en parachute au-dessus de Mission Beach, prenez d'assaut les rapides sur la Tully River ou plongez dans le monde fantasmagorique de la Grande Barrière de corail (p. 172). La région compte aussi de magnifiques sites de plongée et des endroits parfaits pour se délasser comme Green Island, à proximité de Cairns. Les organisateurs de circuits organisés (sous l'eau ou sur la terre ferme) ne manquent pas. Rafting en eaux vives, Tully River

Les meilleurs itinéraires d'Australie

De Sydney aux Blue Mountains Ville, surf et bush

5 JOURS

Si vous n'avez que 5 jours, et devez vous remettre du décalage horaire, mieux vaut rester dans les environs de Syndey, explorer le port, profiter de la plage et découvrir le bush dans les Blue Mountains voisines.

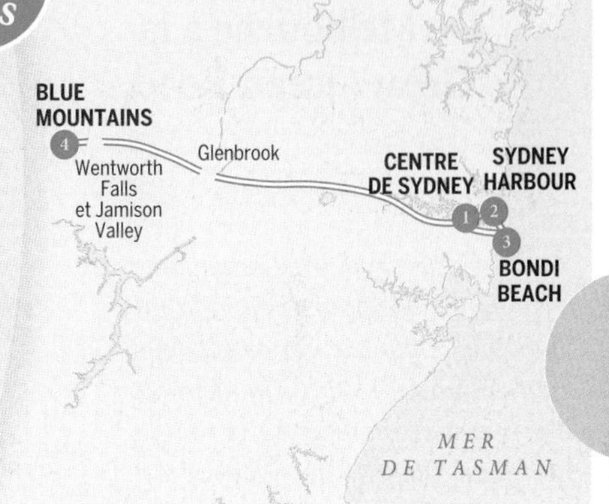

1 Centre de Sydney (p. 64)

En arrivant à **Sydney**, la plus grande ville du pays, embarquez pour une **visite de la ville** et traversez le **Sydney Harbour Bridge**. Si vous avez réservé, faites l'ascension du pont avec **BridgeClimb** avant d'aller visiter les **Rocks** et **Circular Quay**. Offrez-vous un dîner au port, voire un spectacle dans le célébrissime **Opéra de Sydney**.

CENTRE DE SYDNEY ➔ SYDNEY HARBOUR

1 à 3 heures Croisières dans la baie. **30 min** Ferry pour Manly.

2 Sydney Harbour (p. 64)

Partez pour une **croisière dans la baie** avec ses criques, ses îles, son histoire coloniale et ses ravissantes propriétés sur la côte. Prenez le ferry pour **Manly** pour vous baigner, déjeuner et prendre un cours de surf. Explorez le **Nielsen Park** et **Shark Bay** à Vaucluse, et rejoignez le **Gap** pour sa superbe vue du haut des falaises.

SYDNEY HARBOUR ➔ BONDI BEACH

30 min Du centre de Sydney en longeant Oxford St, puis Bondi Rd. **15 min** Jusqu'à Bondi Junction, puis **15 min** jusqu'à Bondi.

Bondi Beach (p. 75)
PHOTOGRAPHE : RICHARD I'ANSON/LONELY PLANET IMAGES ©

3 Bondi Beach (p. 75)

Direction la célèbre plage de **Bondi** pour une journée de détente et de soleil. Si le cœur vous en dit, vous pourrez prendre un cours de surf ou faire l'une des plus belles promenades de l'État, la **Bondi to Coogee Coastal Walk**. Jalonnée de vues panoramiques sur la côte, elle offre l'occasion de s'arrêter pour goûter, prendre un café ou plonger dans le grand bleu.

BONDI BEACH ➔ BLUE MOUNTAINS

2 heures Sur Parramatta Rd, puis la M4 Western Motorway. **2 heures 30** De Bondi Junction à Katoomba.

4 Blue Mountains (p. 101)

Les **Blue Mountains** sont faciles d'accès depuis Sydney, que ce soit en circuit organisé, en train ou en voiture. Faites un arrêt à **Glenbrook** pour admirer des **empreintes rupestres aborigènes**, puis contemplez la vue époustouflante sur la **Jamison Valley** et les **Wentworth Falls**. Continuez vers **Katoomba**, ses restaurants et ses logements élégants. Grimpez ensuite jusqu'à **Echo Point** et, si vous en avez envie, faites un peu de randonnée, de canyoning ou d'escalade.

De Melbourne à la Great Ocean Road
Route panoramique du Sud

Certes Sydey est attrayante, mais Melbourne est à la fois bohème, complexe et parfaitement authentique. Prenez le pouls de la ville, avant de poursuivre au sud le long de l'une des grandes routes mythiques, la Great Ocean Road.

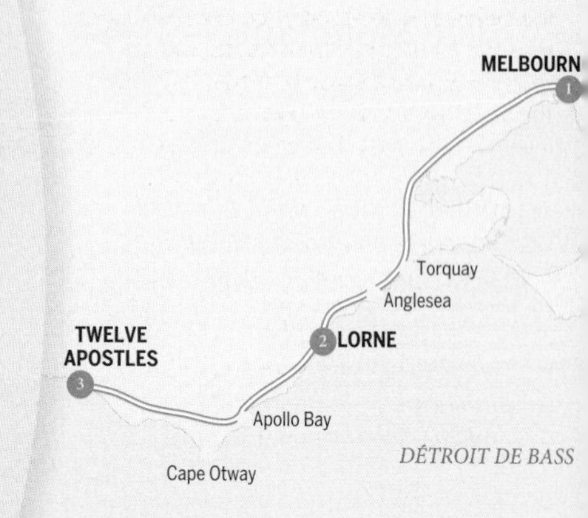

❶ Melbourne (p. 212)

Melbourne, ville au bord de l'eau de plus de 4 millions d'habitants, est réputée pour sa vie artistique, le football australien et son café. La ville invite davantage à l'introspection que Sydney, avec ses librairies, ses théâtres, ses restaurants et ses bars. Partez à la découverte des cafés dans les **ruelles** du centre-ville, des galeries d'art, des magasins et des restaurants des quatre coins du monde. À ne pas manquer : une balade dans la bohème **Brunswick St** à Fitzroy et… une nuit blanche dans le quartier branché de **St Kilda**.

MELBOURNE ➔ LORNE

2 heures Sur la Princes Fwy (M1) et la Great Ocean Road (B100), via Torquay (p. 243).

2 heures 30 Même parcours.

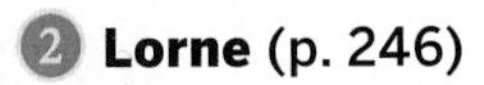

❷ Lorne (p. 246)

Sur la **Great Ocean Road**, faites une première halte à **Torquay**, une dynamique ville de surf qui compte des boutiques d'équipement et un musée consacrés au sport roi, ainsi que quantité d'endroits pour déjeuner. À deux pas, vous trouverez **Bells Beach**, et son légendaire "point break", qui accueille le Rip Curl Pro chaque année. Plus à l'ouest, prenez un cours de surf à **Anglesea**, puis prélassez-vous à **Lorne**, destination de villégiature historique des Melbournians. Après la baignade, les restaurants et les cafés vous attendent en nombre le long de l'artère principale. Les solutions d'hébergement sont nombreuses à Lorne, de l'ancienne pension rénovée au B&B raffiné en passant par le petit cottage bohème.

LORNE ➔ LES TWELVE APOSTLES

2 heures Prenez la Great Ocean Road vers l'ouest (B100), via Apollo Bay (p. 246).

3 heures Même parcours.

❸ Twelve Apostles (p. 247)

En quittant Lorne, vers l'ouest, la Great Ocean Road révèle de sublimes paysages. Par endroits, la route semble accrochée aux falaises par un fil, sinuant au-dessus de la côte blanchie par l'écume. Vous arriverez ainsi à **Apollo Bay**, une charmante cité qui propose une bonne sélection de restaurants, un pub très fréquenté et une belle plage sur l'océan. Le lendemain, allez jeter un coup d'œil au vieux phare du **Cap Otway**, ou choisissez l'**Otway Fly** pour une promenade aérienne. Toujours vers l'ouest, poursuivez vers le Port Campbell National Park et les contours déchiquetés des **Twelve Apostles** (Douze Apôtres), le site phare de la Great Ocean Road. Admirez les pics rocheux depuis les falaises, ou survolez la côte en hélicoptère. Enfin, regagnez Melbourne par les petites routes de campagne.

Federation Square (p. 212), Melbourne

De Sydney à Brisbane et les plages de la côte est
Planète surf

Arrimez votre planche de surf sur le toit, démarrez le combi et c'est parti pour un été à l'australienne : cette portion de la côte orientale possède des vagues parmi les plus constantes du pays et une communauté de surfeurs très accueillante.

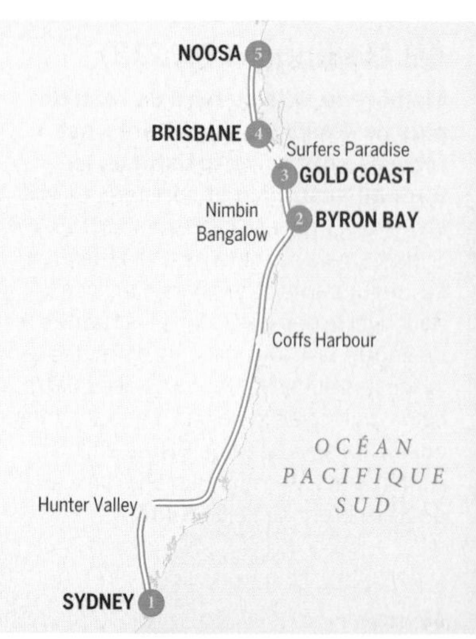

1 Sydney (p. 64)

Ne manquez pas le **port**, de toute beauté, le magnifique **Opéra de Sydney** et l'impressionnant **Sydney Harbour Bridge**. Pour admirer la ville d'en haut, empruntez le **BridgeClimb** qui surplombe la grande arche du pont. Faites chauffer vos muscles sur la mythique **Bondi Beach**, la plus célèbre plage australienne. Après deux jours, parcourez la côte vers le nord ou dirigez-vous vers la **Hunter Valley** pour déguster un verre de vin. Faites une halte à **Coffs Harbour**, très appréciée des familles, avant de prendre la route de **Byron Bay**.

SYDNEY ➔ BYRON BAY

10 heures Sydney-Newcastle Fwy, puis la Pacific Hwy (Route 1). **12 heures 30** Même parcours.

2 Byron Bay (p. 122)

Malgré les complexes commerciaux, Byron Bay reste une joyeuse ville décontractée pourvue de pubs sympathiques, de restaurants, de plages et du fameux "point break" Pass. Partez en expédition d'une journée au Bangalow et à Nimbin, lieu mythique de la vie alternative australienne. Continuez environ 2 heures en direction du nord jusqu'à la fameuse **Gold Coast**.

BYRON BAY ➔ GOLD COAST

1 heure 30 Via la Pacific Hwy (Route 1).
2 heures Même parcours.

3 Gold Coast (p. 127)

En traversant le Queensland, vous atteindrez rapidement la pétillante **Gold Coast**. Le premier arrêt sera Coolangatta, royaume des surfeurs, puis le magnifique Burleigh Heads, juché sur un promontoire rocheux (parfait pour surfer et se baigner). Vous serez bientôt en vue de **Surfers Paradise**, une ville un peu déroutante de prime abord. Faites un arrêt si vous aimez les casinos et les parcs à thème, ou poursuivez votre route au nord vers l'active cité de **Brisbane**.

GOLD COAST ➔ BRISBANE

1 heure 25 Via la Pacific Motorway (M1).
1 heure 30 Même parcours.

4 Brisbane (p. 131)

Ville de province autrefois endormie, **Brisbane** (alias "Brisvegas") s'est développée rapidement. Son charme urbain (bons restaurants, vie nocturne et artistique stimulante) s'inscrit en douceur dans un bel environnement naturel (falaises, parcs et jardins botaniques). Passez-y un jour ou deux, puis dirigez-vous vers le nord et la **Sunshine Coast**, sans oublier l'élégante **Noosa**.

BRISBANE ➔ NOOSA

2 heures Via la Bruce Hwy (M1) puis Eumundi-Noosa Rd (Route 12). **2 heures 30** Même parcours.

5 Noosa (p. 149)

Avec ses fabuleux restaurants de Hastings St, ses douces plages et son parc national verdoyant, **Noosa** est un véritable petit paradis. Achevez votre périple par un verre de vin, à la santé de "Huey", le Dieu du "Good Surf".

Jeune surfeuse, Byron Bay (p. 122)

De Melbourne à Cairns
Circuit côtier

Ce circuit le long de la côte est australienne embrasse des milliers de kilomètres, du sud au nord. Il pourrait prendre une vie entière ! Quelques billets d'avion vous permettront d'en avoir un bel aperçu en seulement 10 jours.

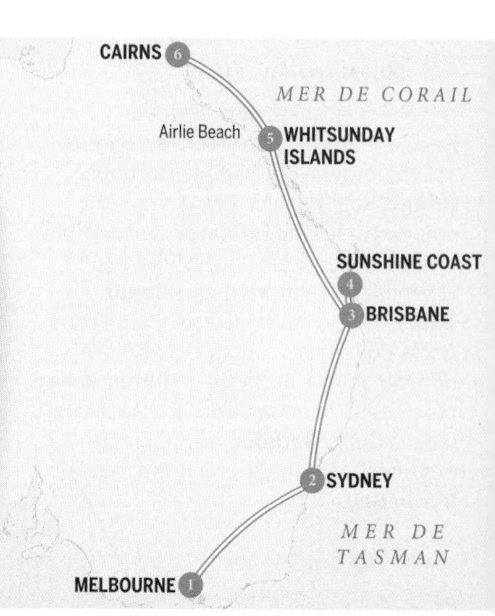

❶ Melbourne (p. 212)

Partez de **Melbourne**, la capitale méridionale, réputée pour sa vie nocturne, son multiculturalisme et son amour du sport. Nous vous conseillons de plonger dans les **quartiers bohèmes et artistiques**, de flâner dans les **allées** bordées de cafés, d'assister à un **spectacle** ou, l'hiver, à un match de **football** australien.

MELBOURNE ➔ SYDNEY

✈ **1 heure** De l'aéroport Tullamarine de Melbourne à l'aéroport de Sydney. 🚌 **25 min** De l'aéroport de Sydney au centre de Sydney.

❷ Sydney (p. 64)

Deuxième étape, **Sydney** nécessite au moins deux jours. Aucune visite ne serait complète sans une **croisière dans Sydney Harbour**, une balade dans **Darling Harbour** et **Chinatown**, et un plongeon dans les vagues de **Bondi Beach**. Enfin, un dîner avec vue sur le **pont** (Sydney Harbour Bridge) et l'**Opéra** illuminés achèvera à merveille votre dernier jour sur place.

SYDNEY ➔ BRISBANE

✈ **1 heure** De l'aéroport de Sydney à l'aéroport de Brisbane. 🚌 **20 min** De l'aéroport de Brisbane au centre de Brisbane.

❸ Brisbane (p. 131)

Rendez-vous ensuite vers **Brisbane**, la capitale active du Queensland, où vous embarquerez pour une croisière fluviale afin d'aller cajoler un koala, ou prendrez un ferry vers **Moreton Island**, pour nourrir les dauphins à la main. La vie nocturne de **Fortitude Valley** est tout aussi exaltante.

BRISBANE ➔ SUNSHINE COAST

🚗 **2 heures** Via la Bruce Hwy (M1), puis Eumundi-Noosa Rd (Route 12). 🚌 **2 heures 30** Même parcours.

❹ Sunshine Coast (p. 148)

De Brisbane, explorez les petites villes et les spots de surf méconnus de la **Sunshine Coast** en voiture, via les Glass House Mountains et le fameux **Australia Zoo**. Continuez vers le nord jusqu'à l'élégante **Noosa**, un arrêt indispensable !

SUNSHINE COAST ➔ WHITSUNDAY ISLANDS

🚗 **2 heures** Retour à Brisbane.
✈ **2 heures** De l'aéroport de Brisbane à Airlie Beach ou Hamilton Island.

❺ Whitsunday Islands (p. 174)

Pour atteindre les magnifiques **Whitsunday Islands**, prenez l'avion pour la festive **Airlie Beach** ou directement jusqu'à la charmante **Hamilton Island**. Passez un jour ou deux en voilier autour des îles, plongez ou faites du snorkeling au milieu des coraux, ou encore délectez-vous au bord de la piscine de votre hôtel.

WHITSUNDAY ISLANDS ➔ CAIRNS

✈ **1 heure 30** D'Hamilton Island à Cairns.

❻ Cairns (p. 182)

Enfin, partez pour **Cairns**, capitale touristique du nord du Queensland. Il est possible d'y faire de formidables excursions dans la **forêt humide de Daintree**. Cairns est une base idéale pour ceux qui souhaitent découvrir la **Grande Barrière de corail**, lors d'une sortie de plongée ou de snorkeling, ou à travers le fond transparent d'un bateau.

Mossman Gorge, forêt humide de Daintree (p. 189)

De Sydney à Brisbane
L'âme du pays

Pour découvrir les sites qui font le cœur et l'âme de l'Australie en deux semaines, vous devrez prendre plusieurs fois l'avion. Cet itinéraire, qui englobe de vastes distances, part des villes de la côte est, rejoint le Nord tropical via l'impressionnant Centre Rouge, puis revient sur les plages du littoral.

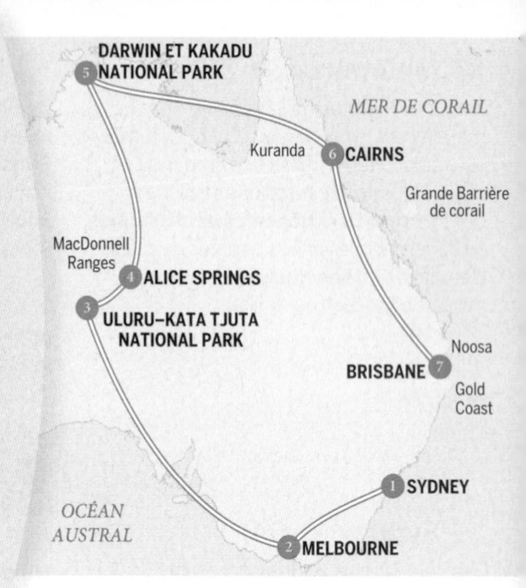

1 Sydney (p. 64)

Démarrez le programme des réjouissances sous les feux de l'éblouissante **Sydney**. Offrez-vous une petite **croisière dans le port**, visitez l'**Art Gallery of NSW**, ou laissez-vous tenter par une virée nocturne dans les bars de **Kings Cross** et **Darlinghurst**.
Les amateurs d'histoire se plongeront avec délice dans le quartier des **Rocks**, tandis que les surfeurs invétérés prendront les plages d'assaut. Au choix : la cultissime **Bondi**, la discrète **Manly** ou les paisibles **plages de la côte nord**.

SYDNEY ➔ MELBOURNE

✈ **1 heure** De l'aéroport de Sydney à l'aéroport Tullamarine de Melbourne. 🚌 **30 min** De l'aéroport de Melbourne au centre de la ville.

2 Melbourne (p. 212)

Envolez-vous pour **Melbourne**, la capitale du Victoria, une ville aussi raffinée que branchée. Les **parcs** verdoyants, l'**architecture** victorienne, les **théâtres** et les **musées** côtoient une scène culturelle originale, riche en **arts de la rue**, **musique** indépendante et **cafés**.

MELBOURNE ➔ ULURU-KATA TJUTA NATIONAL PARK

✈ **7 heures** De Melbourne à Yulara (vols via Alice Springs ou Sydney).

3 Uluru-Kata Tjuta National Park (p. 290)

Foin de plaisirs urbains, envolez-vous pour l'**Uluru-Kata Tjuta National Park** et l'émouvante majesté d'**Uluru**. Au soleil couchant, le panorama est inoubliable. Optez pour un **circuit avec des Anangu** pour découvrir le sens profond de ces lieux sacrés. À deux pas, les **Kata-Tjuta** (monts Olgas) réservent aussi leur lot d'émotions. Promenez-vous parmi les dômes écarlates de la **Valley of the Winds** (vallée des Vents)

ULURU-KATA TJUTA NATIONAL PARK ➔ ALICE SPRINGS

✈ **45 min** De Yulara à Alice Springs.
🚌 **6 heures** Via la Lasseter Hwy (Route 4), puis la Stuart Hwy (Route 87).

MacDonnell Ranges, Territoire du Nord
PHOTOGRAPHE : PAUL SINCLAIR/LONELY PLANET IMAGES ©

4 Alice Springs (p. 284)

Alice Springs est la seule grande ville de ce vaste désert rouge. Outre son isolement flagrant, la faune sauvage d'**Alice Springs Desert Park** et les paysages grandioses des **MacDonnell Ranges** surprennent nombre de visiteurs. Alice est aussi le meilleur endroit pour admirer (et acheter) des **œuvres d'art pointillistes** aborigènes du désert central.

ALICE SPRINGS ➔ DARWIN ET KAKADU

✈ **2 heures** D'Alice Springs à Darwin.

5 Darwin et Kakadu (p. 268 et p. 281)

Filez au nord vers la jeune et exubérante capitale du Territoire du Nord, **Darwin**. Flânez entre les étals du **Mindil Beach Sunset Market**, profitez de la vie nocturne dans **Mitchell St**, et préparez votre visite dans le **Kakadu National Park**, classé au patrimoine mondial de l'Unesco, foisonnant d'art rupestre, d'oiseaux et de crocodiles.

DARWIN ET KAKADU ➔ CAIRNS

✈ **2 heures 30** De Darwin à Cairns.

6 Cairns (p. 182)

L'étape suivante est la ville tropicale de **Cairns**, une bonne base pour découvrir les sites étonnants et les multiples activités de l'extrême nord du Queensland. Visitez les marchés bohèmes de **Kuranda**, une petite ville nichée dans la forêt humide, et délassez-vous sur les plages du littoral. Ne partez pas sans avoir fait une sortie de plongée ou de snorkeling à la fascinante **Grande Barrière de corail**.

CAIRNS ➔ BRISBANE

✈ **2 heures** De Cairns à Brisbane.

7 Brisbane (p. 131)

Le périple se termine à la trépidante **Brisbane** (grimpez sur le pont, partez en croisière fluviale ou assistez à un concert de musique), non loin de **Noosa**, l'endroit rêvé pour une séance de bronzage ou piquer une tête dans l'océan. Vous pouvez aussi vous rendre sur la **Gold Coast**, dotée de superbes plages, d'une vie nocturne animée et de **parcs d'attractions** qui enchanteront les enfants. Ou détendez-vous simplement dans un pub local en dégustant une bière XXXX bien fraîche.

L'agenda

Les grands rendez-vous

- **Tropfest** février
- **Ten Days on the Island** avril
- **Melbourne International Film Festival** juillet
- **Brisbane Festival** septembre
- **AFL Grand Final** septembre

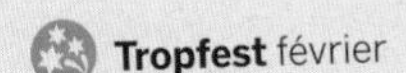

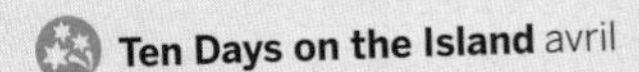

Janvier

Janvier est un mois riche en événements. Encore groggy après les agapes de Noël, les Australiens semblent soudain réaliser que l'été est arrivé ! Les festivals se multiplient sous le soleil et le tennis s'invite à Melbourne pour l'Open d'Australie.

Big Day Out

(www.bigdayout.com). Ce festival de rock en plein air se déroule à Sydney, Melbourne, Adélaïde, Perth et sur la Gold Coast. On y écoute des grands noms de la scène internationale (Metallica, Kings of Leon, Neil Young) et une foule de talents locaux. Du gros son, du soleil et de la bière.

Australia Day

(www.australia-day.com). Le 26 janvier, date d'arrivée de la Première Flotte de colons en 1788, on fête l'anniversaire de l'Australie, à grand renfort de pique-niques, barbecues, feux d'artifice – et de plus en plus de drapeaux, de nationalisme et d'ivresse. Les Aborigènes ne participent pas à la fête qu'ils nomment Jour de l'Invasion ou Jour de la Survie.

Février

Février est généralement le mois le plus chaud : étouffant et moite au nord (le Wet), mais très agréable en Tasmanie. Ailleurs, les habitants reprennent le chemin du travail, de la plage ou du terrain de cricket.

Tropfest

(www.tropfest.com.au). Le plus grand festival mondial du court-métrage a lieu à Sydney, sur l'herbe du Domain, le dernier dimanche de février. Chaque année, un thème est imposé. Projections gratuites et jurés prestigieux (Joseph Fiennes, Salma Hayek).

Sydney Gay & Lesbian Mardi Gras

Mars

Mars est la saison des vendanges et parfois il est aussi chaud que janvier et février, bien qu'il marque officiellement le début de l'automne. À Melbourne, les rues sont bondées lors du Grand Prix de Formule 1.

Sydney Gay & Lesbian Mardi Gras

(www.mardigras.org.au). Un festival d'un mois qui culmine lors d'une parade flamboyante dans Oxford St, à Sydney, le premier samedi de mars (700 000 spectateurs). Les salles de gym se vident tandis que les solariums et les instituts de beauté se remplissent. Les entrées pour les afters valent de l'or !

WOMADelaide

(www.womadelaide.com.au). Un festival annuel de musique du monde, arts, cuisine et danse, qui se tient pendant 4 jours dans le luxuriant Botanic Park d'Adélaïde et attire des spectateurs de tout le pays. Huit scènes accueillent des centaines de concerts, l'ambiance est familiale et la bière fraîche coule à flots.

Avril

Melbourne et les Adelaide Hills sont splendides lorsque les arbres revêtent leurs habits dorés puis bruns. Au nord, la pluie se calme et dans le désert, les températures deviennent supportables. À Pâques, les prix des hébergements grimpent.

Ten Days on the Island

(www.tendaysontheisland.org). Toutes les années impaires, de fin mars à début avril, le plus grand événement culturel de Tasmanie se déroule dans différents lieux. Théâtre, concerts, films d'art et d'essai, danse, littérature et spectacles pour enfants.

Mai

La saison sèche commence enfin dans le Territoire du Nord, au nord de l'Australie-Occidentale et au nord du Queensland. C'est la période idéale pour visiter Uluru, avant l'arrivée des bus touristiques.

Observation des baleines

Pendant leur migration, les baleines australes et les baleines à bosse viennent se nourrir et mettre bas à proximité de la côte sud-est de l'Australie. On peut les observer entre mai et octobre, en particulier à Hervey Bay (Nouvelle-Galles du Sud), Warrnambool (Victoria), Victor Harbor (Australie du Sud) et Albany (Australie-Occidentale).

Juin

L'hiver est là : les stations de ski des Southern Alps se couvrent de neige et la saison de football bat son plein dans tout le pays. C'est la haute saison dans le nord : les cascades et les pistes de l'outback sont accessibles (mais les prix des hébergements s'envolent).

Laura Aboriginal Dance Festival

(www.laurafestival.tv). Le plus grand rassemblement aborigène d'Australie a lieu dans la paisible bourgade de Laura, à 330 km au nord de Cairns (péninsule du cap York). Les communautés de la région viennent danser, chanter et assister à des cérémonies. Le week-end suivant, Laura accueille des courses et un rodéo.

Juillet

Au sud, les plages sont désertes et on se réchauffe auprès des cheminées dans les pubs ou les cafés douillets. Au nord, on se bouscule dans les marchés, les hôtels et les sites touristiques. Si vous descendez au sud d'Alice Springs, emportez des vêtements chauds.

Melbourne International Film Festival

(MIFF ; www.miff.com.au). Le MIFF, qui existe depuis 1952, est devenu un événement très populaire ; en centre-ville, les billets se vendent comme des petits pains. D'innombrables courts-métrages, longs-métrages et documentaires sont projetés partout dans Melbourne.

Août

Lassés du ciel gris, les habitants du Sud vont chercher le soleil dans le Queensland. On peut encore explorer le Top End et l'outback avant qu'il ne fasse trop chaud et humide.

Cairns Festival

(www.festivalcairns.com.au). Pendant 3 semaines (de fin août à début septembre), ce festival artistique et culturel propose un riche programme de musique, théâtre, danse, comédie, cinéma, art aborigène et expositions. Le cadre tropical de Cairns est idéal pour des festivités organisées à l'extérieur.

Septembre

Le printemps fait éclore des tapis de fleurs sauvages en Australie-Occidentale et en Australie du Sud. Cela donne lieu à des festivals de fleurs, notamment à Canberra. La saison de football s'achève et les courses hippiques débutent, culminant avec la Melbourne Cup en novembre.

Brisbane Festival

(www.brisbanefestival.com.au). L'un des festivals artistiques les plus éclectiques d'Australie se tient pendant 22 jours en septembre, avec une étonnante programmation de concerts, pièces, spectacles de danse et autres réjouissances. Les festivités débutent avec le "Riverfire", un splendide feu d'artifice tiré au-dessus de la rivière.

AFL Grand Final

(www.afl.com.au). Cette finale est le point d'orgue de la saison de football australien, un spectacle sensationnel suivi (à la télévision) par 4 millions d'Australiens passionnés. Les billets pour ce match (à Melbourne) sont rares, mais à la mi-temps tout le monde abandonne son barbecue pour quelques dribbles dans le parc du coin.

Octobre

La météo est clémente partout : le mois idéal pour faire du camping. Après le football et avant le cricket, les amateurs de sport se tournent les pouces, mais les artistes profitent de festivals internationaux à Melbourne et à Brisbane.

 **Jazz in the Vines**

(www.jazzinthevines.com.au). Beaucoup de festivals mêlent art, gastronomie et vin dans les régions viticoles (Barossa, McLaren Vale, Yarra Valley...). La proximité de la Hunter Valley avec le milieu jazz de Sydney est la garantie d'une programmation de choix au Tyrrell's Vineyard.

Novembre

Les méduses qui envahissent les eaux peu profondes empêchent parfois la baignade sur les plages du nord du Queensland, du Territoire du Nord et de l'Australie-Occidentale. Les activités de plein air se multiplient ; les compétitions des clubs de sauveteurs sont organisées sur toutes les plages du pays.

Melbourne Cup

(www.melbournecup.com). Le premier mardi de novembre, la plus grande course hippique d'Australie (voire du monde) se déroule à Melbourne. Dans les petites villes, des courses sont programmées le même jour, et tout le pays retient son souffle pendant cet événement mythique.

Décembre

Finie l'école ! Les vacances commencent 2 semaines avant Noël. Les centres-villes sont bondés de chalands et il fait délicieusement chaud. Au nord, c'est l'heure de la mousson, avec des orages et des trombes d'eau en fin de journée.

 **Sydney to Hobart Yacht Race**

(www.rolexsydneyhobart.com). Le 26 décembre, le port de Sydney se remplit de navigateurs et de spectateurs pour le départ de l'une des régates les plus difficiles du monde (628 milles marins !). Quelques jours plus tard, quand les voiliers atteignent Hobart, c'est la fête dans la petite ville.

À gauche Sydney to Hobart Yacht Race
Ci-dessous Laura Aboriginal Dance Festival

PHOTOGRAPHES : (À GAUCHE) CAROL WILEY/LONELY PLANET IMAGES © ; (CI-DESSOUS) PAUL DYMOND/LONELY PLANET IMAGES ©

En avant-goût

Livres

- **Le Chant des pistes** (Bruce Chatwin ; Lgf, 1991). Mêle récits de fiction et vraies anecdotes d'un voyage de l'auteur en Australie ; aborde l'outback et les cultures aborigènes.

- **Je me souviens de Babylone** (David Malouf ; Lgf, 1997). À l'époque de la colonisation, un Blanc partage la vie des Aborigènes, avant de revenir parmi les siens.

- **Respire** (Tim Winton ; Rivages, 2009). Un surfeur raconte son passage à l'âge adulte dans ce roman qui a pour héros l'océan.

Films

- **Lantana** (Ray Lawrence ; 2001). Ce film formidable offre une analyse bien ficelée de l'amour, de la confiance et de la trahison.

- **10 canoës, 150 lances et 3 épouses** (Rolf De Heer ; 2006). Un jeune Aborigène découvre l'histoire de ses ancêtres. Filmé en langue ganalbingu (Terre d'Arnhem).

- **Muriel** (P. J. Hogan ; 1994). De la bataille entre filles pour attraper le bouquet de la mariée à un simulacre de mariage, le parcours chaotique de Muriel, fan d'Abba, fait passer du rire aux larmes.

- **Australia** (Baz Luhrmann ; 2008). Un film romantique à grand spectacle qui se déroule dans le Territoire du Nord.

Musique

- **Diesel and Dust** (Midnight Oil, 1987). Titre phare "Beds are Burning".

- **Back in Black** (AC/DC, 1980). Titre phare "Back in Black".

- **Circus Animals** (Cold Chisel, 1982). Titre phare "Bow River".

- **Internationalist** (Powderfinger ; 1998). Titre phare "Passenger".

Sites Internet

- **Tourism Australia** (www.australia.com). Site officiel de l'office gouvernemental du tourisme australien.

- **Lonely Planet** (www.lonelyplanet.fr). Infos de dernière minute, catalogue, fiches pays, forum.

- **Ambassade** (www.france.embassy.gov.au). Site de l'ambassade d'Australie en France.

- **Parks Australia** (www.environment.gov.au/parks). Parcs nationaux et réserves naturelles.

Pour d'autres livres, films et musiques, voir p. 363 et 367.

Sur le départ ?

Si vous deviez n'en choisir qu'un...

Un livre *Un certain vertige* (Amanda Lohrey ; Mercure de France, 2010). Dans le bush, un couple est confronté aux aléas du climat ainsi qu'à ses propres démons.

Un film *Priscilla, folle du désert* (1994, Stephan Elliott). Un film culte sur deux drag-queens et une transsexuelle.

Un disque *Love This City* (The Whitlams, 1999). Plongée dans la quintessence et les bas-fonds de Sydney.

Un site (www.sbs.com.au/yourlanguage/french). La radio australienne propose des "balados-diffusions" en français.

À gauche Twin Falls (p. 283), Kakadu National Park
Ci-dessus Compétition de natation, Bondi Beach (p. 75), Sydney

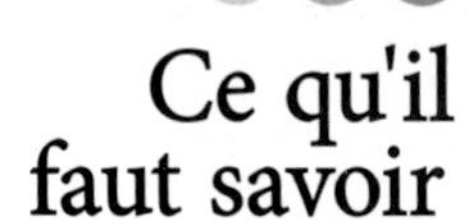

Ce qu'il faut savoir

Monnaie
Dollar australien ($)

Langue
Anglais

Distributeurs de billets (DAB)
Dans les grandes villes.

Cartes bancaires
Les principales cartes sont largement acceptées.

Visas
Visa obligatoire, sauf pour les Néo-Zélandais. Faites une demande en ligne pour les visas ETA et eVisitor.

Téléphones portables
Les téléphones européens fonctionnent. Utilisez le *roaming* ou une carte SIM australienne.

Wi-Fi
De plus en plus souvent disponible dans les hôtels, cafés et pubs.

Accès Internet
Dans les grandes villes et de nombreuses bibliothèques publiques.

Conduite
À gauche ; le volant se trouve du côté droit du véhicule.

Pourboire
Facultatif, mais 10% attendus dans les restaurants et les taxis.

Quand partir

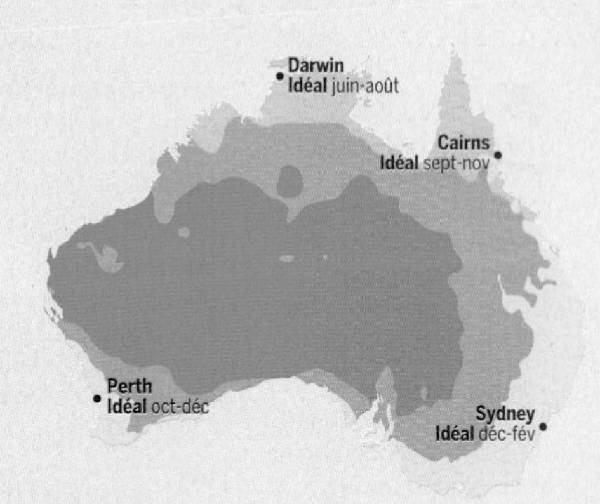

Désert, climat sec
Climat sec
Climat tropical, saisons humide (Wet) et sèche (Dry)
Été chaud à très chaud, hiver doux

Haute saison
(déc-fév)

- L'été rime avec vacances et plages.
- En ville, les hébergements augmentent de 35%.
- C'est l'hiver (juin-août) au centre et au nord de l'Australie : journées douces et peu d'humidité.

Saison intermédiaire
(sept-nov)

- Soleil et temps agréable.
- Les commerçants ne sont pas encore stressés par les foules estivales.
- L'automne (mars-mai) est splendide à Melbourne.

Basse saison
(juin-août)

- Journées fraîches et pluvieuses au sud, ensoleillées au nord.
- Horaires réduits dans les restaurants et sites touristiques.
- Saison du ski dans le Victoria et la Nouvelle-Galles du Sud.

À prévoir

- **Trois mois avant** Renseignez-vous sur les visas et comparez les prix des billets d'avion
- **Un mois avant** Réservez les hébergements, les vols régionaux, les trajets en avion, en train, etc.
- **Une semaine avant** Réservez les cours de surf, les plongées sur les récifs et les circuits
- **La veille** Réservez une table dans un restaurant de Sydney donnant sur la baie

Budget quotidien

Budget Moins de 130 $

- Lit en dortoir : 25-35 $ la nuit
- Marchés de produits frais dans les grandes villes
- Transports publics et musées gratuits

Catégorie moyenne 130-250 $

- Chambre double (hôtel de catégorie moyenne/ motel) : 100-150 $
- Restaurants de catégorie moyenne et quelques bières au pub
- Location de voiture

Catégorie supérieure Plus de 250 $

- Chambre double (catégorie supérieure) : à partir de 200 $
- Repas de 3 plats dans un restaurant chic : 70 $
- Sorties : boîte de nuit, spectacles, bars branchés

Taux de change

Zone euro	1 €	1,36 $
Canada	1 $C	0,96 $
Suisse	1 FS	1,03 $
Nouvelle-Zélande	1 $NZ	0,79 $

Pour les taux de change actualisés, consultez www.xe.com/ucc/frr

À emporter

- **Crème solaire** Sans oublier des lunettes de soleil et un chapeau pour se protéger des UV
- **Anti-insectes** Pour repousser les redoutables mouches et moustiques
- **Assurance voyage** Assurez-vous qu'elle prend en compte les activités "à risque" (surf ou plongée)
- **Visa** (p. 385) Vérifiez les dernières informations en date
- **Adaptateur électrique** Pour tous les appareils et gadgets électroniques

À l'arrivée

- **Aéroport de Sydney (p. 96)**

Trains : toutes les 10 min ; 4h30-0h40

Navettes : service préréservé desservant les hôtels du centre

Taxis : 40–50 $; 30 min (centre-ville)

- **Aéroport de Melbourne (p. 238)**

Skybus : toutes les 10 à 30 min, 24h/24

Taxis : 40-50 $; 25 min (centre-ville)

Location de voitures : La route à péage CityLink est la plus rapide

- **Aéroport de Brisbane (p. 144)**

Trains : toutes les 15 à 30 min ; 5h45-22h

Navettes : service préréservé desservant les hôtels du centre

Taxis : 35-45 $; 25 min (centre-ville)

Comment circuler

- **Avion** Prenez un vol pour réduire les distances.
- **Location de voiture** Quittez la ville et explorez les parcs nationaux.
- **Train** Empruntez un train légendaire comme l'*Indian Pacific* ou le *Ghan*.
- **Bus** Desservent tout le pays ; moins chers que le train mais inconfortables sur les longs trajets.
- **Bateau** Pour visiter les îles, les barrières de corail et la Tasmanie.

Se loger

- **B&B** Accueillants, mais pas toujours chez l'habitant.
- **Camping** De l'installation sommaire dans les parcs nationaux au luxe d'un complexe balnéaire.
- **Auberges de jeunesse** Sympathiques et très populaires auprès des moins de 30 ans.
- **Hôtels** Établissements allant de 3 à 5-étoiles ; dans les villes et les destinations touristiques.
- **Motels** Peu originaux mais abordables, pratiques et propres.
- **Pubs** De l'accueillante enseigne à l'hôtel de troisième zone. Demandez à voir la chambre.
- **Complexes** Avec piscine, restaurant, spa, bar, golf... pour tous les budgets.

Mises en garde

- **Climat extrême** Cyclones, inondations, feux de brousse... mais la plupart du temps il suffit de respecter les recommandations locales.
- **À la plage** Nagez entre les bouées, à portée des maîtres nageurs et loin des contre-courants.
- **Haute saison** Les tarifs ainsi que la concentration humaine en ville s'envolent.

Sydney et les Blue Mountains

Sydney est la capitale que toutes les autres villes australiennes adorent détester...tout en jalousant secrètement son soleil et ses multiples centres d'intérêt.

Construite autour de l'une des plus belles baies naturelles du monde – une myriade d'anses tranquilles et de promontoires de grès – Sydney accueille trois des emblèmes du pays : le Sydney Harbour Bridge, l'Opéra de Sydney et Bondi Beach. Mais les curiosités ne s'arrêtent pas là...

La ville la plus ancienne, la plus grande et la plus cosmopolite d'Australie est riche en musées et en restaurants, et s'enorgueillit d'une scène artistique florissante. Le soir venu, place aux bars, clubs et discothèques, pris d'assaut par des Sydneysiders qui entendent bien ne pas fermer l'œil de la nuit...

Ne manquez pas les bien nommées Blue Mountains, à deux sauts de puce de Sydney, avec leurs points de vue époustouflants le long de la route, leurs forêts et leurs coquettes petites villes de montagne.

L'Opéra de Sydney (p. 65), photographié sous le Sydney Harbour Bridge

Sydney et les Blue Mountains

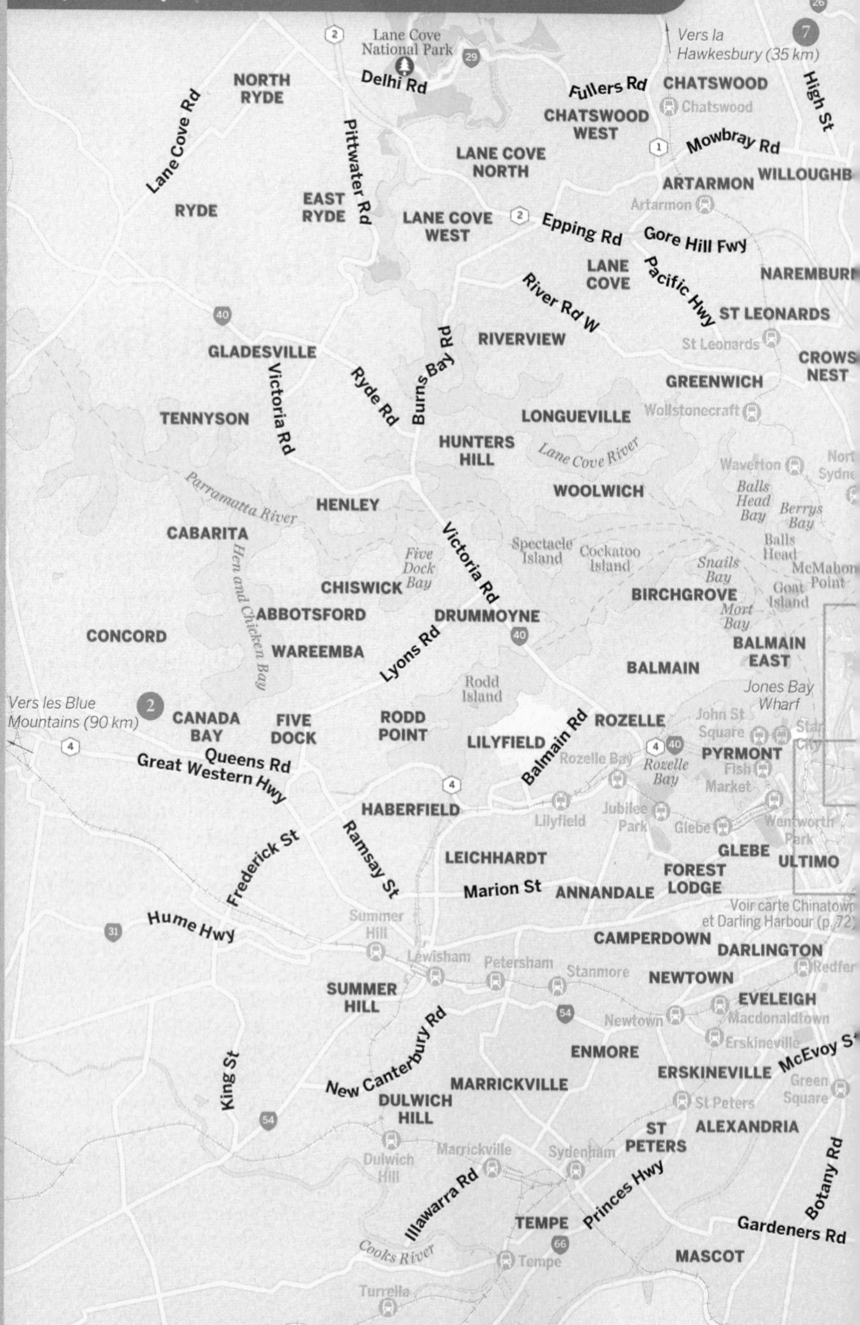

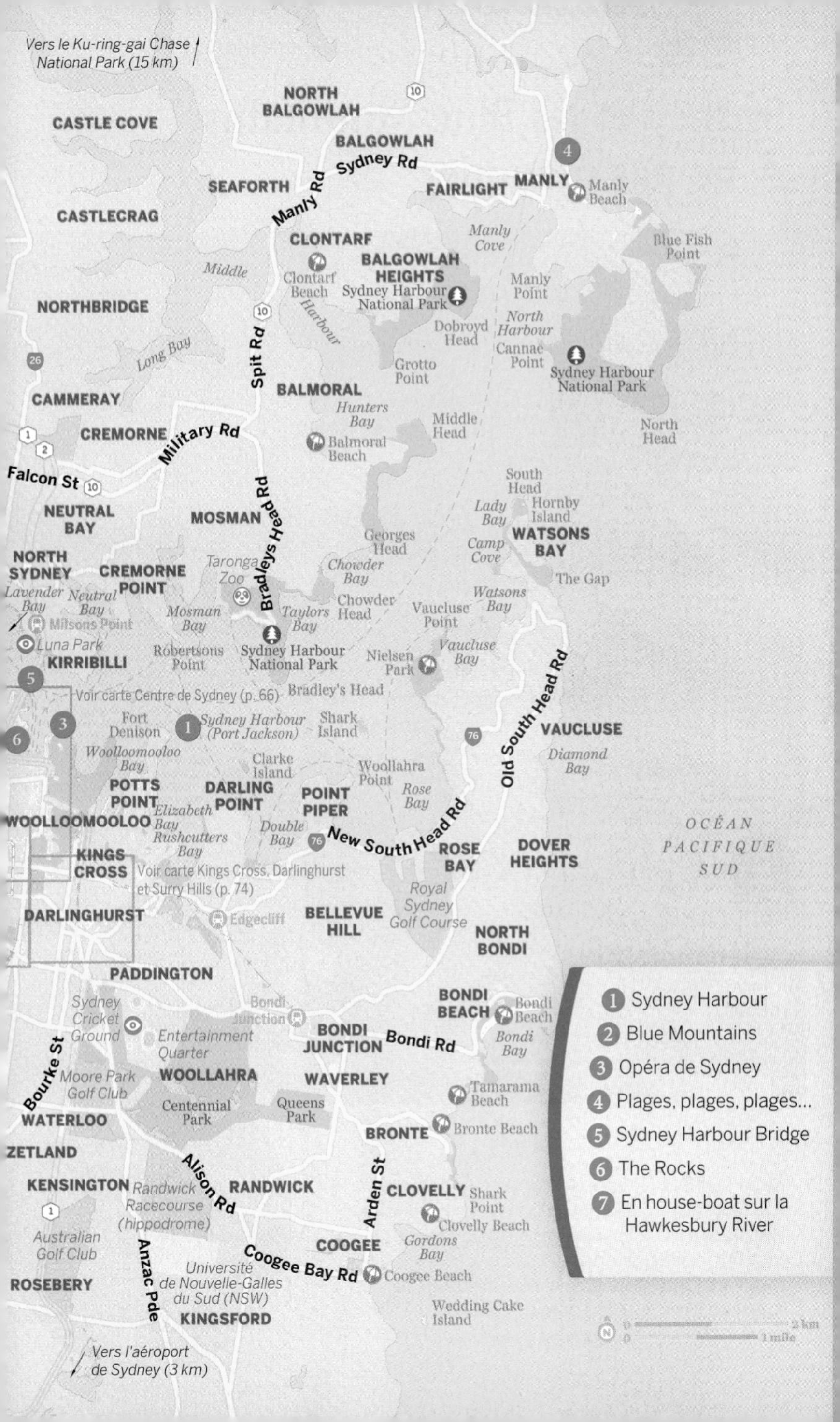
Vers le Ku-ring-gai Chase National Park (15 km)
NORTH BALGOWLAH
CASTLE COVE
BALGOWLAH
Sydney Rd
Manly Rd
SEAFORTH
FAIRLIGHT
MANLY
Manly Beach
CASTLECRAG
CLONTARF
Manly Cove
Blue Fish Point
Middle
BALGOWLAH HEIGHTS
Clontarf Beach
Sydney Harbour National Park
Manly Point
NORTHBRIDGE
Harbour
North Harbour
Dobroyd Head
Long Bay
Spit Rd
Cannae Point
Grotto Point
Sydney Harbour National Park
CAMMERAY
BALMORAL
Hunters Bay
Middle Head
North Head
CREMORNE
Military Rd
Balmoral Beach
Falcon St
South Head
Bradleys Head Rd
NEUTRAL BAY
Lady Bay
Hornby Island
MOSMAN
WATSONS BAY
Georges Head
Camp Cove
NORTH SYDNEY
CREMORNE POINT
Taronga Zoo
Chowder Bay
The Gap
Lavender Bay
Neutral Bay
Chowder Head
Watsons Bay
Mosman Bay
Taylors Bay
Vaucluse Point
Milsons Point
Luna Park
Vaucluse Bay
KIRRIBILLI
Robertsons Point
Sydney Harbour National Park
Nielsen Park
Old South Head Rd
Voir carte Centre de Sydney (p. 66)
Bradley's Head
Fort Denison
Sydney Harbour (Port Jackson)
Shark Island
VAUCLUSE
Woolloomooloo Bay
Clarke Island
Woollahra Point
Diamond Bay
POTTS POINT
DARLING POINT
POINT PIPER
Rose Bay
Elizabeth Bay
WOOLLOOMOOLOO
Double Bay
New South Head Rd
OCÉAN PACIFIQUE SUD
Rushcutters Bay
ROSE BAY
DOVER HEIGHTS
KINGS CROSS
Voir carte Kings Cross, Darlinghurst et Surry Hills (p. 74)
Royal Sydney Golf Course
DARLINGHURST
Edgecliff
BELLEVUE HILL
NORTH BONDI
PADDINGTON
BONDI BEACH
Bondi Beach
Sydney Cricket Ground
Bondi Junction
BONDI JUNCTION
Bondi Rd
Bondi Bay
Entertainment Quarter
Bourke St
Moore Park Golf Club
WOOLLAHRA
WAVERLEY
Tamarama Beach
Centennial Park
Queens Park
WATERLOO
Bronte Beach
BRONTE
ZETLAND
Alison Rd
Arden St
KENSINGTON
Randwick Racecourse (hippodrome)
RANDWICK
CLOVELLY
Shark Point
Clovelly Beach
Australian Golf Club
Anzac Pde
COOGEE
Gordons Bay
Coogee Bay Rd
Université de Nouvelle-Galles du Sud (NSW)
Coogee Beach
ROSEBERY
Wedding Cake Island
KINGSFORD
Vers l'aéroport de Sydney (3 km)
0 2 km
0 1 mile
1 Sydney Harbour
2 Blue Mountains
3 Opéra de Sydney
4 Plages, plages, plages...
5 Sydney Harbour Bridge
6 The Rocks
7 En house-boat sur la Hawkesbury River

Sydney et les Blue Mountains À ne pas manquer

1

Sydney Harbour

La baie de Sydney est le véritable cœur de la ville. À la table d'un restaurant du front de mer, dans l'un des parcs donnant sur la baie, sur le ferry pour Manly ou à l'occasion d'une croisière dans le port, c'est la meilleure façon d'apprécier la beauté de la ville.

Ci-dessus Sydney Harbour de nuit **En haut, à droite** Shark Beach, Nielsen Park **En bas, à droite** Sydney Harbour Bridge (p. 65)

Nos conseils

MEILLEURE PHOTO Le matin, immortaliser le reflet du paysage urbain dans le port **DEUX HEURES À TUER ?** Embarquer pour une croisière-repas guidée dans la baie (p. 80) **Voir p. 64**.

Ma sélection

Sydney Harbour par Tony Zrilic

RESPONSABLE DES CAPTAIN COOK CRUISES

1 FERRY POUR MANLY

Le ferry de Manly part de Circular Quay toutes les demi-heures environ. Pour une expérience inoubliable, prenez-le lorsque la mer est forte à l'entrée de Sydney Harbour, surnommée The Heads. En arrivant à **Manly** (p. 77), empruntez le Corso depuis le port pour rejoindre la plage au bord de l'océan. Puis offrez-vous une glace ou un café, et prenez le temps d'observer la foule qui profite de ce coin unique de Sydney.

2 PROMENADE CÔTIÈRE DEPUIS BRADLEY'S HEAD

La baie offre de fantastiques promenades côtières. Prenez le ferry à Circular Quay jusqu'au **Taronga Zoo** (p. 76), puis faites le tour du promontoire jusqu'à Chowder Bay. Arrêtez-vous pour une pause dans une brasserie de bord de mer.

3 WATSONS BAY ET LE GAP

Prenez le bateau pour **Watsons Bay** (p. 75), puis offrez-vous un *fish and chips* au célébrissime **Doyles on the Beach**. Rejoignez ensuite le **Gap** (p. 75) à pied, pour admirer la vue sur le Pacifique et les Blue Mountains.

4 DÉJEUNER À FORT DENISON

L'un de mes itinéraires favoris consiste à prendre le ferry depuis Circular Quay jusqu'au **Fort Denison** (p. 65), un site classé. On trouve sur l'île un excellent restaurant qui sert de la cuisine australienne moderne, à déguster en contemplant les symboles de Sydney : l'Opéra et le Harbour Bridge.

5 BAIGNADE À NIELSEN PARK

Nielsen Park (p. 75) est l'une des nombreuses plages de Sydney Harbour où il est possible de se baigner et de faire du snorkeling. Elle fait partie d'un vaste parc ; c'est l'endroit rêvé pour assister au départ de la fameuse régate de Sydney à Hobart le 26 décembre. Lorsque les vagues sont bonnes, l'endroit est également prisé par les surfeurs. La plage est accessible en bus depuis Circular Quay.

Blue Mountains

Avec leurs falaises de grès, leurs cascades spectaculaires et leurs gorges, les "montagnes Bleues" constituent une merveille naturelle. C'est l'environnement idéal pour pratiquer les sports extrêmes : descente en rappel, canyoning, escalade, VTT et randonnée dans le bush. **Ci-dessous** Govetts Leap (p. 104) **En haut, à droite** Descente en rappel, Lithgow (p. 105) **En bas, à droite** Three Sisters (p. 104)

Nos conseils

MEILLEURE PHOTO Lever et coucher du soleil aux points de vue sur les chutes **À ÉVITER** Bus de touristes à Echo Point ; arrivez tôt ou en fin de journée **Voir p. 104**.

2

Blue Mountains par Marty Doolan

GUIDE, BLUE MOUNTAINS ADVENTURE COMPANY

1 THREE SISTERS

Immanquable. Les "trois sœurs" constituent une célèbre formation rocheuse au bord de la Jamison Valley. **Echo Point** (p. 104), la plateforme d'observation, est l'un des plus beaux points de vue sur les Blue Mountains. Le site est facilement accessible depuis Katoomba. La nuit, les Three Sisters sont illuminées de façon spectaculaire.

2 CANYONING ESTIVAL

Le canyoning est une expérience fantastique, mélange de plaisir et de frisson. Descendez des cascades en rappel, sautez dans des bassins rocheux, dévalez des toboggans naturels, nagez dans un environnement exceptionnel. En revenant à leur quotidien, la plupart des participants se sentent régénérés, plus confiants dans leurs capacités.

3 COUCHER DU SOLEIL AU CAHILLS LOOKOUT

Cahills Lookout est un point de vue assez méconnu, près de Katoomba. Il offre un panorama impressionnant sur la Megalong Valley et la Jamison Valley, ainsi que sur le plateau de Narrow Neck et de la remarquable formation rocheuse de Boars Head. Les falaises de grès changent progressivement de couleur à mesure que le soleil décline à l'horizon.

4 KATOOMBA

Katoomba St est une rue idéale pour déjeuner ou prendre un café après une journée au grand air. Les bonnes adresses ne manquent pas. Ne ratez pas l'**Edge Cinema** (p. 108), qui projette un documentaire passionnant sur les Blue Mountains sur un écran haut de six étages – une bonne façon d'en apprendre plus sur ces montagnes et une solution de repli en cas de pluie.

5 ESCALADE AU MT VICTORIA

L'escalade est une tradition dans les Blue Mountains. C'est d'ailleurs ici qu'ont été réalisées certaines des premières ascensions en Australie. Les environs du Mt Victoria comptent plusieurs excellents sites d'escalade, adaptés à tous les niveaux.

Opéra de Sydney

L'**Opéra de Sydney** (p. 65), ou Sydney Opera House, est le bâtiment le plus emblématique de la ville. Par beau temps, sa "coquille" évoquant des voiles de bateau se reflète dans les eaux bleues du port. Idéalement situé sur Bennelong Point, l'Opéra happe le regard quel que soit l'angle sous lequel on le regarde. Approchez pour observer les tuiles autonettoyantes ou pour l'explorer lors d'une visite guidée... ou d'un concert !

3

5

Sydney Harbour Bridge

L'impressionnant **pont de Sydney** (p. 65) donne le vertige. La meilleure façon de le découvrir est de le traverser : en partant de Milsons Point, vous aurez un bon point de vue sur la ville et l'Opéra. Pour prendre de la hauteur, participez à un circuit d'ascension du pont avec **BridgeClimb** (p. 80) ou gravissez les 200 marches qui mènent au **Pylon Lookout** (p. 65).

4 Plages, plages, plages...

Que vous optiez pour la mythique **Bondi Beach** (p. 75), la tranquille **Manly** (p. 77) ou les sublimes **Northern Beaches (plages du nord ; p. 77)**, votre séjour à Sydney ne serait pas complet sans une journée sur le sable. La baie de Sydney abrite aussi quantité de petites criques, parfaites pour piquer une tête, pique-niquer ou se délasser au soleil. Bondi Beach

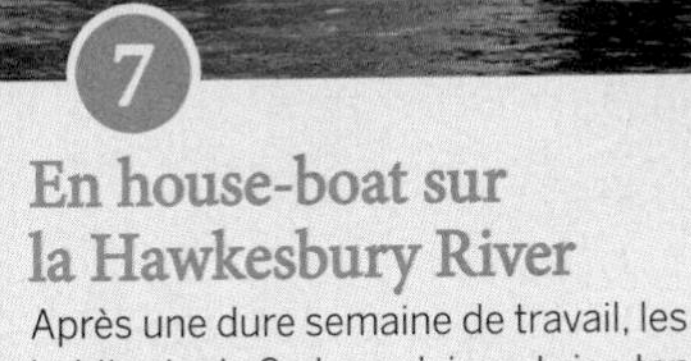

6 The Rocks

Au premier coup d'œil, le quartier des Rocks peut sembler un piège à touristes, à en juger par la foule et les boutiques de souvenirs. Vous y découvrirez pourtant une histoire fascinante. Faites une halte au **Rocks Discovery Museum** (p. 68), visitez le **Cadman's Cottage** (p. 68), la plus vieille demeure de Sydney, ou sirotez un verre dans l'un des plus anciens **pubs** de la ville.

7 En house-boat sur la Hawkesbury River

Après une dure semaine de travail, les habitants de Sydney n'aiment rien tant qu'une escapade sur les berges paisibles de la **Hawkesbury River** (p. 99), à 30 km au nord de Sydney. Au programme, pêche, dégustation de vin entre amis et petite croisière en house-boat. C'est une excellente façon de découvrir les parcs nationaux et les paysages autour de Sydney.

Sydney et des Blue Mountains : le best of

À pleins poumons

Ferry de Manly (p. 78). Montez sur le pont et humez les embruns.

Hyde Park (p. 69). Ce parc, avec ses allées d'arbres majestueux et ses vastes pelouses, est le poumon de la ville.

Royal Botanic Gardens (p. 65). Ce ravissant jardin accueille des cours de botanique.

Blue Mountains (p. 101). Loin au-dessus de la pollution urbaine.

La vie vue d'en haut

Sydney Harbour Bridge (p. 65). Si la vue est belle depuis le pilier sud-est, elle est extraordinaire en escaladant le pont (p. 80).

Sydney Tower (p. 71). Pour embrasser la baie jusqu'aux Blue Mountains.

The Gap (p. 75). Un point de vue en haut d'une falaise, sur l'embouchure de la baie.

Echo Point (p. 104). Au cœur des Blue Mountains, donnant sur les fameuses Three Sisters.

Govetts Leap (p. 104). Moins touristique qu'Echo Point, mais avec une vue tout aussi spectaculaire.

Détente

Bondi Beach (p. 75). Joignez-vous à la foule sur la célèbre plage de Sydney.

Camp Cove (p. 75). Une ravissante plage familiale.

Northern Beaches (Plages du nord ; p. 77). De Manly à Palm Beach, plusieurs belles plages sablonneuses s'offrent à vous.

Katoomba (p. 103). Loin de la moiteur de la ville, passez la journée dans cette ville de montagne brumeuse.

Promenades

The Rocks et Circular Quay (p. 67). Entre les voiles de l'Opéra et les poutrelles du Harbour Bridge, partez à la découverte des sites et du patrimoine de la ville.

Bondi to Coogee Clifftop Walk (p. 75). Plages sablonneuses, cafés et Pacifique en furie.

Darling Harbour (p. 71). Parcourez la ville tout en courbes depuis King St Wharf jusqu'à Pyrmont.

Royal National Park (p. 98). Découvrez le deuxième parc national le plus ancien du pays.

À gauche Trajet en ferry près du Sydney Harbour Bridge
Ci-dessus Hyde Park (p. 69)

Ce qu'il faut savoir

À PRÉVOIR

Un mois avant Réservez pour le très populaire BridgeClimb (p. 80) au-dessus du Sydney Harbour Bridge.

Deux semaines avant Réservez pour un concert à l'Opéra et un circuit dans les Blue Mountains.

Une semaine avant Réservez des places pour une croisière dans la baie et une table dans un bon restaurant de Sydney.

ADRESSES UTILES

Kiosques d'information de la ville de Sydney (www.cityofsydney.nsw.gov.au). Au Circular Quay et au Town Hall dans George St.

Centres d'information des visiteurs (www.sydneyvisitorcentre.com). Aux Rocks et à Darling Harbour. Renseignements exhaustifs ; hébergement.

Centres des visiteurs des Blue Mountains (www.visitbluemountains.com.au). À Glenbrook et Katoomba. Réservations d'hébergement, de circuits et de sites.

Tourism New South Wales (www.visitnsw.com.au). Hébergement dans tout l'État et conseils touristiques.

National Roads & Motorists Association (NRMA; www.nrma.com.au). Renseignements et assistance routière en cas d'urgence.

COMMENT CIRCULER

À pied Sur Circular Quay depuis les Rocks et l'Opéra.

En ferry Pour le Taronga Zoo, Manly, Darling Harbour et d'autres destinations de la baie.

En bus Dans toute la ville, incluant Bondi Beach.

En train En banlieue de Sydney et jusqu'aux Blue Mountains.

En navette aéroportuaire Depuis/vers l'aéroport et le centre de la ville.

En monorail Entre le centre de Sydney et Darling Harbour.

MISES EN GARDE

Foule L'été (de décembre à février) est synonyme de haute saison. Anticipez de longues files d'attente dans les sites touristiques de Sydney, des plages bondées, un grand nombre de bus de touristes à Echo Point et des prix d'hébergement élevés.

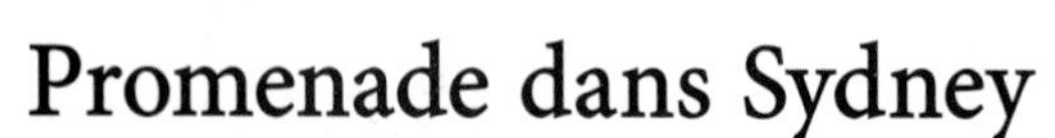

Promenade dans Sydney

Situé sur Circular Quay, les Rocks est le site de la première colonie européenne créée en 1788 et demeure le premier port d'arrivée des touristes à Sydney.

PROMENADE

- **Départ** Rocks Discovery Museum
- **Arrivée** Cadman's Cottage
- **Distance** 1 km
- **Durée** deux à trois heures

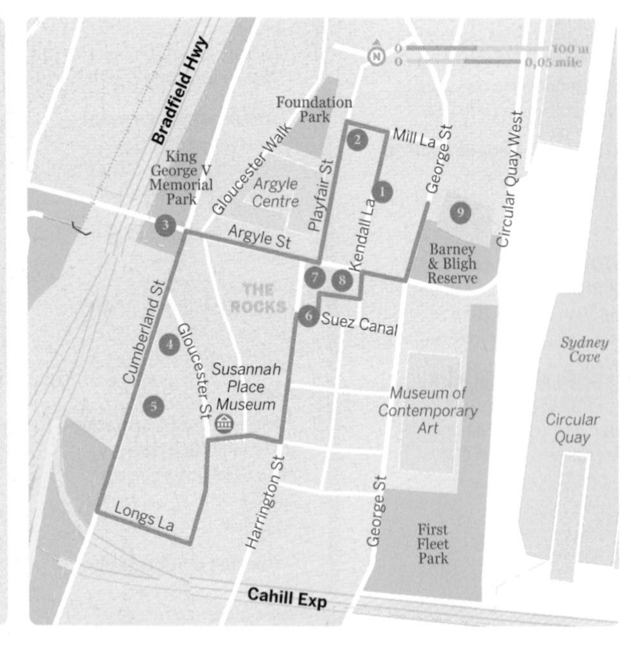

1 Rocks Discovery Museum

Le charmant **Rocks Discovery Museum** invite à feuilleter la riche et sombre histoire des Rocks. Depuis le musée, prenez Kendall Lane vers le nord jusqu'à **Mill Lane**. Le vieux moulin à blé fut démoli vers 1920, comme de nombreux édifices originaux des Rocks au cours du XXe siècle.

2 Rocks Square

Prenez Mill Lane à gauche et marchez jusqu'au **Rocks Square**, site de la manifestation de 1973 en vue de préserver ce quartier historique. En 1975, les autorités de l'État ordonnèrent la restauration des édifices historiques au nord de la Cahill Expressway.

3 Argyle Cut

Prenez Playfair St à gauche. Passez les **Argyle Terrace** (1877) et **Argyle Stores** (1828-1913) à votre droite. Prenez à droite Argyle St vers **Argyle Cut**, une route impressionnante percée dans la crête de grès entre Circular Quay et Millers Point. Elle fut construite entre les années 1830 et 1860, initialement par des convicts.

4 Australian Hotel

Obliquez à gauche dans Cumberland St jusqu'à ce que vous aperceviez l'**Australian Hotel** (1914) à l'angle de Gloucester St. En face, le **King George V Recreation Centre**, ouvert en 1998, est coincé entre la rue et la Freeway ; il offre un bel exemple de rénovation contemporaine sur un édifice ancien.

5 Sydney Harbour YHA

Poursuivez votre chemin dans Cumberland St. À gauche de la rue se trouve la **Sydney Harbour YHA**, un édifice récemment construit, qui comprend un site de fouilles archéologiques de 1994, sur lequel 750 000 objets ont été mis au jour. Ouvert au public, le site de fouilles archéologiques a été préservé au rez-de-chaussée de l'hôtel.

6 Suez Canal

Empruntez Longs Lane à gauche jusqu'à Gloucester St et le musée d'histoire **Susannah Place Museum**. De là, empruntez l'escalier de Cumberland Pl vers Harrington St, puis prenez à gauche en direction du **Suez Canal**, une étroite ruelle fréquentée par les prostituées et le fameux gang des "Rocks Push" au XIXe siècle.

7 Well Courtyard

Prenez Suez Canal puis tournez à gauche dans la Well Courtyard, où se disputaient autrefois des combats de chiens et de coqs. Redescendez les marches jusqu'à la rue pavée de Greenway Lane, baptisée d'après le célèbre architecte, convict et résident des Rocks, Francis Greenway.

8 Gannon House

En débouchant dans Argyle St, remarquez l'édifice au n°45 : la **Gannon House**, construite en 1839, était la demeure et la boutique de menuiserie de l'ancien forçat Michael Gannon, réputé pour la qualité de ses cercueils.

9 Cadmans Cottage

Tournez à droite, puis descendez jusqu'à George St. Le parc, en face, abrite la plus vieille maison de Sydney, le modeste **Cadmans Cottage**, réalisé en 1815-1816 pour John Cadman, timonier d'un bateau du gouvernement.

Sydney et les Blue Mountains en...

DEUX JOURS

Faites d'abord la visite à pied des **Rocks** et découvrez **Circular Quay**, puis empruntez la promenade en direction de l'**Art Gallery of NSW**. Le soir, offrez-vous un spectacle à l'**Opéra de Sydney**.

Le lendemain, prenez un ferry pour **Manly** – lézardez à la plage ou faites durer le déjeuner. Le soir, allez aux chics **Surry Hills** pour boire un verre et dîner.

QUATRE JOURS

Le troisième jour, goûtez un *yum cha* à **Chinatown**, prenez un ferry pour le quartier cossu de **Balmain** ou faites des emplettes à **Paddington**.

Le quatrième jour, profitez du soleil à la plage de **Bondi**, baladez-vous le long du **Bondi to Coogee Clifftop Trail**, puis prenez un verre au soleil couchant à l'**Icebergs Dining Room & Bar**.

UNE SEMAINE

Consacrez deux jours aux **Blue Mountains** (randonnée dans le bush et dîner gastronomique). Revenez à Sydney pour une croisière dans le port, puis faites une virée nocturne dans le quartier de **Kings Cross**.

Opéra de Sydney (p. 65)

Découvrir Sydney et les Blue Mountains

Les incontournables

- **Centre de Sydney et Sydney Harbour** (p. 64). Le cœur de la ville et sa fameuse baie.
- **Kings Cross et Darlinghurst** (p. 73). Quartiers bohèmes, coquins, et ouverts aux populations gays.
- **Faubourgs est et plages** (p. 75). Plages dorées et promenades.
- **Manly et Northern Beaches** (p. 77). Kyrielle de plages idylliques.
- **Blue Mountains** (p. 101). Falaises, forêts et points de vue spectaculaires.

SYDNEY

À voir

Vous ne risquez pas de vous ennuyer. Si vous projetez de visiter un très grand nombre de musées et d'autres lieux touristiques et de participer à des circuits, renseignez-vous sur les cartes de réduction distribuées par **Australian Travel Specialists** (ATS ; ☎1800 355 537 ; www.atstravel.com.au ; guichets Wharf 6, Circular Quay & Harbourside Shopping Centre, Darling Harbour).

Sydney Harbour

S'étalant sur 20 km de l'océan Pacifique sud à l'embouchure du Parramatta, cette magnifique baie naturelle est le véritable cœur de la ville – et le point de convergence de tous les visiteurs. L'exploration en ferry de cette immense étendue d'eau (p. 96) est l'un des grands plaisirs de Sydney.

North Head et **South Head** marquent l'entrée dans la baie et la limite de l'océan. L'ancien village de pêcheurs de **Watsons Bay** est niché dans South Head, côté baie, et **Manly**, lieu d'excursion préféré des habitants, occupe un promontoire à cheval entre la baie et l'océan, près de North Head. L'activité de la baie converge vers **Circular Quay**, principal nœud d'échange des transports et site de l'un des édifices emblématiques de la ville, la Sydney Opera House.

SYDNEY HARBOUR NATIONAL PARK Réserve naturelle
Ce parc national abrite des zones de bush éparses, des sentiers de randonnée, des points de vue panoramiques,

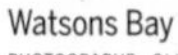

Watsons Bay
PHOTOGRAPHE : OLIVER STREWE/LONELY PLANET IMAGES ©

des sculptures aborigènes et des sites historiques. La partie sud englobe **South Head** et **Nielsen Park**, à Vaucluse, et North Shore (rive nord) comprend **North Head, Dobroyd Head, Middle Head, Georges Head** et **Bradleys Head**.

Cinq îles de la baie font également partie du parc : **Clark Island** près de Darling Point, **Shark Island** près de Rose Bay, **Rodd Island** dans Iron Cove, près de Birkenhead, **Goat Island** près de Balmain, et le petit **Fort Denison**, près de Mrs Macquaries Point. Toutes sont ouvertes aux visiteurs. Rodd et Goat nécessitent une embarcation privée ou un bateau-taxi (7 $ de frais d'amarrage/pers, à régler directement au Sydney Harbour National Park Information Centre, sur son site Internet ou par téléphone). Pour visiter Fort Denison, un **circuit culturel** (tarif plein/réduit 27/22 $; 12h15 et 14h30, et 10h45 mer-dim) comprend le transfert en ferry, l'entrée pour une journée et la visite guidée (30 min ; réservation auprès du Sydney Harbour National Park Information Centre). Clark figure dans l'**Aboriginal Heritage Tour** (02-9206 1111 ; www.captaincook.com.au/tribal ; adulte/enfant 60/40 $; mer-dim) de 2 heures proposé par la Tribal Warriors Association, et Shark est desservie en ferry par **Captain Cook Cruises** (www.captaincook.com.au ; adulte/enfant 20/17 $; 5 ferries/j 9h45-15h). Sur Fort Denison, un **café-restaurant** (réservations 02-9358 1999) permet de se restaurer le matin et à midi. Sur les autres îles, vous trouverez des installations pour pique-niquer.

SYDNEY HARBOUR BRIDGE Pont

Que vous le franchissiez en voiture, en rappel ou en rollers ou l'approchiez en bateau, difficile d'ignorer ce pont que les Sydneysiders surnomment affectueusement leur "cintre géant" (carte p. 66). Inaugurée en 1932, cette majestueuse structure relie le quartier des affaires (Central Business District ou CBD) à North Sydney, enjambant la baie en son point le plus étroit.

C'est à pied que le pont s'admire le mieux – inutile d'espérer une vue satisfaisante en voiture ou en train. Sur chaque rive, des escaliers permettent de rejoindre un passage pour piétons situé sur le côté est du pont, le côté ouest étant réservé aux cyclistes. Vous pourrez grimper dans le pilier sud-est jusqu'au point de vue du **Pylon Lookout** (carte p. 66 ; www.pylonlookout.com.au ; tarif plein/enfant/senior 9,50/4/6,50 $; 10h-17h). Les plus aventureux feront l'ascension de la grande arche (voir p. 80).

ROYAL BOTANIC GARDENS Jardin

(carte p. 66 ; www.rbgsyd.nsw.gov.au ; Mrs Macquaries Rd ; entrée libre ; 7h-coucher du soleil). Pour embrasser la baie dans toute sa splendeur, rien ne vaut une flânerie dans les 30 ha de ce jardin botanique, un espace verdoyant créé en 1816 pour servir de potager à la ville. Des allées fléchées partent de l'Opera House vers Farm Cove, croisent le panorama de Mrs Macquaries Point et Woolloomooloo Bay et mènent au Domain et à l'Art Gallery of NSW. Vous pouvez aussi suivre gratuitement la **marche guidée** (10h30 tlj) ou l'**Aboriginal Heritage Tour** (02-9231 8134 ; tarif plein/réduit 28/13 $; 10h ven) ; tous deux partent du Palm Grove Centre, au milieu du jardin.

OPÉRA DE SYDNEY Monument

(carte p. 66 ; www.sydneyoperahouse.com ; Bennelong Pt, Circular Quay E). Conçu par l'architecte danois Jørn Utzon et classé au patrimoine de l'Humanité, le Sydney Opera House est aujourd'hui un emblème de l'Australie. Évoquant les voiles gonflées d'un yacht (certains habitants voient plutôt un accouplement de tortues), l'Opéra de Sydney domine le Circular Quay.

Le complexe renferme cinq salles de spectacle dédiées à la danse, la musique, l'opéra et au théâtre, la plus spectaculaire étant le Concert Hall. Programme et réservation en ligne sur le site Internet.

Faute d'assister à un spectacle, vous pouvez suivre une **visite guidée** (02-9250 7250). L'**Essential Tour** (tarif plein/réduit 35/24,50 $, billets achetés à l'avance en ligne à tarif préférentiel ; ttes les 30 min 9h-17h), présentation audiovisuelle interactive d'une heure, retrace l'histoire de la conception et de la construction du monument, et comprend la visite d'une salle.

Centre de Sydney

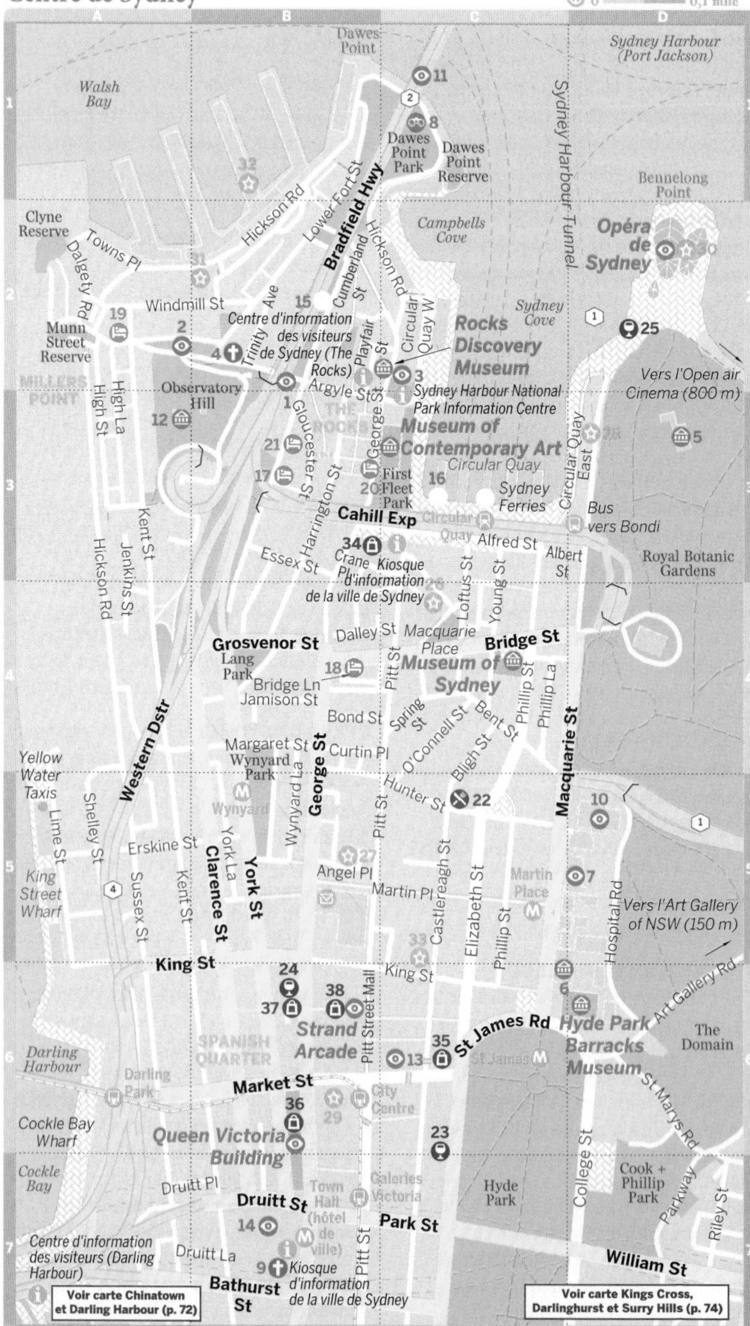

Centre de Sydney

Les incontournables

Hyde Park Barracks Museum D6
Museum of Contemporary Art C3
Museum of Sydney C4
Queen Victoria Building B6
Rocks Discovery Museum C2
Strand Arcade B6
Opéra de Sydney D2

À voir

1 Argyle Cut B2
2 Argyle Place A2
3 Cadmans Cottage C2
4 Garrison Church B2
5 Government House D3
6 Mint C6
7 Parliament House (Parlement) D5
8 Pylon Lookout C1
9 St Andrew's Cathedral B7
10 State Library of NSW D5
11 Sydney Harbour Bridge C1
12 Sydney Observatory A3
13 Sydney Tower C6
14 Town Hall (hôtel de ville) B7

Activités

15 BridgeClimb B2
16 Captain Cook Cruises C3

Où se loger

17 B&B Sydney Harbour B3
18 Establishment Hotel B4
19 Lord Nelson Brewery Hotel A2
20 Russell B3
21 Sydney Harbour YHA B3

Où se restaurer

Bécasse .... (voir 13)
Guillaume at Bennelong .... (voir 30)
22 Rockpool Bar & Grill C5

Où prendre un verre

23 Bambini Wine Room C6
24 Grasshopper B6
Lord Nelson Brewery Hotel .... (voir 19)
25 Opera Bar D2

Où sortir

26 Basement C4
27 City Recital Hall B5
28 Dendy Opera Quays D3
29 State Theatre B6
30 Opéra de Sydney D2
31 Sydney Theatre B2
32 Sydney Theatre Company B1
33 Theatre Royal C5

Achats

34 Australian Wine Centre B3
35 David Jones C6
36 Queen Victoria Building B6
37 RM Williams B6
38 Strand Arcade B6
Westfield Sydney .... (voir 13)

e **Backstage Tour (155 $; ⏲tlj à 7h)** permet 'accéder à des salles réservées aux rtistes et au personnel, et comprend un etit-déjeuner dans la Green Room (réservé ux plus de 12 ans). Une visite spéciale est rganisée chaque jour à midi à l'intention es personnes à mobilité réduite. Pour ces eux dernières formules, la réservation st impérative. Pour acheter un billet à la ernière minute, rendez-vous au guichet Guided Tours" dans le hall de la billetterie.

RATUIT MUSEUM OF ONTEMPORARY ART Musée

:arte p. 66 ; www.mca.com.au ; 140 George St ; ntrée libre sauf expositions temporaires ; ⏲10h-17h). Ce musée d'Art contemporain, ui abrite des œuvres australiennes et nternationales, occupe un édifice Art éco magnifiquement situé sur Circular Quay West : le café au rez-de-chaussée vaut à lui seul le détour.

The Rocks et Millers Point

Enclave historique au pied du pylône sud du pont, le site de la première colonie européenne de Sydney n'a plus rien de l'endroit sordide qu'il était à l'origine, avec ses allées insalubres, ses égouts à ciel ouvert, ses bars louches, ses hôtels de passe et ses maisons d'opium où rôdait une foule imbibée de marins, de pêcheurs de baleines et de truands en tout genre.

Les Rocks restèrent un centre de commerce et d'activités maritimes jusqu'à la fin des années 1800, quand les services de navigation décidèrent d'abandonner Circular Quay. En 1900, une épidémie de peste bubonique accéléra son déclin. La construction du Harbour Bridge dans les années 1920 finit de l'achever et entraîna la disparition de rues entières.

Ce n'est qu'à partir des années 1970 que l'héritage culturel et architectural des Rocks fut reconnu. Le développement qui s'ensuivit sous l'impulsion du tourisme a sauvé nombre de bâtiments anciens mais a aussi transformé la zone en piège à touristes où cafés kitsch et boutiques de koalas empaillés et de didjeridoos de pacotille se disputent le terrain. La visite à pied du quartier demeure néanmoins fascinante : un itinéraire est proposé p. 62.

Construit en 1816 à poximité d'une ancienne plage, le **Cadmans Cottage** **(carte p. 66 ; www.nationalparks.nsw.gov.au ; 110 George St ; ⏲9h30-16h30 lun-ven, 10h-16h30 sam-dim)** est la plus ancienne maison de Sydney. La police maritime y enfermait les prisonniers à la fin des années 1840. Il fut ensuite converti en pension pour capitaines à la retraite. Aujourd'hui, il abrite un centre d'information sur le National Parks and Wildlife Service de l'État.

L'excellent **Rocks Discovery Museum** **(carte p. 66 ; www.therocks.com ; 2-8 Kendall Lane, The Rocks ; entrée libre ; ⏲10h-17h)** offre, à l'aide de nombreux objets, une immersion dans l'histoire du quartier et un aperçu interactif de la vie de la population, notamment des premiers habitants aborigènes.

Au-delà de l'**Argyle Cut** (carte p. 66), impressionnant tunnel creusé par des forçats, **Millers Point** est un charmant quartier, avec d'anciennes demeures coloniales offrant un contraste saisissant avec The Rocks. **Argyle Place** (carte p. 66) est une place de village à l'anglaise dominée par la **Garrison Church** (carte p. 66), la plus ancienne église d'Australie (1848).

Le **Sydney Observatory** **(carte p. 66 ; www.sydneyobservatory.com ; Watson Rd ; entrée libre pour l'édifice et le domaine, spectacle journée adulte/enfant et tarif réduit 7/5 $, observation nocturne adulte/enfant/réduit 15/10/12 $; ⏲10h-17h)**, édifice italianisant en grès de Sydney, est surmonté d'un dôme de cuivre et perché sur l'Observatory Hill. L'observatoire et le domaine sont ouverts aux visiteurs, qui y verront des images de l'espace en 3-D, et pourront observer grâce aux télescopes les étoiles et les planètes lors des séances d'observation nocturnes (horaires variables et réservation indispensable). Les séances e journée sont à 14h30 et 15h30 en semain et à 11h, midi, 14h30 et 15h30 le week-end

Les quais autour de Dawes Point sorte rapidement d'un oubli prolongé. Le quai n°4 (Pier 4) de Walsh Bay accueille la célèbre Sydney Theatre Company (p. 92) et quelques autres troupes de spectacle. L'impressionnant Sydney Theatre (p. 93) se trouve de l'autre côté de la rue.

Est de la ville

D'étroites ruelles s'étirent au sud-est de Circular Quay vers l'artère historique de Macquarie St, où s'élève le Parlement.

MUSEUM OF SYDNEY Musée

(carte p. 66 ; www.hht.net.au ; angle Bridge St et Phillip St ; adulte/enfant/famille 10/5/20 $; ⏲9h30-17h). L'installation de Janet Laurence Fiona Foley, *Edge of the Trees*, se dresse sur le parvis de cet élégant musée, à l'endroit où les colons britanniques rencontrèrent pour la première fois les premiers habitants de Sydney, les Gadigal. Édifié sur le site du premier palais du gouverneur de Sydney (1788), dont les fondations sont mises en valeur par les panneaux en verre qui couvrent le sol, le musée présente également une modeste collection permanente consacrée au passé colonia de Sydney, que font revivre des histoires, des objets et des installations interactive de pointe. Deux salles sont occupées par des expositions temporaires.

MACQUARIE STREET Artère historique

Le long de la limite orientale du centre-ville, cette rue se compose d'un chapelet de magnifiques demeures coloniales en grès, souvent commandées par Lachlan Macquarie, premier gouverneur de Nouvelle-Galles du Sud ayant imaginé la ville autrement que comme une colonie de forçats. Avec l'aide de Francis Greenway, convict et architecte, chargé d'en réaliser les plans, ils créèrent un modèle, malheureusement jamais égalé, en matière d'architecture.

GRATUIT **Parliament House** (carte p. 66 ; ☎02-9931 5222 ; www.hht.net.au ; ⏰10h30-15h ven-dim, parc 10h-16h tlj). Tout près de Macquarie St dans les Royal Botanic Gardens, l'édifice, érigé entre 1837 et 1845, arbore un style néogothique. L'intérieur n'est accessible qu'avec la visite guidée (réservation indispensable).

Plus au sud, la **State Library of NSW** (carte p. 66 ; www.sl.nsw.gov.au ; ⏰9h-20h lun-jeu, 9h-17h ven, 10h-17h sam-dim), bibliothèque de l'État, renferme plus de 5 millions de volumes et accueille des expositions novatrices dans ses salles.

Près de la bibliothèque, on découvre les vérandas profondes, les colonnades solennelles et les tons ocre du **Mint** (hôtel de la Monnaie ; carte p. 66 ; www.hht.net.au ; entrée libre ; ⏰9h-17h lun-ven) et de la **Parliament House** (Parlement ; carte p. 66 ; www.parliament.nsw.gov.au ; entrée libre ; ⏰9h-17h lun-ven), deux bâtiments jumeaux édifiés en 1816, anciennes ailes du tristement célèbre Rum Hospital – l'institution fut créée par deux commerçants et le principal chirurgien de Sydney en échange d'un monopole de trois ans sur le commerce du rhum.

Hyde Park Barracks Museum (carte p. 66 ; www.hht.net.au ; adulte/enfant/famille 10/5/20 $; ⏰9h30-17h) est l'un des deux chefs-d'œuvre de Greenway. Construites en 1819, les casernes abritèrent des détenus anglo-irlandais (les pionniers australiens) de 1819 à 1848, puis accueillirent les immigrants (1848-1886), un tribunal (1887-1979) et enfin l'actuel musée, offrant un fascinant aperçu de la vie quotidienne des prisonniers.

Environs de Hyde Park

Vers le sud, Macquarie St mène à ce parc municipal (carte p. 66) très apprécié avec sa majestueuse avenue d'arbres et ses ravissantes fontaines.

AUSTRALIAN MUSEUM Musée

(carte p. 74 ; www.australianmuseum.net.au ; 6 College St ; adulte/enfant/réduit 12/6/8 $; ⏰9h30-17h). Situé bien en vue face à Hyde Park, à l'angle de William St, ce musée d'art naturel présentait déjà des animaux naturalisés 40 ans après l'arrivée de la First Fleet – la muséographie et les salles semblent avoir peu changé depuis, à l'exception des expositions temporaires, dans la salle des premiers

Expositions au Rocks Discovery Museum

OLIVER STREWE/LONELY PLANET IMAGES ©

peuples d'Australie, souvent consacrées aux questions et à l'art contemporain aborigènes.

GRATUIT ART GALLERY OF NSW Galerie d'art

(hors carte p. 66 ; www.artgallery.nsw.gov.au ; Art Gallery Rd, The Domain ; entrée libre, tarif variable pour les expositions temporaires ; 10h-17h jeu-mar, 10h-21h mer). Cette impressionnante galerie d'art renferme notamment une collection d'art australien des XIXe et XXe siècles, et d'art aborigène et des insulaires du détroit de Torres. Elle accueille de grandes expositions itinérantes nationales et internationales. C'est ici que les portraits de célébrités et d'anonymes sont exposés chaque année à l'occasion de l'**Archibald Prize** (**www.thearchibaldprize.com.au**).

Centre de Sydney

Sydney ne possède pas de "centre" à proprement parler, mais **Martin Place** (carte p. 66) pourrait bien prétendre à ce titre. Cet immense ensemble piétonnier, s'étendant de Macquarie St à George St, est bordé de majestueux édifices financiers et de l'imposant bâtiment victorien à colonnades de la poste principale.

Datant de 1874, le bel hôtel de ville, **Town Hall** (carte p. 66), est situé quelques rues au sud de Martin Pl, à l'angle de George St et de Druitt St. L'ornementation de la chambre du conseil et de la salle de concert sont à la hauteur de la façade. À côté, la cathédrale anglicane la plus ancienne du pays, **St Andrew's Cathedral** (carte p. 66) remonte à la même époque. Tout proche et occupant un pâté de maisons entier, le Queen Victoria Building est la plus somptueuse galerie marchande de Sydney. Presque aussi belle, la Strand Arcade (p. 94), entre Pitt St Mall et George St, abrite de nombreux couturiers australiens. Toute récente, Westfield Sydney (p. 66) est la galerie commerçante la plus cossue de la ville. Au 5e étage, le rayon alimentaire est remarquable. C'est également le point

À gauche Sydney Aquarium
Ci-dessous Poissons frais au Sydney Fish Market (p. 73)
PHOTOGRAPHE : ANDREW WATSON/LONELY PLANET IMAGES ©

d'accès à la **Sydney Tower** (carte p. 66 ; 86-100 Market St ; adulte/enfant/réduit 25/15/20 $; 9h-22h30), d'où la vue sur la ville se déploie à 360 degrés.

Dans le sud-ouest, l'animation se concentre surtout dans le petit **Spanish Quarter** (quartier espagnol ; carte p. 66), et surtout le florissant **Chinatown** (carte p. 72), un îlot de restaurants, de boutiques et d'allées aux senteurs exotiques autour de Dixon St.

Darling Harbour

Cockle Bay, en bordure de la ville, à l'ouest, était jadis une zone de docks industriels. Les usines, hangars et chantiers navals ont laissé place à un vaste front de mer touristique et plutôt ringard (www.darlingharbour.com), à peine racheté par son excellent aquarium et son musée maritime.

Pour boire un café ou manger un morceau, fuyez les prétentieux établissements de **Cockle Bay Wharf** (carte p. 72) et de **King St Wharf** (carte p. 66), et dirigez-vous vers **Jones Bay Wharf**, où l'excellent restaurant Flying Fish (p. 88) et le **Café Morso** offrent en plus une vue magnifique.

Autre possibilité : emprunter le **Pyrmont Bridge** (carte p. 72), un pont restauré qui enjambe dignement le quartier et mène à **Pyrmont**, où se trouve le Sydney Fish Market.

Darling Harbour et Pyrmont sont desservis par un ferry, le monorail et le Metro Light Rail (MLR).

SYDNEY AQUARIUM Aquarium
(carte p. 72 ; www.sydneyaquarium.com.au ; Aquarium Pier ; adulte/enfant 35/18 $; 9h-20h). Hommage à la richesse de la vie marine australienne, cet aquarium immensément touristique compte trois "océanariums" arrimés dans le port : l'un est peuplé de requins, de raies et de divers poissons aux mensurations impressionnantes, et les deux autres d'espèces de la baie de Sydney et

Chinatown et Darling Harbour

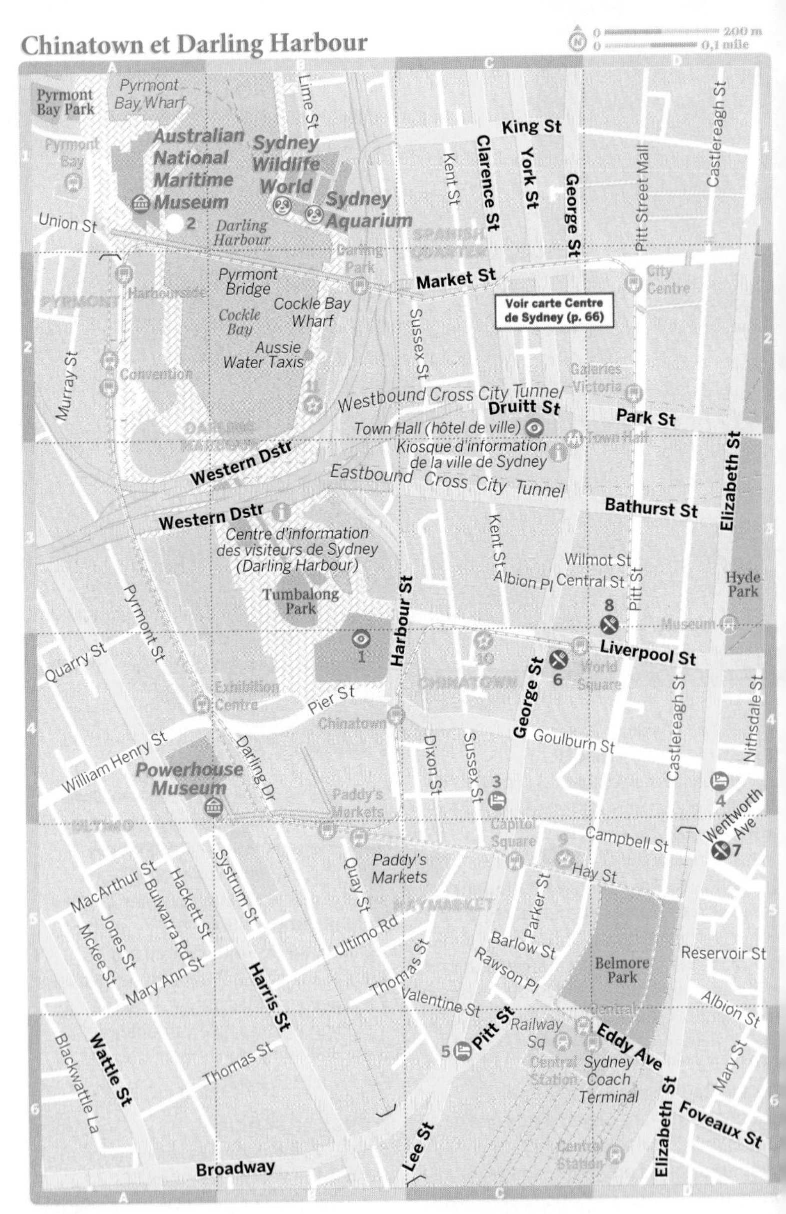

de phoques. Ne manquez pas l'exposition chamarrée sur la Grande Barrière de corail, les ornithorynques et les crocodiles des salles Southern Rivers et Northern Rivers, ni les adorables manchots de la section sur l'océan Austral (Southern Ocean).

SYDNEY WILDLIFE WORLD Zoo

(carte p. 72 ; www.sydneywildlifeworld.com.au ; Aquarium Pier ; adulte/enfant 35/18 $; 9h-17h). Approchez les koalas, les kangourous roux, les wallabies, les pythons améthyste et d'autres bébêtes locales dans ce zoo couvert proche de l'aquarium.

Chinatown et Darling Harbour

AUSTRALIAN NATIONAL MARITIME MUSEUM Musée

(carte p. 72 ; www.anmm.gov.au ; 2 Murray St ; entrée principale libre ; 9h30-17h). Surmonté d'un toit rappelant celui de l'Opéra, ce musée maritime explore en diverses thématiques la relation étroite qu'entretient l'Australie avec la mer, des canoës aborigènes à la culture surf, en passant par la marine.

POWERHOUSE MUSEUM Musée

(carte p. 72 ; www.powerhousemuseum.com ; 500 Harris St, Ultimo ; adulte/moins de 4 ans/4-15 ans et étudiant 10/gratuit/5 $, supplément expositions spéciales ; 9h30-17h). Installé dans la centrale électrique de l'ancien réseau de tramways de Sydney, ce passionnant musée des Sciences et du Design est considéré (à raison) comme l'un des meilleurs du pays.

CHINESE GARDEN OF FRIENDSHIP Jardin

(carte p. 72 ; www.chinesegarden.com.au ; tarif plein/étudiant australien et moins de 12 ans 6/3 $; 9h30-17h30). Aménagé suivant les principes du Yin et du Yang, ce jardin est une oasis de tranquillité dans l'effervescence de Darling Harbour.

SYDNEY FISH MARKET Marché

(02-9004 1122 ; www.sydneyfishmarket.com.au ; angle Pyrmont Bridge Rd et Bank St, Pyrmont ; 7h-16h). Quelque 15 millions de kilos de produits de la mer transitent annuellement par cet immense marché, où s'entassent crabes de vase, cigales de mer, homards, huîtres, mulets, truites arc-en-ciel... Outre le bar à huîtres, le marché compte quantité de restaurants (notamment une excellente échoppe de *yum cha* pour déguster des *dim sum*), un traiteur, une cave à vin et un bar à sushis.

Kings Cross

En surplomb du CBD, sous l'immense **enseigne Coca-Cola** (carte p. 74) – aussi emblématique que le "Hollywood" de Los Angeles – , le "Cross" (la Croix) est un quartier densément peuplé, à la fois huppé et sordide. Jadis composé de majestueuses propriétés et d'appartements élégants, le quartier subit une transformation radicale dans les années 1930, quand une population d'intellectuels, d'artistes et d'hédonistes de tous poils décida d'y emménager.

Si le "Cross" conserve une atmosphère interlope, des restaurants chics, des bars branchés et des hôtels luxueux coexistent désormais avec les boîtes de strip-tease et les bistrots miteux. Son côté tapageur n'est pas inintéressant, mais la descente de Darlinghurst Rd a aussi de quoi affliger.

Huit "o" dans un seul mot – un record ! **Woolloomooloo**, en bas des marches du **McElhone Stairs** depuis le Cross, est un ancien quartier délabré de marins et de vagabonds. Par la force des choses, l'ambiance s'est assagie : les pubs sont

Kings Cross, Darlinghurst et Surry Hills

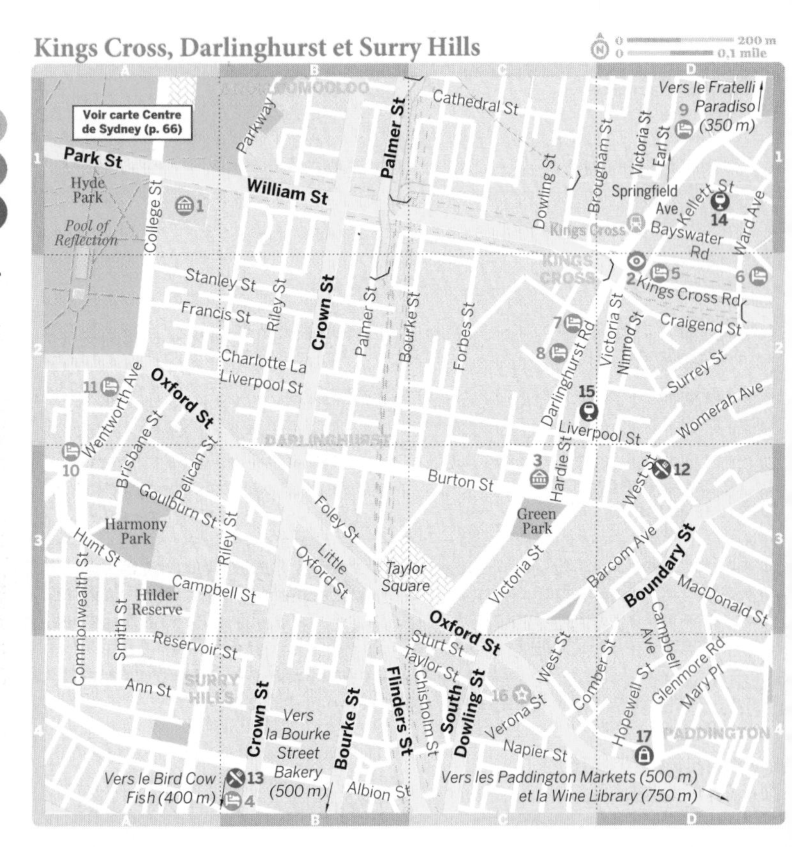

plus décontractés et **Woolloomooloo Wharf** compte plusieurs restaurants haut de gamme et le très chic BLUE Sydney (p. 83). Près du quai, le célèbre **Harry's Café de Wheels** a servi son "Tiger" (tourte au bœuf accompagnée de purée de haricots, de pommes de terre et de sauce brune) à des générations de Sydneysiders rentrant éméchés du Cross.

Le Cross est à 15 min à pied du centre. Vous pouvez aussi prendre un train ou les bus n^os^323-7, 324-5 et 333.

Quartiers est du centre (Inner East)

Oxford Street (carte p. 74), l'ancienne rue des sorties et des emplettes, se distingue surtout par son côté clinquant. Le quartier autour de **Taylor Square** (carte p. 74) demeure un pôle de la vie gay, le Gay & Lesbian Mardi Gras (p. 83), en février, draîne une foule nombreuse, tout comme les pubs et clubs "roses" qui font l'animation le week-end.

Encadrés par Oxford St et William St, les cafés et les hôtels de charme abondent dans le quartier bohème de Darlinghurst, où se dresse aussi le **Sydney Jewish Museum** (**carte p. 74 ; www.sydneyjewishmuseum.com.au ; 148 Darlinghurst Rd ; adulte/enfant/réduit 10/6/7 $; 10h-16h dim-jeu, 10h-14h ven, fermeture les jours de fêtes juives**).

Paddington, "Paddo" pour les intimes, est un quartier résidentiel cossu bordé de demeures victoriennes restaurées, présentant souvent de fins ornements en fer forgé. Pour découvrir les rues et ruelles de Paddington ornées de jacarandas, mieux vaut venir le samedi, où se tient le Paddington Market (hors carte p. 74).

Kings Cross, Darlinghurst et Surry Hills

À voir		Où se restaurer	
1 Australian Museum	A1	12 Bills Darlinghurst	D3
2 Enseigne Coca-Cola	D2	Bills Surry Hills	(voir 4)
3 Sydney Jewish Museum	C3	13 Billy Kwong	B4

Où se loger		Où prendre un verre	
4 Adina Apartment Hotel Sydney	B4	14 Aperitif	D1
5 Diamant Hotel	D2	15 Victoria Room	C2
6 Hotel 59	D2		
7 Hotel Altamont	C2	**Où sortir**	
8 Kirketon	C2	16 Palace Verona	C4
9 Quest Potts Point	D1		
10 Travelodge Sydney	A3	**Achats**	
11 Y Hotel	A2	17 Zimmermann	D4

GRATUIT **Brett Whiteley Studio** (www.brettwhiteley.org; 2 Raper St, Surry Hills; 10h-16h sam-dim). Après l'effervescence du marché, flânez et déjeunez dans Surry Hills, puis visitez le studio de Brett Whiteley, où sont exposées les toiles de ce brillant artiste toxicomane (1939-1992).

Immédiatement au sud-est de Paddington, en haut d'Oxford St s'étend le **Centennial Park**, dont les 220 ha sont sillonnés de sentiers pour les joggeurs, les vélos, les rollers et les chevaux, et ponctués d'étangs, d'aires de barbecue et de terrains de sport.

Faubourgs est

L'élégante **Rushcutters Bay** se trouve à 5 min à pied à l'est de Kings Cross. Sur le front de mer, son parc est un endroit rêvé pour se dégourdir les jambes. La New South Head Rd, qui longe la côte, traverse **Double Bay** et **Rose Bay**, avant de monter vers l'est, dans le ravissant quartier de **Vaucluse**, où le **Nielsen Park** recèle, dans un cadre ombragé, l'une des plus belles plages de la baie. On y trouve un bassin de baignade protégé par des filets, une belle étendue de sable, des aires de pique-nique et un café/restaurant fréquenté.

À l'entrée de la baie s'étend **Watsons Bay**, où vous respirerez l'air du large en admirant la vue splendide sur la ville et en dégustant un *fish and chips* à emporter chez **Doyle's on the Wharf** (fish and chips 11,80-17,50 $; 10h-18h) au Fisherman's Wharf. Non loin, **Camp Cove** est une plage ravissante ; une autre, réservée aux nudistes (essentiellement aux hommes) se trouve près de South Head à **Lady Bay**. **South Head** offre une belle vue sur l'entrée de la baie, North Head et Middle Head. **The Gap** est une falaise qui attire, entre autres, les rendez-vous galants aux lever et coucher du soleil.

Les bus n^{os}324 et 325 depuis Circular Quay desservent les faubourgs est via Kings Cross (la vue est plus jolie à gauche du bus en allant vers l'est). Le ferry de Watsons Bay part du Wharf 4 à Circular Quay, avec un arrêt à Double Bay et Rose Bay.

Bondi Beach

Bondi est la reine des plages de la ville, malgré les foules, la promenade tapageuse, les courants marins souvent traîtres et les déferlantes capricieuses. Ce faubourg jouit d'une ambiance unique grâce à son melting-pot culturel.

Au sud de la plage, au sommet de la falaise, le **Bondi to Coogee Clifftop Walk** (5,5 km) est un splendide sentier rejoignant Coogee via Tamarama, Bronte et Clovelly. Le chemin est jalonné de vues panoramiques, de plages surveillées, de lieux de baignade, de parcs et de panneaux évoquant les mythes et histoires des Aborigènes.

Prenez le bus n°380 ou 333 depuis Circular Quay jusqu'à North Bondi (pas d'arrêt à Bondi Beach : la plage est à 5 min à pied de la gare routière de Brighton Blvd), ou un bus ou un train

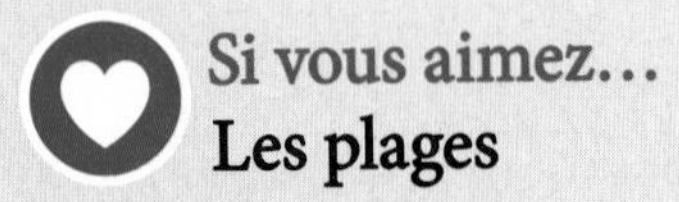

Si vous aimez... Les plages

Si vous aimez le soleil, le sable et la mer de Bondi, vous devriez apprécier ces plages :

1 BALMORAL
Séparée en deux par un affleurement rocheux, Balmoral est une destination de North Sydney prisée pour la baignade, le kayak et la planche à voile. On y mange de délicieux *fish and chips*. Bus n°246 de Wynyard, puis bus n°257 de Spit Junction.

2 BRONTE
Les pins et les promontoires de Norfolk Island encerclent le parc en cuvette adossé à Bronte, une plage familiale avec aire de jeux, piscine naturelle et cafés en bord de mer. Bus n°378 depuis Railway Sq.

3 CLOVELLY
Les plateformes de béton le long de la baie lui donnent des airs de piscine, mais les eaux calmes et cristallines de Clovelly sont idéales pour le snorkeling. Bus n°339 depuis Central Station.

4 AVALON
Cette perle des plages du nord est l'étendue de sable dont vous avez toujours rêvé ! Excellentes vagues et cafés décontractés. Prenez les bus n^os^L88, 190 ou L90 depuis Wynyard.

jusqu'à l'échangeur de Bondi Junction, d'où les bus n^os^389 ou 333 vous déposeront à la plage.

Quartiers ouest du centre (Inner West)

À l'ouest du centre-ville, la péninsule de **Balmain** est un secteur hétéroclite. Cet ancien repaire de dockers peu fréquentable est désormais un ensemble bourgeois original renfermant des maisons victoriennes pimpantes, des pubs accueillants, des cafés et des boutiques branchées. Prenez un ferry depuis le Wharf 5 à Circular Quay, ou le bus n°441/2 depuis le QVB (Queen Victoria Building).

Au sud de l'université de Sydney, **Newtown** est un creuset d'identités culturelles et sexuelles. King St, l'artère principale, abonde en boutiques de vêtements décalés, librairies et cafés. Prenez le train ou le bus n^os^422, 423, 426 ou 428 de Circular Quay, ou Castlereagh St jusqu'à King St.

North Shore (rive nord)

À l'extrémité nord de Harbour Bridge, léchés par les vagues, les faubourgs de **Milsons Point** et **McMahons Point** sont paisibles.

Sur la rive est de Lavender Bay, **Luna Park** (**www.lunaparksydney.com ; 1 Olympic Pl, Milsons Point ; entrée libre, forfait plusieurs manèges 20 $; ⏲horaires très variables, consultez le site Internet**) est un parc d'attractions ouvert en 1935. Il rassemble une grande roue, un rotor, une soucoupe volante, une troïka et divers manèges.

À l'est du pont, dans les faubourgs cossus de **Kirribilli**, l'**Admiralty House** et la **Kirribilli House** sont respectivement les résidences du gouverneur général et du Premier ministre.

Traversez le pont pour gagner Milsons Point, McMahons Point, Lavender Bay et Kirribilli, ou traversez en ferry depuis les Wharf 4 et 5 à Circular Quay.

TARONGA ZOO Zoo

(**www.taronga.org.au/taronga-zoo ; Bradleys Head Rd, Mosman ; adulte/4-15 ans/réduit 43/21/30 $; ⏲9h-17h**). Plus d'un habitant de Sydney troquerait volontiers la place des résidents de ce zoo, tant son emplacement, sa vue et sa végétation sont enviables.

Les ferries pour le zoo partent du Wharf 2 de Circular Quay 2 fois par heure – l'entrée, proche de l'arrêt du ferry, n'ouvre qu'à 11h en semaine. En descendant du ferry, passez à la billetterie puis rendez-vous au **téléphérique Sky Safari** (compris dans l'entrée), qui mène au point le plus élevé du zoo. Le **ZooPass** (**adulte/enfant 4 à 15 ans 49,50/24,50 $**), vendu à Circular Quay et ailleurs, comprend l'aller-retour en ferry et l'entrée du zoo, avec habituellement 10% de réduction.

Taronga Zoo

JULIET COOMBE/LONELY PLANET IMAGES ©

Manly

Le paisible quartier de Manly occupe un isthme étroit entre l'océan et la baie, près de North Head. C'est le seul endroit à Sydney où l'on peut venir en ferry depuis la baie pour nager dans l'océan.

L'accueillant **centre d'information des visiteurs de Manly** (☎9977 1430 ; www.manlytourism.com ; Manly Wharf ; ⌚9h-17h lun-ven, 10h-16h sam-dim) est à la sortie de l'embarcadère des ferries.

Pour rejoindre Manly, prenez le ferry du Wharf 3 à Circular Quay – le trajet est splendide.

Northern Beaches (plages du nord)

Les 20 km de littoral qui séparent Manly et la très chic **Palm Beach** (où est tournée la série australienne *Summer Bay*) sont considérés comme le plus beau cadre de surf au monde, pour le bonheur des baigneurs et des surfeurs qui arpentent Manly Beach, Collaroy Beach, Freshwater Beach, Dee Why Beach, Narrabeen Beach, Mona Vale Beach, Newport Beach, Bilgola Beach, Avalon Beach, Whale Beach et Palm Beach.

Pour atteindre Collaroy, North Narrabeen, Mona Vale, Newport, Bilgola, Avalon, Whale et Palm depuis le CBD, prenez le bus n°L90 depuis Railway Sq. Depuis Manly Wharf, le bus n°136 dessert Chatswood via Curl Curl et Dee Why. Le bus n°156 va à McCarrs Creek via Dee Why, North Narrabeen et Mona Vale.

KU-RING-GAI CHASE NATIONAL PARK Parc

(www.nationalparks.nsw.gov.au ; véhicule 11 $). Ce parc spectaculaire de 14 928 ha, à 24 km du centre-ville, délimite Sydney au nord. Il présente un mélange classique de grès, de bush et de vues sur la mer, comprenant 100 km de littoral sur la rive sud de Broken Bay, vers Hawkesbury River.

Des vestiges aborigènes sont encore visibles grâce à la préservation de plus de 800 sites, notamment des peintures rupestres et de l'art pariétal. Pour en savoir plus et pour découvrir la flore et la faune du parc, empruntez l'entrée de Mt Colah et explorez le **Kalkari Discovery Centre** (☎02-9472 9300 ; Ku-ring-gai Chase Rd ; entrée libre ; ⌚10h-16h lun-ven, 10h-17h sam-dim), qui propose des expositions et des vidéos sur les animaux d'Australie et la culture aborigène.

Le **centre d'information de Bobbin Head** (☎02-9472 8949 ; Bobbin Inn, Bobbin Head ; ⌚10h-16h), géré par la direction des parcs de l'État, vous renseignera ; il comporte une marina, des aires de pique-nique, un café et une promenade dans les mangroves.

On accède au parc en voiture ou par le **Palm Beach Ferry** (www.palmbeachferry.com.au ; adulte/enfant 6,90/3,50 $; ⌚9h-19h lun-ven, 9h-18h sam-dim), géré par Fantasea, qui circule toutes les heures entre Palm Beach et Mackerel Beach, via le Basin. Depuis le CBD, Palm Beach est desservie par le bus n°L90 depuis Railway Sq ou les bus nos156 ou 169 depuis Manly Wharf.

Les automobilistes peuvent y accéder au Mt Colah par Ku-ring-gai Chase Rd, qui part de Pacific Hwy ; à North Turramurra Bobbin par Head Rd ; ou à Terrey Hills par McCarrs Creek Rd.

Activités

Baignade

Sydney possède plus de 100 piscines publiques et des bassins rocheux protégés sur de nombreuses plages. Les grèves situées dans la baie offrent des coins de baignade abrités équipés de filets anti-requins, mais rien ne vaut les vagues de l'océan Pacifique. Nagez toujours dans les zones surveillées et méfiez-vous des vagues : même petites, elles peuvent être traîtres.

Quelques piscines en plein air :

Andrew 'Boy' Charlton Pool Baignade
(www.abcpool.org ; 1c Mrs Macquaries Rd, The Domain ; adulte/enfant/casier 5,60/2/3 $; ⌚6h-19h sept-avr, 1 heure plus tard heure d'été). Bassin extérieur d'eau salée de 50 m et café avec vue sur la baie.

Bondi Icebergs Swimming Club Baignade
(http ://icebergs.com.au/ ; tarif plein/enfant et senior 5/3 $; ⌚6h-18h30 lun-mer et ven, 6h30-18h30 sam-dim). La piscine la plus célèbre de Sydney offre la plus belle vue de tout Bondi et comprend un sympathique petit café.

North Sydney Olympic Pool Baignade
(www.northsydney.nsw.gov.au ; 4 Alfred St South, Milsons Point ; tarif plein/enfant/senior 6,50/3,20/5,20 $; ⌚5h30-21h lun-ven, 7h-19h sam-dim). Près du Luna Park, elle donne directement sur la baie.

Canoë et kayak

Natural Wanders
(☎0427 225 072 ; www.kayaksydney.com ; à partir de 65$/pers). Grisantes sorties en kayak (en matinée) dans Harbour Bridge, Lavender Bay, Balmain et Birchgrove.

Plongée

Les meilleurs sites de plongée depuis la rive sont : Gordons Bay au nord de Coogee, Shark Point à Clovelly et Ship Rock à Cronulla. Pour plonger en haute mer, rendez-vous de préférence à Wedding Cake Island, au large de Coogee, aux Heads ou au Royal National Park.

Dive Centre Bondi Plongée
(☎02-9369 3855 ; www.divebondi.com.au ; 198 Bondi Rd, Bondi ; ⌚8h30-18h lun-ven, 7h30-18h sam-dim). Journée d'initiation PADI 225 $; Plongées près du littoral ou au large ; location de matériel.

Dive Centre Manly Plongée
(☎02-9977 4355 ; www.divesydney.com.au ; 10 Belgrave St, Manly ; ⌚9h-18h lun-mer et ven, 9h-20h jeu, 8h-18h sam-dim). Cours de découverte PADI 155 $; plongées près du littoral ou au large ; location de matériel.

Roller

Les promenades qui bordent les plages de Bondi et de Manly et les allées du Centennial Park se prêtent idéalement au roller.

Rollerblading Sydney Roller
(☎0411 872 022 ; www.rollerbladingsydney.com.au ; cours 50 $/h). Location, cours et visites guidées.

Skater HQ Roller
(www.skaterhq.com.au ; 2/49 North Steyne, Manly ; location adulte/enfant 20/15 $/h ; ⌚10h-19h lun-jeu, 10h-20h ven, 9h-20h sam, 9h-18h dim). Rollerblades, scooters et skateboards en location

Surf

Sur la rive sud (South Shore), rendez-vous à Bondi, Tamarama et Coogee, Maroubra ou Cronulla. La rive nord (North Shore) compte plusieurs belles plages de surf, entre Manly et Palm Beach, et notamment Curl Curl, Dee Why, Narrabeen, Mona Vale et Newport.

Let's Go Surfing Surf
(☎02-9365 1800 ; www.letsgosurfing.com.au ; 128 Ramsgate Ave, Bondi ; cours 2 heures avec planche et combinaison adulte/enfant à partir de 89/79 $; ⏰9h-17h, plus tard en été). Location planche et combinaison (30 $/2 heures).

Manly Surf School Surf
(☎02-9977 6977 ; www.manlysurfschool.com ; North Steyne Surf Lifesaving Club, Manly ; cours collectif 2 heures avec planche et combinaison adulte/enfant 60/50 $; ⏰9h-18h). Cours tous niveaux, âges et forme physique.

Vélo

Bicycle NSW Vélo
(www.bicyclensw.org.au) publie *Cycling Around Sydney*, une brochure qui indique les pistes cyclables de la ville ; sa boutique en ligne vend *Where to Ride Sydney*, de Bicycle Australia, et *Great Cycling Rides in NSW*, de la National Roads & Motorists Association (NRMA).

Centennial Park Cycles Vélo
(www.cyclehire.com.au ; j/sem à partir de 50/110 $; ⏰9h-17h). Adresses à Randwick et au Centennial Park.

Voile

Sydney compte de nombreux yacht-clubs et écoles de voile.

EastSail Sailing School Voile
(☎02-9327 1166 ; www.eastsail.com.au ; d'Albora Marina, New Beach Rd, Rushcutters Bay ; croisière adulte/enfant à partir de 119/89 $, stage "découverte" de 2 jours 575 $; ⏰9h-18h). Ce sympathique établissement propose des cours pour les débutants et les plus expérimentés et des croisières le matin et au coucher du soleil.

Sydney by Sail Voile
(carte p. 72 ; ☎02-9280 1110 ; www.sydneybysail.com.au ; Festival Pontoon, National Maritime Museum, Darling Harbour). Circuits quotidiens dans la baie (3 heures, adulte/enfant 150/75 $), week-ends d'initiation à la voile (495 $), croisières avec les baleines (6 heures, 175 $) et une multitude d'autres possibilités.

Circuits organisés

Quantité de circuits sont organisés dans Sydney. La plupart sont à réserver dans les centres d'information des visiteurs.

Circuits en bus

CITY SIGHTSEEING Circuits en bus
(www.city-sightseeing.com). Deux circuits sont proposés dans Sydney à l'achat d'un seul billet (tarif plein/enfant/

Bronte Beach (p. 76)

Sydney avec des enfants

De nombreuses activités sont organisées pour les enfants durant les vacances scolaires (décembre/janvier, avril, juillet et septembre). Consultez les sites www.sydneyforkids.com.au et www.kidfriendly.com.au, et procurez-vous le magazine gratuit *Sydney's Child* pour connaître le programme.

Le Sydney Aquarium (p. 71), le Sydney Wildlife World (p. 72), l'Australian National Maritime Museum (p. 73) à Darling Harbour et le Powerhouse Museum (p. 73) sont des valeurs sûres. Le dimanche après-midi, le programme GalleryKids à l'Art Gallery of NSW (p. 70) offre diverses activités : danses, histoires, magie, dessins animés, spectacles aborigènes, visites avec guide en costume et manifestations selon les expositions.

Le Taronga Zoo (p. 76) et le Luna Park (p. 76) raviront aussi les petits.

senior/étudiant valable 24 heures 35/20/25/30 $, billet valable 48 heures 56/32/40/48 $, ttes les 20 min de 8h30 à 19h30). Départ de Central Station toutes les 15 à 20 min, possibilité de monter à n'importe quel arrêt. Les billets sont vendus à bord. Le **Sydney Tour** est un circuit circulaire de 1 heure 30 avec 23 haltes, dont Pyrmont, Darling Harbour, The Rocks, Circular Quay, le centre-ville, Kings Cross, le Domain et Macquarie St, au départ de Central Station.

Croisières dans la baie

CAPTAIN COOK CRUISES Croisières dans la baie
(carte p. 66 ; 02-9206 1111 ; www.captaincook.com.au ; Wharf 6, Circular Quay). Croisière "Harbour Highlights" de 1 heure 15 deservant les sites phares de la baie (tarif plein/5-14 ans/étudiant 30/16/26 $), ou forfait "Harbour Express" valable 24 heures permettant de monter et de descendre à sa guise et comprenant l'entrée du Fort Denison, de Shark Island et du Taronga Zoo (tarif plein/enfant/étudiant 58/32/36 $). Également à l'Aquarium Pier à Darling Harbour.

Sydney Ferries Croisières dans la baie
(carte p. 66 ; www.sydneyferries.nsw.gov.au). Allez sur le site Internet ou dans l'un des guichets du Circular Quay pour tout savoir des ferries qui sillonnent la baie.

Circuits à pied

BridgeClimb Circuits à pied
(carte p. 66 ; 02-9240 1100 ; www.bridgeclimb.com ; 5 Cumberland St, The Rocks ; adulte 188-268 $, enfant 10-15 ans 128-188 $; circuit 3 heures 30 toute la journée). Équipé d'écouteurs, d'un câble et d'une vilaine combinaison grise, vous vous lancerez dans une ascension que vous n'oublierez pas de sitôt ! Réservez bien à l'avance.

SYDNEY ARCHITECTURE WALKS Circuits à pied
(02-8239 2211 ; www.sydneyarchitecture.org ; tarif plein/réduit 35/25 $). Ces visites de 2 heures (sept-mai) sont guidées par un architecte au départ du Museum of Sydney. Une visite de la ville est programmée presque tous les mercredis à 10h30, tandis que celle du samedi à 10h30 se consacre à l'Opera House. D'autres circuits portent aussi sur l'histoire industrielle des Rocks.

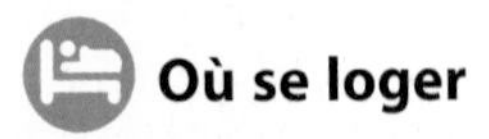

Où se loger

Des réductions sont parfois offertes en hiver, mais les tarifs peuvent grimper jusqu'à 40% entre décembre et février.

Circular Quay et The Rocks

SYDNEY HARBOUR YHA Auberge de jeunesse $
(carte p. 66 ; 02-8272 0900 ; www.yha.com.au ; 110 Cumberland St, The Rocks ; dort 44-59 $, d 148-170 $, d avec vue sur la baie 165-185 $;).

Le toit-terrasse avec vue et les chambres luxueuses font de cette auberge de jeunesse YHA une adresse de choix. Exceptionnellement bien tenu, cet établissement récent donne sur Circular Quay vers l'Opera House.

RUSSELL Hôtel de charme **$$$**
(carte p. 66 ; ✆ 02-9241 3543 ; www.therussell.com.au ; 143a George St, The Rocks ; d 199-245 $, sans sdb 130-199 $; ❄). Récemment rénové, cet établissement s'est doté d'un style plus épuré (se débarrassant des fanfreluches et falbalas d'antan), d'un ascenseur et d'un bar à vin. Le jardin sur le toit et la proximité de Circular Quay sont ses atouts, mais seules quelques chambres sont climatisées.

LORD NELSON BREWERY HOTEL Hôtel de charme **$$**
(carte p. 66 ; ✆ 02-9251 4044 ; www.lordnelson.com.au ; 19 Kent St, the Rocks ; d 190 $, sans sdb 130 $; ❄ 📶). Édifié en 1841, ce beau pub en grès possède sa propre brasserie (nous conseillons une pinte de "Nelson's Blood") et loue des chambres chics et sans prétention, souvent avec murs en pierre d'époque. Les sdb, même communes, sont splendides.

B&B SYDNEY HARBOUR B&B **$$**
(carte p. 66 ; ✆ 02-9247 1130 ; www.bedandbreakfastsydney.com ; 140-142 Cumberland St, The Rocks ; s 165-214 $, sans sdb 140-165 $, d 178-260 $, sans sdb 155-178 $; ❄). Vieille d'un siècle, cette pension des Rocks abrite de jolies chambres arborant un décor traditionnel australien, certaines donnant sur la baie. Généreux petit-déjeuner servi dans la cour. Chambres avec ou sans clim.

Centre-ville

VIBE HOTEL Hôtel **$$**
(carte p. 72 ; ✆ 02-9282 0987 ; www.vibehotels.com.au ; 111 Goulburn St ; d 165-220 $, ste 220-300 $; ❄ @ 📶 🏊). Ces chambres spacieuses proches de Central Station, sont d'un très bon rapport qualité/prix. Toutes ont un coin salon, une TV écran plat, un bureau et un immense placard. Café et salle de sport au rez-de-chaussée, sauna et piscine de belle taille sur la terrasse. Supplément petit-déjeuner 22-28 $.

Y HOTEL Auberge de jeunesse **$$**
(carte p. 74 ; ✆ 02-9264 2451 ; www.yhotel.com.au ; 5-11 Wentworth Ave ; dort 35-65 $, s 70-202 $, d 70-250 $; ❄ @ 📶). Davantage fréquenté

Ascension de pont avec Sydney Harbour BridgeClimb

HOLGER LEUE/LONELY PLANET IMAGES ©

par les groupes en voyage organisé que par les jeunes fêtards, cet hôtel bon marché est idéalement situé dans un recoin tranquille de la ville, non loin de Hyde Park, d'Oxford St, des gares et des arrêts de bus. Diverses chambres sobres, bien entretenues et impeccables, des petits dortoirs aux vastes studios avec sdb et kitchenette.

PENSIONE HOTEL Hôtel de charme **$$**
(carte p. 72 ; ☎02-9265 8888 ; www.pensione.com.au ; 631-635 George St ; s/d à partir de 100/135 $; ❄@📶). L'ancienne poste abrite aujourd'hui 68 chambres élégantes aux tons neutres, certaines minuscules, et une salle commune avec kitchenette. Préférez les chambres à l'arrière, à l'abri de la circulation. Petit-déjeuner 10 $.

ESTABLISHMENT HOTEL Hôtel de charme **$$$**
(carte p. 66 ; ☎02-9240 3100 ; www.merivale.com ; 5 Bridge Lane ; ch 445-800 $; ❄@📶). Prisé des stars, des couples chics et des amoureux en quête de discrétion. L'établissement brille moins par son équipement que par son côté glamour. Les alentours de l'hôtel sont les plus dynamiques (et les plus bruyants) de la ville – passez votre chemin si vous avez le sommeil léger.

WAKE UP ! Auberge de jeunesse **$**
(carte p. 72 ; ☎02-9288 7888 ; www.wakeup.com.au ; 509 Pitt St ; dort 32-40 $, d et lits jum 112-132 $, sans sdb 98-118 $; ❄@📶). Ce grand magasin, édifié en 1900 sur l'un des carrefours les plus fréquentés de Sydney, abrite une auberge de jeunesse conviviale, colorée et gérée avec sérieux. Guichet circuits, accueil 24h/24, café ensoleillé, bar et atmosphère résolument tournée vers la fête. Dortoirs de 4 à 10 lits.

TRAVELODGE SYDNEY Hôtel **$$**
(carte p. 74 ; ☎02-8267 1700 ; www.travelodge.com.au/travelodge-sydney-hotel/home ; angle Wentworth Ave et Goulburn St ; d à partir de 99 $; ❄@📶). Bien situé près de Hyde Park (à mi-chemin entre Museum Station et Central Station), chambres propres, confortables et bien agencées avec kitchenette rudimentaire. L'endroit est un bon choix, surtout si vous obtenez l'un des excellents tarifs spéciaux Internet (nous recommandons le forfait de 5 nuits).

Sydney Gay & Lesbian Mardi Gras

MICHAEL TAYLOR/LONELY PLANET IMAGES ©

Sydney Gay et Lesbien

À Sydney, les gays et les lesbiennes font partie intégrante de la trame sociale et forment une communauté dynamique, considérée comme la deuxième plus nombreuse au monde après San Francisco, et dont le centre est **Taylor Square** (carte p. 74), dans Oxford St. Newtown est le pivot de la vie lesbienne.

Le **Gay & Lesbian Mardi Gras** (www.mardigras.org.au) de Sydney réunit plus de 700 000 spectateurs. Le **Sleaze Ball**, fin septembre ou début octobre, est un grand bal qui se tient dans le Horden Pavilion, au Moore Park (carte p. 66).

SX compte parmi les médias gays distribués gratuitement ; en ligne, consultez www.ssonet.com.au (principal journal gay de Sydney), www.lotl.com (mensuel lesbien de la ville) et les pages G&L du mensuel *Time Out*.

La plupart des hébergements d'Oxford St et ses abords accueillent volontiers les voyageurs gays.

Kings Cross, Potts Point et Wooloomooloo

DIAMANT HOTEL Hôtel $$$
(carte p. 74 ; ☎02-9295 8888 ; www.evasbackpackers.com.au ; 14 Kings Cross Rd, Kings Cross ; d 165-350 $, ste 305-375 $; ❄@📶). Aussi majestueux que l'enseigne Coca-Cola voisine, cet établissement raffiné, de la chaîne 8 Hotels, comprend des chambres de styles divers, souvent avec vue et cour. Lits king-size et linge de lit haut de gamme – seul bémol : l'absence de Wi-Fi.

SIMPSONS OF POTTS POINT B&B $$$
(☎02-9356 2199 ; www.simpsonshotel.com ; 8 Challis Ave, Potts Point ; ch 235-335 $, ste 325-385 $; ❄@📶). La villa de briques rouges de 1892 qui se dresse paisiblement à l'extrémité d'une artère animée bordée de cafés est une référence. Les motifs floraux sont omniprésents, le salon au rez-de-chaussée et la salle de petit-déjeuner sont ravissants, les chambres sont confortables et rutilantes.

HOTEL 59 B&B $$
(carte p. 74 ; ☎02-9360 5900 ; www.hotel59.com.au ; 59 Bayswater Rd, Kings Cross ; s 88 $, d 110-121 $, f 132 $; ❄📶). Les 9 chambres de cet établissement très fréquenté, au charme désuet, quoique tout droit sorties des années 1980, sont impeccables. Central et tenu par un personnel sympathique. Wi-Fi gratuit.

BLUE SYDNEY Hôtel de charme $$$
(☎02-9331 9000 ; www.tajhotels.com/sydney ; 6 Cowper Wharf Rd, Woolloomooloo ; d à partir de 200 $; ❄@🏊). Réservez ici pour la nuit et vantez-vous d'avoir dormi à côté de Russell Crowe (qui possède l'un des appartements au bout du quai), ou laissez-vous séduire par le charme et l'excellent emplacement de cet établissement de la chaîne Taj.

MAISONETTE HOTEL Hôtel $$
(☎02-9357 3878 ; www.maisonettehotel.com ; 31 Challis Ave, Potts Point ; s 99-110 $, sans sdb 65-85 $, d 110-185 $; 📶). Excellent rapport qualité/prix pour cet agréable hôtel au cœur de Potts Point où abondent les cafés. La peinture et la moquette auraient besoin d'être rafraîchies, mais les chambres sont confortables. Réductions substantielles pour les séjours d'une semaine ou plus.

QUEST POTTS POINT Hôtel $$$
(carte p. 74 ; ☎02-8988 6999 ; www.questpottspoint.com.au ; 15 Springfield Ave, Kings Cross ; d à partir de 180 $; ❄@📶). Dans un bâtiment Art déco en plein cœur de Cross, cet établissement de la chaîne Quest loue 68 studios et suites élégants bien équipés, la plupart avec kitchenette. Les suites "executive" jouissent d'une vue sur la baie depuis leur balcon.

Quartiers est du centre (Inner East)

ADINA APARTMENT HOTEL SYDNEY Appartements $$$
(carte p. 74 ; ☎ 02-9212 1111 ; www.adinahotels.com.au ; 359 Crown St, Surry Hills ; app 1 chambre 250-350 $, app 2 chambres 350-460 $; ❄ @ ᯤ ≋). Au cœur du quartier des sorties de Surry Hills, cet établissement récemment rénové se compose de 85 appartements élégants et bien équipés. Préférez un appartement en hauteur – ceux des étages inférieurs sont parfois bruyants.

KIRKETON Hôtel de charme $$
(carte p. 74 ; ☎ 02-9332 2011 ; www.8hotels.com ; 229 Darlinghurst Rd, Darlinghurst ; ch 145-239 $; ❄ @). Les 40 chambres de créateurs du Kirketon sont huppées. Les standards, au décor minimaliste, sont petites : mieux vaut opter pour les chambres "premium", "executive" ou "superior". Quoi qu'il en soit, vous pourrez toujours prendre vos quartiers à l'Eau de Vie, le bar branché.

HOTEL ALTAMONT Hôtel de charme $$
(carte p. 74 ; ☎ 02-9360 6000 ; www.8hotels.com ; 207 Darlinghurst Rd, Darlinghurst ; ch à partir de 135 $; ❄ @ ᯤ). Cet édifice georgien a vu passer les Rolling Stones, d'où son nom, mais a connu une complète rénovation ; décoré davantage dans le style minimalisme zen que dans l'exubérance rock'n'roll. Le bar/salle de petit-déjeuner dans le hall fait un excellent point d'observation de Darlinghurst. Excellent rapport qualité/prix.

Bondi

BONDI BEACH HOUSE Guesthouse $$
(☎ 0417 336 444 ; www.bondibeachhouse.com.au ; 28 Sir Thomas Mitchell Rd ; s 95-135 $, sans sdb 80-110 $, d 170-300 $, sans sdb 120-215 $, ste 185-325 $; ❄ ᯤ). Dissimulé dans un quartier paisible derrière Campbell Pde, cet établissement dégage une atmosphère douillette. La cour arrière et la terrasse invitent à la détente, et les chambres (surtout les suites) sont très confortables. Plage à 5 min seulement. Pas d'enfants de moins de 12 ans. Petit-déjeuner à préparer soi-même.

RAVESI'S Hôtel de charme $$$
(☎ 02-9130 3271 ; www.hotelbondi.com.au ; 178 Campbell Pde ; ch sem 249-399 $, w-e 269-42 $; ❄ ᯤ). Luxe et raffinement caractérisent les 12 chambres spacieuses et raffinées qui surplombent le célèbre bar Campbell Pde. Pour une grande occasion, réservez la Deluxe Penthouse, dont la longue terrasse privative donne sur la plage. Pas de petit-déjeuner possible.

Manly

101 ADDISON ROAD B&B $$
(☎ 02-9977 6216 ; www.bb-manly.com ; 101 Addison Rd s/d 150/170 $). Jill Caskey la propriétaire, loue l'une des chambres de son

Tapas aux huîtres, Guillaume at Bennelor
PHOTOGRAPHE : © SUSAN SEUBERT/NATIONAL GEOGRAPHIC SOCIETY/CORBIS

ravissant cottage (la chambre voisine peut lui être adjointe). Une bibliothèque, une TV, des DVD et un piano agrémentent le salon privatif, et des serviettes et parasols sont même à la disposition des baigneurs.

Où se restaurer

L'abondance de produits frais, l'imagination des chefs et le mélange des cultures font de Sydney une ville où il fait bon sortir pour se restaurer. Réservez dès que possible.

Centre-ville, The Rocks et Circular Quay

BÉCASSE Australien moderne **$$**

(carte p. 66 ; ☎02-9283 3440 ; www.becasse.com.au ; Westfield Sydney, Pitt St ; plats 48 $, menu dégustation 8 plats 120/130 $; 🕒déj lun-ven, dîner lun-sam). Le célèbre restaurant de Justin North dispose d'une clientèle fidèle et exponentielle, surtout depuis qu'il a opté pour un style plus intime dans ce nouvel espace – à l'évidence, il vise quelques étoiles au Michelin. À partir des produits de saison et des marchés locaux, North propose une cuisine européenne moderne avec une touche personnelle.

ROCKPOOL BAR & GRILL Australien moderne **$$**

(carte p. 66 ; ☎02-8078 1900 ; www.rockpool.com.au/sydney/bar-and-grill ; angle Hunter St et Bligh St, Sydney ; plats 21-110 $; 🕒déj lun-ven, dîner lun-sam). La belle salle située dans le cadre Art déco du City Mutual Building offre une fascinante ambiance du New York des années 1930. Le hamburger de Wagyu pure race vieilli à sec (ne manquez pas les frites en accompagnement) et les succulents steaks servis au grill raviront les carnivores.

GUILLAUME AT BENNELONG Français **$$$**

(carte p. 66 ; www.guillaumeatbennelong.com.au ; ☎02-9241 1999 ; Bennelong Pt, Circular Quay East ; plat 40-80 $; déj jeu et ven, dîner lun-sam). On vient ici, sous les voiles du monument le plus célèbre de la ville, déguster les fameuses créations du grand chef Guillaume Brahimi. Lovez-vous dans les banquettes chocolat ou près de la fenêtre (la vue est fabuleuse) pour savourer un repas inoubliable ou grignotez des tapas (4/6/8 assiettes 35/40/45 $) au bar. Le menu d'avant représentation (2/3 plats 66/78 $) est une excellente affaire.

Chinatown et Darling Harbour

DIN TAI FUNG Taïwanais **$**

(carte p. 72 ; www.dintaifungaustralia.com.au ; 1er étage, World Square, 644 George St, Haymarket ; raviolis 9-18 $, nouilles 5-17 $; 🕒déj et dîner tlj). Une bouchée de raviolis (*dumplings*) au crabe, aux œufs de crabe ou au porc du Din Tai Fung est une explosion de saveurs. Un choix de nouilles et de petits pains farcis (*buns*) complète délicieusement le repas. Venez tôt, l'estomac vide et l'esprit ouvert : vous devrez peut-être partager votre table.

SYDNEY MADANG Coréen **$**

(carte p. 72 ; 371a Pitt St, Sydney ; 🕒11h30-1h). Dissimulé dans une ruelle sombre près de Pitt St, Sydney Madang concocte des soupes épicées, un succulent *kimchi* et de généreuses grillades pour une clientèle de Coréens fidèle. Pas de réservation : venez tôt ou préparez-vous à attendre.

Woolloomooloo, Potts Point et Darlinghurst

FRATELLI PARADISO Italien **$$**

(hors carte p. 74 ; 16 Challis Ave, Potts Point ; plats 20-33 $; 🕒7h-23h lun-ven, 7h-18h sam-dim). Cette boulangerie-bistrot se trouve en plein cœur de Challis Ave, où abondent les cafés. Le menu et l'ambiance sont typiquement italiens, tout comme l'excellent expresso et le personnel avenant. Les plats changent tous les jours, et tout est succulent.

BILLS Café **$**

(carte p. 74 ; www.bills.com.au ; 433 Liverpool St, Darlinghurst ; petit-déj 5,50-18,50 $, déj 7,50-26 $; 🕒7h30-15h lun-sam, 8h30-15h dim). L'engouement des Sydneysiders pour le brunch gastronomique est à mettre au crédit de Bill Granger. Ses deux plats les plus célèbres – pancakes

à la ricotta et beignets de maïs – ont leurs inconditionnels, mais le café servi aux trois adresses de Sydney laisse un peu à désirer.

Surry Hills

BIRD COW FISH Australien moderne **$$**

(hors carte p. 74 ; ☎02-9380 4090 ; www.birdcowfish.com.au ; 4-5/500 Crown St, Surry Hills ; brunch 15,50-18,50 $, plats 36-37 $; déj tlj, dîner lun-sam, brunch sam-dim à partir de 9h). Le nom ("oiseau, vache, poisson") résume la liste des ingrédients, mais ce bistrot de Surry vaut aussi pour l'excellence de ses préparations, sa carte des vins et son service. Brunch succulent et l'un des meilleurs cafés de Sydney.

SPICE I AM Thaï **$**

(carte p. 72 ; www.spiceiam.com.au ; 90 Wentworth Ave ; plats 14-26 $; déj et dîner mar-dim). Les plats parfumés, savoureux et bon marché de ce restaurant BYO situé à la limite de Surry Hills et du centre lui valent une immense popularité, comme en témoignent les files d'attente.

BOURKE STREET BAKERY Boulangerie **$**

(hors carte p. 74 ; www.bourkestreetbakery.com.au ; 633 Bourke St, Surry Hills ; viennoiseries et gâteaux 3-5 $, tourtes et sandwichs 4-7,50 $; 7h-18h lun-ven, 8h-17h sam-dim). La boulangerie favorite de Surry Hill concocte de délicieux sandwichs à base de croustillantes ficelles au levain et au soja. Les gâteaux, viennoiseries, tourtes et quiches sont tout aussi savoureux. Installez-vous sur les sièges âprement disputés et dégustez votre commande avec un café.

BILLY KWONG Chinois **$$**

(carte p. 74 ; Boutique 3, 355 Crown St, Surry Hills ; plats 26-48 $; dîner). La préférence pour des ingrédients bio, de saison et cultivés localement est louable, et certains plats sont alléchants (le canard croustillant à l'orange est une réussite). Toutefois, la salle exiguë, bruyante et inconfortable, le service parfois nonchalant, l'absence de dessert et l'impossibilité de réserver peuvent vous décevoir.

À gauche Flying Fish (p. 88) **Ci-dessous** Dumplings chinois au Billy Kwong

Paddington et Woollahra

FOUR IN HAND Français $$

(**☎ 02-9362 1999 ; 105 Sutherland St, Paddington ; plats 36-42 $; 🕒 déj et dîner mar-dim**). Paddington et Woollahra abondent en vieux pubs charmants affichant d'intéressants menus, mais Four in Hand est l'un des meilleurs de Sydney. Le restaurant, connu pour ses viandes en cuisson lente, confectionne aussi des plats de fruits de mer d'une remarquable fraîcheur et quelques succulents desserts. Menu bar (plats 15-18 $).

JONES THE GROCER Épicerie, café $

(**68 Moncur St, Woollahra ; petit-déj 5,50-16,50 $, baguette 9-10 $; 🕒 8h30-17h30 lun-sam, 9h-17h dim**). Épicerie fine, livres de cuisine et ustensiles divers. Sirotez un café avant de remplir votre panier de provisions et de pique-niquer au Centennial Park.

Bondi

ICEBERGS DINING ROOM & BAR Italien $$$

(**☎ 02-9365 9000 ; www.idrb.com ; 1 Notts Ave ; plats 36-97 $; 🕒 déj et dîner mar-dim**). La vue sur Bondi Beach est splendide et le menu à la hauteur de cette réputation, affichant des variations modernes et savoureuses de classiques italiens et une sélection de bœufs vieillis et cuits à la perfection. La vue est surtout appréciable au déjeuner, ou à l'heure du coucher de soleil, pour prendre un cocktail avant de dîner.

POMPEI'S Pizzeria $$

(**☎ 02-9365 1233 ; www.pompeis.com.au ; 126-130 Roscoe St, Bondi Beach ; pizzas 19-23 $, pâtes 24-26 $; 🕒 11h-tard ven-dim, 15h-tard mar-jeu**). Riverains et visiteurs se côtoient dans ce restaurant, l'un des plus fréquentés de Bondi, autour

La folie médiatique des chefs

Pour les habitants de Sydney, l'attrait d'un restaurant se mesure souvent à l'aune de la célébrité du chef... ou de ses clients les plus fidèles.

- **Bill Granger :** Bills (p. 85). Cuisinier et auteur de 12 livres de cuisine qui incarnent, de l'avis de certains, l'esprit de Sydney dans sa quintessence.
- **Kylie Kwong :** Billy Kwong (p. 86). Présentatrice de plusieurs émissions télévisées (*My China*, etc.) et auteur de nombreux ouvrages.
- **Neil Perry :** Rockpool Bar & Grill (p. 85), Rockpool et Spice Temple (www.rockpool.com.au). Queue de cheval et look rock'n'roll, ce Sydneysider a toute une série de livres de cuisine et d'apparitions télévisées à son actif.
- **Adriano Zumbo :** Adriano Zumbo (ci-dessous). La série télévisée consacrée à M. Zumbo ne laisse pas place au doute : pour ce pâtissier, la célébrité n'est pas à prendre à la légère... mais ses pâtisseries sont à la hauteur de son ambition.

des sensationnelles pizzas à la romaine, des pâtes maison et du meilleur *gelato* de la ville. Tables en salle et en terrasse, mais sans vue.

Ouest du centre (Inner West)

ADRIANO ZUMBO Pâtisserie **$**

(296 Darling St, Balmain ; 8h-18h lun-sam, 8h-17h dim). La longue file d'attente vous indiquera la plus fameuse pâtisserie de Sydney. Le chef-pâtissier Adriano Zumbo a connu une célébrité fulgurante en apparaissant dans l'émission de télé-réalité *Masterchef*. Il mène désormais une vie de star. La maison est particulièrement fière de ses macarons (le parfum au fruit de la passion et au basilic est divin) et de ses gâteaux.

FLYING FISH Poisson **$$**

(02-9518 6677 ; www.flyingfish.com.au ; Lower Deck, Jones Bay Wharf, Pyrmont ; plats 38-48 $; déj mar-ven et dim, dîner lun-sam). Le chef Peter Kuruvita a bâti sa renommée sur ses curries sri-lankais parfumés, mais les autres plats servis dans cet élégant restaurant sont tout aussi succulents. Commandez un choix de sushis, d'huîtres fraîchement ouvertes et de préparations de poissons et dégustez en observant la mer. Repas enfant à 15 $.

North Shore (rive nord) et Manly

MANLY PAVILION Italien **$$**

(02-9949 9011 ; West Esplanade ; plats 40-45 $; déj et dîner). Un déjeuner sur la terrasse de front de mer ou dans la salle à manger donnant sur l'eau, dans le meilleur restaurant de Manly, constitue l'étape incontournable d'un séjour à Sydney. L'édifice des années 1930 (ancien pavillon de bains) a été rénové avec goût. La vue, la cuisine italienne moderne, la carte des vins et le service sont irréprochables. L'adresse se prête aussi à un apéritif au coucher du soleil, en grignotant des *stuzzichini* (collations, 10 à 15 $) ou des antipasti (26 à 30 $).

Où prendre un verre

À Sydney, les pubs font partie intégrante de la vie sociale, et vous pouvez désormais boire une pinte ou un "schooner" (grand verre dans l'argot de Nouvelle-Galles du Sud) de bière dans une élégante salle du XIXe siècle, dans un cadre Art déco, dans un décor moderne et minimaliste. Les bars sont généralement plus huppés et raffinés, et appliquent parfois un code vestimentaire.

The Rocks et Circular Quay

OPERA BAR Bar

(carte p. 66 ; www.operabar.com.au ; Circular Quay East ; 11h30-24h dim-jeu, 11h30-1h ven-sam). Aucun *beer garden* n'arrive à la cheville de l'Opera Bar. Donnant sur la baie, ce bar en plein air est flanqué de l'Opera House d'un côté et du Harbour Bridge de l'autre. Musique live à partir de 20h30 du lundi au vendredi, et dès 14h le week-end.

LORD NELSON BREWERY HOTEL Pub

(carte p. 66 ; www.lordnelson.com.au ; 19 Kent St, Millers Point ; 11h-23h lun-sam, 12h-22h dim). Construit en 1841, le "Nello" serait le plus vieux pub des environs (le Fortune of War affirme la même chose). La microbrasserie produit des ales parmi les meilleures de Sydney.

Centre-ville

GRASSHOPPER Bar

(carte p. 66 ; Temperance Lane ; 12h-1h lun-ven). Premier des bars branchés qui devraient bientôt s'ouvrir dans les ruelles du centre, le Grasshopper est à la pointe, question tendance, dans ce quartier. Le restaurant à l'étage est bon, mais l'attrait de l'établissement est le bar au-dessous.

BAMBINI WINE ROOM Bar à vin

(carte p. 66 ; www.bambinitrust.com.au ; 185 Elizabeth St ; dès 15h lun-ven, dès 17h30 sam). Cette petite salle lambrissée de bois sombre, éclairée par un immense chandelier, vous transporte au XIXe siècle. Longue carte des vins et beau choix d'en-cas (8-40 $).

Woolloomooloo

TILBURY HOTEL

Pub gastronomique $$

(www.tilburyhotel.com.au ; 12-18 Nicholson St, Woolloomooloo ; plats 26-38 $, menu déj avec un verre de vin 30 $; déj et dîner mar-sam, brunch et déj dim). L'ancien repaire sordide des marins et des vagabonds de passage est devenu l'un des meilleurs pubs gastronomiques de la ville. Une foule aisée afflue dans le restaurant-café-bar ou s'installe dans la cour en plein air (au déjeuner seulement).

Kings Cross, Darlinghurst et Surry Hills

SHAKESPEARE HOTEL Pub

(200 Devonshire St ; 11h-23h). Le pub le plus populaire de Surry Hills a toutes les qualités requises : la bière glacée, la cuisine de pub bon marché et les riverains qui bavardent, tout en observant les badauds.

APERITIF Bar

(carte p. 74 ; 7 Kellett St, Kings Cross ; 18h-3h lun et mer-sam, 18h-24h dim). Kellett St est une ruelle sinueuse que se partagent à parts égales bars et maisons closes, mais l'Aperitif relève le niveau avec sa carte de vins européens élaborée avec soin et son service tardif (dernière commande 2h) d'excellents plats français et espagnols.

Opera Bar

PHOTOGRAPHE : ANDREW WATSON/LONELY PLANET IMAGES ©

GAZEBO WINE GARDEN Bar à vin
(www.gazebowinegarden.com.au ; 2 Elizabeth Bay Rd, Elizabeth Bay ; ⏲15h-24h lun-jeu, 12h-24h ven-dim). La carte des vins est divisée en catégories insolites : "imprononçables", "opulents", "gouleyants"... La décoration de cette oasis dans Kings Cross n'est pas moins étonnante, et les soirées en plein air peuvent être mémorables.

VICTORIA ROOM Bar
(carte p. 74 ; www.thevictoriaroom.com ; 1er étage, 235 Victoria St, Darlinghurst ; ⏲18h-24h mar-jeu, 18h-2h ven, 12h-2h sam, 13h-24h dim). Douillets fauteuils en cuir, papier peint Art nouveau, lambris sombres et paravents en bambou confèrent à ce bar très prisé un charme colonial.

Woollahra

WINE LIBRARY Bar à vin
(hors carte p. 74 ; 18 Oxford St, Woollahra ; ⏲9h-22h lun-sam, 9h-18h dim). Un nouveau bar à vin au sommet d'Oxford St, à mi-chemin entre la ville et Bondi. La carte des vins au verre est généreuse et l'ambiance chic mais décontractée.

Newtown

COURTHOUSE HOTEL Pub
(202 Australia St, Newtown ; ⏲10h-24h lun-sam, 10h-22h dim). Entre les étudiants autour d'un repas économique dans le *beer garden*, les durs autour du juke-box et les piliers de bar des environs, on rencontre ici une foule bigarrée.

Bondi

RUM DIARIES Bar à cocktails
(www.therumdiaries.com.au ; 288 Bondi Rd, Bondi ; ⏲18h-24h lun-sam, 18h-22h dim). Ce bar très apprécié sert dans une salle sombre (mais loin d'être lugubre) des tapas fusion et une myriade de cocktails au rhum. Concerts de blues tous les lundis à partir de 19h.

Manly

Manly Wharf Hotel Pub
(http ://manlywharfhotel.com.au ; East Esplanade, Manly ; ⏲11h30-24h lun-ven, 11h-24h sam-dim). Installé sur le quai et offrant une vue splendide, ce pub est idéal pour contempler le ballet des ferries devant un plat roboratif et une bière.

Où sortir

Sydney possède une scène artistique et musicale éclectique, avec des théâtres novateurs et des concerts un peu partout. Les cinémas en plein air et les stades ont du succès auprès des familles.

Pour un programme complet des manifestations, consultez le cahier "Métro" du *Sydney Morning Herald* du vendredi. Les hebdomadaires gratuits, comme *The Brag* et *The Drum*, sont spécialisés dans l'actualité des concerts et des clubs. La plupart des billets sont en vente sur place et dans les agences suivantes : **Moshtix** (☎1300 438 849 ; www.moshtix.com.au), **Ticketmaster** (☎1300 723 038 ; www.ticketmaster.com.au) ou **Ticketek** (☎132 849 ; www.ticketek.com.au).

Cinémas

Quantité de cinémas diffusent des nouveautés ; les places coûtent généralement 15 à 18 $ pour les adultes, 13 à 14 $ pour les étudiants et 10 à 12 $ pour les enfants. Sydney compte aussi une foule d'amateurs de films étrangers et d'art et d'essai.

Dendy Opera Quays Cinéma
(carte p. 66 ; www.dendy.com.au ; Boutique 9, 2 Circular Quay E). Ce cinéma chic diffuse en exclusivité des films indépendants des quatre coins du monde.

Moonlight Cinema Cinéma
(www.moonlight.com.au ; Belvedere Amphitheatre, angle Loch Ave et Broome Ave, Centennial Park ; adulte/enfant/réduit 18/14/16 $; ⏲billetterie 19h, projections 20h-20h30 déc-mars). Des films récents sont projetés dans le superbe Centennial Park – prévoyez un pique-nique et une couverture.

OPEN AIR CINEMA Cinéma
(hors carte p. 66 ; www.stgeorgeopenair.com.au ; Mrs Macquaries Point, Royal Botanic Gardens ; tarif plein/réduit 30/28 $; ⏲billetterie 18h30, projections 20h30 jan et fév). Situé face à la baie, cet écran de 3 étages a tout pour plaire : le son surround, le coucher du soleil, les lumières de la ville et de quoi se restaurer en sirotant du vin. Les billets

ord Nelson Brewery Hotel (p. 89)

ANDREW WATSON/LONELY PLANET IMAGES ©

ont généralement achetés à l'avance, nais un petit nombre est vendu chaque oir à l'entrée dès 18h30. Consultez le site nternet.

alace Verona Cinéma
carte p. 74 ; www.palacecinemas.com.au/ inemas/verona ; 17 Oxford St, Paddington). Le /erona met à l'affiche des films internationaux, l'art et d'essai, documentaires et indépendants. e bar à vin et à expresso vous accueille avant t après le film (ou même pendant…).

Clubs et discothèques

OODGOD SMALL CLUB Club
carte p. 72 ; www.goodgodgoodgod.com ; 3-55 Liverpool St, Chinatown ; prix d'entrée ariable, accès au bar gratuit ; 22h-tard ner-sam). Installé dans une ancienne averne souterraine du quartier espagnol, e GoodGod abrite un club où passe n mélange hétéroclite de groupes ndés, de reggae jamaïcain, de soul des nnées 1950, de rockabilly et de house. 'accent est mis davantage sur la musique ue sur le décor, d'où son succès.

IOME Club
carte p. 72 ; www.homesydney.com ; Cockle ay Wharf, Darling Harbour ; prix d'entrée variable ; jeu-sam). Trois niveaux, un décor exubérant de bois et de verre, 2 000 places, une immense piste de danse, une kyrielle de bars, des balcons extérieurs et un incroyable kiosque de DJ… le plaisir est le maître mot de cette boîte où officient des DJ internationaux et des groupes live.

Musique Live

OPÉRA DE SYDNEY Musique classique
(carte p. 66 ; www.sydneyoperahouse.com ; Bennelong Point). Emblématique, le Sydney Opera House accueille des spectacles de théâtre et de danse, ainsi que des concerts de l'**Opera Australia** (billetterie 02-9318 8200 ; www.opera-australia.org.au) et du **Sydney Symphony** (billetterie 02-8215 4600 ; www.sydneysymphony.com).

CITY RECITAL HALL Musique classique
(carte p. 66 ; 02-8256 2222 ; www.cityrecitalhall.com ; Angel Pl, Sydney ; billets gratuit-80 $; billetterie 9h-17h lun-ven et avant les spectacles). Cette salle de 1 200 places, à la configuration classique et à l'excellente acoustique, accueille de grandes compagnies, comme les musiciens du Sydney Conservatorium

TRAVIS DREVER/LONELY PLANET IMAGES ©

of Music et la Sydney Symphony, ainsi que des ensembles, solistes et chanteurs d'opéra en tournée.

BASEMENT Jazz
(carte p. 66 ; www.thebasement.com.au ; 7 Macquarie Pl, Circular Quay ; prix d'entrée variable ; ⌚12h-1h30 lun-jeu, 12h-2h30 ven, 19h30-3h sam, 19h-1h dim). La principale boîte de jazz de Sydney met à l'affiche des artistes en tournée et de grands noms australiens, ainsi que des groupes de funk, de blues et de soul. Essayez de réserver une table située proche de la scène.

ANNANDALE HOTEL Rock
(www.annandalehotel.com ; 17 Parramatta Rd, Annandale). Temple du rock à Sydney, l'Annadale a pour slogan : "F*ck this – I'm going to the Annandale !" Au programme : concerts du mercredi au dimanche, et films-cultes le mardi. Consultez le site Internet pour avoir le programme.

Enmore Theatre Rock
(☎02-9550 3666 ; www.enmoretheatre.com.au ; 118-132 Enmore St, Newtown). La scène musicale de Sydney bat son plein à Newport, en particulier à l'Enmore, où jouent de grands noms locaux et internationaux.

Sport

Les habitants de Sydney se passionnent pour les matchs de la **National Rugby League** (NRL ; www.nrl.com.au ; billets Ticketek à partir de 25 $), dont la saison débute en mai dans divers stades de banlieue et au **ANZ Stadium** (www.anzstadium.com.au ; Sydney Olympic Park, Olympic Blvd, Homebush Bay) – la finale a lieu en septembre. De mars à septembre, les **Sydney Swans** (www.sydneyswans.com.au), l'équipe locale, participent à la compétition de l'**Australian Football League** (AFL ; www.afl.com.au ; billets 20-40 $) au **Sydney Cricket Ground** (SCG ; www.sydneycricketground.com.au ; Driver Ave, Moore Park).

La saison de **cricket** (http ://cricket.com.au) va d'octobre à mars. Le SCG accueille les matchs de la Sheffield Shield (compétition entre États), et des *test-matchs*, des matchs One Day et Twenty20 internationaux, qui se tiennent à guichets fermés.

Théâtre

SYDNEY THEATRE COMPANY Théâtre
(carte p. 66 ; ☎02-9250 1777 ; www.sydneytheatre.com.au ; 2e ét, Pier 4, Hickson Rd, Walsh Bay ; billets 60-65 $).

La troupe théâtrale phare de Sydney se produit à Walsh Bay et au Drama Theatre de la Sydney Opera House. Cate Blanchett et Andrew Upton, directeurs artistiques, sélectionnent les œuvres de dramaturges locaux et internationaux, et travaillent avec des acteurs et des metteurs en scène du monde entier.

Sydney Comedy Store Théâtre
(02-9357 1419 ; www.comedystore.com.au ; Building 207, Entertainment Quarter, 122 Lang Rd, Moore Park ; billets 7,50-25 $). One-man shows de comiques australiens et étrangers – notamment les artistes de stand-up du Festival d'Édimbourg.

Sydney Theatre Théâtre
(carte p. 66 ; 02-9250 1999 ; www.sydneytheatre.org.au ; 22 Hickson Rd, Walsh Bay ; billets 40-79 $). Au pied d'Observatory Hill, le splendide Sydney Theatre (850 places) est tourné vers le théâtre et la danse.

Les théâtres suivants accueillent les comédies musicales du West End et de Broadway en tournée, des concerts (billets 50 à 200 $; réservations par Ticketmaster ou sur les sites Internet) :

Capitol Theatre Théâtre
(carte p. 72 ; www.capitoltheatre.com.au ; 13 Campbell St, Haymarket ; billetterie 9h-17h lun-ven)

State Theatre Théâtre
(carte p. 66 ; 02-9373 6655 ; www.statetheatre.com.au ; 49 Market St)

Theatre Royal Théâtre
(carte p. 66 ; www.theatreroyal.net.au ; MLC Centre, 108 King St ; billetterie 9h-17h lun-ven)

Achats

Les plus motivés téléchargeront les guides de shopping quartier par quartier d'**Urban Walkabout** (www.urbanwalkabout.com). Des cartes gratuites sont disponibles auprès des offices du tourisme et kiosques touristiques de la ville : les guides (avec carte) portent sur CBD, Paddington, Woollahra, Surry Hills, Darlinghurst, Potts Point/Kings Cross, Balmain, Mosman, Newtown, Redfern/Waterloo, Glebe, Double Bay et Bondi.

Grands magasins et galeries commerçantes

DAVID JONES Grand magasin
(carte p. 66 ; www.davidjones.com.au ; angle Market St et Castlereagh St, Sydney ; 9h30-19h lun-mer, 9h30-21h jeu-ven, 9h-21h sam, 10h-19h dim). "DJs" est le principal grand magasin de Sydney. L'enseigne de Market St se spécialise dans la mode

Acheter des objets d'art et d'artisanat aborigènes

L'État abonde en boutiques et galeries qui vendent des œuvres d'art et d'artisanat, et des produits aborigènes, ainsi, malheureusement, qu'un nombre important de contrefaçons chinoises et d'œuvres vendues au mépris des droits d'auteur des artistes aborigènes ; sans parler des galeries qui exploitent les artistes en affichant des prix ridiculement bas. Préférez les œuvres produites et/ou proposées par des organisations à but non lucratif, gérées, si possible, par des Aborigènes.

Assurez-vous que les galeries auxquelles vous vous adressez sont affiliées à l'Australian Indigenous Art Trade Association ou à l'Australian Commercial Galleries Association. Les œuvres d'art et d'artisanat doivent être authentifiées (par un certificat émis par une source reconnue, par des photographies ou d'autres pièces) et leur provenance clairement indiquée (où, quand et par qui ont-elles été réalisées ? Comment ont-elles été mises sur le marché ?).

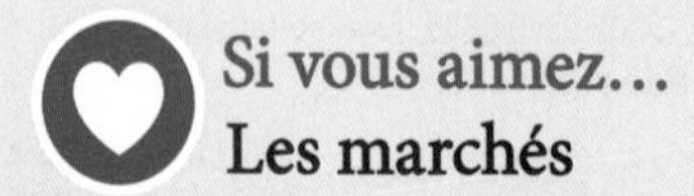

Si vous aimez... Les marchés

Si vous aimez flâner au milieu des étals de marché le week-end, vous devriez aimer ces marchés :

1 **BALMAIN MARKET** (www.balmainmarket.com.au ; angle Darling St et Curtis Rd, Balmain ; 8h30-16h sam). Petit marché ombragé installé près de la St Andrews Congregational Church. Vente d'objets d'art, artisanat, livres, mode, bijoux, plantes, fruits et légumes.

2 **BONDI MARKETS** (www.bondimarkets.com.au ; Bondi Beach Public School, angle Campbell Pde et Warners Ave, Bondi ; 10h-16h dim). Le dimanche, la cour de l'école se remplit de stands de vêtements d'occasion, d'articles de brocante, de cadres en bois et de bijoux. Idéal pour dénicher des articles de créateurs montants à bon prix.

3 **GLEBE MARKETS** (www.glebemarkets.com.au ; Glebe Public School, angle Glebe Point Rd et Derby Pl, Glebe ; 10h-16h sam). Les habitants très décontractés affluent le samedi sur ce marché d'articles d'occasion et de créateurs, d'artisanat et de *chai latte* (thé épicé au lait). Massages proposés. Concerts pour l'ambiance.

4 **EVELEIGH MARKET** (www.eveleighmarket.com.au ; 243 Wilson St, Darlington ; 8h-13h sam, fermé 1re moitié de jan). Le meilleur marché de producteurs de Sydney rassemble 70 exploitants dans un ancien atelier ferroviaire classé, dans les Eveleigh Railyards.

5 **PADDINGTON MARKETS** (www.paddingtonmarkets.com.au ; St John's Church, 395 Oxford St, Paddington ; 10h-16h sam). Le marché le plus prisé des habitants de Sydney. Chaque week-end : mode vintage et chic, bijoux, livres, massages et chiromancie. Impossible d'en revenir les mains vides.

masculine, celle de Castlereagh St dans les vêtements pour femmes et enfants (le sympathique concierge vous aidera à vous repérer).

QUEEN VICTORIA BUILDING Centre commercial
(QVB ; carte p. 66 ; www.qvb.com.au ; 455 George St, Sydney). Ce chef-d'œuvre victorien occupe un pâté de maisons entier, face au Town Hall (hôtel de ville). Les articles parfois inspirés sont éclipsés par la splendeur des balcons en fer forgé, les vitraux et les mosaïques au sol.

STRAND ARCADE Centre commercial
(carte p. 66 ; www.strandarcade.com.au ; 412 George St et 193-5 Pitt St Mall, Sydney). Édifié en 1891, le Strand est concurrencé par le QVB sur le plan de la splendeur.

Vêtements et accessoires

Glenmore Rd à Paddington et Queen St à Woollahra sont deux ruches de boutiques de mode, mais quantité de boutiques bordent aussi le CBD et Newtown.

Akira Isagowa Vêtements
(www.akira.com.au ; 12a Queen St, Woollahra). Ensembles soigneusement taillés dans de fabuleux tissus. Également dans la Strand Arcade.

Collette Dinnigan Vêtements
(www.collettedinnigan.com.au ; 104 Queen St, Woollahra). Tenues résolument féminines et agrémentées de ravissants froufrous par la reine de la mode australienne.

RM Williams Vêtements
(carte p. 66 ; www.rmwilliams.com.au ; 389 George St, Sydney). Une mode pour cow-boys de ville et baroudeurs de l'outback.

Zimmermann Vêtements
(carte p. 74 ; http ://zimmermannwear.com ; Boutique 2, 2-16 Glenmore Rd, Paddington). Streetwear et maillots de bain chics et insolents de Nicky et Simone Zimmermann. Également à Westfield Sydney.

Vin

Australian Wine Centre Caviste
(carte p. 66 ; Boutique 3, Goldfields House, 1 Alfred St, Circular Quay). Ce magasin en sous-sol est bien approvisionné en vins de qualité d'origine australienne et néo-zélandaise, sans oublier les bières et alcools australiens.

Queen Victoria Building

GLENN VAN DER KNIJFF/LONELY PLANET IMAGES ©

Renseignements

Argent

On trouve de nombreux distributeurs de billets (DAB) dans toute la ville, ainsi que des bureaux de change à Kings Cross et autour de Chinatown, Circular Quay et Central Station.

American Express Centre-ville (1300 139 060 ; 296 George St, Sydney ; 9h-17h lun-ven) ; Haymarket (1300 139 060 ; 296 George St, Sydney ; 9h-17h lun-ven)

Services médicaux

Kings Cross Travellers Clinic (02-9358 3066 ; www.travellersclinic.com.au ; 13 Springfield Ave, Kings Cross ; consultation 55 $; 9h-13h et 14h-18h lun-ven, 10h-12h sam). Médecine générale, médecine de voyage et vaccinations. Pour ne pas attendre trop longtemps, il est conseillé de prendre rendez-vous à la clinique.

St Vincent's Hospital (02-8382 1111 ; www.stvincents.com.au ; 390 Victoria St, Darlinghurst ; urgences 24h/24)

Sydney Hospital (02-9382 7111 ; www.sesahs.nsw.gov.au/sydhosp ; 8 Macquarie St, Sydney ; urgences 24h/24)

Depuis/vers Sydney

Avion

L'aéroport de Sydney (code : SYD ; hors carte p. 66 ; www.sydneyairport.com.au) est le plus fréquenté d'Australie, et les retards ne sont pas rares. Quatre kilomètres séparent les terminaux T1 (international) et T2 et T3 (vols intérieurs), à parcourir en bus (5,50 $, 10 min) ou en train (5 $, 2 min) – l'aéroport est sous gestion privée, et les navettes sont payantes. En cas de transit entre un vol international Qantas et un vol intérieur de la même compagnie (ou vice versa), cette dernière vous offre le transfert. Le même type de prestations existe avec Virgin Australia.

L'aéroport accueille des vols internationaux et nationaux. Qantas (13 13 13 ; www.qantas.com.au), Jetstar (13 15 38 ; www.jetstar.com.au), Virgin Australia (13 67 89 ; www.virginaustralia.com) et Tiger Airways (03-9335 3033 ; www.tigerairways.com/au/en) assurent des liaisons régulières avec les principales villes du pays.

Bus

Tous les bus nationaux et régionaux arrivent à la gare routière Sydney Coach Terminal (carte p. 72 ; 02-9281 9366 ; Central Station, Eddy Ave ; 6h-18h lun-ven, 8h-18h sam-dim).

Les principales sociétés de bus présentes dans la gare routière sont :

Firefly (1300 730 740 ; www.fireflyexpress.com.au). Wagga Wagga, Albury, Melbourne et Adélaïde.

Greyhound (1300 473 946 ; www.greyhound.com.au). Canberra, Melbourne, Byron Bay et Tamworth.

Premier (13 34 10 ; www.premierms.com.au). Coffs Harbour, Byron Bay, Brisbane et Cairns.

Train

La principale gare ferroviaire de Sydney pour les trains nationaux et régionaux CountryLink est l'immense Central Station (carte p. 72 ; réservations 13 22 32, 24h/24 renseignements 13 15 00 ; www.countrylink.info ; Eddy Ave ; guichets 6h15-20h45, guichets automatiques 24h/24).

Comment circuler

Pour vous renseigner sur les bus, ferries et trains publics, contactez la Transport Infoline (13 15 00 ; www.131500.com.au).

Depuis/vers l'aéroport

Le moyen le plus simple de quitter ou de gagner l'aéroport consiste à prendre une navette, par exemple celle de Kingsford Smith Transport (KST ; 02-9666 9988 ; www.kst.com.au ; aller/aller-retour à partir de 12,60/20,70 $; 5h-19h), qui dessert les hôtels du centre.

Airport Link (13 15 00 ; www.airportlink.com.au ; aller/aller-retour depuis le centre de Sydney adulte 15/25 $, enfant 10/15,50 $, 4h30-0h40) est déroutante : il s'agit d'une ligne de banlieue normale (la saleté des trains en atteste), mais le prix des billets devient prohibitif pour les gares desservant l'aéroport (le trajet pour Wolli Creek, immédiatement après l'aéroport, ne coûte que 3,20 $). Compter une dizaine de minutes depuis Central Station.

Depuis l'aéroport, une course en taxi coûte environ 39 $ (51 $ entre 22h et 6h) pour le centre-ville, 43 $ pour Bondi (55 $ entre 22h et 6h) et 80 $ jusqu'à Manly (106 $ entre 22h et 6h).

Bateau

FERRY Les ferries et les RiverCats (pour Parramatta) de Sydney Ferries (www.sydneyferries.info) partent de Circular Quay. La plupart des ferries circulent entre 6h et 24h – ceux desservant les sites touristiques s'arrêtent plus tôt. (Pour en savoir plus sur les croisières dans la baie, voir p. 64.)

Un aller simple dans la baie sur un ferry standard coûte (tarif plein/ réduit) 5,30/2,60 $, et 6,60 $/3,30 $ pour Manly ou Parramatta.

Détenus par une compagnie privée, les Captain Cook Ferries (www.captaincook.com.au) rejoignent Manly depuis Circular Quay (aller-retour adulte/enfant 17/8,50 $) et Darling Harbour (aller-retour adulte/enfant 24/12 $). La même compagnie propose aussi un ferry Zoo Express pour le Taronga Zoo depuis Circular Quay et Darling Harbour (aller-retour adulte/enfant 49,50/24,50 $, billet d'entrée compris).

BATEAU-TAXI Les bateaux-taxis (*water taxis*) suivent des itinéraires fixes, mais il est possible de réserver des trajets depuis/vers d'autres lieux dans la baie.

Aussie Water Taxis (carte p. 72 ; 02-9211 7730 ; www.aussiewatertaxis.com ; Cockle Bay Wharf, Darling Harbour ; 9h-22h). De Darling Harbour à Circular Quay aller/aller-retour adulte 15/25 $, enfant 10/15 $; de Darling Harbour au Taronga Zoo aller/aller-retour adulte 25/40 $, enfant 15/25 $; circuits "Harbour and Nightlights" de 45 min adulte/enfant 35/25 $.

Yellow Water Taxis (carte p. 66 ; 1300 138 840 ; www.yellowwatertaxis.com.au ; King St Wharf, Darling Harbour ; 7h-24h). De Circular Quay à Darling Harbour (adulte/enfant 15/10 $) ; circuit dans la baie de 45 min "Hop On, Hop Off" avec arrêts au Sydney Aquarium, au Luna Park, au Taronga Zoo et à l'Opera House (adulte/enfant 40/20 $).

Bus

Sydney Buses (www.sydneybuses.info) possède un réseau étendu ; les itinéraires et horaires sont disponibles sur le site Internet. Des bus nocturnes passent de loin en loin à la fin du service régulier, vers minuit.

Les principaux arrêts de bus se concentrent à Circular Quay, Wynyard Park (York St) et Railway Sq. En semaine, les billets doivent souvent être achetés avant de monter, aux kiosques à journaux ou dans les Bus TransitShops. Le week-end, ils sont en vente auprès du chauffeur. Il existe trois zones tarifaires : 2/3,30/4,30 $. Un guichet Bus TransitShop (www.sydneybuses.info ; angle Alfred St et Loftus St ; 7h-19h lun-ven, 8h30-17h sam-dim) est installé à Circular Quay, ainsi que dans le Queen Victoria Building, à Railway Sq et dans la Wynyard Station.

Voiture et moto

Pratique pour les excursions en dehors de la ville, la voiture ne convient guère pour les déplacements intra-muros, compte tenu de la circulation, de la rareté et du prix des places de stationnement (même dans les hôtels, prévoyez 30 $/j), ainsi que des coûts supplémentaires.

LOCATION Voici les principales agences de Sydney :

Avis (☎13 63 33 ; www.avis.com.au)

Budget (☎13 27 27 ; www.budget.com.au)

Europcar (☎1300 13 13 90 ; www.europcar.com.au)

Hertz (☎13 30 39 ; www.hertz.com.au)

Thrifty (☎1300 367 227 ; www.thrifty.com.au)

ROUTES À PÉAGE Le Sydney Harbour Bridge et le Sydney Harbour Tunnel appliquent un droit de péage de 4 $ en direction du sud ; l'Eastern Distributor facture 5,50 $ vers le nord ; le Cross City Tunnel coûte 2,10 $, et le Lane Cove Tunnel, 2,83 $. Les principales autoroutes de Sydney (M2, M5 et M7) sont aussi payantes (2,50 à 7 $). Les péages sont équipés de quelques guichets où l'on paye en espèces, mais l'électronique est prédominante : vous devrez vous procurer un badge ou un forfait visiteur auprès de l'un des sites Internet suivants : www.roamexpress.com.au ou www.myRTA.com.au. Renseignements sur www.sydneymotorways.com.

Billets et forfaits

Le réseau de transports publics de Sydney propose deux formules avantageuses.

MyMulti Passes Les forfaits journée (20 $) ou hebdomadaire (zones 1/2/3 41/48/57 $) permettent de circuler librement dans les bus, ferries et trains publics dans Sydney, les Blue Mountains, la Hunter Valley, la Central Coast, à Newcastle et Port Stephens.

Billets TravelTen MyBus, MyTrain et MyFerry Carnet de 10 billets à prix réduit, valable dans l'un des moyens de transport.

Vous pouvez acheter ces pass et tickets aux kiosques à journaux et aux guichets des bus/ferries/train. Voir aussi www.myzone.nsw.gov.au.

Monorail et Metro Light Rail (MLR)

Le Metro Monorail **(www.metromonorail.com.au ; trajet 4,90 $, forfait journée 9,50 $; ⏲ttes les 5 min, 7h-22h lun-jeu, 8h-22h sam-dim)**, géré par une entreprise privée, suit un trajet circulaire depuis Galleries Victoria, à l'angle de Pitt St et Park St, via Chinatown et Darling Harbour. Géré par la même entreprise, le Metro Light Rail **(MLR ; www.metrolightrail.com.au ; zone 1 tarif plein/réduit 3,40/2,20 $, zones 1 et 2 tarif plein/réduit 4,40/3,40 $, forfait journée adulte 9 $; ⏲24h/24, ttes les 10-15 min 6h-24h, ttes les 30 min 24h-6h)** est un tram qui relie Central Station et Pyrmont via Chinatown et Darling Harbour. Dans la Zone 2, de Pyrmont à Lilyfield via le Fish Market, Glebe et Rozelle, le service fonctionne de 6h à 23h du lundi au jeudi et le dimanche, et jusqu'à minuit les vendredis et samedis.

Bateau-taxi, Sydney Harbour

PHOTOGRAPHE : DAVID WALL/LONELY PLANET IMAGES ©

Taxi

Les taxis se multiplient, tout comme les stations. Ils facturent 3,30 $ pour la prise en charge, puis 1,99 $/km et 0,86 $/min pour les frais d'attente (supplément de 20% de 22h à 6h). Les péages des ponts, tunnels et routes sont à la charge des passagers – tarif aller-retour, même si vous ne faites que l'aller.

Les principales compagnies assurent un service de réservation par téléphone (2,20 $) :

Legion (13 14 51 ; www.legioncabs.com.au)

Premier Cabs (13 10 17 ; www.premiercabs.com.au)

Taxis Combined (13 33 00 ; www.taxiscombined.com.au)

Train

Le réseau ferroviaire de banlieue de Sydney est géré par CityRail (13 15 00 ; www.cityrail.info). Les lignes rayonnent depuis le City Circle souterrain (sept stations en centre-ville) mais ne desservent pas les plages du nord ni du sud, ni Balmain ni Glebe. Tous les trains de banlieue s'arrêtent à Central Station, ainsi qu'à une ou plusieurs gares du City Circle.

Les trains circulent de 5h à minuit. Après 9h en semaine, pour à peine plus cher qu'un aller, vous pouvez acheter un aller-retour pour les heures creuses (*off-peak return ticket*), valable jusqu'à 4h le lendemain matin.

Vous trouverez des guichets automatiques fonctionnant 24h/24 dans la majorité des gares, mais des guichetiers sont également souvent présents pour clarifier les questions de tarif. Si vous devez changer de train, mieux vaut acheter un billet pour la destination finale, à condition de ne pas sortir de la gare lors de la correspondance – sinon, votre billet ne sera plus valable.

Pour tout renseignement sur les trains, adressez-vous à l'utile guichet d'information CityRail (Circular Quay ; 9h05-16h50).

ENVIRONS DE SYDNEY

Une fois dépassés les faubourgs de Sydney, l'environnement urbain laisse place à de spectaculaires paysages émaillés de magnifiques parcs nationaux et de petites villes historiques.

Royal National Park

D'une superficie de 15 080 ha, le **Royal National Park** (www.environment.nsw.gov.au/nationalparks ; gratuit pour les piétons et les cyclistes, voitures 11 $; ouverture des portes au lever du soleil, fermeture à 20h30 tlj), fondé en 1879, est le plus ancien parc national du monde après celui de Yellowstone, aux États-Unis. Il protège des poches de forêt humide subtropicale, des zones broussailleuses battues par les vents, des ravines de grès bordées d'eucalyptus, des bassins d'eau douce et d'eau salée, ainsi que des plages isolées. Territoire traditionnel des Dharawal, il compte aussi de nombreux sites et objets aborigènes.

Dans l'enceinte du parc, les baigneurs trouveront des bassins

Surfeur, Royal National Park

Bateaux, Hawkesbury River

MICHAEL COYNE/LONELY PLANET IMAGES ©

d'eau salée abrités à Wattamolla, Jibbon, Little Marley et Bonnie Vale, et des bassins d'eau douce à Karloo Pool (à environ 2 km à l'est de Heathcote Station), Deer Pool et Curracurrang. Les surfeurs opteront pour Garie Beach, North Era, South Era et Burning Palms sur la côte sud du parc. L'historique **Audley Boat Shed** (**www.audleyboatshed.com ; Farnell Ave, Audley ; 9h-17h lun-sam, 9h-17h30 dim**) loue des bateaux à rames, des canoës et des kayaks (20/40 $ h/j), des pédalos (15 $/30 min) et des vélos (16/34 $ h/j) pour s'aventurer dans Kangaroo Creek ou sur la Hacking River.

Le **bureau du parc** (**02-9542 0648 ; Farnell Ave, Audley Heights ; 8h30-16h30**) fournit cartes, brochures, permis de camping et renseignements sur les circuits dans le bush.

Depuis/vers le Royal National Park

De Sydney, prenez la Princes Hwy vers le sud et sortez à Farnell Ave, au sud de Loftus, pour rejoindre l'entrée nord du parc (45 min).

Le moyen le plus pittoresque d'atteindre le parc est de prendre le train CityRail (ligne Eastern Suburbs ou Illawarra) jusqu'à Cronulla (aller adulte/enfant 4,60/3,20 $), puis de monter dans le Cronulla National Park Ferry (**02-9523 2990 ; www.cronullaferries.com.au ; Cronulla Wharf**) jusqu'à Bundeena (aller adulte/enfant 5,80/2,90 $, 30 min, ttes les heures entre 5h30 et 18h30, jusqu'à 17h30 dim en hiver).

Hawkesbury River

À moins d'une heure de Sydney, le paisible Hawkesbury est une destination appréciée pour le week-end. Le fleuve – l'un des plus longs d'Australie – traverse des falaises ambrées, des communes historiques et des villages installés au milieu d'anses et de baies, ainsi qu'une succession de parcs nationaux.

Le **Riverboat Postman** (**02-9985 7566 ; www.hawkesburyriverferries.com.au ; Riverboat Postman Wharf, Brooklyn ; adulte/enfant/famille 50/30/130 $; 9h30 lun-ven**), dernier bateau postal en activité du pays, part de Brooklyn Wharf, près de la Hawkesbury River Railway Station, et remonte le Hawkesbury jusqu'à Marlow (40 km) avant de rentrer à Brooklyn à 13h15.

En amont, un étroit cours d'eau quitte le fleuve pour rejoindre, au milieu des arbres, **Berowra Waters**. Cette agréable

Les house-boats du Hawkesbury

Les house-boats (pénichettes) tout équipés sont idéals pour découvrir le Hawkesbury. Les tarifs explosent en été et pendant les vacances scolaires, mais la plupart des agences proposent des forfaits intéressants en basse saison, en milieu de semaine et pour les locations de longue durée. Pour avoir un ordre d'idée, pour 3 nuits sur un bateau de 2/4/6 couchettes, les prix débutent à 650/720/1 150 $ de septembre à début décembre, et doublent pendant les fêtes de fin d'année, le week-end et pendant les vacances tout au long de l'année.

La plupart des prestataires sont installés à Brooklyn.

Able Hawkesbury River Houseboats (☎ 02-4566 4308, 1800 024 979 ; www.hawkesburyhouseboats.com.au ; 3008 River Rd, Wisemans Ferry)
Brooklyn Marina (☎ 02-9985 7722 ; www.brooklynmarina.com.au ; 45 Brooklyn Rd, Brooklyn)
Holidays Afloat (☎ 02-9985 7368 ; www.holidaysafloat.com.au ; 65 Brooklyn Rd, Brooklyn)
Ripples Houseboats (☎ 02-9985 5555 ; www.ripples.com.au ; 87 Brooklyn Rd, Brooklyn)

bourgade, qui compte quelques maisons, commerces et abris à bateaux, vit au rythme du ferry qui traverse Berowra Creek 24h/24 (gratuit). Pour explorer les alentours, vous trouverez des petits canots (à moteur) à la **Berowra Waters Marina** (☎ 02-9456 7000 ; www.bbqboat.info ; 199 Bay Rd, Berowra Waters ; demi-journée 85 $; ⌚ 8h-17h). À côté, l'élégant **Berowra Waters Inn** (☎ 02-9456 1027 ; www.berowrawatersinn.com ; 4/5/6 plats 130/145/160 $; ⌚ déj ven-dim, dîner ven-sam) occupe un pavillon près de l'eau, conçu par l'architecte le plus reconnu d'Australie, Glenn Murcutt. Son menu dégustation en fait l'un des meilleurs restaurants de l'État. Accessible uniquement en hydravion depuis Sydney, ou par le ferry du restaurant, qui part d'un quai proche du village de Berowra.

Des trains CityRail au départ de Central Station, à Sydney, desservent Berowra (aller adulte/enfant 6/3 $, 45 min, environ ttes les heures) et poursuivent jusqu'à Hawkesbury River Station, à Brooklyn (aller adulte/enfant 6/3 $, 1 heure). Une fois à Berowra Station, vous devrez marcher 6 km sur un chemin ardu pour rejoindre Berowra Waters. Sinon, **Hawkesbury Water Taxis** (☎ 0400 600 111 ; www.hawkesburycruises.com.au) propose des bateaux-taxis pour n'importe où sur le fleuve.

Hunter Valley

Un filigrane d'étroits sentiers de campagne quadrille cette vallée verdoyante, qui recèle un trésor voué au culte du plaisir : vins fins, bière, chocolat, fromage, olives, tout y est.
Plus ancienne région vinicole d'Australie, la Hunter Valley est réputée pour ses sémillons et ses syrahs. La vallée compte plus de 140 domaines, qui vont de la petite exploitation familiale à la grande entreprise commerciale. La plupart proposent des dégustations gratuites, les plus chics les font parfois payer.

Quelques recommandations :

Brokenwood (www.brokenwood.com.au ; 401-427 McDonalds Rd, Pokolbin ; ⌚ 9h30-17h). L'un des domaines les plus appréciés de la Hunter Valley.

Hungerford Hill (www.hungerfordhill.com.au ; 2450 Broke Rd, Pokolbin ; ⌚ 10h-17h dim-jeu, 9h-18h ven-sam). Établissement en forme de tonneau au couvercle ouvert, à l'entrée de Broke Rd.

Margan (www.margan.com.au ; 1238 Millbrodale Rd, Broke ; ⌚ 10h-17h). Un cadre magnifique, une salle de dégustation raffinée et le meilleur restaurant de la vallée.

Pooles Rock Wines (www.poolesrock.com.au ; DeBeyers Rd, Pokolbin ; ⌚ 9h30-17h). Un grand vigneron qui produit la gamme Cockfighter's Ghost à prix moyens en plus de ses excellents vins vedettes.

Tamburlaine (www.tamburlaine.com.au ; 358 McDonalds Rd, Pokolbin ; 9h-17h). Excellent producteur expérimentant la viticulture durable.

Circuits organisés

Si personne n'est en état de conduire, les circuits œnologiques organisés sont nombreux. Certains partent de Sydney ou de Newcastle pour la journée. Voici quelques opérateurs locaux :

Aussie Wine Tours (0402 909 090 ; www.aussiewinetours.com.au). Déterminez votre propre itinéraire si vous choisissez l'un de ces circuits privés avec chauffeur.

Hunter Valley Tours (02-4990 8989 ; www.huntervalleytours.com.au). Des circuits pour petits groupes, à partir de 65 $ par personne pour un circuit d'une demi-journée, à partir de 99 $ la journée, déjeuner compris.

Wine Rover (02-4990 1699 ; www.rovercoaches.com.au). Les cars partent le matin de Morriset aux heures des trains qui viennent de Sydney (55 $) et ils déposent les passagers à la gare après une journée de visite de vignobles et autres curiosités.

Renseignements

Centre d'information des visiteurs (02-4990 0900 ; www.winecountry.com.au ; 455 Wine Country Dr ; 9h-17h lun-sam, 9h-16h dim)

Depuis/vers la Hunter Valley

En venant de Sydney, quittez la M1 au nord à la sortie Peats Ridge Rd et empruntez la Great North Rd construite par les convicts jusqu'à la charmante ville coloniale de Wollombi, puis au nord jusqu'à Broke ou à l'est jusqu'à Cessnock via Wollombi Rd.

Un train de CityRail passe par la Hunter Valley depuis Newcastle (adulte/enfant 6/3 $, 55 min). De Sydney (adulte/enfant 7,80/3,90 $, 3 heures 45), vous devez prendre un train pour Hamilton, puis changer direction Branxton, la gare la plus proche des vignes.

Greyhound (1300 473 946 ; www.greyhound.com.au) gère un bus quotidien depuis Sydney (65 $, 4 heures 30) jusqu'à Branxton, quittant Central Station à 18h30.

BLUE MOUNTAINS

Les spectaculaires "montagnes bleues", collectionnant les gorges, les eucalyptus (et les restaurants gastronomiques) ont été classées au patrimoine de l'Humanité par l'Unesco en 2000.

Les montagnes naissent à 65 km de Sydney, pour culminer en un plateau gréseux de 1 100 m d'altitude, sillonné de vallées creusées dans la pierre au fil des millénaires. Huit zones protégées s'étendent dans la région, notamment

Vignoble, Hunter Valley

le **Blue Mountains National Park** (www.environment.nsw.gov.au/nationalparks), aux paysages fantastiques, qui promet d'agréables randonnées dans le bush, des gravures aborigènes et tous les canyons et falaises imaginables.

S'il est possible de visiter la région en une journée, nous recommandons d'y séjourner au moins une nuit pour explorer quelques villes, faire une randonnée dans le bush et dîner dans l'un des excellents restaurants de Blackheath ou Leura.

Brume bleutée

La légère brume bleutée qui donne son nom aux montagnes provient de l'évaporation de l'huile des eucalyptus, qui forment une épaisse canopée dans un paysage de vallées profondes, et souvent inaccessibles, et d'affleurements calcaires ciselés.

À voir

De Glenbrook à Blackheath

Après Sydney, la première ville des Blue Mountains est Glenbrook (5 138 hab). De là, on peut continuer en voiture ou à pied dans le **Blue Mountains National Park** (7 $/voiture, gratuit à pied ; 8h30-18h, jusqu'à 19h l'été) ; c'est la seule entrée payante du parc. À 6 km de l'entrée se dresse le point de vue Mt Portal Lookout, qui permet d'admirer la Glenbrook Gorge, la Nepean River et au-delà jusqu'à Sydney.

L'artiste, auteur et bon vivant Norman Lindsay, notoire pour ses œuvres grivoises (les connaisseurs reconnaîtront une sorte de rencontre entre Boucher et Beardsley) et très apprécié pour son conte pour enfants *Le gâteau magique*. Il vécut à Faulconbridge, à 14 km en amont de Glenbrook, de 1912 à sa mort en 1969. Sa maison et son atelier, aujourd'hui le **Norman Lindsay Gallery & Museum** (www.normanlindsay.com.au ; 14 Norman

À gauche Hanging Rock, près de Blackheath (p. 104)
Ci-dessous Wentworth Falls
PHOTOGRAPHE : (À GAUCHE) ROSS BARNETT/LONELY PLANET IMAGES © ; (CI-DESSOUS) MARK NEWMAN/LONELY PLANET IMAGES ©

Lindsay Cres, Faulconbridge ; adulte/enfant/réduit 10/5/7 $; 10h-16h) renferment de nombreuses toiles, aquarelles, dessins et sculptures. Le **café (plats 19,50-24,50 $; 9h-16h30)** sur place n'est pas terrible, et nous vous conseillons de vous en tenir à la formule scones, thé et confiture (7,50 $), ou à un sandwich.

Plus haut, la ville de **Wentworth Falls** (5 650 hab) donne au sud sur la majestueuse Jamison Valley. Les chutes Wentworth Falls se précipitent sur une hauteur de 300 m – on peut les voir depuis la Falls Reserve. C'est aussi le point de départ d'un réseau de chemins de randonnée dans la sublime Valley of the Waters, qui compte des chutes, des gorges, des zones boisées et des forêts tropicales humides. Beaucoup de ces randonnées partent de la **Conservation Hut (www.conservationhut.com.au ; Fletcher St ; plats 23-30 $; 9h-16h lun-ven, jusqu'à 9h-17h sam-dim)**, où vous pourrez prendre un café ou vous restaurer sur une terrasse donnant sur la vallée.

À côté, **Leura** (4 385 hab) est une ville toute de rues ondulantes, de maisons historiques et de jardins luxuriants. Dans son centre s'étire The Mall, grande rue arborée bordée de boutiques, de galeries et de cafés.

En lisière de la ville, **Gordon Falls Reserve** est un site de pique-nique idyllique. De là on peut gravir à pied l'abrupt Prince Henry Cliff Walk ou rouler en voiture sur le Cliff Drive à 4 km à l'ouest des Leura Cascades jusqu'à **Katoomba** (7 623 hab). Principale ville de la région, ses rues souvent brumeuses sont bordées d'immeubles Art déco. La population est un mélange de travailleurs, de hippies, d'habitants de Sydney chassés par la crise immobilière et de membres d'une secte chrétienne messianique appelée les Douze Tribus, qui vit en communauté en suivant un style de vie traditionnel et gère le Common Ground Café dans

Katoomba

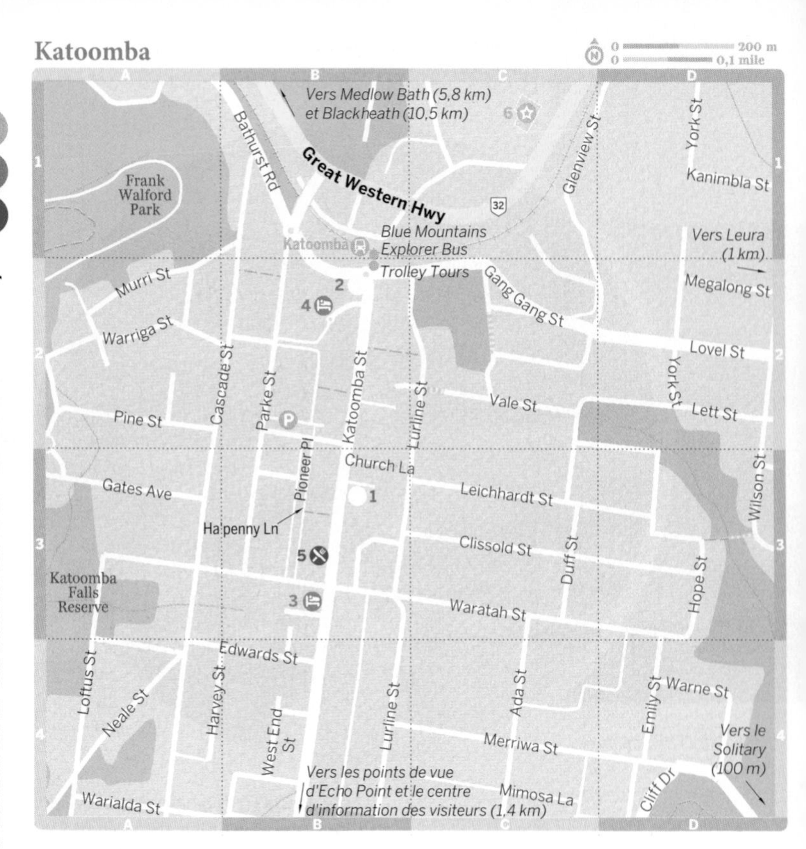

la rue principale. Apparemment, tout ce beau monde vit en parfaite harmonie, malgré les innombrables bus de touristes qui viennent pour la spectaculaire vue sur la Jamison Valley et les formations rocheuses des **Three Sisters** depuis les points de vue d'**Echo Point**.

Plusieurs courtes promenades partant d'Echo Point vous permettent d'échapper au gros de la foule. Le parking est cher (3,80 $ la 1re heure, 4,40 $ ensuite) ; si vous y venez à pied du centre-ville, Lurline St est l'itinéraire le plus attrayant.

À 3 km du centre de Katoomba s'étend **Scenic World** (**www.scenicworld.com.au ; angle Cliff Dr et Violet St ; téléphérique/train aller-retour adulte/enfant 21/10 $; ⌚9h-17h**), à l'ambiance de parc de loisir, qui compte un train des années 1880 et un téléphérique moderne qui descend la pente à 52° jusqu'au fond de la vallée. Le **Scenic Skyway** (**adulte/enfant 16/8 $**) est un téléphérique au sol vitré traversant la vallée.

La petite ville juste à l'ouest s'appelle **Blackheath** (4 177 hab), c'est une bonne base pour visiter les vallées de Grose, Kanimbla et Megalong.

À l'est de la ville se dressent les points de vue de **Govetts Leap** (aussi spectaculaire que les Three Sisters), **Bridal Veil Falls** (les plus hautes chutes des Blue Mountains) et **Evans Lookout**. Au nord-est, via Hat Hill Rd, c'est **Pulpit Rock**, **Perry's Lookdown** et **Anvil Rock**.

Megalong Valley

À moins de randonner ou de faire un circuit en train avec le Scenic Railway de Katoomba, la Megalong Valley est le seul endroit qui permette de découvrir un canyon des Blue Mountains vu d'en bas. Ici s'étend l'Australie rurale aux couleurs

Katoomba

Activités

1 Australian School of Mountaineering B3
2 Blue Mountains Adventure Company B2
High 'n' Wild Mountain Adventures .... (voir 2)

Où se loger

3 Blue Mountains YHA B3
4 Carrington Hotel B2

Où se restaurer

5 Fresh Espresso & Food Bar B3

Où sortir

6 Edge Cinema C1

mordorées, à mille lieues des zones quasi urbaines qui longent les crêtes. Le **Coachwood Glen Nature Trail**, un sentier de découverte de la nature de 600 m, présente des vallons recouverts de fougères, des bosquets de sorbiers et des falaises de grès ensoleillées.

Mt Victoria, Hartley et Lithgow

Charmant village de montagne perché à 1 043 m d'altitude, Mt Victoria est le bourg le plus élevé du massif. Il compte de nombreux édifices historiques, notamment une église, **St Peter's Church** (1874), et le **Toll Keepers Cottage** (1849).

À 12 km environ après Mt Victoria, sur le versant ouest du massif, se cache la minuscule ville "fantôme" de Hartley, qui prospéra à partir des années 1830, puis déclina après la mise en service de la voie ferrée en 1887. Elle a conservé plusieurs bâtiments historiques, notamment des maisons particulières et des hôtels.

À 14 km de Hartley, dans les contreforts ouest des Blue Mountains, Lithgow est une sinistre ville minière connue pour son **Zig Zag Railway** (**www.zigzagrailway.com.au ; Clarence Station, Bells Line of Road ; adulte/enfant/famille 28/14/70 $; 11h, 13h et 15h**), à 10 km à l'est du centre. Construit dans les années 1860 pour permettre au Great Western Railway de descendre des montagnes jusqu'à Lithgow, c'est aujourd'hui une attraction touristique – un train avec locomotive à vapeur – qui serpente jusqu'au fond du précipice (1 heure 30 aller-retour).

Activités

Randonnée dans le bush (bushwalking)

Les deux zones les plus populaires pour le bushwalking sont la Jamison Valley, au sud de Katoomba, et la Grose Valley, au nord-est de Katoomba et à l'est de Blackheath. On trouve aussi d'autres très belles possibilités de randonnées au sud de Glenbrook, au Kanangra Boyd National Park (accessible d'Oberon ou des Jenolan Caves) et au Wollemi National Park, au nord de la Bells Line of Road.

Le très utile **centre d'information des visiteurs du NPWS** (**02-4787 8877 ; www.nationalparks.nsw.gov.au ; Govetts Leap Rd, Blackheath ; 9h-16h30**) de Blackheath, à environ 2,5 km de la Great Western Hwy et à 10 km au nord de Katoomba, peut vous aider à choisir une randonnée, vous conseiller sur la sécurité et le camping ; pour des renseignements sur les promenades plus courtes, renseignez-vous au centre d'information des visiteurs d'Echo Point (p. 108). Notez que le bush ici est dense et qu'on s'y perd facilement – des accidents mortels sont arrivés. Laissez toujours votre nom et votre itinéraire au commissariat de Katoomba, au bureau du NPWS ou dans un office du tourisme ; le commissariat de Katoomba, le centre d'information des visiteurs d'Echo Point et le bureau du NPWS fournissent gratuitement des signaux d'alarme personnels.

Une gamme de brochures et de cartes NPWS (3-6 $) est proposée au bureau du NPWS et dans les centres d'information des visiteurs de Glenbrook et Katoomba. Tous vendent la carte de randonnée d'Heama *Blue Mountains* (8,95 $) et l'utile livre de Veechi Stuart *Blue Mountains : Best Bushwalks* (29,95 $).

RICHARD I'ANSON/LONELY PLANET IMAGES ©

À ne pas manquer Jenolan Caves

L'histoire de la découverte des **Jenolan Caves** (www.jenolancaves.org.au ; Jenolan Caves Rd ; entrée et visite adulte/enfant/famille à partir de 28/18,50/68 $; ⌚9h-17h) tient de la légende : l'éleveur local James Whalan aurait trouvé ces grottes préhistoriques en recherchant James McKeown, forçat évadé et voleur de bétail.

Appelées Binoomea ou "lieux sombres" par les Aborigènes Gundungurra, les grottes se sont formées il y a quelque 400 millions d'années et seraient l'ensemble de grottes calcaires le plus vaste du monde.

La région compte plus de 350 grottes, mais seule une poignée est ouverte au public. Il faut participer au **circuit** pour les voir ; différents niveaux de difficulté sont proposés – le personnel de la billetterie se fait un plaisir de tout vous expliquer. On peut aussi revêtir une combinaison pour se tortiller dans d'étroits passages avec pour seul guide une lampe frontale pour le **'Plughole' Adventure Tour** (70 $; ⌚13h15 tlj).

Les grottes sont à 30 km de la Great Western Hwy (Rte 4), à 1 heure 15 en voiture de Katoomba. L'étroite Jenolan Caves Rd devient un sens unique tous les jours entre 11h45 et 13h15, dans le sens des aiguilles d'une montre depuis les grottes et jusqu'à Oberon.

Activités et circuits aventure

La plupart des opérateurs ont une agence à Katoomba – mais la concurrence est rude, comparez les prix.

Australian Eco Adventures Écocircuits
(☎02-9971 2402 ; www.ozeco.com.au ; adulte/enfant 255/160 $; ⌚7h). Circuits de luxe d'une journée, écocertifiés, dans les Blue Mountains au départ de Sydney à 7h (maximum 16 pers) comprenant de courtes promenades dans le bush. Moins cher sans le petit-déjeuner et le déjeuner.

Australian School of Mountaineering Activités aventure
(ASM ; ☎02-4782 2014 ; www.asmguides.com ; 166 Katoomba St, Katoomba). Escalade à partir de 175 $, rappel à partir de 145 $ et canyoning à partir de 175 $.

Blue Mountains Adventure Company Activités aventure
(02-4782 1271 ; www.bmac.com.au ; 84a Bathurst Rd, Katoomba). Journée complète aventures : rappel à partir de 180 $, canyoning à partir de 165 $, escalade à partir de 180 $.

Blue Mountains Walkabout Randonnées aborigènes
(0408 443 822 ; www.bluemountainswalkabout.com). Des randonnées de 7 heures/demi-journée sur des thèmes aborigènes et spirituels (95/75 $), gérées et guidées par des Aborigènes. Rendez-vous à la gare ferroviaire de Faulconbridge.

High 'n' Wild Mountain Adventures Activités aventure
(02-4782 6224 ; www.highandwild.com.au ; 3/5 Katoomba St). Rappel (à partir de 99/145 $) et escalade (159/179 $) en demi journée ou journée entière, et canyoning toute la journée (179 $).

Tread Lightly Eco Tours Écocircuits
(02-4788 1229 ; www.treadlightly.com.au). Tout un éventail de randonnées de jour et de nuit (65-135 $) pour découvrir l'environnement local.

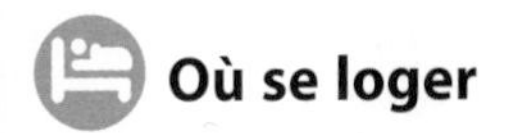

Où se loger

GLENELLA GUESTHOUSE Guesthouse **$$**
(02-4787 8352 ; www.glenellabluemountainshotel.com.au ; 56-60 Govetts Leap Rd, Blackheath ; ch 100-160 $, f 200-240 $;). Véritable institution ouverte depuis 1912, tenue avec savoir-faire par un couple de britanniques enthousiaste. Sept chambres confortables, un joli salon et une superbe salle à manger, où est servi un excellent petit-déjeuner.

BLUE MOUNTAINS YHA Auberge de jeunesse **$**
(02-4782 1416 ; www.yha.com.au ; 207 Katoomba St, Katoomba ; dort 29,50-31,50 $, d avec/sans sdb 98,50/88,50 $, f avec/sans sdb 140/126 $; @). L'extérieur austère de cette auberge de 200 chambres très appréciée cache des dortoirs et des chambres familiales confortables, claires et impeccables. Salon avec cheminée, chauffage central, grande salle de TV, billard, excellente cuisine commune et barbecue extérieur.

GREENS OF LEURA B&B **$$**
(02-4784 3241 ; www.thegreensleura.com.au ; 24-26 Grose St, Leura ; ch sem/w-e à partir de 145/175 $; @). Dans une rue tranquille parallèle au Mall, cette jolie maison en bois installée dans un charmant jardin propose 5 chambres différentes aux noms d'écrivains anglais (Browning, Austen, etc), parfois avec lit à baldaquin et sdb balnéo.

CARRINGTON HOTEL Hôtel **$$$**
(02-4782 1111 ; www.thecarrington.com.au ; 15-47 Katoomba St, Katoomba ; ch 205-315 $, ch sans sdb 129-149 $, ste 340-490 $; @). Jalon social et architectural de la ville, le Carrington est ouvert depuis 1880. Malgré d'importantes rénovations, l'édifice a réussi à conserver son charme historique. Bibliothèque, billard et majestueux jardin.

Où se restaurer

SOLITARY Australien moderne **$$**
(02-4782 1164 ; www.solitary.com.au ; 90 Cliff Dr, Leura Falls ; déj plats 14-33,50 $, dîner plats 26-33,50 $; déj tlj, dîner sam, fermé 2 sem en jan). La magnifique vue sur le Mt Solitary est la principale attraction de cet élégant restaurant juché au dessus des Leura Cascades, mais on y déguste aussi une cuisine de saison délicieuse.

Whisk & Pin Store & Cafe Café **$**
(www.whiskandpin.com ; 1 Railway Pde, Medlow Bath ; petit-déj 7-17,50 $, sandwichs 9,50-16,50 $, plats légers déj 15,50-17,50 $; 8h30-16h lun-ven, 8h30-17h sam-dim). Ce splendide café se trouve dans une élégante épicerie fine qui fait également boutique de cadeaux. Confortablement installé dans le canapé ou assis à la table commune, vous pourrez déguster une cuisine fraîche et saine.

 **FRESH ESPRESSO & FOOD BAR** Café $

(www.freshcafe.com.au ; 181 Katoomba St, Katoomba ; petit-déj 4,50-15 $, déj 13-16 $; 8h-17h lun-sam, 8h-16h dim). Le café bio issu du commerce équitable servi ici a fidélisé la clientèle. Les petits-déjeuners servis toute la journée sont aussi très prisés.

Où sortir

Edge Cinema Cinéma

(www.edgecinema.com.au ; 225 Great Western Hwy, Katoomba ; adulte/enfant/réduit 14/10/12,50 $; 9h30-tard). Les grands succès sur écran géant, et un documentaire de 40 min sur les Blue Mountains (adulte/enfant 15/10 $). Tarif réduit le mardi avec des tickets à 8,50 $.

Renseignements

Les centres d'information des visiteurs (1300 653 408, 1800 641 227 ; www.visitbluemountains.com.au) sur la Great Western Hwy, à Glenbrook (9h-16h30 lun-ven, 8h30-15h30 sam-dim) et à Echo Point à Katoomba (9h-17h), fournissent une foule de renseignements et réservent des hôtels, des circuits et des activités.

Comment s'y rendre et circuler

Pour accéder aux Blue Mountains en voiture, quittez Sydney par Parramatta Rd. À Strathfield, faites un détour jusqu'à la M4, gratuite, qui devient la Great Western Hwy à l'ouest de Penrith et dessert toutes les villes des Blue Mountains. Comptez 1 heure 30 du centre de Sydney à Katoomba.

Blue Mountains Bus (02-4751 1077 ; www.bmbc.com.au). Des bus locaux circulent entre Katoomba et Wentworth Falls (bus n°685 et 690K), Scenic World (bus n°686), Leura (bus n°690K) et Blackheath (bus n°698). Vous paierez entre 2 et 4,30 $.

Blue Mountains Explorer Bus (1300 300 915 ; www.explorerbus.com.au ; 283 Main St, Katoomba ; adulte/enfant 36/18 $; 9h45-16h54). Montée et descente à volonté sur le trajet Katoomba-Leura. Part de la gare de Katoomba toutes les 30 min à 1 heure.

Blue Mountains ExplorerLink (13 15 00 ; www.cityrail.info ; forfait 1 jour adulte/enfant à partir de 46,80/23,40 $, forfait 3 jours

Lithgow (p. 105)

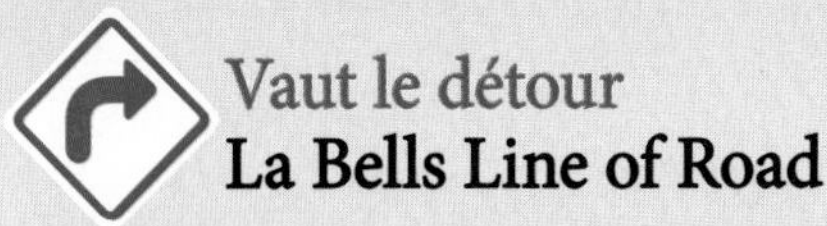

Vaut le détour
La Bells Line of Road

La Bells Line of Road, entre Richmond et Lithgow, est le plus bel itinéraire des Blue Mountains. Nous vous la recommandons vivement si vous êtes motorisé. Des Kurrajong Heights, sur le versant oriental de la chaîne, la vue sur la côte est somptueuse : vous apercevrez des vergers aux environs de Bilpin, ainsi que des falaises de grès et un paysage de bush jusqu'à Lithgow.

À mi-chemin de Bilpin et de Bell, les magnifiques **Blue Mountains Botanic Garden Mount Tomah** (www.mounttomahbotanicgarden.com.au ; Bells Line of Road ; adulte/enfant/réduit 5,50/3,30/4,40 $; 10h-16h avr-sept, 10h-17h oct-mars), annexe des Royal Botanic Gardens de Sydney, jouissent d'un climat tempéré. Outre les plantes locales, vous y découvrirez des espèces exotiques des biotopes froids, notamment de superbes rhododendrons.

Pour rejoindre la Bells Line of Road, prenez la Parramatta Rd depuis Sydney, et de Parramatta allez au nord-ouest sur Windsor Rd jusqu'à Windsor. Richmond Rd depuis Windsor devient la Bells Line of Road à l'ouest de Richmond.

adulte/enfant à partir de 66,80/33,40 $). Permet d'effectuer l'aller-retour en train de Sydney aux Blue Mountains, et d'accéder à l'Explorer Bus service.

CityRail (13 15 00 ; www.cityrail.info). Des trains partant de la Central Station de Sydney vers les montagnes (aller adulte/enfant 7,80/3,90 $, 2 heures, ttes les heures). Ils desservent les villes le long de la Great Western Hwy : Glenbrook, Faulconbridge, Wentworth Falls, Leura, Katoomba, Medlow Bath, Blackheath, Mt Victoria, Zig Zag et Lithgow.

Trolley Tours (02-4782 7999, 1800 801 577 ; www.trolleytours.com.au ; 285 Main St, Katoomba ; adulte/famille 20/60 $; 9h45-17h42). Bus avec montée et descente à volonté, vaguement grimé en trolley, desservant 29 arrêts à Katoomba et Leura.

FORCE FIELD

Brisbane et les plages de la côte est

La côte est, du nord de la Nouvelle-Galles du Sud à la Sunshine Coast dans le Queensland, mérite que l'on s'y attarde. Ne manquez pas les nombreux attraits de la Gold Coast, les villes bohèmes de l'arrière-pays, ou encore Brisbane, la troisième ville d'Australie, autant de lieux baignés par les vagues et le soleil 300 jours par an.

Véritable petit bijou, Byron Bay est un paradis des surfeurs, des gourmets et des férus de festivals. Plus au nord, la Gold Coast ne manque pas de parcs d'attractions, de compétitions de surf et de casinos extravagants. Brisbane ravira les citadins par son atmosphère cosmopolite, tandis que la Sunshine Coast, très sous-estimée, vous surprendra par ses cités balnéaires décontractées, ses plages de sable blanc et ses nombreuses occasions d'observer la faune. Au large, Fraser Island, classée au patrimoine mondial, recèle quantité de forêts et de lacs magnifiques.

L'hospitalité des habitants du Queensland n'est pas une légende. Ici, on sait profiter de la vie !

Burleigh Heads (p. 129), Gold Coast

Tongs en caoutchouc, Byron Bay (p. 122)
GREG ELMS/LONELY PLANET IMAGES ©

Brisbane et les plages de la côte est

Bargara
Bundaberg
Elliott Heads
Orchid Beach
Hervey Bay
Woodgate
Great Sandy National Park
Burrum Heads
Hervey Bay
Childers
Howard
Torbanlea
Fraser Island
Happy Valley
Eurong
Maryborough
Bruce Hwy
Tiaro
Wide Bay
Tin Can Bay
Rainbow Beach
Gunalda
Great Sandy National Park (Cooloola Section)
Gympie
Noosa Heads
Noosaville
Noosa National Park
Eumundi
Nambour
Maroochydore
Mooloolaba
Mooloolah
Caloundra
Beerwah
Glass House Mountains
Glass House Mountains National Park
Bribie Island National Park
Bribie Island
Moreton Island
Caboolture
Tangalooma
Moreton Bay
Redcliffe
Esk
Brisbane Airport
OCÉAN PACIFIQUE SUD
Point Lookout
Manly
Brisbane
North Stradbroke Island
Gatton
Victoria Point
Toowoomba
Ipswich
Rosewood
QUEENSLAND
Main Range National Park
Boonah
Beaudesert
Surfers Paradise
Broadbeach
Springbrook National Park
Burleigh Heads
Coolangatta
Tweed Heads
Mt Barney National Park
Rathdowney
Warwick
Lamington National Park
Border Ranges National Park
Nimbin
Kyogle
Byron Bay
Bangalow
NOUVELLE-GALLES DU SUD
Lismore
Lennox Head
Casino
Ballina
1 Byron Bay
2 Noosa
3 Brisbane
4 Fraser Island
5 Moreton Bay
6 Parcs d'attractions de la Gold Coast

Brisbane et les plages de la côte est À ne pas manquer

1

Byron Bay

Avec son mode de vie décontracté, sa touche cosmopolite, ses plages superbes et ses breaks de surf, Byron Bay (p. 122) marque des points. C'est le genre d'endroit où l'on vient passer une semaine et d'où l'on repart six mois plus tard. À vingt minutes de Byron Bay, l'arrière-pays abrite un enchevêtrement de collines, de vallées, de cascades et de communautés hippies.

Nos conseils

MEILLEURE SAISON POUR LE SURF Hiver (bonnes vagues et affluence raisonnable) **MEILLEURE PHOTO** Le lever du soleil sur le phare à la pointe est du pays **Voir p. 122**

Ma sélection

Byron Bay par Dean Johnston

INSTRUCTEUR, BLACK DOG SURFING

1 SPOTS DE SURF

The Pass (p. 122) est mon spot préféré, un fabuleux "point break" de droite – parfait pour les débutants – avec des vagues très longues. J'aime aussi beaucoup **Tallows** (p. 122), un beach break pour surfeurs plus expérimentés. **Broken Head** (p. 122) est un autre "point break" de droite et le Wreck à **Main Beach** (p. 122) propose des gauches et des droites assez rapides. Il y a tellement de spots et de vagues que l'on peut surfer quasiment quotidiennement.

2 PHARE DE CAPE BYRON

La plupart des visiteurs s'aventurent jusqu'au **phare** (p. 122) du cap Byron. Situé à environ 30 minutes de marche de la ville, on peut y accéder par la forêt tropicale ou par la côte, le long des falaises. C'est un bon point d'observation des baleines et des dauphins.

3 FÊTES ET FESTIVALS

L'**East Coast International Blues & Roots Music Festival** (www.bluesfest.com.au) et **Byron Bay Writers' Festival** (www.byronbaywritersfestival.com.au) sont des événements annuels incontournables. Malgré la foule, les gens du cru sont accueillants. Si la plage est parfois bondée, l'ambiance reste toujours très décontractée.

4 SE RESTAURER ET PRENDRE UN VERRE

Allez absolument boire un verre au **Beach Hotel** (p. 125). La décoration est superbe et l'ambiance très cosy, avec des concerts en été. L'**Espressohead** (p. 125) sert le meilleur café de la ville. Quant à l'historique **Earth 'n' Sea** (p. 125), c'est l'endroit parfait pour déguster une pizza après un après-midi de surf.

5 ARRIÈRE-PAYS

L'arrière-pays de Byron Bay est vraiment magnifique. À 10 minutes de route, **Bangalow** (p. 126) est une petite ville très agréable. Les routards adorent également **Nimbin** (p. 126). Des agences touristiques locales font l'aller-retour, s'arrêtant en chemin pour vous faire découvrir des endroits dignes d'intérêt, comme **Minyon Falls**.

Noosa

Première station de la Sunshine Coast, **Noosa** (p. 149) combine surf et glamour. Les prix sont prohibitifs, mais les principaux attraits de la ville, la plage et le bush, sont gratuits ! Faites du shopping dans les boutiques chics ou choisissez un restaurant dans Hastings St, surfez dans les eaux cristallines ou profitez d'un moment de farniente sur les superbes plages : l'hédonisme est au programme.

2

4 Fraser Island

Fraser Island (p. 151), la plus grande île de sable au monde (120 km de long), est tout simplement unique. Les oiseaux les dingos et les créatures marines évoluent entre forêt tropicale, dunes, lacs et plages (en concurrence avec des humains en 4x4 pour ces dernières). L'endroit parfait pour une escapade en pleine nature.

MANFRED GOTTSCHALK/LONELY PLANET IMAGES ©

Brisbane

3

La troisième ville du pays est une métropole moderne, en plein essor, où serpente un superbe fleuve. Découvrir **Brisbane** (p. 131) en ferry et passer sous l'impressionnant **Story Bridge** (p. 136) donne un bon aperçu de l'esprit de cette cité prospère. Sur les rives se déploient de luxuriants jardins subtropicaux et de magnifiques vestiges d'architecture coloniale, ainsi que d'excellents cafés, musées, théâtres et restaurants.

DAVID WALL/LONELY PLANET IMAGES ©

5

Moreton Bay

Point de rencontre de la Brisbane River et de la mer, la belle **Moreton Bay** (p. 145) est réputée pour sa faune marine – baleines, dauphins et dugongs notamment. Vous pourrez nourrir des dauphins sauvages dans les eaux cristallines de Tangalooma ; ou vous joindre aux familles de vacanciers de Brisbane sur les plages de la baie et au bord des lacs de North Stradbroke Island.

6

Parcs d'attractions de la Gold Coast

Qu'on l'adore ou qu'on la déteste, on ne peut pas reprocher à la **Gold Coast** (p. 127) d'être terne. Les gratte-ciel résidentiels avec vue sur la sublime côte sablonneuse se bousculent, tandis que la vie nocturne bat son plein dans les petites rues sur fond de casinos. Beaucoup de visiteurs viennent pour les fabuleux parcs d'attractions de la Gold Coast (p. 130) Montagne russe, Sea World

Brisbane et les plages de la côte est : le best of

Plages

- **Little Wategos** (p. 122). Située à Byron Bay, il s'agit de la plage de sable la plus orientale de l'Australie.
- **Coolangatta** (p. 131). Prenez la température des vagues ou faites un somme sur la plage de Kirra.
- **Cylinder Beach** (p. 146). Très jolie plage familiale sur North Stradbroke Island.
- **Surfers Paradise** (p. 127). La plage porte bien son nom. Contemplez l'océan et oubliez tout le reste.

Activités de plein air

- **Surf sur la Gold Coast** (p. 128). Surfez les vagues de la Gold Coast ou prenez un cours de kiteboard.
- **Randonnée dans le bush à Noosa** (p. 150). Traversez le luxuriant Noosa National Park jusqu'aux plages de sable doré.
- **Nourrir les dauphins à Tangalooma** (p. 147). Pataugez dans les eaux de Moreton Island et donnez la becquée à Flipper.
- **En 4x4 sur les plages de Fraser Island** (p. 153). Cliché, mais exaltant (quoique peu écologique).

Avec des enfants

- **Parcs d'attractions de la Gold Coast** (p. 130). Aventure à tous les étages pour amateurs de frisson et adolescents remuants.
- **Australia Zoo** (p. 155). Emmenez vos enfants passer la journée dans ce zoo fabuleux.
- **Queensland Cultural Centre** (p. 133). Activités artistiques, interactives et pédagogiques au programme.
- **Lone Pine Koala Sanctuary** (p. 135). Descendez la Brisbane River à la rencontre des koalas.

Loin de la foule

- **Bangalow** (p. 126). À 10 minutes de Byron Bay, Bangalow vit à un rythme paisible.
- **Rainbow Beach** (p. 154). Petite ville décontractée et sans prétention, point de départ pour Fraser Island.
- **Burleigh Heads** (p. 129). Vagues grandioses et restaurants de front de mer, sans le clinquant de la Gold Coast.
- **Springbrook National Park** (p. 129). Plateaux, cascades et formations rocheuses dans l'arrière-pays de la Gold Coast.

À gauche Springbrook National Park
Ci-dessus Surfers Paradise

Ce qu'il faut savoir

À PRÉVOIR

- **Un mois avant** Réservez un vol intérieur, un hôtel et un billet pour le Story Bridge Adventure Climb de Brisbane.
- **Deux semaines avant** Réservez votre billet pour Fraser Island ou pour un circuit d'observation des dauphins dans la Moreton Bay.
- **Une semaine avant** Réservez votre cours de surf à Byron Bay et une table dans un restaurant chic de Brisbane.

ADRESSES UTILES

- **Queensland Holidays** (www.queenslandholidays.com.au). Une source précieuse de renseignements pour préparer son voyage.
- **Tourism Queensland** (www.tq.com.au). Organisme gouvernemental de promotion du Queensland.
- **Visit Brisbane** (www.visitbrisbane.com.au). Tout sur "Brizzy".
- **Sunlover Holidays** (www.sunloverholidays.com.au). Gestion des réservations d'hébergements et de circuits.
- **Royal Automobile Club of Queensland** (RACQ; www.racq.com.au). Renseignements et assistance routière.

COMMENT CIRCULER

- **À pied** À travers le Noosa National Park.
- **En voiture** Dans l'arrière-pays de Byron Bay.
- **En train** De l'aéroport de Brisbane au centre-ville.
- **En ferry** Sur la Brisbane River à destination de Fraser Island.

MISES EN GARDE

- **Foules et festivals** La haute saison sur la Gold Coast coïncide avec les vacances scolaires, en janvier, début juillet et début octobre. Anticipez de longues files d'attente dans les parcs d'attractions. Pâques rime avec festivals à Byron Bay – les hôtels sont souvent complets des mois à l'avance.
- **Méduses-boîtes** On en trouve occasionnellement le long de la côte, et ce jusqu'à Fraser Island, entre octobre et avril. Leur piqûre peut être mortelle.
- **Dingos de Fraser Island** Gardez vos distances.

Suggestions d'itinéraires

Sans avoir à aller très loin, il y a quantité de choses à voir entre Byron Bay et Brisbane. Si vous avez le temps, filez vers le nord pour découvrir les îles, les baies peuplées de baleines et la Sunshine Coast.

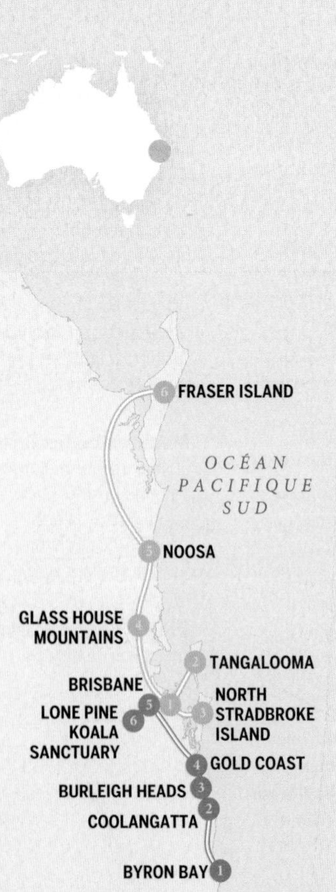

3 JOURS

DE BYRON BAY À BRISBANE

De la plage à la ville

Certes, il n'est pas facile de quitter **(1) Byron Bay**, ses "point breaks", ses cafés et son atmosphère décontractée, mais cette partie du Queensland, plus au nord, vaut le détour. Faites une halte à **(2) Coolangatta** ou à **(3) Burleigh Heads** pour une journée paisible à la plage et un dîner en bord de mer. Prenez tout de même des forces avant d'affronter la **(4) Gold Coast**. Laissez-vous aller à l'ambiance festive de Surfers Paradise. Si vous et vos enfants ressentez un besoin de frisson, rejoignez l'un des parcs d'attractions de la Gold Coast.

Puis faites un crochet vers l'arrière-pays et découvrez **(5) Brisbane**. Offrez-vous un spectacle ou flânez le long de la Brisbane River. Visitez le West End ou écumez les bars et les salles de concert de New Farm. Brisbane compte aussi de formidables marchés et Fortitude Valley est l'endroit idéal pour passer une bonne soirée. Pour découvrir la ville d'en haut, tentez l'ascension du Story Bridge, ou embarquez pour le **(6) Lone Pine Koala Sanctuary**, où vous pourrez vous prendre en photo avec les petits locataires duveteux.

En haut, à gauche Détente à la piscine, Surfers Paradise (p. 127)
En haut, à droite Membre d'un club de sauveteurs, Noosa (p. 149)

5 JOURS

DE BRISBANE À FRASER ISLAND

Le meilleur de la Sunshine Coast

Avec ses galeries, ses théâtres et ses restaurants, **(1) Brisbane** a tous les atouts d'une grande ville. Ses environs, ainsi que la Sunshine Coast toute proche, ne manquent toutefois pas d'intérêt. Vous pouvez passer une journée dans l'arrière-pays ou filer vers la côte et traverser la Moreton Bay en ferry pour aller nourrir les dauphins à **(2) Tangalooma**. À défaut, passez la nuit à **(3) North Stradbroke Island** et commencez la journée par une petite séance de surf.

De retour sur le continent, serpentez le long de Glass House Mountains Rd en direction des altières **(4) Glass House Mountains**. Admirez le verdoyant arrière-pays et découvrez la faune remarquable de l'Australia Zoo.

L'appel de l'océan se fera bientôt sentir. Traversez les nonchalantes petites villes de la Sunshine Coast jusqu'à **(5) Noosa**, paradis côtier où vous pourrez vous remettre au surf, vous essayer au kayak, goûter à la forêt tropicale et déguster une fine cuisine cosmopolite.

S'il vous reste encore un peu d'énergie, envisagez une balade en 4×4 à **(6) Fraser Island**, une longue île sablonneuse constellée de lacs, de dunes et dotée d'une vie sauvage exceptionnelle.

Découvrir Brisbane et les plages de la côte est

Les incontournables

- **Byron Bay** (p. 122). La ville de surf ultime, entourée d'un arrière-pays à l'ambiance bohème.
- **Gold Coast** (p. 127). Extravagante et aussi un peu criarde.
- **Brisbane** (p. 131). Bons cafés et bars, sans oublier la Brisbane River.
- **Sunshine Coast** (p. 148). Enfilade de plages sablonneuses.
- **Fraser Island** (p. 151). Dunes, lacs, jungle et vie sauvage.

BYRON BAY

Byron Bay est à la hauteur des attentes qu'elle suscite. Avec ses plages idylliques et ses possibilités de surf presque infinies, ses collines verdoyantes et son climat subtropical, c'est sans conteste l'une des plus belles villes côtières d'Australie. Son fameux mode de vie alternatif ajoute à son charme.

À voir

Cape Byron

Ce cap fut baptisé par le capitaine Cook en hommage au grand-père du poète, navigateur réputé du XVIIIe siècle.

La vue du sommet est exceptionnelle, surtout après l'ascension depuis Clarkes Beach par un chemin sinueux. En contrebas, l'océan est peuplé de dauphins et, en juin-juillet, de baleines à bosse en migration. Dominant l'horizon, le **phare** (**☎02-6685 6585 ; Lighthouse Rd ; 🕒8h-crépuscule**), qui date de 1901, est le plus puissant et à la pointe la plus orientale de l'Australie.

Plages

Main Beach, juste devant la ville, est parfaite pour jouer les badauds ou nager. À la lisière occidentale du cap Byron, sur **Belongil Beach**, le port du maillot est en option. Vous aurez de bonnes vagues à **Clarkes Beach**, à l'extrémité est de Main Beach, mais elles ne valent pas celles de **Pass**, de **Wategos** et de **Little Wategos**.

Au sud du Cape Byron, **Tallow Beach** s'étire sur 7 km jusqu'à une bande rocheuse autour de Broken Head, où une succession de petites plages jalonnent

Cape Byron

PHOTOGRAPHE : HOLGER LEUE/LONELY PLANET IMAGES ©

la côte avant de déboucher sur **Seven Mile Beach**, qui s'étend jusqu'à Lennox Head.

Activités

THÉRAPIES ALTERNATIVES

Guide pratique répertoriant les thérapies proposées, *Body & Soul* est disponible au centre d'information des visiteurs.

Bikram Hot Yoga (02-6685 6334 ; www.bikramyogabyronbay.com.au ; 35 Childe St ; cours de 1 heure 30 $)

Buddha Gardens (02-6680 7844 ; www.buddhagardensdayspa.com.au ; Arts Factory Village, 21 Gordon St ; traitements à partir de 85 $; 10h-18h). Spa de style balinais.

KAYAK DE MER

La présence des dauphins rend encore plus pittoresque le circuit d'une demi-journée en kayak à l'intérieur et autour du Cape Byron Marine Park. Excursions : 50-60 $/adulte, moins pour les enfants.

Cape Byron Kayaks (02-6680 9555 ; www.capebyronkayaks.com ; 8h30 et 13h)

Dolphin Kayaking (02-6685 8044 ; www.dolphinkayaking.com.au ; circuits 8h30)

SURF

Black Dog Surfing (02-6680 9828 ; www.blackdogsurfing.com ; Shop 8, The Plaza, Jonson St). Cours en petits groupes et leçons pour les femmes.

Surfing Byron Bay (02-6685 7099 ; www.gosurfingbyronbay.com ; 84 Jonson St). Cours pour les enfants.

Circuits organisés

Byron Bay Eco Tours (02-6685 4030 ; www.byron-bay.com/ecotours ; circuits 85 $; 9h). Excellents commentaires de nos lecteurs.

Jim's Alternative Tours (0401 592 247 ; www.jimsalternativetours.com ; circuits 40 $; 10h). Périples divertissants (en musique) vers Nimbin.

Mountain Bike Tours (1800 122 504, 0429 122 504 ; www.mountainbiketours.com.au ; circuits 99 $; 9h30). Excursions écologiques à VTT.

Où se loger

ATLANTIC Guesthouse **$**

(02-6685 5118 ; www.atlanticbyronbay.com.au ; 13 Marvell St ; dort/d à partir de 25/150 $;). Ce petit complexe résidentiel s'est mué en havre côtier immaculé offrant des logements pour tous les goûts. Les chambres sont lumineuses et agréables, les moins chères proposent sdb et cuisines en commun, et les dortoirs ne comptent pas de lits superposés. Vous pouvez aussi choisir de dormir dans une caravane rétro (175 $).

ARTS FACTORY LODGE Auberge de jeunesse/camping **$**

(02-6685 7709 ; www.artsfactory.com.au ; Skinners Shoot Rd ; dort/d à partir de 34/80 $, empl 17 $; @). Ce complexe propose des cours de didjeridoo ainsi que des ateliers de yoga et de méditation dans un cadre détendu au bord d'un marais pittoresque. Vous pouvez opter pour le dortoir de 6 à 10 lits, la chaumière ou le tipi. Les couples préféreront peut-être la chambre "cube" ou la cabane en toile (90 $), voire le petit nid d'amour avec sdb (100 $).

BEACH HOTEL RESORT Complexe hôtelier **$$$**

([02-6685 6402 ; www.beachhotelresort.com.au ; Bay St ; ch petit-déj inclus à partir de 260 $;). Au cœur de Byron, ce lieu emblématique du bord de mer attire une clientèle aisée plus discrète que celle du *beer garden* voisin. Des chambres au rez-de-chaussée donnent sur des jardins luxuriants et une piscine chauffée. Celles à l'étage offrent un point de vue sur l'océan.

BAY BEACH MOTEL Motel **$$**

(02-6685 6090 ; www.baybeachmotel.com.au ; 32 Lawson St ; ch 155-180 $, app 2 lits à partir de 235 $;). Élégant et sans prétention, cet hôtel blanc contemporain est proche de la ville, mais à l'abri du bruit des fêtards.

Byron Bay

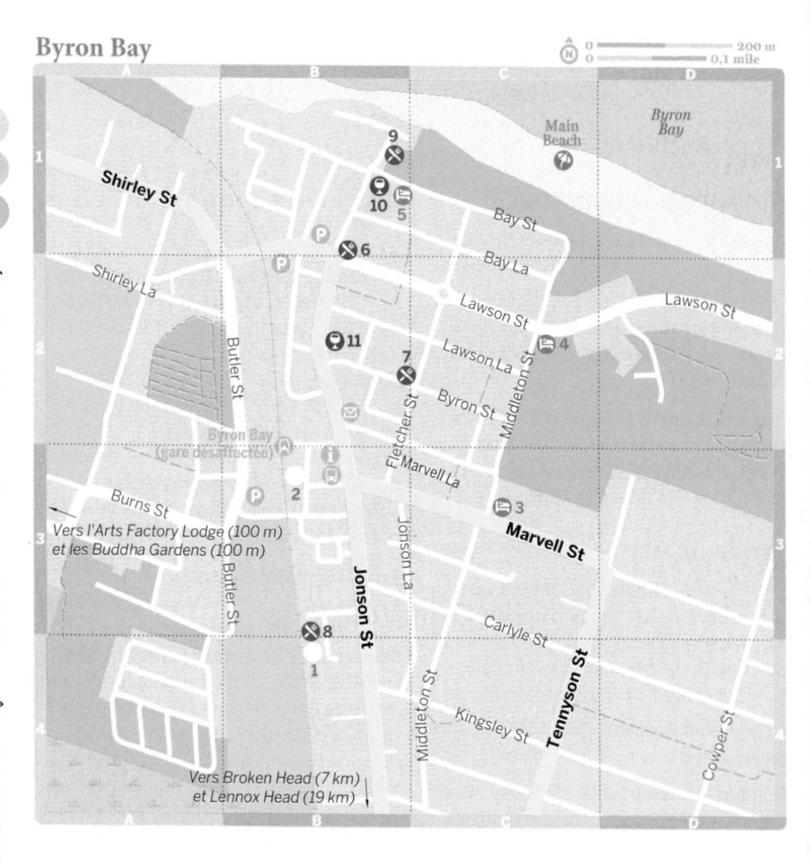

Byron Bay

Activités

1 Black Dog Surfing B4
2 Surfing Byron Bay B3

Où se loger

3 Atlantic C3
4 Bay Beach Motel C2
5 Beach Hotel Resort B1

Où se restaurer

6 Balcony B1
7 Earth 'n' Sea B2
8 Espressohead B3
9 Fishheads B1

Où prendre un verre

10 Beach Hotel B1
11 Great Northern B2

Où se restaurer

BALCONY Restaurant, bar $$

(☎02-6680 9666 ; www.balcony.com.au ; angle Lawson St et Jonson St ; dîner 9-39 $; petit-déj, déj et dîner ; wifi). Le balcon qui ceinture le bâtiment offre un point de vue imprenable sur l'activité incessante de Byron. Le restaurant sert une cuisine méditerranéenne variée, avec des influences du monde entier. Belle carte de boissons.

FISHHEADS Poisson $

(www.fishheadsbyronbay.com.au ; 1 Jonson St ; plats 6-27 $; petit-déj, déj et dîner ; wifi). Située sur la plage, cette fabuleuse enseigne propose toutes sortes de plats à emporter, du classique *fish and chips* (12,50 $) aux crevettes grillées-salade (18 $). Le restaurant n'est pas désagréable, mais pourquoi se priver de dîner sur le sable ?

ESPRESSOHEAD Bar à expresso **$**
(Shop 13, 108 Jonson St). Niché derrière le Woolworths local, ce lieu doit sa réputation à son excellent café.

EARTH 'N' SEA Italien **$$**
(www.earthnsea.com.au ; angle Fletcher St et Byron St ; plats 14-34 $; ⏲déj et dîner). Dans cet établissement historique, la carte des pizzas est longue et alléchante. Les pâtes figurent aussi au menu. Excellentes bières artisanales produites par la Northern Rivers Brewing Co.

Où prendre un verre

GREAT NORTHERN Pub
(www.thenorthern.com.au ; Byron St ; ⏲12h-tard le soir). Inutile de se mettre sur son trente et un dans ce pub bruyant et chaleureux. Musique live presque chaque soir. Accompagnez votre bière d'une pizza cuite au feu de bois.

BEACH HOTEL Pub
(www.beachhotel.com.au ; angle Jonson St et Bay St ; ⏲11h-tard le soir). Dans ce pub emblématique proche de la grande plage règne une atmosphère de camaraderie contagieuse. L'endroit propose parfois de la musique live et des sessions orchestrées par des DJ.

Renseignements

Centre d'information des visiteurs **(☎02-6680 9279 ; www.visitbyronbay.com ; Stationmaster's Cottage, Jonson St).** Renseignements variés.

Depuis/vers Byron Bay

Avion

L'aéroport le plus proche se trouve à Ballina. En pleine expansion, c'est le meilleur aéroport pour se rendre à Byron. Il propose également un service de navette et de location de voiture.

Bus

Les bus longue distance **Greyhound** **(☎1300 473 946 ; www.greyhound.com.au)** et **Premier** **(☎13 34 10 ; www.premierms.com.au)** s'arrêtent dans Jonson St.

Train

CountryLink **(☎13 22 32 ; www.countrylink.info)** propose une correspondance en bus à la gare de Casino (1 heure 10).

Comment circuler

Byron Bay Bicycles **(☎6685 6067 ; The Plaza, 85 Jonson St).** Location de VTT pour 28 $ par jour.

Si vous aimez... Le surf

Si vous aimez la houle de Byron Bay, allez prendre la température de ces spots de tout premier ordre :

1 BURLEIGH HEADS
Lorsque les conditions sont idéales, il y a un fabuleux "point break" au large du promontoire du Burleigh Heads National Park. Pour surfeurs expérimentés.

2 COOLANGATTA
Quand on arrive du Sud, Coolangatta annonce le début de la Gold Coast. Très belle plage avec de nombreux "shore breaks". En octobre, la compétiton Coolangatta Gold met à l'épreuve les sauveteurs en mer.

3 NOOSA
Avant les yuppies, Noosa vivait au rythme des hippies, avec ce que cela suppose de longues chevelures blondes, de planches de surf et de combis Volkswagen. Pour surfeurs de tous niveaux.

4 SURFERS PARADISE
Aussi branché que fréquenté, avec ses immenses gratte-ciel en toile de fond. Le paradis des surfeurs mérite bien son nom. Idéal pour apprendre le surf.

Si vous aimez... Le charme discret des petites villes

Si vous aimez le rythme paisible de Bangalow, voici quelques suggestions qui devraient vous séduire :

1 NIMBIN
Si Nimbin peut paraître un peu factice au premier abord, c'est en réalité un endroit vraiment intéressant. Humez les parfums de cet ancien bastion de la culture alternative.

2 RAINBOW BEACH
La plupart des visiteurs passent à Rainbow Beach sans même la voir. L'endroit n'en est que plus paisible, avec ses magnifiques plages, dunes et falaises, non loin du parc national et de Frazer Island.

3 EUMUNDI
Le fameux marché d'Eumundi se tient le mercredi et le samedi matin. Par ailleurs, l'endroit offre une sélection de charmants cafés et de boutiques d'artisanat, dans une atmosphère champêtre.

4 BURLEIGH HEADS
Officiellement rattachée à la Gold Coast, Burleigh Heads est pourtant raffinée et tranquille. On y trouve un très joli parc national ainsi qu'un fabuleux "point break" au large du promontoire, quand le temps s'y prête.

Byron Bay RentaCar (☎6685 5517 ; 84 Jonson St). Location d'une grande variété de véhicules.

Byron Bay Taxis (☎6685 5008 ; www.byronbaytaxis.com.au). Disponibles 24h/24.

ARRIÈRE-PAYS DE LA CÔTE NORD SEPTENTRIONALE

N'en déplaise aux fans de plage et aux surfeurs amoureux de Byron Bay, certains considèrent l'arrière-pays (*hinterland*) comme le véritable joyau de la partie supérieure de la côte nord.

Bangalow

À 14 km de Byron Bay, Bangalow est une ravissante bourgade qui abrite boutiques, restaurants gastronomiques, librairies et un excellent pub. De quoi réveiller le provincial qui sommeille en chaque Sydneysider (habitant de Sydney).

Outre son marché de producteurs hebdomadaire, le **Farmers Market** (Byron St ; 8h-11h sam), la ville accueille aussi une **école de cuisine** (☎02-6687 2799 ; www.bangalowcookingschool.com) réputée.

RIVERVIEW GUESTHOUSE
(☎02-6687 1317 ; www.riverviewguesthouse.com.au ; 99 Byron St ; d/lit jum à partir de 195/150 $). Dans une imposante demeure historique (1902) de style Fédération, l'établissement est un rêve de B&B, avec un jardin donnant sur l'eau.

BANGALOW DINING ROOMS
(www.bangalowdining.com ; Byron St ; plats 15-32 $; déj et dîner). Situé dans l'enceinte du Bangalow Hotel, voici un endroit raffiné avec juste ce qu'il faut de décontraction. Réservez une table à l'intérieur ou optez pour un menu plus abordable en terrasse.

Blanch's Bus Service (☎02-6686 2144 ; www.blanchs.com.au) dessert Ballina (8 $) et Byron Bay (7 $).

Nimbin

En traversant la région, vous entendrez sans doute parler de Nimbin, curieuse agglomération née à la suite d'une manifestation expérimentale, l'Aquarius Festival, dans les années 1970, qui n'a rien perdu de son excentricité. Mais malgré les apparences, Nimbin ne se résume pas à la fumette et aux dreadlocks. En passant un jour ou deux sur place, vous découvrirez une communauté artistique en plein essor et une population accueillante.

Le **centre d'information des visiteurs** (☎02-6689 1388 ; Cullen St) est très efficace.

NIMBIN MUSEUM & CAFÉ Musée (www.nimbinmuseum.com ; 62 Cullen St). Insolite et très intéressant, ce musée renferme une collection éclectique d'œuvres locales dans un espace réduit.

HEMP EMBASSY (www.hempembassy.net ; 51 Cullen St). De l'autre côté de la rue, ce lieu présente une exposition assez peu subtile sur le chanvre et le cannabis. Les fumeurs peuvent se rendre au minuscule Hemp Bar, juste à côté.

GOLD COAST

Derrière un long ruban de sable ininterrompu – assurément parmi les meilleures plages de surf au monde – s'élève une rangée de gratte-ciel, restaurants, bars et parcs d'attractions qui attirent un flot perpétuel de touristes adeptes du farniente balnéaire.

Surfers Paradise est inondée d'un soleil omniprésent, mais son caractère mercantile et son rythme effréné peuvent déplaire. En s'éloignant de cet épicentre, on découvre des endroits beaucoup moins tape-à-l'œil : telles l'élégante Broadbeach, la paisible Burleigh Heads ou Coolangatta, paradis des surfeurs.

Comment s'y rendre et circuler

L'aéroport international de la Gold Coast se trouve à Coolangatta, à 25 km au sud de Surfers Paradise.

Une navette baptisée Gold Coast Tourist Shuttle (**☎1300 655 655, 07-5574 5111 ; www.gcshuttle.com.au ; aller adulte/enfant/famille 18/9/45 $**) circule entre l'aéroport de Coolangatta et la plupart des lieux d'hébergement de la Gold Coast.

Coachtrans (**☎1300 664 700, 07-3358 9700 ; www.coachtrans.com.au**) relie en bus l'aéroport de Brisbane à la plupart des lieux d'hébergement de la Gold Coast (aller adulte/enfant 44/20 $).

Surfers Paradise et Broadbeach

Selon certains, les surfeurs délaisseraient ce paradis déchu (19 000 hab) pour d'autres plages. Cela n'empêche pas ce haut lieu de la fête et son cocktail

Surfers Paradise

RICHARD I'ANSON/LONELY PLANET IMAGES ©

Surfers Paradise

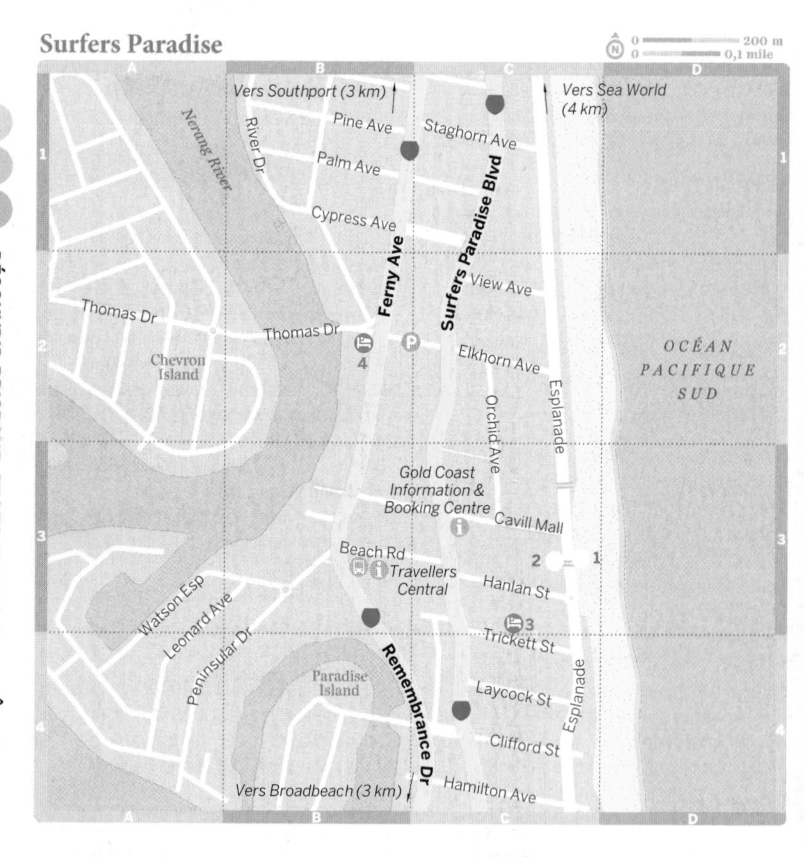

Surfers Paradise

Activités

1 Cheyne Horan School of Surf............ C3
2 Go Ride a Wave.................................. C3

Où se loger

3 Surfers International Apartments.. C3
4 Vibe Hotel.. B2

étourdissant de discothèques, de bars, de manèges, de centres commerciaux et de plages de continuer à attirer une nuée de touristes toute l'année.

À Broadbeach (3 800 hab), juste au sud de Surfers Paradise, l'atmosphère est beaucoup moins tapageuse. Vous y trouverez tout de même des restaurants huppés ainsi qu'une superbe plage de sable doré.

Activités

Cheyne Horan School of Surf Surf
(☎1800 227 873, 0403 080 484 ; www.cheynehoran.com.au ;cours 2 heures 45 $). Le champion du monde Cheyne Horan donne d'excellents cours.

Go Ride a Wave Surf
(☎1300 132 441, 07-5526 7077 ; www.gorideawave.com.au ; Cavill Ave Mall ; cours de surf ou kayak 2 heures à partir de 55 $; 🕘9h-17h). Également des locations de surfs, kayaks, transats et parasols.

Splash Safaris Sea Kayaking Kayak
(☎0407 741 748 ; circuit demi-journée 85 $). Au programme : kayak, snorkeling, séance pour nourrir les poissons, marche dans le bush et thé matin et après-midi.

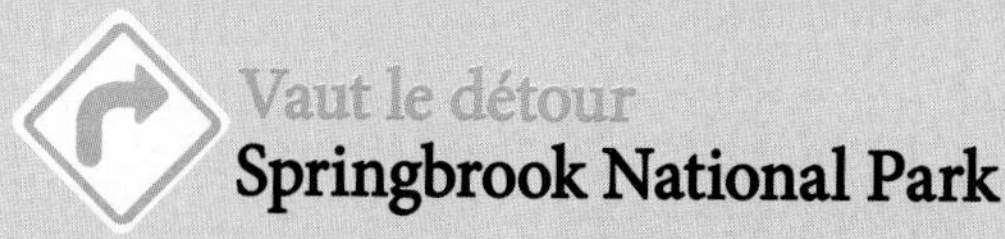

Springbrook National Park

Les paysages époustouflants de ce parc national ont été façonnés par un immense volcan bouclier, qui se dressait il y a plus de 20 millions d'années au niveau du Mt Warning voisin (Nouvelle-Galles du Sud). Le parc s'étend à l'ouest de Coolangatta, à 29 km de Mudgeeraba et à 42 km de Nerang.

Il se divise en quatre réserves. **Springbrook Plateau**, à 900 m d'altitude, abonde en cascades et en points de vue spectaculaires.

Dans la splendide réserve de **Natural Bridge**, accessible par la route menant de Nerang à Murwillumbah, une promenade longue de 1 km rejoint une arche s'ouvrant sur une grotte façonnée par les eaux, où vit une colonie de vers luisants.

Accessible par la Currumbin Creek Rd, la réserve du **Mt Cougal** comprend plusieurs cascades et piscines naturelles. Enfin, la réserve forestière de **Numinbah**, ouverte depuis peu, forme le quatrième secteur du parc national.

Au **bureau des gardes forestiers** (87 Carrick Rd ; 8h-15h30 lun-ven) de Springbrook, vous pourrez obtenir une carte des sentiers pédestres du parc national. Il y a également un **centre d'information**, sans personnel, à l'extrémité d'Old School Rd.

Où se loger

VIBE HOTEL Hôtel de charme $$
07-5539 0444 ; www.vibehotels.com.au ; d à partir de 140 $;). Impossible de rater cet immeuble brun et vert au bord de la Nerang River, un trésor parmi les innombrables hôtels et appartements ternes de Surfers. Les chambres sont chics et le bord de la piscine est idéal pour siroter un cocktail au coucher du soleil. Certaines chambres ont un beau point de vue sur la rivière.

SURFERS INTERNATIONAL APARTMENTS Appartements $$
(1800 891 299, 07-5579 1299 ; www.surfers-international.com.au ; 7-9 Trickett St ; app 1/2 ch à partir de 150/210 $; Séjour de 3 nuitées minimum ;). Juste à côté de la plage, cet immeuble renferme de grands appartements confortables, avec vue sur l'océan. La résidence est dotée d'une petite salle de sport et d'une piscine sur le toit. Une bonne option, à proximité de tout.

Comment s'y rendre et circuler

Les bus longue distance s'arrêtent au Surfers Paradise Transit Centre (Beach Rd). Greyhound Australia (1300 473 946, 07-5531 6677) et Premier Motor Service (13 34 10 ; www.premierms.com.au) assurent un service régulier entre Surfers Paradise et Brisbane (20 à 30 $, 1 heure 15). L'arrêt des bus pour Burleigh Heads et Southport est dans Ferny Ave.

Burleigh Heads

Un peu plus au sud, vous découvrirez l'essence de la Gold Coast : loin de la frénésie de Surfers, la petite ville de Burleigh Heads est empreinte d'une atmosphère décontractée. Avec ses cafés chaleureux, ses restaurants donnant sur une magnifique plage de sable blanc et son petit parc national établi sur le promontoire rocheux, Burleigh Heads a un charme irrésistible.

À voir et à faire

La balade sur le promontoire, dans le **Burleigh Heads National Park**, est incontournable. Cette réserve, une forêt d'eucalyptus (27 ha) peuplée de nombreux oiseaux, est sillonnée par plusieurs sentiers de randonnée. Les toboggans naturels et les cascades des **Currumbin Rock Pools** sont un régal en été.

DAVID WALL/LONELY PLANET IMAGE

À ne pas manquer Les parcs d'attractions de la Gold Coas

Les attractions de ces parcs sont réservées à ceux et à celles qui ont l'estomac bien accroché Les offices du tourisme de la Gold Coast vendent des billets à prix réduit ; le 3 Park Super Pass (adulte/enfant 177/115 $) couvre l'entrée aux Sea World, Movie World et Wet'n'Wild.

Australian Outback Spectacular (☎07-5519 6200 ; www.myfun.com.au ; Entertainment Rd, Oxenford adulte/enfant avec dîner 99/69 $; 18h15 mar-dim). L'outback australien est mis à l'honneur au cours de ce dîner-spectacle (1 heure 30), à grand renfort de chevaux, de danses country sur une musique du chanteur country Lee Kernaghan. Dîner typique de l'outback et chapeau de cow-boy offert. Dans une arène de 1 000 places, entre Movie World et Wet 'n' Wild.

Dreamworld (☎07-5588 1111 ; www.dreamworld.com.au ; Pacific Hwy, Coomera ; adulte/enfant 72/47 $; 10h-17h). Le Giant Drop ("chute géante") et la Tower of Terror ("tour de la terreur") font partie des 6 grands manèges à sensation. Posez aux côtés d'un tigre du Bengale à Tiger Island

Sea World (☎07-5588 2222, horaire des spectacles 07-5588 2205 ; www.seaworld.com.au ; Sea World Dr, The Spit, Main Beach ; adulte/enfant 75/50 $; 10h-17h). Admirez les ours blancs et les requins et applaudissez au spectacle des dauphins organisé par ce parc aquatique, avant de tester l'une des plus anciennes montagnes russes de la Gold Coast (le Corkscrew).

Warner Bros Movie World (☎07-5573 8485 ; www.myfun.com.au ; Pacific Hwy, Oxenford ; adulte/enfant 75/50 $; 10h-17h). Spectacles, manèges et attractions sur le thème du cinéma, dont le Batwing Spaceshot et le grand huit Lethal Weapon ("Arme fatale").

Wet 'n' Wild (☎07-5573 2255 ; www.wetnwild.com.au ; Pacific Hwy, Oxenford ; adulte/enfant 55/35 $; 10h-17h fév-avr et sept-déc, 10h-16h mai-août, 10h-21h 27 déc-25 jan). Le Kamikaze, un toboggan haut de 11 m que l'on dévale à deux dans une bouée à 50 km/h, est l'attraction vedette de ce vaste parc. Cinéma Dive 'n' Movies avec les derniers films à l'affiche.

WhiteWater World (☎07-5588 1111 ; www.whitewaterworld.com.au ; Dreamworld Parkway, Coomera ; adulte/enfant 45/30 $; 10h30-16h30). Ce parc relié à Dreamworld compte plus de 140 attractions aquatiques – notamment une vague géante et toutes sortes de toboggans pour petits et grands. Le World Pass (adulte/enfant 89/65 $, 2 jours 109/75 $) permet l'accès à Dreamworld et WhiteWater World.

Il existe deux autres superbes réserves naturelles dans les environs. Le **Currumbin Wildlife Sanctuary** (07-5534 1266 ; www.cws.org.au ; Gold Coast Hwy, Currumbin ; adulte/enfant 49/31 $; 8h-17h) abrite la plus importante concentration d'oiseaux de forêts humides d'Australie. On peut y nourrir des loriquets à tête bleue, mais aussi des kangourous, se faire prendre en photo avec des koalas, ou encore assister à des danses aborigènes ou à un spectacle de serpents vivants.

Où se loger

HILLHAVEN HOLIDAY APARTMENTS Appartements $$
((07-5535 1055 ; www.hillhaven.com.au ; 2 Goodwin Tce ; d 170 $; @). Situés sur le promontoire adjacent au parc national, ces appartements haut de gamme (ch deluxe 300 $/nuit) tirent avantage d'un fantastique point de vue sur Burleigh Heads.

BURLEIGH PALMS HOLIDAY APARTMENTS Appartements $$
(07-5576 3955 ; www.burleighpalms.com ; 1849 Gold Coast Hwy ; app 1 ch nuit/sem à partir de 130/550 $, app 2 ch à partir de 160/660 $;). Malgré leur emplacement en bordure de route, ces grands appartements, confortables et bien équipés, demeurent un bon choix, notamment du fait de la proximité de la plage. Le propriétaire, véritable mine d'informations, vous conseillera des lieux à visiter et vous aidera à organiser un circuit.

Où se restaurer

Elephant Rock Café Australien moderne $$
(07-5598 2133 ; 776 Pacific Pde, Currumbin ; plats 16-34 $; petit-déj et déj tlj, dîner mar-sam ;). Ce café branché est passé maître dans l'art de la cuisine "végétarienne gastronomique". En soirée, l'ambiance est encore plus stylée. La terrasse du haut offre un superbe point de vue sur l'océan.

Coolangatta

Station balnéaire décontractée à la frontière sud du Queensland, Coolangatta est fière de ses belles plages de surf et de sa communauté solidaire. Grâce à une habile rénovation de l'esplanade, cette bourgade jadis endormie est devenue un lieu prisé de la Gold Coast.

Cooly Surf (angle Marine Pde et Dutton St ; 9h-17h) loue des planches de surf de bonne qualité, ainsi que des surfs de Malibu (demi-journée/journée 30/45 $) et des stand-up paddleboards (surf debout avec une pagaie ; 40/55 $). Apprenez à surfer avec **Walkin' on Water** (07-5534 1886, 0418 780 311 ; www.walkinonwater.com ; cours collectif 2 heures 40 $/pers) ou **Gold Coast Surf Coaching** (0417 191 629).

Où se loger

KOMUNE Hôtel de charme $$
(07-5536 6764 ; www.komuneresorts.com ; 146 Marine Pde ; dort à partir de 45 $, app 2 ch 220 $, app de luxe/avec salle de fête Sky-House 695 $/1 500 $; @). Avec sa décoration colorée, sa piscine tropicale et son ambiance ultradécontractée, c'est l'hôtel rêvé pour tous les surfeurs de la planète. Ce nouveau concept d'hébergement – dortoirs bon marché (dont un est réservé aux filles) et appartements – le plus cher est conçu pour organiser des fêtes – attire divers voyageurs et favorise les échanges.

BRISBANE

Brisbane est l'une des destinations les plus méconnues d'Australie, malgré son atmosphère décontractée, son cachet artistique, sa vie nocturne, ses excellents restaurants, ses jardins et ses édifices historiques, le tout parfaitement intégré dans la cité.

Très actifs, les habitants profitent du climat tempéré et de l'emplacement de choix au bord de l'eau. Vous pourrez ici faire du jogging, du vélo, du kayak ou de l'escalade, vous balader dans les marchés

Centre de Brisbane

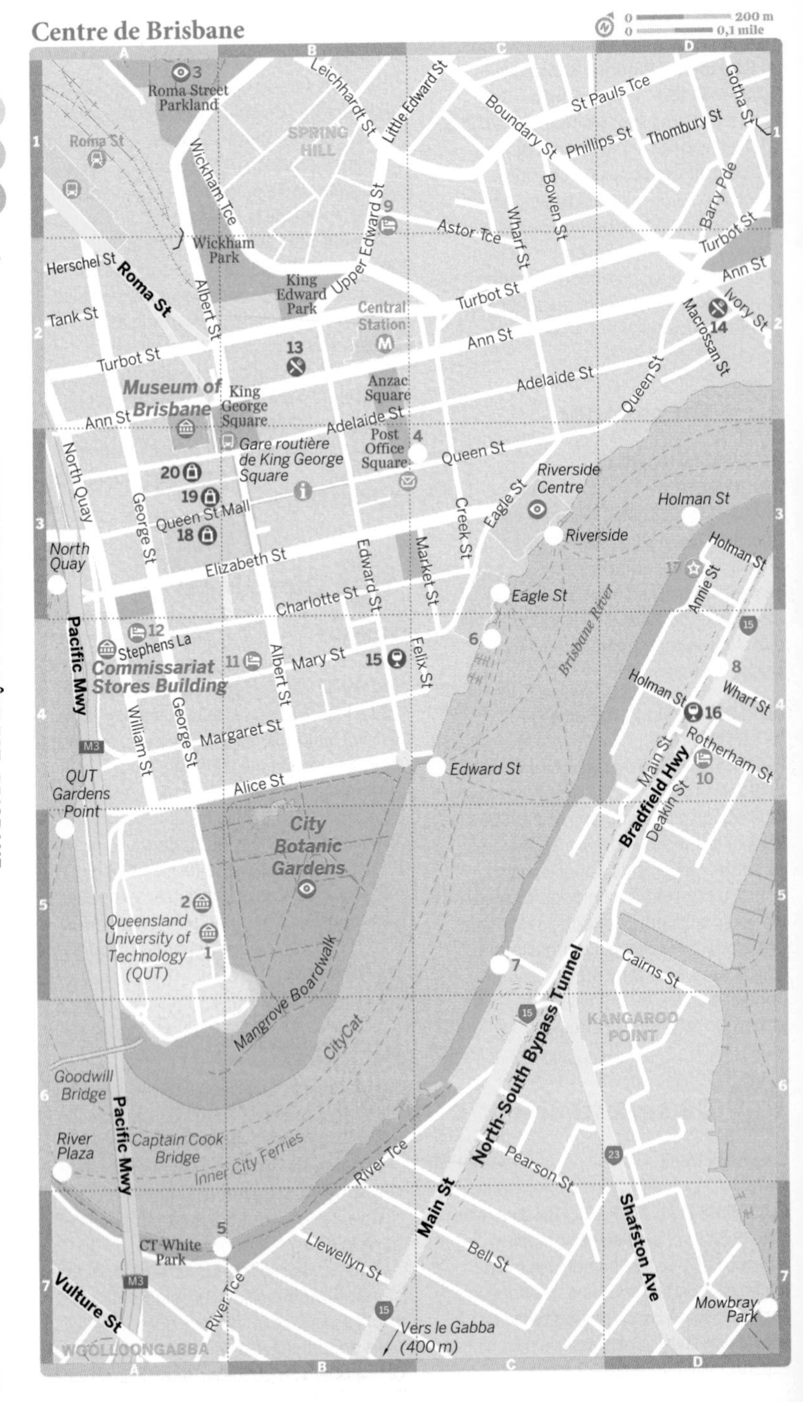

Roma Street Parkland
Spring Hill
Roma St
Wickham Park
King Edward Park
Central Station
Museum of Brisbane
King George Square
Gare routière de King George Square
Anzac Square
Post Office Square
Riverside Centre
Riverside
Holman St
North Quay
Eagle St
Commissariat Stores Building
Edward St
QUT Gardens Point
City Botanic Gardens
Queensland University of Technology (QUT)
Mangrove Boardwalk
CityCat
Kangaroo Point
Goodwill Bridge
Captain Cook Bridge
River Plaza
Inner City Ferries
CT White Park
Mowbray Park
Vers le Gabba (400 m)
Woolloongabba
Brisbane River
Pacific Mwy
North-South Bypass Tunnel
Bradfield Hwy
Shafston Ave
Vulture St
Main St

Centre de Brisbane

en plein air ou vous prélasser sur une plage artificielle bordée de palmiers, à quelques pas des gratte-ciel dominant les méandres de la Brisbane River.

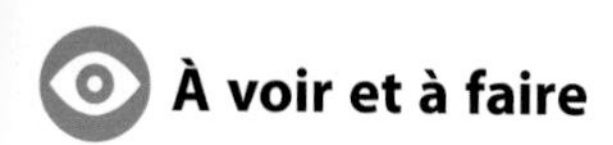

À voir et à faire

Centre-ville

CITY BOTANIC GARDEN ET ALENTOUR — Parc

(Albert St ; 24h/24). Descendant en pente douce depuis le campus de la Queensland University of Technology (QUT) jusqu'à la rivière, l'espace vert le plus prisé de Brisbane comporte de nombreuses pelouses, d'immenses figuiers de Moreton Bay, des pins bunya, des macadamias et autres espèces tropicales. Les pelouses sont très appréciées des employés de bureau et des amateurs de jogging et de pique-nique.

Sur le campus universitaire, le **QUT Art Museum** (2 George St ; 10h-17h mar-ven, 12h-16h sam-dim) propose régulièrement des expositions d'art contemporain australien et des œuvres d'étudiants aux Beaux-Arts de Brisbane. À côté, l'ancien **Old Government House** est un bel édifice à colonnades de 1860, abritant aujourd'hui le National Trust.

GRATUIT MUSEUM OF BRISBANE — Musée

(www.museumofbrisbane.com.au ; 157 Ann St ; 10h-17h). À l'angle du City Hall, ce musée dispense une pléthore d'informations sur la ville, grâce à différents angles de vue s'exprimant au travers d'expositions interactives et abordant aussi bien l'histoire sociale que l'environnement culturel actuel.

COMMISSARIAT STORES BUILDING — Musée

(115 William St ; adulte/enfant 5/2,50 $; 10h-16h mar-ven). Construit par des convicts en 1829, l'ancien entrepôt du gouvernement est l'un des plus vieux bâtiments de Brisbane et renferme désormais un musée consacré à l'histoire coloniale de la ville et aux bagnards qui y vécurent.

South Bank

QUEENSLAND CULTURAL CENTRE — Musées, salle de concert

Sur la rive sud, juste au bout du Victoria Bridge qui rejoint le CBD, le Queensland Cultural Centre est le centre névralgique de la vie culturelle de Brisbane. C'est un complexe immense comprenant une salle de théâtre et de concert, quatre musées et la Queensland State Library.

Le **Queensland Museum** (www.southbank.qm.qld.gov.au ; angle Grey St et Melbourne St ;

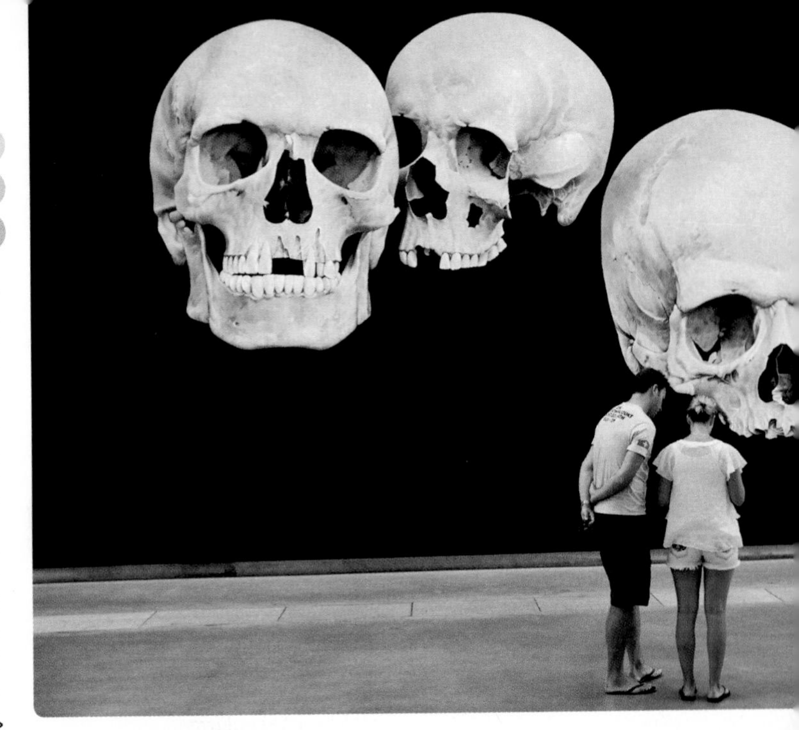

gratuit ; 9h30-17h) éveille l'imagination au moyen de toutes sortes d'éléments originaux. L'histoire du Queensland est abordée par le biais d'une intéressante collection, avec notamment un squelette du *Muttaburrasaurus*, dinosaure endémique de la région, ainsi que l'*Avian Cirrus*, l'avion dans lequel Bert Hinkler, natif du Queensland, réalisa le premier vol Angleterre-Australie en solitaire, en 1928.

Le musée abrite aussi le **Sciencentre** (adulte/enfant/famille 12/9/40 $), avec plus de 100 activités interactives visant à aborder l'univers des sciences et de la technologie de façon ludique et stimulante.

Le **Queensland Art Gallery** (www.qag.qld.gov.au ; Melbourne St, South Brisbane ; gratuit ; 10h-17h lun-ven, 9h-17h sam-dim) présente une belle collection d'artistes nationaux et européens principalement.

La gigantesque **Queensland Gallery of Modern Art** (GoMA ; Stanley Pl ; entrée libre ; 10h-17h lun-ven, 9h-17h sam-dim) met à l'honneur l'art australien des années 1970 à nos jours, à travers des expositions tournantes et différents supports : peinture, sculpture et photographie, mais également vidéos et installations.

SOUTH BANK PARKLANDS Parc

(aube-crépuscule). Ce bel espace longeant la rive ouest de la Brisbane River est émaillé de sites culturels, de bons restaurants, de petites parcelles de forêt humide, de pelouses dissimulées et d'une flore éblouissante. Les lieux les plus prisés sont la **Streets Beach**, une plage artificielle semblable à un lagon tropical, et derrière la plage, la **Stanley Street Plaza**, un tronçon rénové de la Stanley Street historique, avec des boutiques, des cafés et un office du tourisme.

La **Wheel of Brisbane** (www.thewheelofbrisbane.com.au ; Russell St, South Brisbane ; adulte/enfant 15/10$; 11h-21h) est une grande roue de 60 m de hauteur offrant des points de vue à 360°. Le tour dure environ 15 min et comprend un descriptif audio des principaux sites de Brisbane.

Les South Bank Parklands sont faciles d'accès à pied depuis le centre-ville, et les

À gauche *Schaedel-03-Painting-2008*, Shirana Shahbazi, Queensland Gallery of Modern Art **Ci-dessous** Streets Beach, South Bank Parklands

bateaux de CityCat et d'Inner City s'y arrêtent. On peut aussi prendre le bus ou le train au départ de Roma St ou de Central Station.

Fortitude Valley et New Farm

Depuis plus de 10 ans, les quartiers alternatifs de Fortitude Valley et New Farm sont les hauts lieux de la branchitude, grâce à une concentration d'artistes, de restaurateurs et d'originaux en tout genre.

Brisbane a son propre **Chinatown**. S'il se limite à une rue, le quartier chinois de Brisbane a autant de personnalité que ses homologues de Sydney et de Melbourne.

L'**Institute of Modern Art** (www.ima.org.au ; 11h-17h mar-sam, 11h-20h jeu), une galerie à but non lucratif, expose des œuvres d'artistes locaux dans son espace de style industriel.

Adossé au New Farm Park, côté est, le **Brisbane Powerhouse** (119 Lamington St, New Farm; marchés fermiers 6h-12h 2e et 4e sam) occupe une ancienne centrale électrique, brillamment reconvertie en centre d'art contemporain.

Grand Brisbane

LONE PINE KOALA SANCTUARY Réserve naturelle

(07-3378 1366 ; Jesmond Rd, Fig Tree Pocket ; adulte/enfant/famille 30/21/80 $; 8h30-17h). À 35 min de bus au sud du centre-ville, Lone Pine Koala Sanctuary occupe un joli espace vert au bord de la rivière. Cette réserve abrite environ 130 koalas ainsi que des kangourous, des opossums et des wombats. Coût d'une photo prise avec un koala : 16 $.

Le bus n°430 (4,70 $, 43 min, ttes les heures) dessert la réserve depuis la gare routière de Queen St. L'alternative consiste à embarquer sur le **Mirimar II** (1300 729 742 ; www.mirimar.com ; adulte/enfant/famille 60/35/180 $ parking inclus) qui lève l'ancre depuis le North Quay, à côté du Victoria Bridge. Départ tous les jours à 10h et retour de Lone Pine à 13h45.

Activités

Les sentiers bordant la rivière sont très appréciés des coureurs, des marcheurs et des cyclistes. Vous pourrez aussi pratiquer le kayak sur la rivière ainsi que de l'escalade sur les rives.

Bonne agence proposant une large gamme d'activités, le **Riverlife Adventure Centre** (**☎07-3891 5766 ; www.riverlife.com.au ; Naval Stores, Kangaroo Point**) est installé à côté des falaises de Kangaroo Point. Cours d'escalade (45 $/séance), de rappel (39 $) et de kayak (39 $) et location de vélo (15/30 $ pour 1 heure 30/4 heures), kayak (25 $/1 heure 30) et rollers (20/40 $ pour 1 heure 30/4 heures).

STORY BRIDGE ADVENTURE CLIMB — Ascension de pont
(**☎1300 254 627 ; www.storybridgeadventureclimb.com.au ; 170 Main St, Kangaroo Point ; adulte/enfant à partir de 89/76 $**). C'est l'une des activités les plus cotées du moment à Brisbane : l'escalade de la moitié sud du Story Bridge, un pont de 80 m de hauteur. La vue sur la ville est à elle seule un spectacle.

CITYCAT — Balade nautique
Oubliez le bus touristique. Le must à Brisbane est de découvrir la ville depuis l'un des élégants catamarans sillonnant le fleuve. Ils relient en un peu plus de 1 heure Apollo Rd (quartier de Bulimba) à l'université du Queensland, au sud-ouest de la ville. Départs toutes les 15 à 30 min entre 5h40 et 23h45. Les catamarans marquent une quinzaine d'arrêts, notamment à New Farm Park, North Quay (Queen St Mall), Riverside (CBD) et West End.

Circuits organisés

CASTLEMAINE-PERKINS XXXX BREWERY — Brasserie
(**☎07-3361 7597 ; www.xxxxalehouse.com.au ; angle Black St et Paten St ; adulte/enfant 22/15 $; ⏲ttes les heures 11h-16h lun-ven et 18h mer, 12h30, 13h et 13h30 sam**). Les amoureux du nectar doré ne sauraient manquer la visite de la brasserie XXXX. Le billet adulte donne droit à 4 bières en fin de visite. Téléphonez ou consultez le site Web pour plus de détails. La brasserie est à 20 min à pied à l'ouest du Roma Street Transit Centre. On peut aussi prendre le Citytrain jusqu'à Milton Station.

CITY SIGHTS — Circuit en ville
(**billet journée adulte/enfant 25/20 $**). Ce bus permettant de descendre et de monter à sa guise passe par 19 des principaux sites touristiques de Brisbane. Départ toutes les 45 min entre 9h et 15h45, de Post Office Sq dans Queen St. Le billet donne droit à un accès illimité aux ferries CityCat.

BRISBANE LIGHTS TOURS — Circuit en ville
(**☎07-3822 6028 ; www.brisbanelightstours.com ; adulte/enfant à partir de 65/30 $**). Le circuit commence tous les soirs à 18h30 (transfert depuis votre hôtel inclus), passe par une douzaine de sites touristiques et comprend un dîner ou des boissons au belvédère du Mt Coot-tha, ainsi qu'une croisière en CityCat.

KOOKABURRA RIVER QUEENS — Croisières fluviales
(**☎07-3221 1300 ; www.kookaburrariverqueens.com ; croisière déj/dîner à partir de 39/75 $/pers**). Voguez sur la rivière dans un bateau à aubes en bois restauré. Les repas se composent de 3 plats de fruits de mer et d'un buffet de viande. Des groupes ou DJ animent les croisières en soirée. Départ d'Eagle Street Pier.

River City Cruises — Croisières fluviales
(**☎0428 278 473 ; www.rivercitycruises.com.au ; South Bank Parklands Jetty A ; adulte/enfant/famille 25/15/60 $**). Croisières de 1 heure 30 avec commentaire ; départ de South Bank à 10h30 et 12h30 (et 14h30 en été).

Où se loger

Centre-ville

TREASURY — Hôtel $$$
(**☎07-3306 8888 ; www.treasurybrisbane.com.au ; 130 William St ; ch 200-349 $; ❄@**).

L'hôtel le plus chic de Brisbane est installé dans le superbe édifice de l'ancien Land Administration Building. Chaque chambre est unique et pleine de charme, avec de hauts plafonds, des tableaux encadrés et des meubles en bois ciré. Toutes les chambres, même standards, sont spacieuses, et les meilleures ont vue sur la rivière.

M ON MARY Appartements **$$**
(☎07-3503 8000 ; www.monmary.com.au ; 70 Mary St ; app à partir de 170 $; ❄). Judicieusement situé à quelques rues des jardins botaniques, cet immeuble de 43 étages renferme des appartements meublés de 1 ou 2 chambres, modernes et confortables. Certains sont un peu lugubres, mais les meilleurs appartements se doublent d'un balcon.

ACACIA INNER-CITY INN B&B **$**
(☎07-3832 1663 ; www.acaciainn.com ; 413 Upper Edward St ; petit-déj inclus 70/80 $, avec sdb 95 $). Ce Bed and Breakfast bien tenu propose des petites chambres fonctionnelles dans un style motel. Les simples sont douillettes, les doubles plus spacieuses. TV et "frigo bar". Bon rapport qualité/prix et très bien situé.

Spring Hill

SPRING HILL TERRACES Guesthouse **$$**
(☎07-3854 1048 ; www.springhillterraces.com ; 260 Water St ; ch 85-110 $, studio/ch avec 130/160 $; ❄@📶🏊). Service attentionné et chambres de style motel. Certaines, plus spacieuses, se doublent d'une terrasse et donnent sur une cour luxuriante. À 10 min à pied de Fortitude Valley.

Fortitude Valley

LIMES Hôtel de charme **$$$**
(☎07-3852 9000 ; www.limeshotel.com.au ; 142 Constance St ; d à partir de 229 $; ❄@📶🏊). Nouveau venu dans la Valley, l'élégant Limes propose des chambres bien conçues malgré l'espace réduit. Chacune est dotée de superbes meubles, d'une kitchenette et de petits plus (station iPod, connexion Wi-Fi, accès à la salle de sport). Fabuleux bar sur le toit.

CENTRAL BRUNSWICK APARTMENTS Appartements **$$**
(☎07-3852 1411 ; www.centralbrunswickhotel.com.au ; 455 Brunswick St ; ch 135-155 $; ❄). Ces appartements modernes avec cuisine sont très prisés des voyageurs

Ascension de pont avec Story Bridge Adventure Climb

ANDREW WATSON/LONELY PLANET IMAGES ©

d'affaires. Une salle de sport, un sauna et un spa sont à disposition.

New Farm

BOWEN TERRACE Auberge de jeunesse **$**
(07-3254 0458 ; www.bowentceaccommodation.com ; 365 Bowen Tce ; dort/s/d 35/60/85 $, ch deluxe 99-145 $; P @). Installée dans une ancienne demeure joliment restaurée, cette auberge est nichée dans un secteur calme de New Farm. Les sympathiques propriétaires ont installé une TV et un réfrigérateur dans toutes les chambres et une belle terrasse surplombe la piscine.

South Bank

EDMONDSTONE MOTEL Motel **$$**
(07-3255 0777 ; www.edmondstonemotel.com.au ; 24 Edmondstone St, South Bank ; s/d 109/119 $; @). À 10 min à pied des South Bank Parklands et de West End, ce motel renferme des chambres confortables avec des murs en brique jaune, des matelas neufs, une kitchenette et une TV à écran LCD. La plupart sont dotées d'un balcon. Le motel donne accès à une petite piscine et à un barbecue.

Kangaroo Point

IL MONDO Hôtel de charme **$$**
(07-3392 0111 ; www.ilmondo.com.au ; 25 Rotherham St ; ch/app 160/250 $; @). Bel emplacement près du Story Bridge pour cet hôtel de charme qui propose des chambres très spacieuses trois ou quatre-étoiles, décorées dans le style minimaliste et dotées d'équipements haut de gamme. Choix entre chambres standards (le moins cher) et appartements (le plus cher).

Où se restaurer

Centre-ville

E'CCO Australien moderne **$$$**
(07-3831 8344 ; 100 Boundary St ; plats 43 $; déj mar-ven, dîner mar-sam). L'une des meilleures tables de l'État et une adresse incontournable pour les gourmets. Parmi les favoris de la carte, citons le rumsteck d'agneau aux jeunes betteraves, citrouille rôtie, fromage bleu et pignons. L'intérieur est somptueux. Réservez bien à l'avance.

BLEEDING HEART GALLERY Café **$**
(www.bleedingheart.com.au ; 166 Ann St ; plats 6-8 $; 8h-17h lun-ven ;). Sis à l'écart du tumulte d'Ann St dans une charmante demeure à 2 étages avec véranda, ce grand café et galerie à l'ambiance bohème accueille des expositions et parfois des concerts et autres événements. L'intégralité des bénéfices est employée à créer des entreprises communautaires d'utilité publique.

Lone Pine Koala Sanctuary (p. 135)

Brisbane avec des enfants

Brisbane offre un large éventail d'activités destinées aux enfants et aux adolescents.

Les **South Bank Parklands** comptent quelques aires de jeux, mais c'est certainement vers la **Wheel of Brisbane** que vos enfants vous entraîneront, pour un tour de grande roue. C'est aussi ici que se trouve la plage de **Streets Beach**, équipée d'une pataugeoire pour les tout-petits. Le **Roma Street Parkland** et le **New Farm Park** sont parfaits pour courir en toute liberté.

L'un des meilleurs sites pour les enfants est le **Queensland Cultural Centre** **(p. 133)**. Pendant les vacances scolaires, le Queensland Museum y organise d'excellents programmes. Sur place, le Sciencentre est conçu pour les jeunes esprits, encouragés à inventer et à découvrir le monde des sciences. La Queensland Art Gallery dispose d'un Children's Art Centre, où des activités pour enfants sont proposées toute l'année.

La rivière est un gros bonus. La plupart des enfants apprécieront une croisière, surtout si elle mène au **Lone Pine Koala Sanctuary**, où ils pourront cajoler d'adorables koalas.

Chinatown et Fortitude Valley

VIETNAMESE RESTAURANT Vietnamien **$$**

(194 Wickham St ; plats 8-15 $; déj et dîner). Le nom manque d'originalité mais voici la meilleure adresse de la ville pour manger vietnamien. Les meilleurs plats sont rassemblés dans l'"Authentic Menu". Les rouleaux de bœuf haché aux épinards sont divins. Vente d'alcool autorisée, mais vous pouvez aussi apporter votre bouteille (BYO).

CAFÉ CIRQUE Café **$$**

(618 Brunswick St ; petit-déj 14-17 $; 8h-16h). L'une des meilleures adresses pour le petit-déjeuner (servi toute la journée). Délicieux cafés, plats du jour, tartines et excellentes salades à midi.

New Farm

ORTIGA Espagnol **$$**

(07-3852 1155 ; 446 Brunswick St ; plats à partager 18-36 $; dîner mar-dim). Son ouverture en 2010 a fait grand bruit et c'est l'un des meilleurs parmi les nouveaux restaurants de Brisbane. Dînez à l'étage dans l'élégant bar à tapas aux tables en bois rustiques, ou dans la salle à manger plus chic, au sous-sol, où les chefs rivalisent d'exploits dans une cuisine ouverte.

South Bank

AHMET'S Turc **$$**

(07-3846 6699 ; 164 Grey St ; plats 20-28 $; déj et dîner). Dans l'enfilade de restaurants de Grey St, Ahmet sert une délicieuse cuisine turque dans un cadre très coloré. La *pide* (pizza turque) est sublime. Spectacles de danse du ventre les vendredis et samedis et soir jazz manouche le jeudi soir.

West End

MONDO ORGANICS Australien moderne **$$**

(07-3844 1132 ; 166 Hardgrave Rd ; plats 26-38 $; déj ven-dim, dîner mer-sam, petit-déj sam-dim). Mondo Organics remporte un franc succès grâce à son délicieux menu de saison concocté avec d'excellents produits bio. Parmi les créations : tortellinis à la citrouille, poireau et ricotta ; carré d'agneau et son risotto aux champignons sauvages ; ainsi que truite de mer avec émincé de fenouil et pommes de terre au safran.

Où prendre un verre

Centre-ville

BELGIAN BEER CAFE Bar
(angle Mary St et Edward St ; 12h-tard). Plafond en tôle, murs habillés de panneaux en bois et lampes-globes : ce bar animé dégage un charme vieillot. À l'arrière, le jardin est parfait pour découvrir l'excellente cuisine de bistrot ou boire une bière dans une ambiance relax (plus de 30 bières belges, entre autres).

Fortitude Valley et New Farm

PRESS CLUB Bar à cocktails
(www.thepressclub.net.au ; 339 Brunswick St ; 17h-tard jeu-sam). Un cadre glamour, aux teintes dorées, canapés et fauteuils en cuir, lustres étincelants et lanternes en tissu. Des concerts sont organisés le jeudi (jazz, funk, rockabilly) et des DJ mixent le week-end.

ALLONEWORD Bar
(www.alloneword.com.au ; 188 Brunswick St). Dans un tronçon délabré de Brunswick, cette adresse underground est aux antipodes des bars à cocktails de la Valley. La salle à l'avant ne manque pas de caractère : papier peint vintage, banquettes en velours et miroirs au plafond, tandis que le patio à l'arrière, couvert de fresques murales, accueille des DJ.

West End

LYCHEE LOUNGE Bar à cocktails
(94 Boundary St). Prenez vos aises dans un fauteuil confortable et observez les étranges lustres à têtes de poupées dans ce bar lounge à l'atmosphère exotico-orientale. Musique douce, lumière tamisée et ouverture sur Boundary St à l'avant.

Breakfast Creek

BREAKFAST CREEK HOTEL Bar-restaurant
(2 Kingsford Smith Dr ; déj et dîner). Dans un superbe édifice de 1889 aux mille recoins, ce pub est une véritable institution de Brisbane. Construit dans le style Renaissance française, il se compose de plusieurs bars (notamment un *beer garden* et un "bar privé" Art déco où vous pourrez boire de la bière pression). Moderne et raffiné, le bar Substation n°41 sert des bières fines et des cocktails.

Kangaroo Point et South Bank

STORY BRIDGE HOTEL Bar
(200 Main St, Kangaroo Point). Sous le pont de Kangaroo Point, ce beau pub ancien se double d'un jardin, idéal pour boire une pinte après une longue journée de visites. Concert de jazz le dimanche (à partir de 15h).

Où sortir

De nombreuses têtes d'affiche se produisent dans la ville et les discothèques accueillent régulièrement des DJ de renom. Les théâtres, cinémas et autres lieux culturels de Brisbane sont parmi les plus grands et les meilleurs du pays.

Consultez les magazines gratuits **Time Off** **(www.timeoff.com.au)**, **Rave** **(www.ravemagazine.com.au)** et **Scene** **(www.scenemagazine.com.au).**

Clubs et discothèques

CLOUDLAND Discothèque
(641 Ann St, Fortitude Valley ; 11h30-tard mer-dim). Une immense discothèque sur plusieurs étages. La salle, ouverte sur l'extérieur et débordant de plantes tropicales, est agrémentée d'un toit rétractable, d'un mur d'eau et de petites alcôves en fer forgé. Jardin sur le toit et bar-cave à vin.

MONASTERY Discothèque
(07-3257 7081 ; 621 Ann St, Fortitude Valley). Sans la foule transpirante hurlant sur la piste de danse, on pourrait se croire dans un monastère, grâce à la décoration majestueuse et à l'éclairage gothique.

Musique live

ZOO Éclectique
(www.thezoo.com.au ; 711 Ann St, Fortitude Valley ; mer-sam). On se bouscule à l'entrée dès le début de soirée car il y a

toujours un concert intéressant : hard rock, hip-hop, acoustique, reggae ou électro. L'une des meilleures occasions pour découvrir des talents de demain.

BRISBANE JAZZ CLUB Jazz
(☎07-3391 2006 ; www.brisbanejazzclub.com.au ; 1 Annie St, Kangaroo Point). Avec son emplacement magnifique au bord de la rivière, ce minuscule club fait la joie des amateurs du genre depuis 1972. L'espace est très intime, et tous les grands noms du jazz se produisent ici lorsqu'ils sont de passage en ville.

Cinémas

De mars à avril, un cinéma en plein air est organisé dans les South Bank Parklands (www.brisbaneopenair.com.au). Le New Farm Park accueille aussi un cinéma en plein air entre décembre et février, le **Moonlight Cinema** (www.moonlight.com.au ; adulte/enfant 15/11 $; 19h mer-dim).

À côté de Roma St Station, le **Palace Barracks** (www.palacecinemas.com.au ; Petrie Tce) projette un mélange de productions hollywoodiennes et de cinéma alternatif.

Le **South Bank Cinema** (www.cineplex.com.au ; angle Grey St et Ernest St, South Bank) est le cinéma le moins cher pour les films grand public.

Spectacles vivants

Parmi les nombreuses salles de théâtre et de danse de Brisbane, beaucoup sont situées à South Bank. Pour des réservations au Queensland Performing Arts Centre et dans les théâtres de South Bank, contactez **Qtix** (☎13 62 46 ; www.qtix.com.au).

Queensland Performing Arts Centre Théâtre, musique live
(QPAC; ☎07-3840 7444 ; www.qpac.com.au ; Queensland Cultural Centre, Stanley St, South Bank). Ce centre culturel compte trois salles et programme des concerts, des pièces, de la danse et des spectacles en tout genre, du flamenco aux reprises de *West Side Story*.

BRISBANE POWERHOUSE Théâtre, musique live
(☎07-3358 8600 ; www.brisbanepowerhouse.org ; 119 Lamington St, New Farm). Cette ancienne centrale datant de 1940 continue d'électriser la ville avec une excellente programmation de théâtre, musique et danse.

Lychee Lounge

RICHARD I'ANSON/LONELY PLANET IMAGES ©

Les meilleurs marchés de Brisbane

- **James Street Market** (James St, New Farm ; 8h30-18h). Un petit marché très bien achalandé : bons fromages, fruits, légumes et produits d'épicerie fine. Aussi, un boulanger-pâtissier et un poissonnier (sushis, sashimis).
- **Jan Power's Farmers Market** (Brisbane Powerhouse, 119 Lamington St, New Farm ; 7h-12h les 2e et 4e sam du mois). Ne manquez pas cet excellent marché de producteurs, très couru et à juste titre : plus de 120 échoppes proposant produits frais, vins régionaux, confitures, jus de fruits, en-cas (gaufres, saucisses, desserts, cafés), etc. On peut s'y rendre en CityCat.
- **West End Markets** (Davies Park, angle Montague Rd et Jane St ; 6h-14h sam). Un immense marché aux puces : produits frais et bio, herbes, fleurs, vêtements et bric-à-brac. Il incarne parfaitement la diversité de West End ; bon endroit pour grignoter, avec diverses échoppes. Concerts dans le parc.
- **South Bank Lifestyle Markets** (Stanley St Plaza, South Bank ; 17h-22h ven, 10h-17h sam, 9h-17h dim). Ces marchés populaires offrent un vaste choix de vêtements, artisanat, art, produits maison et souvenirs intéressants.

Sport

Comme la majorité des Australiens, les habitants de Brisbane adorent le sport. Les matchs de cricket inter-États et les rencontres internationales du *test cricket* se jouent au stade **Gabba** (Brisbane Cricket Ground ; www.thegabba.org.au ; 411 Vulture St) à Woolloongabba, au sud de Kangaroo Point. Si vous êtes novice, essayez d'assister à un match Twenty20, la forme la plus dynamique du cricket. La saison s'étale d'octobre à mars.

Les Brisbane Lions, qui disputent l'Australian Football League (AFL), le championnat de football australien, jouent aussi au Gabba, souvent le soir, entre mars et septembre.

Le reste de l'année, les compétitions de la Rugby League sont également très suivies. Les Brisbane Broncos jouent au **Suncorp Stadium** (www.suncorpstadium.com.au ; 40 Castlemaine St, Milton).

Achats

Le Queen St Mall et le Myer Centre, dans le CBD, regroupent les grandes enseignes, quelques adresses sélectes et les inévitables échoppes touristiques. Des magasins indépendants et spécialisés plus modestes vous attendent à Fortitude Valley.

Paddington Antique Centre Antiquités
(167 Latrobe Tce, Paddington). Le grand rendez-vous des chineurs, avec plus de 50 antiquaires. Vêtements, bijoux, poupées, livres, œuvres d'art, lampes, instruments de musique, jouets, etc.

Blonde Venus Vêtements
(707 Ann St, Fortitude Valley). L'une des plus belles boutiques de Brisbane, installée depuis plus de 20 ans, propose une excellente sélection de grandes marques ou de créateurs indépendants. D'autres belles boutiques sont installées dans cette rue.

Record Exchange Musique
(1er ét, 65 Adelaide St). Un choix étonnant de vinyles, CD, DVD, posters et autres objets.

Renseignements

Argent

Des bureaux de change et des DAB acceptant la plupart des cartes bancaires sont installés dans les terminaux des vols nationaux et internationaux de l'aéroport. Vous trouverez des DAB un peu partout en ville.

American Express (**1300 139 060 ; Shop 3, 156 Adelaide St)**

Travelex (**07-3210 6325 ; Shop 149f, Myer Centre, Queen St Mall)**

Office du tourisme

Centre d'information des visiteurs de Brisbane (**07-3006 6290 ; Queen St Mall ; 9h-17h30 lun-jeu, 9h-19h ven, 9h-16h30 sam, 9h30-16h dim**). Un excellent centre d'information où trouver réponse à toutes vos questions.

Services médicaux

Royal Brisbane & Women's Hospital (**07-3636 8111; angle Butterfield St et Bowen Bridge Rd, Herston ; urgences 24h/24**)

Travel Clinic (**1300 369 359, 07-3211 3611 ; 1er ét, 245 Albert St**)

Depuis/vers Brisbane

Avion

L'aéroport principal de Brisbane se trouve à environ 16 km au nord-est du centre-ville, à Eagle Farm. Il possède un terminal international et un terminal national, distants d'environ 2 km et reliés par l'Airtrain (**5 $/pers ; ttes les 15-30 min**).

Bus

Le Brisbane Transit Centre (**Roma St**), à 500 m à l'ouest du centre-ville, est le principal terminus des bus et des trains longue distance.

Train

La principale gare de trains longue distance est la Brisbane Transit Centre. Pour obtenir des renseignements ou effectuer une réservation, rendez-vous dans une agence Queensland Rail Travel Centre (**13 16 17 ; www.queenslandrail.com.au**) Central Station (**Rdc, Central Station, 305 Edward St**) ; Brisbane Transit Centre (**Brisbane Transit Centre, Roma St**).

Voiture et moto

Cinq grands axes routiers, numérotés de M1 à M5, traversent l'agglomération de Brisbane. Si vous ne voulez pas entrer dans la ville, prenez la Gateway Motorway (M1) à Eight Mile Plains. Cette voie contourne le centre-ville par l'est et franchit la Brisbane River au niveau du Gateway Bridge (péage 3 $).

West End Markets

Comment circuler

Pour toute information sur les bus, trains et ferries, contactez le Transit Information Centre **(www.translink.com.au ; angle Ann St et Albert St)** ou appelez le ☎13 12 30.

La tarification des billets de bus, de train et de ferry fonctionne par zones. Il en existe 23 au total. Le centre-ville et les quartiers proches, compris dans la zone 1, sont soumis à un tarif unique de 3,90/2 $ par adulte/enfant. Il est possible de faire des économies (environ 30% par rapport aux billets à l'unité) en achetant une **Go Card** (5 $), vendue (et rechargeable) dans les gares et chez les marchands de journaux.

Depuis/vers l'aéroport

Le moyen le plus simple pour se rendre à l'aéroport ou le quitter est l'Airtrain **(☎07-3215 5000 ; www.airtrain.com.au ; adulte/enfant 15/7,50 $; 6h-19h30)** qui part de l'aéroport toutes les 15 à 30 min et dessert Fortitude Valley, Central Station, Roma St Station (Brisbane Transit Centre) et d'autres destinations phares.
En outre, un service relie toutes les demi-heures des stations du Gold Coast Citytrain à l'aéroport.

Pour un service porte-à-porte, Coachtrans **(☎07-3358 9700 ; www.coachtrans.com.au)** offre des navettes régulières entre l'aéroport et n'importe quel hôtel du centre-ville (adulte/enfant 15/8 $). Des liaisons sont aussi assurées entre l'aéroport de Brisbane et les hôtels de la Gold Coast (adulte/enfant 44/20 $).

Depuis l'aéroport, un taxi pour le centre-ville coûte environ 40 $.

Bateau

Les CityCats (p. 136) ne sont pas les seuls à circuler sur le fleuve : les Inner City Ferries relient North Quay, près du Victoria Bridge, à Mowbray Park. Ils circulent à partir de 6h, jusqu'à 23h environ. Plusieurs lignes de ferries vont d'une rive à l'autre du fleuve, la plus pratique étant celle qui mène d'Eagle St Pier à Thornton St (Kangaroo Point).

Comme pour tous les transports en commun, la tarification fonctionne par zones (adulte/enfant zone 1 3,90/2 $).

Bus

Le Loop, bus gratuit qui fait le tour de la ville, part toutes les 10 min en semaine, entre 7h et 18h. Il marque l'arrêt à la QUT, au Queen St Mall, aux City Botanic Gardens, à Central Station et à Riverside.

La gare routière souterraine de Queen St Mall, dotée d'un centre d'information, et la gare routière de King George Sq sont les principales gares de bus urbains.

Les bus circulent en général avec un intervalle de 10 à 30 min du lundi au vendredi, entre 5h et 23h. La fréquence est la même le samedi matin (à partir de 6h).

Taxi

Les deux principales sociétés de taxis sont Black & White Cabs **(☎13 10 08)** et Yellow Cab Co **(☎13 19 24)**.

Train

Le réseau rapide Citytrain possède sept lignes qui vont jusqu'à Gympie North vers le nord (pour la Sunshine Coast) et à Robina vers le sud (pour la

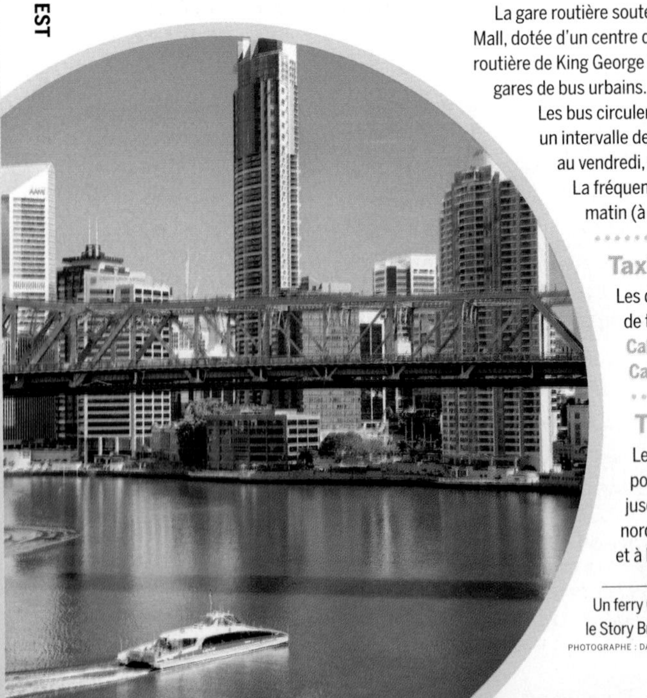

Un ferry CityCat (p. 136) passant sous le Story Bridge
PHOTOGRAPHE : DAVID WALL/LONELY PLANET IMAGES ©

Deadman's Beach, North Stradbroke Island

SALLY DILLON/LONELY PLANET IMAGES ©

Gold Coast). Tous les trains passent par les gares de Roma St, Central Station et Brunswick St. On trouve également un arrêt à South Bank Station.

MORETON BAY

Les eaux baignant la périphérie de Brisbane sont peuplées de nombreuses créatures, notamment des baleines, des dauphins et des dugongs. Moreton Bay abrite également des îles de toute beauté, facile d'accès depuis le continent.

Circuits organisés

On aperçoit régulièrement des baleines à bosse dans la baie entre juin et novembre, période pendant laquelle ces cétacés migrent vers le sud pour mettre bas avant de regagner l'Antarctique.

Dolphin Wild Bateau
(**07-3880 4444 ; www.dolphinwild.com.au ; adulte/enfant/famille avec déj 110/60/290 $**). Croisière écotouristique d'une journée entre Redcliffe et Moreton Island, commentée par un naturaliste spécialisé dans le monde marin. Circuit de snorkeling guidé (adulte/enfant 20/10 $) sur les épaves de Tangalooma, en option.

Manly Eco Cruises Bateau
(**3396 9400 ; www.manlyecocruises.net ; adulte/enfant 99/44 $**). Excursion à bord du catamaran MV *Getaway*. Vous pourrez nager dans un filet à l'arrière du bateau, vous promener en kayak ou vous détendre en admirant la faune marine. Croisière-barbecue de 2 heures (adulte/enfant 29/14 $) très appréciée le dimanche.

North Stradbroke Island

Les habitants de Brisbane ont la chance d'avoir une telle destination de vacances à proximité immédiate. À seulement 30 min de ferry depuis Cleveland, cette île est ourlée de fantastiques plages de sable fin et blanc. De juin à novembre, on peut aussi apercevoir des centaines de baleines à bosse.

À voir et à faire

À **Point Lookout**, l'époustouflante **North Gorge Headlands Walk** doit impérativement figurer à votre programme. Un sentier en caillebotis longe les falaises surplombant l'océan, permettant d'observer des tortues,

des dauphins et des raies mantas tout au long de l'année. La promenade offre une merveilleuse vue plongeante sur Main Beach, fréquentée par les surfeurs et les bodyboarders.

Les environs de Point Look comptent plusieurs **plages** superbes. Les familles apprécient particulièrement Cylinder Beach (la baignade y est surveillée par des maîtres nageurs), entre Home Beach et Deadman's Beach.

Circuits organisés

North Stradbroke Island 4WD Tours & Camping Holidays (☎07-3409 8051 ; straddie@ecn.net.au). Généralement, les circuits d'une demi-journée coûtent 35/20 $ par adulte/enfant.

Straddie Kingfisher Tours (☎07-3409 9502 ; www.straddiekingfishertours.com.au ; adulte/enfant 79/59 $). Circuits de 6 heures en 4x4 et excursion de pêche ; observation des baleines pendant la saison.

Où se loger

PANDANUS PALMS RESORT Appartements **$$$**
(☎07-3409 8106 ; www.pandanus.stradbrokeresorts.com.au ; 21 Cumming Pde ; app 245-315 $; 🏊). Perchées bien au-dessus de la plage et surplombant une épaisse végétation, les villas de deux lits sont spacieuses et dotées de meubles modernes ; les meilleures font face à l'océan, avec cours privatives et barbecue. Il y a un excellent restaurant sur le site.

STRADBROKE ISLAND BEACH HOTEL Hôtel **$$$**
(☎07-3409 8188 ; www.stradbrokeislandbeachhotel.com.au ; East Coast Rd ; d 230-310 $; ❄🏊). Le seul hôtel de l'île affiche un design original et propose 12 chambres attrayantes, aux couleurs pâles et dotées d'équipements haut de gamme et d'un balcon. Restaurant, spa et agréable bar en plein air.

À gauche Point Lookout, North Stradbroke Island
Ci-dessous Complexe de Tangalooma, North Stradbroke Island

Depuis/vers North Stradbroke Island

La porte d'accès à North Stradbroke Island est la station balnéaire de Cleveland. Depuis Central Station ou Roma St Transit Centre, des services de Citytrain **(www.translink.com.au)** desservent régulièrement Cleveland (6,70 $, 1 heure). Les bus pour le terminal des ferries partent de la gare de Cleveland (10 min).

Stradbroke Ferries **(☎07-3488 5300 ; www.stradbrokeferries.com.au)** assure une liaison avec Dunwich presque toutes les heures de 6h à 18h environ (19 $ aller-retour, 25 min). Le ferry est un peu moins fréquent (135 $ aller-retour par véhicule, passagers inclus, 40 min).

Moreton Island

On a tôt fait d'oublier l'atmosphère urbaine de Brisbane sur le ferry menant à cette île sablonneuse située au nord de Stradbroke. Quelle que soit la formule choisie – excursion d'une journée, camping ou séjour à l'hôtel –, Moreton Island offre un bel éventail d'activités. On peut aussi bien plonger dans les eaux cristallines à la découverte de la faune et de la flore marines que gravir d'immenses dunes avant de les dévaler tels des toboggans géants.

À voir et à faire

Tangalooma, au milieu de la côte ouest de l'île, est un complexe touristique très prisé, installé dans un ancien centre baleinier. La principale occupation consiste à **nourrir les dauphins**. Tous les soirs au coucher du soleil, cinq à neuf dauphins venus du large s'approchent pour attraper les poissons qu'on leur tend. Cette activité est réservée aux clients de l'hôtel, mais tout le monde est autorisé à regarder. Des croisières d'**observation des baleines** sont également organisées (juin à oct), ainsi que beaucoup d'autres activités.

Circuits organisés

Moreton Bay Escapes Activités, camping
(☎1300 559 355 ; www.moretonbayescapes.com.au ; excursion 1 jour adulte/enfant à partir de 165/125 $, excursion 2 jours camping 249/149 $). Propose un circuit en 4x4 écocertifié d'une journée avec sandboarding et tobogganning (descente de dunes debout et couché sur une planche), observation de la vie marine et pique-nique le midi.

Sunrover Expeditions Camping
(☎1800 353 717, 07-3203 4241 ; www.sunrover.com.au ; adulte/enfant 120/100 $). Un prestataire de 4x4 sympathique et fiable, qui organise de bonnes excursions à la journée, avec camping.

Où se loger

TANGALOOMA WILD DOLPHIN RESORT Hôtel, appartements $$$
(☎1300 652 250, 07-3637 2000 ; www.tangalooma.com ; forfait 1 nuit à partir de 310 $; ❄@≋). Le seul hôtel de l'île est superbement situé mais un peu désuet. La gamme d'hébergements est très large, des chambres rudimentaires aux appartements avec accès direct à la plage et chambres bien équipées avec décor contemporain soigné. Des promotions sont parfois proposées sur www.wotif.com. Nombreux restaurants.

Comment s'y rendre et circuler

Le Tangalooma Flyer (☎07-3268 6333 ; www.tangalooma.com ; adulte/enfant aller-retour à partir de 45/25 $), le catamaran rapide du Tangalooma Resort, relie tous les jours le complexe de Moreton Island (1 heure 15). Départ d'un quai de Holt St, près de Kingsford Smith Dr, dans le quartier d'Eagle Farm. Un bus (adulte/enfant aller 19/9 $) part du centre-ville de Brisbane pour assurer la correspondance avec le *Flyer*. Service de retour également disponible. Selon le nombre de personnes, un taxi revient parfois moins cher. Réservations obligatoires (☎07-3637 2000).

NOOSA ET LA SUNSHINE COAST

Si vous rêvez de vacances paisibles au soleil et de *fish and chips* sur la plage, plongez vite dans l'ambiance chic mais

Noosa National Park

RICHARD I'ANSON/LONELY PLANET IMAGES ©

Vaut le détour
Eumundi

La ravissante petite bourgade d'Eumundi, nichée dans les hauteurs, baigne dans une ambiance insolite très baba cool qui s'accentue particulièrement les jours de marché. Tout un petit monde de cafés modernes, de boutiques originales, d'orfèvres, d'artisans et de *body artists* (tatoueurs, etc.) se mêle aux bâtiments historiques.

Les **marchés d'Eumundi** (6h30-14h sam, 8h-13h mer) et leurs 300 étals attirent des milliers de visiteurs. On y trouve de tout : mobilier, bijoux, vêtements de fabrication artisanale, kiosques de soins de santé alternatifs, nourriture et musique.

Un bus Sunbus part toutes les heures de Noosa Heads (3,20 $, 40 min) et Nambour (4,10 $, 30 min). Plusieurs tour-opérateurs à Noosa organisent des visites des marchés les mercredis et les samedis.

décontractée de la Sunshine Coast et découvrez sa nature agréablement préservée.

Depuis/vers Noosa et la Sunshine Coast

Avion

L'aéroport de la Sunshine Coast est à Mudjimba, à 10 km au nord de Maroochydore et 26 km au sud de Noosa. Jetstar (**13 15 38 ; www.jetstar.com.au**) et Virgin Australia (**13 67 89 ; www.virginaustralia.com**) assurent des vols quotidiens depuis Sydney et Melbourne. Tiger Airways (**03-9999 2888 ; www.tigerairways.com**) propose des vols depuis Melbourne.

Bus

Les bus de Greyhound Australia (**1300 473 946 ; www.greyhound.com.au**) circulent chaque jour entre Brisbane et Caloundra (30 $, 2 heures), Maroochydore (30 $, 2 heures) et Noosa (32 $, 2 heures 30). Premier Motor Service (**13 34 10 ; www.premierms.com.au**) relie Maroochydore et Noosa au départ de Brisbane.

Veolia (**1300 826 608 ; www.vtb.com.au**) propose un service express entre Brisbane et Noosa (aller/aller-retour 25/46 $) 2 fois par jour.

Comment circuler

Plusieurs compagnies assurent la liaison entre l'aéroport de la Sunshine Coast ou Brisbane et différents points le long de la côte.

Les prestataires suivants sont conseillés :

Henry's (**07-5474 0199 ; www.henrys.com.au**)

Noosa Transfers & Charters (**07-5450 5933 ; www.noosatransfers.com.au**)

Sun-Air Bus Service (**1800 804 340, 07-5477 0888 ; www.sunair.com.au**)

Train

Le Citytrain relie Brisbane à Nambour (22 $, 2 heures), ainsi qu'à Beerwah (12 $, 1 heure 30), près de l'Australia Zoo.

Noosa

Jadis repaire de surfeurs peu connu, la splendide Noosa est désormais une station balnéaire huppée et l'une des destinations touristiques majeures du Queensland. Le cadre naturel de Noosa, avec ses plages immaculées et ses forêts tropicales, se marie parfaitement avec son boulevard branché, Hastings St, et la foule sophistiquée qui s'y promène.

À voir

L'un des points forts de Noosa est le joli **Noosa National Park**, qui couvre le promontoire. Il offre de belles balades, un superbe paysage côtier et une série

Noosa

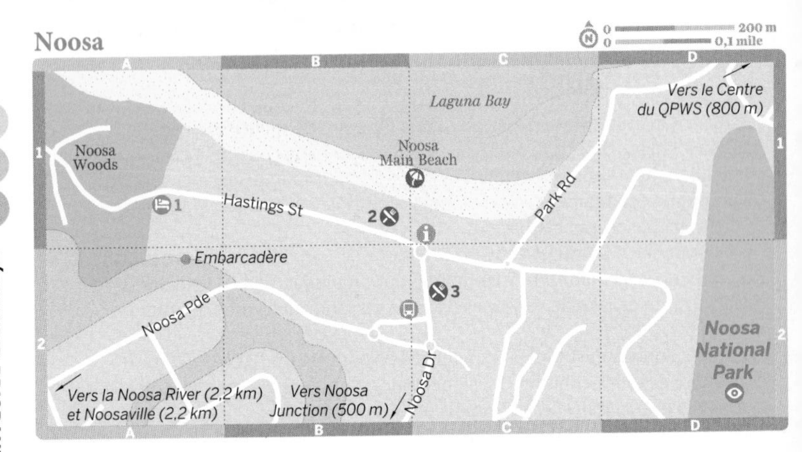

de baies où les vagues ravissent des surfeurs venus de tous le pays.

Pour gagner le parc national en profitant au mieux du panorama, empruntez le sentier longeant la côte depuis le centre-ville. Procurez-vous une carte des chemins pédestres au **centre du QPWS** (9h-15h), à l'entrée du parc.

Activités

La Noosa River ravira les amateurs de canoë-kayak. **Noosa Ocean Kayak Tours** (**0418 787 577 ; www.learntosurf.com ; circuits 2 heures 66 $, location kayak 55 $/j**) loue des kayaks et gère des circuits en kayak de mer autour du Noosa National Park et sur la Noosa River.

De nombreux prestataires proposent cours de surf et location de planche, notamment **Merrick's Learn to Surf** (**0418 787 577 ; www.learntosurf.com.au ; cours 2 heures 60 $**), **Go Ride A Wave** (**1300 132 441 ; www.gorideawave.com.au ; cours 2 heures 60 $, location : surf 2 heures 25 $, stand-up paddleboard 1 heure 25 $**) et **Noosa Kite Surfing** (**0458 909 012 ; www.noosakitesurfing.com.au ; cours 2 heures 160 $**).

ISLANDER NOOSA RESORT Complexe hôtelier **$$**
(**07-5440 9200 ; www.islandernoosa.com.au ; 187 Gympie Tce, Noosaville ; villa 2/3 ch 178/205 $;**). Installé dans plus de 1,5 ha de jardins tropicaux, avec une piscine et des caillebotis serpentant entre les arbres, ce complexe offre un excellent rapport qualité/prix. Beaucoup de convivialité, à apprécier avec un bon cocktail !

#2 HASTINGS ST Appartements **$$$**
(**07-5448 0777 ; www.2hastingsst.com.au ; 2 Hastings St, Noosa Heads ; app à partir de 225 $;**). À Noosa Woods, au bout de Hastings St, ces appartements de 2 chambres et 2 sdb conviennent parfaitement pour 4 personnes. Ils donnent sur la rivière ou la forêt et sont proches de tout. Séjour de 2 nuitées minimum.

ANCHOR MOTEL NOOSA Motel **$$**
(**07-5449 8055 ; www.anchormotelnoosa.com.au ; angle Anchor St et Weyba Rd, Noosaville ; ch à partir de 115 $;**). La thématique marine est omniprésente dans ce motel coloré : couvre-lits à rayures bleues, hublots et autres motifs marins. N'oubliez pas votre maillot rayé pour faire griller les crevettes au barbecue !

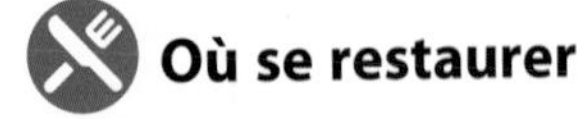

Où se restaurer

BERARDO'S ON THE BEACH Australien moderne **$$**
(**07-5448 0888 ; On the Beach Resort, Hastings St ; plats 20-36 $; petit-déj, déj et dîner**). Ce bistrot, installé à deux pas des vagues, est empreint de chic sans

Noosa

Les incontournables

Noosa National Park D2

Où se loger

1 #2 Hastings St A1

Où se restaurer

2 Berardo's on the Beach B1
3 Gaston C2

ostentation. Le menu Mod Oz fait la part belle aux produits locaux, notamment les fruits de mer.

GASTON Australien moderne **$$**
(5/50 Hastings St ; plats 17-25 $; petit-déj, déj et dîner). Ce modeste bistrot en plein air est chaudement recommandé par les habitants. Lieu idéal pour observer les passants.

Comment s'y rendre et circuler

Les bus longue distance s'arrêtent à l'angle de Noosa Dr et de Noosa Pde (tarifs p. 148). Lors de notre passage, un nouveau Transit Centre était en construction dans Noosa Dr (Noosa Junction). Lorsqu'il sera terminé, les bus longue distance arriveront ici.

Sunbus (13 12 30) assure des liaisons fréquentes avec Maroochydore (5 $, 1 heure) et la gare ferroviaire de Nambour (5 $, 1 heure).

Glass House Mountains

Dominant la végétation subtropicale de l'arrière-pays, les 16 sommets volcaniques que compte ce massif montagneux donnent un air mystérieux à cette région. Le plus haut de ces pics aériens spectaculaires, le Mt Beerwah (556 m), représente la Mère dans la mythologie aborigène du Dreamtime (Temps du Rêve).

Les randonneurs ont ici l'embarras du choix. Les plus pressés opteront pour le **Glass House Mountains Lookout**, avec sa jolie vue sur les sommets et, au loin, sur les plages. Le **lookout circuit** (800 m), un sentier assez raide, décrit une boucle à travers une forêt d'eucalyptus et une ravine humide.

FRASER ISLAND ET FRASER COAST

Fraser Island

Formée par l'amoncellement du sable de la côte orientale de l'Australie battue par les flots depuis 800 000 ans, Fraser Island est une merveille. Les Aborigènes l'appellent d'ailleurs "K'Gari" (le "Paradis"). Il s'agit de la plus grande île sablonneuse de la planète (120 km sur 15 km) et c'est unique endroit où la forêt humide pousse sur ce type de sol.

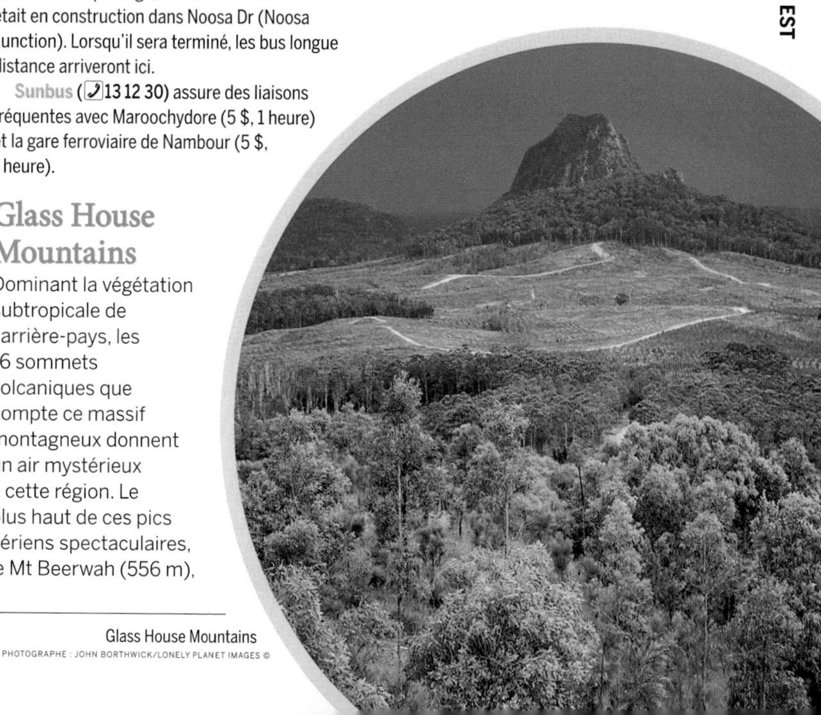

Glass House Mountains

Fraser Island

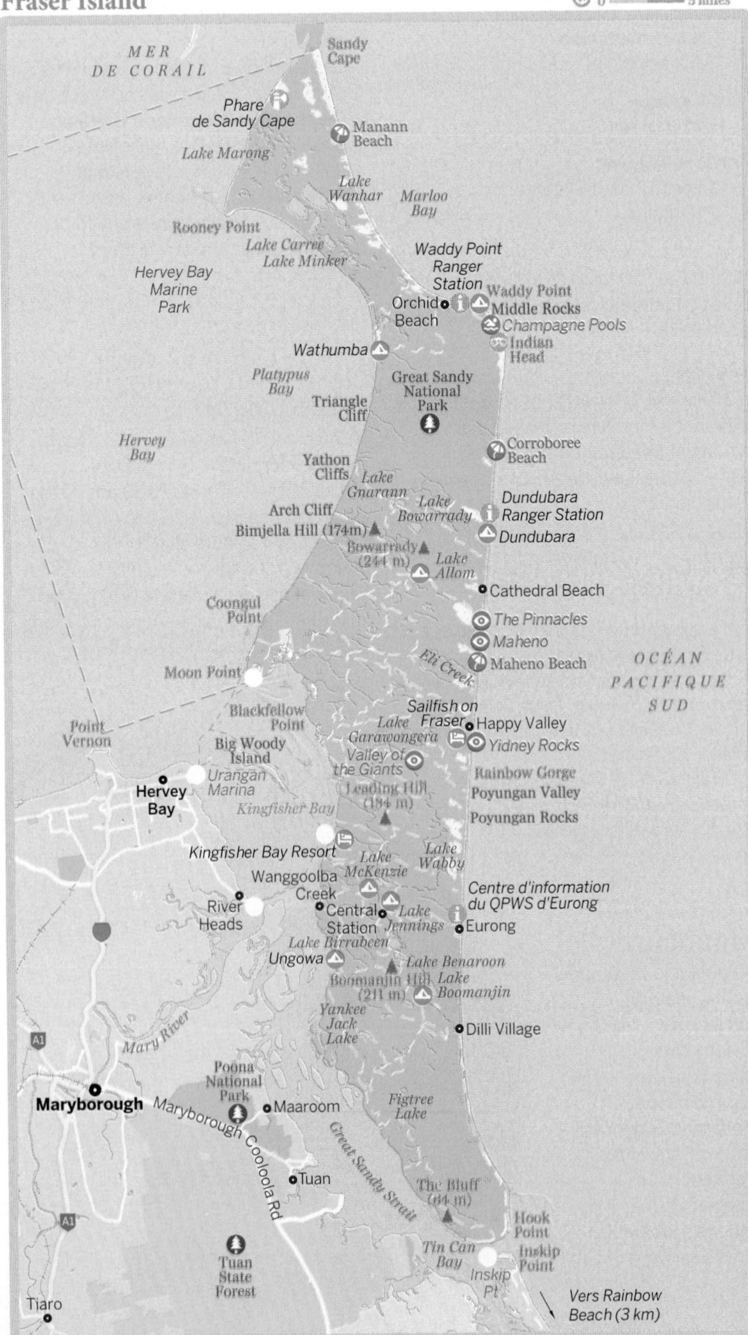
0 10 km
0 5 miles
MER DE CORAIL
Sandy Cape
Phare de Sandy Cape
Manann Beach
Lake Marong
Lake Wanhar
Marloo Bay
Rooney Point
Lake Carree
Lake Minker
Hervey Bay Marine Park
Waddy Point Ranger Station
Orchid Beach
Waddy Point
Middle Rocks
Champagne Pools
Indian Head
Wathumba
Platypus Bay
Great Sandy National Park
Triangle Cliff
Hervey Bay
Corroboree Beach
Yathon Cliffs
Lake Gnarann
Lake Bowarrady
Dundubara Ranger Station
Dundubara
Arch Cliff
Bimjella Hill (174m)
Bowarrady (244 m)
Lake Allom
Cathedral Beach
Coongul Point
The Pinnacles
Maheno
Eli Creek
Maheno Beach
Moon Point
OCÉAN PACIFIQUE SUD
Blackfellow Point
Sailfish on Fraser
Happy Valley
Point Vernon
Lake Garawongera
Yidney Rocks
Big Woody Island
Valley of the Giants
Urangan Marina
Rainbow Gorge
Hervey Bay
Leading Hill (184 m)
Poyungan Valley
Kingfisher Bay
Poyungan Rocks
Kingfisher Bay Resort
Lake McKenzie
Lake Wabby
Wanggoolba Creek
Centre d'information du QPWS d'Eurong
River Heads
Central Station
Lake Jennings
Eurong
Lake Birrabeen
Ungowa
Lake Benaroon
Boomanjin Hill (211 m)
Lake Boomanjin
Yankee Jack Lake
Dilli Village
Mary River
A1
Poona National Park
Maryborough
Maaroom
Maryborough Cooloola Rd
Figtree Lake
Great Sandy Strait
Tuan
The Bluff (64 m)
A1
Hook Point
Tin Can Bay
Inskip Point
Tuan State Forest
Inskip Pt
Tiaro
Vers Rainbow Beach (3 km)

À voir et à faire

Depuis la pointe sud de l'île, empruntez la chaussée surélevée reliant Hook Point à **Dilli Village**, plutôt que de rouler sur la plage. À partir de là, la plage devient la principale voie de circulation. Vous pourrez vous ravitailler tout près, à **Eurong**, d'où part la piste vers l'intérieur de l'île qui traverse Central Station et Wanggoolba Creek (pour prendre le ferry de River Heads).

Depuis Eurong, longez la plage sur 4 km vers le nord pour trouver le chemin balisé qui mène au **lac Wabby**. Le lac est bordé sur trois côtés par une forêt d'eucalyptus, le quatrième étant occupé par une dune imposante qui gagne du terrain (3 m par an).

En remontant la plage vers le nord, vous passerez par **Happy Valley**, qui compte de nombreux hébergements, et traverserez l'**Eli Creek**. À 2 km d'Eli Creek gît sur la plage l'épave du *Maheno*, un navire de passagers qu'un cyclone poussa sur la côte en 1935, alors qu'il se faisait remorquer vers un chantier de démantèlement au Japon.

À 5 km au nord du *Maheno*, vous découvrirez le site sacré aborigène des **Pinnacles** – des falaises de sable colorées – et, 10 km plus loin, **Dundubara**. De là, la plage s'étend encore sur 20 km avant de buter sur le rocher saillant d'**Indian Head**, qui offre la meilleure vue de l'île. Depuis le promontoire, il est courant d'apercevoir des requins, des raies mantas, des dauphins et des baleines – pendant leur migration.

Fraser Island : mode d'emploi

L'exploration de Fraser Island ne peut se faire qu'en 4x4. Les visiteurs ont le choix entre les excursions en convoi, les circuits organisés et la location.

EXCURSIONS EN CONVOI

Prisées des voyageurs à petit budget, ces excursions organisées par les auberges de jeunesse regroupent des passagers dans un convoi de 4x4 mené par un chauffeur-guide expérimenté.

Les tarifs, de 300 à 320 $ pour un forfait de 3 jours/2 nuits, n'incluent pas la nourriture et l'essence. Voir p. 157 pour une sélection de prestataires.

CIRCUITS ORGANISÉS

Au départ de Hervey Bay, de Rainbow Beach ou de Noosa, ces circuits permettent de découvrir les forêts humides, Eli Creek, les lacs McKenzie et Wabby, les falaises colorées des Pinnacles et l'épave du *Maheno*.

Footprints on Fraser (☎1300 765 636 ; www.footprintsonfraser.com.au ; randonnée 4/5 jours 1 375/1 825 $). Découvrez à pied toutes les richesses naturelles – lac, dune et forêt – de Fraser au cours de randonnées guidées.

Fraser Explorer Tours (☎1800 249 122, 07-4194 9222 ; www.fraserexplorertours.com.au ; circuits randonnée 1 jour/randonnée 2 jours 175/312 $). Chaudement recommandé.

LOCATION DE 4X4

Des loueurs de 4x4 sont installés à Hervey Bay, à Rainbow Beach et sur l'île. La plupart des loueurs s'occupent des réservations de ferry et des permis, et proposent du matériel de camping.

Sur l'île, **Kingfisher Bay 4WD Hire** (☎07-4120 3366) propose des 4x4 à partir de 175/280 $ la demi-journée/journée. Voir aussi la rubrique *Comment circuler* (p. 157) pour d'autres prestataires.

À Indian Head, une piste part vers l'intérieur des terres en passant par les **Champagne Pools**, seul endroit de l'île où l'on peut se baigner dans de l'eau salée en toute sécurité. Cette même piste conduit ensuite à **Waddy Point** et à **Orchid Beach**, dernière localité de l'île.

Où se loger et se restaurer

SAILFISH ON FRASER Appartements
(07-4127 9494 ; www.sailfishonfraser.com.au ; Happy Valley ; d à partir de 230-250 $, pers suppl 10 $;). On oublie les rudesses de la nature sauvage dans cet établissement de luxe dont les vastes appartements de 2 chambres, chics et spacieux, comportent des baies vitrées, un spa et tout le confort moderne. Une jolie piscine complète les installations.

KINGFISHER BAY RESORT Resort
(1800 072 555, 07-4194 9300 ; www.kingfisherbay.com ; Kingfisher Bay ; d 160 $, villas de 2 ch 198 $;). Ce beau complexe écolo possède des chambres agrémentées d'un balcon, des villas en bois raffinées, certaines avec spa et véranda, des restaurants, des bars et des boutiques. Il organise en outre des circuits quotidiens dans l'île (adulte/enfant 169/99 $). Location pour un minimum de 3 nuitées en haute saison.

Renseignements

La principale maison forestière, Eurong QPWS Information Centre (07-4127 9128), se trouve à Eurong, les autres à Dundubara (07-4127 9138) et Waddy Point (07-4127 9190).

En cas de problème mécanique, appelez Fraser Island Breakdown (07-4127 9173) ou la dépanneuse (07-4127 9449, 0428 353 164), basés à Eurong.

Permis

Vous aurez besoin d'un permis pour votre véhicule (par mois/an 39,40/197,20 $) et d'un autre pour camper (empl pers/famille 5,15/20,60 $), à retirer avant votre arrivée. Mieux vaut l'acheter en ligne sur www.derm.qld.gov.au ou contacter QPWS (13 74 68). Les campings privés et les complexes hôteliers ne nécessitent pas de permis. Bureaux émetteurs :

Centre d'information de l'EPA de Great Sandy (07-5449 7792 ; 240 Moorindil St, Tewantin ; 8h-16h). Près de Noosa.

Bureau QPWS de Rainbow Beach (07-5486 3160 ; Rainbow Beach Rd, Rainbow Beach)

Kiosque d'information de River Heads (07-4125 8485 ; 6h15-11h15 et 14h-15h30). Quai d'embarquement des ferries, au sud de Hervey Bay.

Depuis/vers Fraser Island

Des ferries rejoignent Fraser Island au départ de River Heads, à 10 km au sud de Hervey Bay, ou d'Inskip Point, plus au sud, près de Rainbow Beach.

Fraser Island Barges (1800 227 437 ; www.fraserislandferry.com.au) effectue la traversée (véhicule avec 4 passagers 150 $ aller-retour, 30 min) de River Heads à Wanggoolba Creek, sur la côte ouest de Fraser Island. Le ferry part tous les jours de River Heads à 8h30, 10h15 et 16h et repart de l'île à 9h, 15h et 17h.

En provenance de Rainbow Beach, les ferries de Rainbow Venture & Fraser Explorer (07-4194 9300 ; piéton/véhicule 10/80 $ aller-retour) et de Manta Ray (07-5486 8888 ; véhicule 90 $ aller-retour) couvrent en 15 min la distance qui sépare Inskip Point de Hook Point, sur Fraser Island, chaque jour sans interruption de 7h à 17h30 environ.

Air Fraser Island (07-4125 3600 ; www.airfraserisland.com.au) facture 125 $ le vol aller-retour entre l'aéroport de Hervey Bay et la plage orientale de l'île (20 min dans chaque sens).

Rainbow Beach

Ce village balnéaire au pied de l'Inskip Peninsula est entouré de sable blanc battu par les vagues. Encore relativement préservé, son atmosphère est détendue et ses habitants se montrent accueillants. Son accès pratique à Fraser Island (15 min en ferry) et à la partie du Great Sandy National Park proche de Cooloola en font une destination montante sur la côte du Queensland.

Rainbow Beach doit son nom aux **falaises de sable "arc-en-ciel"**, situées à 2 km sur la plage. À l'extrémité sud de Cooloola Dr, une piste de 600 m longe celles-ci jusqu'au **Carlo Sandblow**, une dune spectaculaire de 120 m de haut.

BAMSE009 ISTOCKPHOTO ©

À ne pas manquer Royaume animal : l'Australia Zoo

Au nord du Beerwah, l'**Australia Zoo** (07-5494 1134 ; www.australiazoo.com.au ; Steve Irwin Way, Beerwah ; adulte/enfant/famille 49/29/146 $; 9h-16h30) fut fondé par feu Steve Irwin, rendu mondialement célèbre par sa passion pour les animaux sauvages. L'établissement rassemble une grande variété d'animaux. Loin du zoo classique, il s'agit plutôt d'une étonnante réserve d'animaux exotiques. Son Crocoseum, son Tiger Temple et ses nombreuses espèces d'animaux d'Australie et d'ailleurs ont de quoi occuper les enfants toute la journée. Des navettes gratuites desservant le zoo sillonnent la Sunshine Coast.

Quelques agences offrent des visites du zoo depuis Brisbane et la Sunshine Coast. Le zoo assure un bus gratuit depuis les villes de la côte et la gare ferroviaire de Beerwah (réservation obligatoire).

Activités

Pour varier les plaisirs, contactez **Surf & Sand Safaris** (07-5486 3131 ; www.surfandsandsafaris.com.au ; adulte/enfant 70/35 $), qui propose des excursions d'une demi-journée en 4x4 sur les plages plus au sud jusqu'au phare de Double Island Point.

Rainbow Beach Dolphin View Sea Kayaking (0408 738 192 ; circuits de 4 heures 85 $/pers) organise des excursions et loue des kayaks (65 $/demi-journée). Il dirige aussi **Rainbow Beach Surf School**, qui dispense des cours de surf (2 heures 55 $).

Où se loger

DEBBIE'S PLACE B&B
(07-5486 3506 ; www.rainbowbeachaccommodation.com.au ; 30 Kurana St ; d/ste à partir de 79/89 $, app de 3 ch à partir de 99 $;). Cette superbe maison en bois typique du Queensland offre une prestation de type Bed & Breakfast. Elle renferme d'agréables logements avec entrée et véranda privatives. Pleine d'entrain, véritable mine d'informations, Debbie a su créer une ambiance douillette.

BOB CHARLTON/LONELY PLANET IMAGES ©

À ne pas manquer Les géants de la mer : les baleines à bosse de Hervey Bay

Chaque année d'août à début novembre, des milliers de baleines à bosse *(Megaptera novaeangliae)* transitent durant quelques jours dans les eaux abritées de Hervey Bay lors de leur difficile migration vers le sud, à destination de l'Antarctique.

Les bateaux naviguent entre Urangan Marina et Platypus Bay, puis se rassemblent autour des baleines les plus actives. La concurrence est rude. Les compagnies proposent des circuits d'une demi-journée (4 heures) à partir de 115 $ par adulte, petit-déjeuner ou déjeuner compris. Les plus gros bateaux, plus confortables, organisent des excursions d'une journée (6 heures), mais ils mettent 2 heures à gagner Platypus Bay.

Parmi les organismes spécialisés, citons :

- **Spirit of Hervey Bay** (1800 642 544 ; www.spiritofherveybay.com ; 8h30 et 13h30). La plus grande embarcation et celle qui peut contenir le plus de passagers. Hydrophone et fenêtre d'observation sous-marine.

- **That's Awesome** (1800 653 775 ; www.awesomeadventure.com.au ; 7h, 10h30 et 14h30). Ce bateau semi-rigide file à une vitesse beaucoup plus élevée que les autres et son pont bas permet d'observer les cétacés de façon rapprochée.

- **MV Tasman Venture** (1800 620 322 ; www.tasmanventure.com.au ; départs à 8h30 et 13h30). Maximum de 80 passagers. Hydrophones et hublots d'observation.

- **Blue Dolphin Marine Tours** (07-4124 9600 ; www.bluedolphintours.com.au ; 7h30). Maximum de 20 passagers sur un catamaran de 10 m.

Comment s'y rendre et circuler

Greyhound Australia (1300 473 946 ; www.greyhound.com.au) et **Premier Motor Service** (13 34 10 ; premierms.com.au) assurent des liaisons quotidiennes au départ de Brisbane (65 $, 5 heures), Noosa (33 $, 2 heures 30) et Hervey Bay (30 $, 1 heure 30).

Hervey Bay

L'ancienne capitale fédérale du camping-caravaning s'est embourgeoisée : sa superbe plage, sa brise marine, son dynamisme touristique et ses baleines attirent désormais une population aisée.

Fraser Island

Hervey Bay est l'endroit parfait pour effectuer un circuit en 4x4 à Fraser Island. Certaines auberges de jeunesse forment des groupes qui partent à bord d'une caravane de 5 véhicules maximum à la suite d'un guide-chauffeur expérimenté.

Les prestataires suivants sont conseillés :

Colonial Village YHA (1800 818 280 ; www.cvyha.com)

Fraser Roving (1800 989 811, 07-4125 6386 ; www.fraserroving.com.au)

Next Backpackers (07-4125 6600 ; www.nextbackpackers.com.au)

Où se loger

QUARTERDECKS HARBOUR RETREAT Appartements

(07-4197 0888 ; www.quarterdecksretreat.com.au ; 80 Moolyyir St, Urangan ; villas de 1/2/3 chambres 150/195/225 $;). Jouxtant une réserve naturelle et à une courte marche de la plage, ces villas élégamment meublées ont tout le confort moderne, une cour privative et... des peignoirs douillets.

BAY BED & BREAKFAST B&B

(07-4125 6919 ; www.baybedandbreakfast.com.au ; 180 Cypress St, Urangan ; s 75 $, d 135-150 $; @). Une adresse d'un excellent rapport qualité/prix, tenue par un Français sympathique qui a bourlingué. Les chambres occupent un bâtiment confortable à l'arrière et le petit-déjeuner est servi sur une terrasse en plein air, dans un luxuriant jardin tropical.

Renseignements

Hervey Bay Visitor Centre (1800 649 926 ; 401 The Esplanade, Torquay ; Internet 4 $/h). Une agence de voyages accueillante ; accès Internet.

Hervey Bay Visitor Information Centre (1800 811 728 ; www.herveybaytourism.com.au ; angle Urraween Rd et Maryborough Rd). Un office du tourisme utile, à la périphérie de la ville.

Depuis/vers Hervey Bay

Bateau

Des bateaux pour Fraser Island lèvent l'ancre de River Heads, à une dizaine de kilomètres au sud de la ville, et d'Urangan Marina (voir p. 154). La plupart des excursions partent d'Urangan Harbour.

Bus et train

Les bus longue distance démarrent du **Hervey Bay Coach Terminal** (07-4124 4000 ; Central Ave, Pialba).

Queensland Rail (13 12 30 ; www.queenslandrail.com.au) assure la liaison ferroviaire entre Brisbane et Maryborough West (74 $, 5 heures), d'où un bus Trainlink (8 $) conduit à Hervey Bay.

Comment circuler

Seega Rent a Car (07-4125 6008 ; 463 The Esplanade) propose des petites voitures moyennant 40-55 $/jour.

Avec ses nombreux prestataires, Hervey Bay est l'endroit privilégié pour louer un 4x4 à destination de Fraser Island :

Fraser Magic 4WD Hire (07-4125 6612 ; www.fraser4wdhire.com.au ; 5, Kruger Court, Urangan)

Hervey Bay Rent A Car (07-4194 6626). Fournit également des scooters (30 $/j).

Safari 4WD Hire (1800 689 819 ; www.safari4wdhire.com.au ; 102 Boat Harbour Dr, Pialba)

Nord tropical du Queensland

Derrière ses images de carte postale, ses paysages enchanteurs et ses villes trépidantes, le Nord tropical du Queensland intrigue.

Vous y trouverez trois des sites les plus remarquables d'Australie : le superbe archipel des Whitsundays, la forêt humide vert émeraude de Daintree ainsi que les eaux turquoise et les coraux chatoyants de la Grande Barrière de corail.

La région dissimule bien d'autres trésors, souvent ignorés des visiteurs : parcs nationaux ponctués de chutes d'eau spectaculaires, villages au mode de vie alternatif et fine cuisine, plages de sable blanc ourlées de coraux multicolores, couchers de soleil inoubliables et festivals aborigènes uniques en leur genre vous y attendent.

Cairns est le royaume du voyageur, une ville de l'extrême nord reculée, étonnamment contemporaine et cosmopolite. De là, on accède aisément à la forêt humide ou à la Grande Barrière de corail.

Hardy Reef, Whitsunday Islands (p. 174)

Nord tropical du Queensland

PAPOUASIE-
NOUVELLE-GUINÉE
Cap York
Bamaga
Jardine River National Park
Shelburne Bay
Weipa
Iron Range National Park
Lockhart River
Mungkan Kandju National Park
Aurukun
Coen
Princess Charlotte Bay
Cape Melville National Park
Barrow Point
Grande Barrière de corail
MER DE CORAIL
Lizard Island
Pormpuraaw
Lakefield National Park
Hope Vale
Cooktown
Kowanyama
Péninsule du cap York
Laura
Wujal Wujal
Cape Tribulation
Daintree National Park
Mitchell River
Port Douglas
Mossman
Staaten River National Park
Kuranda
Cairns
Mareeba
Fitzroy Island
1 Grande Barrière de cora
2 Whitsunday Islands
3 Forêt humide de Daintree
4 Cairns
5 Port Douglas
6 Northern Reef Islands
7 Southern Reef Islands

Ravenshoe
Innisfail
Bulleringa National Park
Mission Beach
Tully
Dunk Island
Croydon
Georgetown
Mt Surprise
Cardwell
Hinchinbrook Island
Lumholtz National Park
Ingham
Bruce Hwy
Magnetic Island
Townsville
Cordillère australienne
Ayr
Bowling Green Bay National Park
Grande Barrière de corail
OCÉAN PACIFIQUE SUD
Bowen
Airlie Beach
Whitsunday Islands
White Mountains National Park
Charters Towers
Proserpine
Conway National Park
Collinsville
Richmond
Hughenden
Julia Creek
Lake Dalrymple
Eungella National Park
Mackay
Sarina
QUEENSLAND
Shoalwater Bay
Winton
200 km
100 miles
Bladensburg National Park
Clermont
Cape Clinton
Yeppoon
Great Keppel Island
Longreach
Barcaldine
Emerald
Rockhampton
Heron Island
Curtis Island
Gladstone
Lady Musgrave Island
Thomson River
Springsure
Town of 1770
Lady Elliot Island
Blackall
Biloela
Agnes Water
Idalia National Park
Carnarvon National Park
Monto
Bundaberg

Nord tropical du Queensland À ne pas manquer

1

Grande Barrière de corail

La fameuse Grande Barrière de corail (appelée aussi GBR – Great Barrier Reef – ou tout simplement le Reef) semble toujours offrir quelque chose de nouveau. Elle reste étonnamment résistante face aux assauts de la nature et, aujourd'hui, de l'homme, qui la menace continuellement.

Nos conseils

POUR Y ACCÉDER Des opérateurs d'Airlie Beach et de Cairns organisent des visites **MEILLEURES BASES** Heron Island, Lady Elliot Island, Lizard Island et Green Island

Ma sélection

Grande Barrière de corail par Len Zell

GUIDE SUR LA GRANDE BARRIÈRE DE CORAIL ET AUTEUR – WWW.LENZELL.COM

1 LE RÉCIF DE NUIT

Si possible, louez un bateau de plongée pour plusieurs jours ou passez la nuit dans un complexe hôtelier ou un terrain de camping voué à la plongée. Dormir sur place vous permettra de mieux apprécier les nombreuses facettes de ce gigantesque système, notamment en prenant part à une plongée nocturne. L'été, période de reproduction des tortues de mer et des oiseaux, les poissons et les coraux donnent à la mer de faux airs de "bal des gamètes".

2 UN BAPTÊME DE PLONGÉE

Le personnel des centres de plongée vous assistera dans cette expérience pour qu'elle se déroule en toute sécurité et conformément à vos capacités – voire en vous permettant d'aller au-delà de ce dont vous vous croyiez capable. Pour avoir vu plonger pendant plus d'une heure une dame de 80 ans qui faisait son baptême de plongée, je sais que tout le monde peut le faire. Une fois sous l'eau, vous ne voudrez plus en sortir !

3 RENCONTRES AQUATIQUES

Ne manquez pas les raies mantas de **Lady Elliot Island** (p. 172), la plus méridionale des îles du récif. Zone de nidation pour les oiseaux et zone de ponte pour les tortues vertes et les caouannes, la paisible **Heron Island** (p. 173) est aussi connue pour son "bommie", un mini-récif plein de poissons. Vous pourrez faire du snorkeling avec les baleines de Minke entre Cairns et Lizard Island, observer des morues gigantesques au Cod Hole, n°10 Ribbon Reef, et plonger avec des serpents de mer à Swain Reefs.

4 HORS DES SENTIERS BATTUS

Pour approfondir votre découverte, cherchez les sites les plus reculés et les moins fréquentés. Vous verrez des récifs récemment touchés par des cyclones, dévorés par des étoiles de mer ou en pleine renaissance. Ne ratez pas l'épave fascinante du *Yongala*, entre Bowen et Townsville, les récifs au large de **Cairns** (p. 182), ainsi que les îles peu visitées et les récifs au nord de **Lizard Island** (p. 196), vers le détroit de Torres.

Whitsunday Islands

Le meilleur moyen de découvrir la beauté des Whitsunday Islands est d'embarquer pour une croisière de 2 jours à travers cet archipel de 74 îles, baigné d'eaux cristallines et peuplé d'une impressionnante faune marine. **Ci-dessous** Daydream Island (p. 179)
En haut, à droite Course de yachts, Hamilton Island (p. 180)
En bas, à droite Whitsunday Island (p. 180)

Nos conseils
MEILLEURE PHOTO La célèbre Whitehaven Beach, vue du ciel
MEILLEUR SPOT DE SNORKELING Hook Island et Whitsunday Islands
Voir p. 174.

2

Whitsunday Islands par Michael O'Connor

DIRECTEUR DE WHITSUNDAY BOOKINGS ET MONITEUR DE PARACHUTISME ET DE PLONGÉE

1 WHITSUNDAY NGARO SEA TRAIL

Découvrez cette région dotée d'une histoire riche et d'une beauté naturelle sans pareille, en marchant dans les pas des Ngaro, ses habitants ancestraux. Mêlant traversées maritimes et balades à pied, le Whitsunday Ngaro Sea Trail couvre de nombreux sites emblématiques de la zone. Au programme : plages de sable blanc, eaux turquoise, art rupestre, promontoires déchiquetés, forêts humides, prairies vallonnées et panoramas à couper le souffle.

2 BAIT REEF

Moniteur depuis plus de 15 ans, j'ai plongé un peu partout dans le monde. Pourtant, Bait Reef reste l'un de mes récifs préférés. C'est l'un des sites de plongée les plus beaux et les plus spectaculaires de la Grande Barrière de corail – il fait d'ailleurs l'objet d'une protection particulière. Les bateaux ne sont acceptés qu'en nombre restreint et la pêche est interdite. Les plus beaux spots sont le Manta Ray Drop Off, Stepping Stones et Paradise Lagoon.

3 CRAYFISH BEACH, HOOK ISLAND

Crayfish est mon lieu de camping favori dans les Whitsundays. Situé au sommet de **Hook Island** (p. 179), il offre de magnifiques occasions de faire du snorkeling, une belle plage et un terrain de camping accueillant un maximum de 12 personnes. C'est l'endroit parfait pour s'isoler au calme.

4 THE ESPLANADE, AIRLIE BEACH

L'Esplanade d'**Airlie Beach** (p. 174) est idéale pour profiter d'un dîner au restaurant en regardant l'animation de la rue. Des marchés ont lieu tous les samedis matin à son extrémité ; le dimanche, des concerts débutent vers 14h sur le front de mer, en face des restaurants. Une bonne manière de terminer la semaine en beauté !

Forêt humide de Daintree

Si son nom est connu de tous les Australiens, la Daintree (p. 189) souffre néanmoins d'une crise d'identité. Village ? Parc national ? Fleuve ? Zone classée au patrimoine mondia de l'Unesco ? La Daintree est tout cela à la fois, mais avant tout une forêt tropicale humide une inestimable contrée sauvage offrant une fabuleuse biodiversité et quantité de plages au bord de la forêt vierge.

3

5 Port Douglas

À 70 km au nord de Cairns, on trouve Po Douglas (p. 191), une localité touristiqu aisée qui se révèle une excellente surprise. Le sens de l'hospitalité y est remarquable, les lieux de villégiature de premier ordre et la sélection de restaurants et de bars branchés excellente. C'est aussi le point de dép idéal pour une exploration de la forêt humide de Daintree ou de la Grande Barrière de corail.

4 Cairns

Cairns (p. 182), à l'ambiance délicieusement tropicale, est devenue une ville animée, qui offre un grand choix de restaurants cosmopolites et d'hébergements pour toutes les bourses. C'est une excellente base pour accéder aux sites les plus cotés du Nord tropical du Queensland : la forêt humide de Daintree et la Grande Barrière de corail.

6 Northern Reef Islands

La Grande Barrière de corail est visible depuis l'espace ! Pas étonnant que, vue d'ici, elle semble serpenter à l'infini, agrémentée d'îles somptueuses au large de Cairns (p. 188). Green Island, Fitzroy Island et les Frankland Islands recèlent quantité de plages et de spots de plongée. Plus au nord, Lizard Island (p. 196) est moins touristique et permet de jouer les Robinsons. Green Island

7 Southern Reef Islands

Si les photogéniques Whitsunday Islands ont très bonne presse, certaines îles (p. 172) du sud de la Grande Barrière de corail, au large de la Capricorn Coast, ne sont pas en reste. Découvrez les fabuleux sites de plongée de Lady Elliot Island et Lady Musgrave Island, ou les coraux de la solitaire Heron Island. Lady Elliot Island

Nord tropical du Queensland : le best of

Escapades insulaires

- **Whitsunday Island** (p. 180). Suffisamment belle pour donner son nom à l'archipel.
- **Green Island** (p. 188). Les touristes à la journée se pressent pour profiter de la plage et du snorkeling. Pour plus de calme, offrez-vous une soirée sur place.
- **Hamilton Island** (p. 180). Une station de luxe, avec une foule d'activités et de distractions.
- **Lizard Island** (p. 196). Lézardez sur un rocher sur cette île reculée et déserte.

Plongée et snorkeling

- **Green Island** (p. 188). Facilement accessible depuis Cairns. Excellente destination pour le snorkeling.
- **Hook Island** (p. 179). Accès aux coraux, campings fantastiques et hébergements basiques pour budgets serrés.
- **Frankland Islands National Park** (p. 189). De superbes récifs autour d'îles inhabitées au large de Cairns.

Merveilles tropicales

- **Forêt humide de Daintree** (p. 189). Crocodiles, rivières, marais et plages bordées de palmiers.
- **Grande Barrière de corail** (p. 172). Un extraordinaire récif. Véritable merveille du royaume sous-marin.
- **Cape Tribulation** (p. 197). Plages en bordure de forêt vierge au nord de Port Douglas.

Délices urbains

- **Port Douglas** (p. 191). Oasis de fraîcheur, la raffinée "Port" compte une excellente sélection de restaurants, de cafés et de bars.
- **Cairns** (p. 182). La "cité" du Nord tropical du Queensland : Cairns a toutes les qualités d'une grande ville.
- **Mission Beach** (p. 180). Discrète à souhait, Mission Beach constitue la parfaite petite ville tropicale.
- **Airlie Beach** (p. 174). Faites la fête à Airlie Beach, puis reprenez des forces dans les Whitsunday Islands.

À gauche Mossman Gorge, forêt humide de Daintree **Ci-dessus** Rocher de corail, Grande Barrière de corail

Ce qu'il faut savoir

À PRÉVOIR

- **Un mois avant** Réservez les vols intérieurs et les hébergements.
- **Deux semaines avant** Réservez une place (et une sortie de snorkeling) pour un circuit sur la Grande Barrière de corail à partir de Cairns ou de Port Douglas.
- **Une semaine avant** Réservez une table dans un restaurant de Port Douglas.

ADRESSES UTILES

- **Queensland Holidays** (www.queenslandholidays.com.au). Une source précieuse de renseignements pour préparer votre voyage.
- **Tourism Queensland** (www.tq.com.au). Organisme gouvernemental de promotion du Queensland.
- **Tourism Tropical North Queensland** (www.ttnq.org.au). Agence efficace du TNQ (Nord tropical du Queensland).
- **Sunlover Holidays** (www.sunloverholidays.com.au). Spécialisé dans la gestion des réservations d'hébergements et de circuits.
- **Royal Automobile Club of Queensland** (RACQ; www.racq.com.au). Renseignements et assistance routière.

COMMENT CIRCULER

- **À pied** Les esplanades de Cairns et d'Airlie Beach.
- **En train** Montez dans le *Tilt Train* jusqu'à Cairns, et ensuite prenez le chemin de fer panoramique jusqu'à Kuranda.
- **En Fast Cat** Pour aller sur les récifs et dans les îles sur des catamarans rapides.
- **En voiture** À travers les Atherton Tablelands.

MISES EN GARDE

- **Méduses-boîtes** Ces méduses qui apparaissent dans les eaux côtières au nord d'Agnes Water, d'octobre à avril, sont potentiellement mortelles.
- **Crocodiles marins** Représentant un réel danger dans le Nord tropical du Queensland, ils peuplent les estuaires, les criques et les rivières. Observez bien les panneaux.

Suggestions d'itinéraires

L'extrême nord du Queensland est un endroit étonnant qui vit à l'heure tropicale. Mettez-vous en mode plage (ou corail) et goûtez aux plaisirs de la vie au soleil.

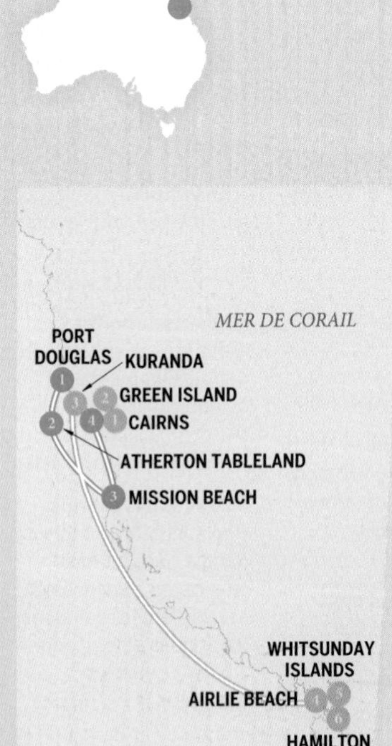

DE PORT DOUGLAS À CAIRNS

Destinations phares

Situé à une heure au nord de Cairns, voici **(1) Port Douglas**, un petit bijou. La ville offre un hébergement de qualité, d'excellents restaurants, des bars et des pubs à la fois raffinés et décontractés, ainsi qu'un accès à la forêt humide de Daintree et à la Grande Barrière de corail. Profitez de la vie locale puis optez pour une découverte des coraux ou de la forêt tropicale (ne manquez pas les casoars).

Le lendemain, piquez au sud le long de la pittoresque route de l'arrière-pays (Hwy 1), à travers les **(2) Atherton Tablelands**, jusqu'à **(3) Mission Beach**. Bourgade de bord de mer, Mission Beach ne manque pas d'attraits, de cafés et de restaurants.

Après une bonne nuit, reprenez la direction du nord et de **(4) Cairns**, une ville où les occasions de dépenser son argent ne manquent pas. La ville recèle également de très bonnes galeries d'art, le Tjapukai Cultural Park (un parc aborigène pédagogique), ainsi qu'une foule d'excursions et d'activités.

En haut, à gauche Mission Beach (p. 180)
En haut, à droite Kuranda Scenic Railway (p. 190)

5 JOURS

DE CAIRNS À HAMILTON ISLAND

Autour des coraux

Débutez ce périple à **(1) Cairns**, capitale des aventures sur la Grande Barrière de corail. Prenez une journée pour profiter du lagon, des bars et des restaurants de cette ville tropicale. Ne quittez pas Cairns sans une excursion sur l'une des îles coralliennes voisines, comme **(2) Green Island**, ou sur le récif extérieur, plus sauvage. Si vous avez un peu de temps, explorez l'arrière-pays à bord du petit train pour **(3) Kuranda** et rendez-vous aux célèbres marchés bohèmes et à l'Australian Butterfly Sanctuary.

De Cairns, rejoignez **(4) Airlie Beach**, qui offre un grand choix d'hébergements et d'activités nautiques. C'est aussi une excellente base pour explorer l'archipel des **(5) Whitsunday Islands**. En ferry depuis Airlie, ou en avion, gagnez **(6) Hamilton Island**, où vous pourrez jouir pleinement du calme des stations balnéaires. Passez quelques jours à faire des croisières ou à vous détendre au bord d'une piscine, puis explorez d'autres îles de l'archipel, comme Whitsunday Island et sa fantastique Whitehaven Beach, ou encore Hook Island et South Molle Island, à l'ambiance détendue et aux magnifiques paysages.

Découvrir le Nord tropical du Queensland

Les incontournables

- **Grande Barrière de corail** (p. 172). Une merveille de coraux de 2 600 km de long.
- **Whitsunday Islands** (p. 174). Un archipel tropical parfait pour la voile.
- **Cairns** (p. 182). La grande ville de l'extrême nord.
- **Forêt humide de Daintree** (p. 189). La nature dans un site classé au patrimoine mondial.
- **Southern Reef Islands** (p. 172). Îles méconnues de la Capricorn Coast.

Tortue verte à peine éclose, Lady Elliot Island
PHOTOGRAPHE : BOB CHARLTON/LONELY PLANET IMAGES ©

GRANDE BARRIÈRE DE CORAIL

Southern Reef Islands

De plus en plus de touristes choisissent ces îles pour découvrir la Grande Barrière de corail. Ils ont bien raison : les étincelants bancs de corail sont moins fréquentés qu'ailleurs en Australie, moins exposés aux tempêtes et moins éloignés de la côte.

Les excursions sur l'archipel (à partir de 175 $, petit-déj inclus) s'arrêtent sur plusieurs plages et sites de snorkeling.

Lady Elliot Island

À la limite sud de la Grande Barrière de corail, Lady Elliot est une île corallienne de 40 ha prisée des plongeurs, des amateurs de snorkeling et des tortues de mer qui viennent pondre leurs œufs sur son rivage. Il suffit de s'éloigner à pied de la plage pour explorer des fonds émaillés d'épaves, de jardins de coraux, de *bommies* (pinacles ou affleurements coralliens) et de *blowholes* (trous souffleurs) où évolue une abondante population de barracudas, de raies mantas et de requins-léopards inoffensifs.

Lady Elliot Island n'est pas un parc national et les visiteurs n'ont pas le droit d'y camper. **Lady Elliot Island Resort** (☎1800 072 200 ; www.ladyelliot.com.au ; 160-326 $/pers) est l'unique hébergement possible.

La plupart des hôtes du complexe balnéaire se rendent sur l'île à bord d'un petit avion. Seair assure la liaison depuis Bundaberg et Hervey Bay (aller-retour adulte/enfant 254/136 $) ; réservation auprès du complexe. Les visiteurs qui viennent seulement pour la journée peuvent le faire dans le cadre de croisières au départ de Bundaberg et de Hervey Bay (300/170 $), incluant excursions, activités, déjeuner et équipement de snorkeling.

Lady Musgrave Island

Naufragés volontaires, ne cherchez pas plus loin car voici votre robinsonnade ! Cet îlot corallien inhabité de 15 ha à 100 km au nord-est de Bundaberg se situe à la bordure ouest d'un magnifique lagon réputé pour la baignade, la plongée et le snorkeling, en toute sécurité. Les oiseaux nichent ici d'octobre à avril, les tortues vertes de novembre à février.

Départ pour des excursions d'une journée sur Lady Musgrave depuis la marina de Town of 1770 (voir p. 192).

Heron Island

Avec le monde sous-marin accessible directement depuis sa plage, Heron Island offre des conditions idéales pour la plongée et le snorkeling.

Le **Heron Island Resort** (07-4972 9055, 1800 737 678 ; www.heronisland.com ; s/d incl buffet petit-déj à partir de 399/479 $) dispose de chambres confortables, parfaites pour les familles. Les "point suites" jouissent de la plus belle vue. Les prix comprennent la pension complète ; au départ de Gladstone, prévoyez de payer 200/100 $ par adulte/enfant pour un transfert en bateau, ou 440/270 $ en hélicoptère.

Agnes Water et Town of 1770

Cernées par des parcs nationaux, des plages de sable et les eaux bleues du Pacifique, ces deux villes jumelles comptent parmi les destinations balnéaires les plus séduisantes de la région. La petite ville d'Agnes Water possède une jolie plage de surf, tandis que Town of 1770 se résume pratiquement à sa marina, premier lieu de débarquement du capitaine Cook au Queensland.

Activités

Les sports nautiques sont à l'ordre du jour. Agnes Water abrite la **plage de surf** la plus septentrionale du Queensland. Pour prendre des cours, présentez-vous à la très réputée **Reef 2 Beach Surf School** (07-4974 9072 ; www.reef2beachsurf.com ; 1/10 Round Hill Rd, Agnes Water).

1770 Liquid Adventures (0428 956 630 ; www.1770liquidadventures.com.au ; excursion 40 $) organise une excursion en kayak, spectaculaire au crépuscule, et loue des kayaks. **Dive 1770** (07-4974 9359 ; www.dive1770.com) propose des cours PADI (à partir de 250 $) et des plongées dans la Grande Barrière de corail (à partir de 30 $). On peut également apprendre la plongée auprès de **1770 Underwater Sea Adventures** (1300 553 889 ; www.1770underseaadventures.com.au), qui assure aussi des sorties dans la Grande Barrière et sur des épaves.

Circuits organisés

LADY MUSGRAVE CRUISES Croisières
(07-4974 9077 ; www.1770reefcruises.com ; Captain Cook Dr, Town of 1770 ; tarif plein/enfant 175/85 $). Excellentes excursions d'une journée à Lady Musgrave Island à bord du bateau *Spirit of 1770*. Au programe : snorkeling, pêche, observation des coraux dans un semi-submersible, avec déjeuner et en-cas.

Où se loger

SANDCASTLES 1770 MOTEL & RESORT Motel, complexe balnéaire
(07-4974 9428 ; www.sandcastles1770.com.au ; 1 Grahame Colyer Dr, Agnes Water ; ch motel à partir de 120 $, villas/app 160-650 $;). Installé sur 4 ha de jardins paysagers et de végétation tropicale, l'établissement présente un mélange de chambres de type motel (à partir de 90 $), d'appartements luxueux et de villas claires et spacieuses (style balinais).

Beach Shacks Appartements
(07-4974 9463 ; www.1770beachshacks.com ; 578 Captain Cook Dr, Town of 1770 ; d à partir de 178 $). Ravissantes maisons d'inspiration balinaises en bois, jonc et bambou, presque les pieds dans l'eau. Jolie vue sur l'océan.

Si vous aimez… Observer la vie animale

Si les poissons de la Grande Barrière de corail (p. 172) vous ont conquis, d'autres pensionnaires du Nord tropical du Queensland sauront vous séduire :

1 **CROCODILES DE LA DAINTREE RIVER**
Le Queensland abrite la plus grande espèce de crocodile, le crocodile d'estuaire (ou crocodile marin). Photographiez-les en toute sécurité lors d'une croisière sur la Daintree River.

2 **CASOARS DE MISSION BEACH**
Le fascinant casoar (autruche tropicale) vit dans les forêts du Nord tropical du Queensland. Ne les manquez pas près de Mission Beach.

3 **TORTUES SUR LADY ELLIOT ISLAND**
Les tortues de mer fréquentent les plages sablonneuses de Lady Elliot Island, au sud de la Grande Barrière de corail.

4 **KOALAS SUR MAGNETIC ISLAND**
Dans le Queensland, on aperçoit souvent les koalas sur Magnetic Island, au large de Townsville.

Depuis/vers Agnes Water

Un seul des véhicules Greyhound (**13 20 30 ; www.greyhound.com.au**) qui circulent chaque jour sur la Bruce Hwy fait le détour par Agnes Water. Il s'agit du bus direct en provenance de Bundaberg (24 $, 1 heure 30), qui arrive en face du Cool Bananas à 18h10. Les autres compagnies, dont Premier Motor Service (**13 34 10 ; www.premierms.com.au**), déposent leurs passagers dans Fingerboard Rd.

Whitsunday Islands

L'archipel des Whitsunday, au large de la côte nord-est du Queensland, est un vrai paradis tropical. Abritées par la Grande Barrière de corail, les eaux bleues sont parfaites pour la voile.

Sept îles seulement possèdent des complexes touristiques – pour tous les budgets et tous les goûts, de l'hébergement rudimentaire de Hook Island au luxe d'Hayman Island.

Comment s'y rendre et circuler

Les deux principaux aéroports pour les Whitsundays sont à Hamilton Island et Proserpine, à 36 km au sud-ouest d'Airlie Beach. Virgin Australia (**13 67 89 ; www.virginaustralia.com**) et Jetstar (**13 15 38 ; www.jetstar.com.au**) relient Hamilton Island et Brisbane, Sydney et Melbourne. QantasLink (**13 13 13 ; www.qantas.com.au**) dessert Cairns.

Les transferts entre Abel Point Marina et Daydream, Long et South Molle Islands sont assurés par Cruise Whitsundays (**07-4946 4662 ; www.cruisewhitsundays.com ; adulte/enfant aller simple 30/20 $**), qui gère aussi des transferts d'aéroport d'Abel Point Marina à Hamilton Island. Les transferts entre Shute Harbour et Hamilton Island sont assurés par Fantasea (**07-946 5111 ; www.fantasea.com.au ; adulte/enfant aller simple 49/27 $**).

Airlie Beach

À la fois de mauvais goût et ultrabranchée, moderne et consumériste, Airlie Beach ne se contente pas d'être la porte d'entrée des Whitsunday Islands. C'est aussi, et surtout, une localité à l'atmosphère survoltée, le genre d'endroit où l'espèce humaine célèbre son amour des merveilles de la nature en faisant la fête non-stop.

Activités

La voile est l'activité de prédilection ici, sous toutes ses formes. De nombreuses **excursions** sont proposées (p. 176), mais vous pouvez **affréter un bateau.** Comptez entre 500 et 800 $/jour en pleine saison (sept à jan) pour un yacht de 4 à 6 personnes. Il existe de nombreuses sociétés louant des bateaux dans les environs d'Airlie Beach :

Charter Yachts Australia Bateaux
(**1800 639 520 ; www.cya.com.au ; Abel Point Marina**)

Whitsunday Coast

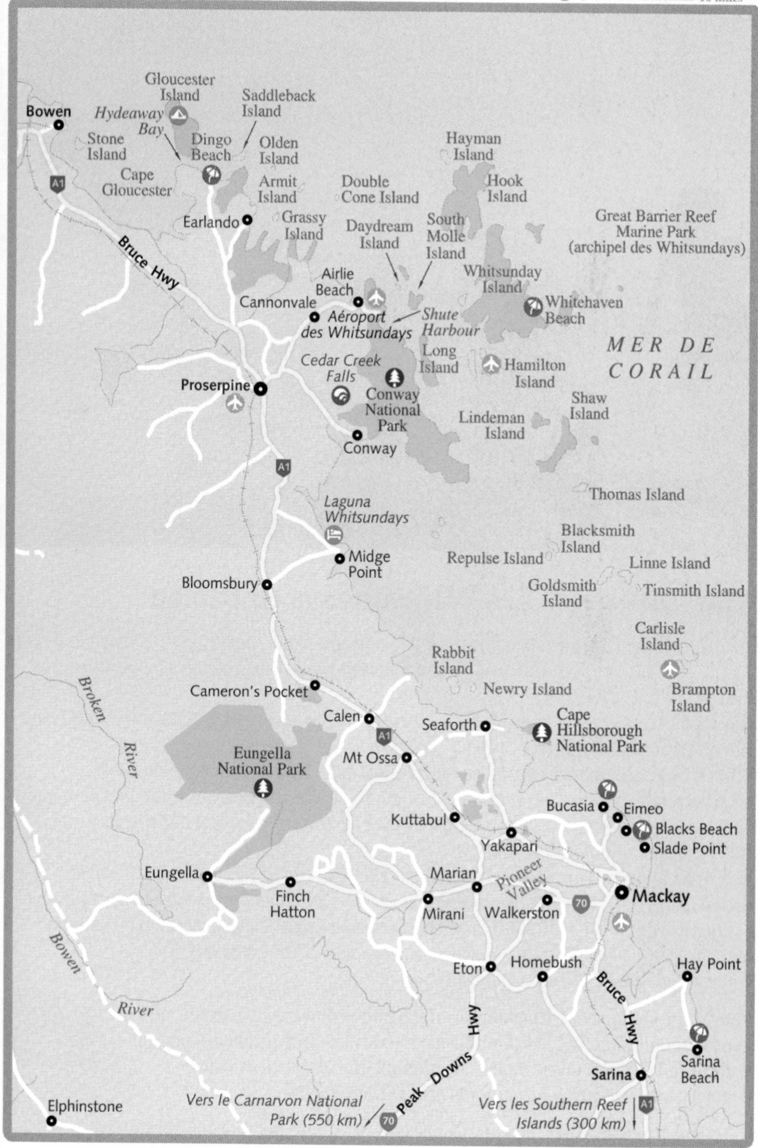

Whitsunday Escape Bateaux
(☎1800 075 145 ; www.whitsundayescape.com ; Abel Point Marina)

Whitsunday Rent A Yacht Bateaux
(☎1800 075 000 ; www.rentayacht.com.au ; Trinity Jetty, Shute Harbour)

L'archipel est un excellent endroit pour apprendre les rudiments de la voile :

Whitsunday Marine Academy Cours de voile
(☎1800 810 116 ; www.explorewhitsundays.com ; 4 The Esplanade). Géré par Explore Whitsundays.

TIM BARKER/LONELY PLANET IMAGES ©

À ne pas manquer Les Whitsundays en bateau

Le cliché des vacances tropicales comprend souvent une voile blanche se profilant sur l'eau bleue. Dans les Whitsundays, c'est un rêve facilement réalisable, mais l'offre pléthorique complique un peu le choix.

En dehors des croisières à la journée, les formules comprennent le plus souvent 3 jours et 2 nuits ou 2 jours et 2 nuits.

La plupart des bateaux proposent du snorkeling dans les récifs autour des îles. Le corail plus tendre y est généralement plus coloré et abondant qu'au large. Vérifiez que l'équipement, les combinaisons antiméduses et les taxes sont compris dans la formule. La plongée est généralement en sus.

Réservez par le biais d'une des agences de la ville comme le **Whitsundays Central Reservation Centre** (☎1800 677 119 ; www.airliebeach.com ; 259 Shute Harbour Rd) ou **Whitsunday Sailing Adventures** (☎07-4940 2000 ; www.whitsundaysailing.com ; Shute Harbour Rd) et **Explore Whitsundays** (☎07-4946 4999 ; www.explorewhitsundays.com ; 4 The Esplanade).

Quelques expéditions recommandées :

- **Camira** (165 $/la journée). Ce catamaran parmi les plus rapides du monde est aujourd'hui un emblème des Whitsundays couleur lilas. L'avantageuse croisière d'une journée comprend Whitehaven Beach, snorkeling, thé le matin et l'après-midi, barbecue au déjeuner et tous les rafraîchissements (vin et bière inclus).

- **Maxi Action Ragamuffin** (156 $/j). Choisissez entre une excursion à Whitehaven Beach (jeu et dim) et le snorkeling à Blue Pearl Bay (lun, mer, ven et sam).

- **Derwent Hunter** (excursion 3 jours et 2 nuits à partir de 590 $). Safari à la voile très populaire à bord d'un schooner en bois à voile aurique. Idéal pour les couples et les amateurs de nature.

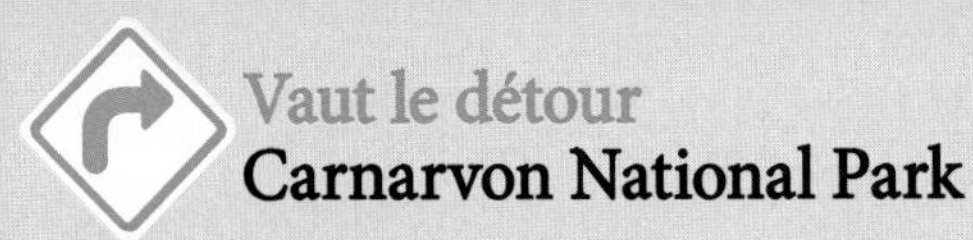

Vaut le détour
Carnarvon National Park

Témoignage spectaculaire de la beauté des grands espaces australiens, la **Carnarvon Gorge** est l'une des perles du Queensland. Ce canyon long de 30 km et haut de 200 m a été sculpté au fil des millénaires par la Carnarvon Creek et ses affluents dans une roche sédimentaire tendre. Semblant surgi d'un autre monde, il est couvert d'une végétation luxuriante, qui abrite une faune et une flore variées.

Cycas géants, immenses fougères, chênes de rivière, eucalyptus rudis et palmiers choux prospèrent au bord de l'eau. La rivière est ponctuée de bassins profonds et l'on y voit parfois des ornithorynques. Le parc national date de 1932.

La route d'accès au parc mène au **centre d'information des visiteurs** (**07-4984 4505 ; 8h-10h, 15h-17h**) et à une aire de pique-nique offrant une belle vue. Le principal sentier de randonnée part de là et suit la Carnarvon Creek à travers la gorge, en passant par le **Moss Garden** (3,6 km de l'aire de pique-nique), **Ward's Canyon** (4,8 km), l'**Art Gallery** (5,6 km) et la **Cathedral Cave** (9,3 km).

Whitsunday Sailing Club Cours de voile
(**07-4946 6138 ; Airlie Point**)

Whitsunday Dive Adventures Plongée, snorkeling
(**07-4948 1239 ; www.adventuredivers.com.au ; 303 Shute Harbour Rd**). Propose divers cours, notamment de plongée open-water certifiés PADI (565 $). Demi-journée de plongée 175 $. Nombreuses croisières.

Salty Dog Sea Kayaking Kayak
(**07-4946 1388 ; www.saltydog.com.au ; excursion demi-journée/journée 70/125 $**). Expéditions guidées d'une journée et location de kayak (50/60 $ la demi-journée/journée), et expéditions plus longues kayak/camping (1 500 $/6 j). Une manière agréable de découvrir les îles.

Skydive Airlie Beach Parachute
(**07-4946 9115 ; www.skydiveairliebeach.com.au**). Sauts en tandem à partir de 249 $.

Air Whitsunday Seaplanes Vols panoramiques
(**07-4946 9111 ; www.airwhitsunday.com.au**). Agence proposant 3 heures de Reef Adventures (adulte/enfant 315/280 $), une expérience Whitehaven (240/210 $) et son fameux Panorama Tour (425/390 $) de 4 heures où l'on va en avion jusqu'à Hardy Lagoon pour faire du snorkeling ou dans un semi-submersible, avant de repartir en avion jusqu'à Whitehaven Beach pour pique-niquer. Excursions d'une journée à l'exclusive Hayman Island (195 $).

D'autres prestataires :

HeliReef Vols panoramiques
(**07-4946 9102 ; www.avta.com.au**). Vols en hélicoptère aux récifs (à partir de 129 $), expéditions à Hayman Island (399 $) et pique-nique à Whitehaven Beach (399 $).

Aviation Adventures Vols panoramiques
(**07-4946 9988 ; www.av8.com.au**). Vols en hélicoptère, de la découverte des îles (99 $) au pique-nique (199 $), et aventures dans les récifs (649 $).

Circuits organisés

Voyager 3 Island Cruise Bateau
(**07-4946 5255 ; www.wiac.com.au ; adulte/enfant 140/80 $**). Expédition avantageuse d'une journée, comprenant snorkeling à Hook Island, plage et baignade à Whitehaven Beach, et découverte de Daydream Island.

Ocean Rafting Vedette rapide
(**07-4946 6848 ; www.oceanrafting.com ; adulte/enfant/famille 120/78/360 $**). Nagez à Whitehaven Beach, admirez les peintures rupestres aborigènes à Nara Inlet et faites du snorkeling parmi les coraux de Mantaray Bay ou Border Island.

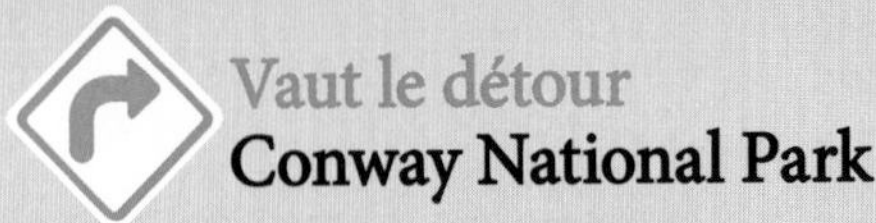

Vaut le détour
Conway National Park

Les sommets de ce parc national et l'archipel des Whitsundays appartiennent à la même chaîne. La montée du niveau de la mer après la dernière glaciation a inondé les vallées les plus basses, ne laissant dépasser que le sommet des montagnes qui sont aujourd'hui des îles.

La route d'Airlie Beach à Shute Harbour traverse le nord du parc. Plusieurs **sentiers de randonnée** commencent près de l'aire de pique-nique et de loisirs. À 1 km de là débute une randonnée de 2,4 km jusqu'au **point de vue Mt Rooper**, d'où l'on peut admirer les îles et le Whitsunday Passage. Plus loin sur la route principale, vers Coral Point (avant Shute Harbour), un sentier de 1 km descend vers **Coral Beach** et le **point de vue The Beak**.

Pour atteindre les magnifiques **Cedar Creek Falls**, quittez la route Proserpine-Airlie Beach pour la Conway Rd, à 18 km au sud-ouest d'Airlie Beach. Il reste ensuite 15 km jusqu'aux chutes, les routes sont bien indiquées.

Où se loger

WATER'S EDGE RESORT Appartements $$$
(07-4948 4300 ; www.watersedgewhitsundays.com.au ; 4 Golden Orchid Dr ; app 1 ch 210-260 $, app 2 ch 275-345 $;). Les ventilateurs de l'entrée ouverte brassent l'air tropical. Dans les chambres, couleurs douces, têtes de lit en rotin et volets séparant le lit de l'espace de vie.

WATERVIEW Appartements $$
(07-4948 1748 ; www.waterviewairliebeach.com.au ; 42 Airlie Cres ; studios/app 1 ch à partir de 135/149 $;). Excellent choix en termes de situation et de confort. Hébergement de charme donnant sur la rue principale, avec vue magnifique sur la baie. Chambres modernes, spacieuses, pourvues de kitchenette.

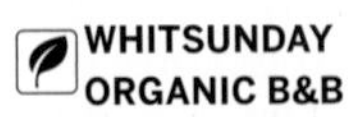

WHITSUNDAY ORGANIC B&B B&B $$$
(07-4946 7151 ; www.whitsundaybb.com.au ; 8 Lamond St ; s/d 155/210 $). Les chambres sont confortables, mais ce sont la promenade dans le jardin et l'excellent petit-déjeuner bio (non-résidents 22,50 $) qui attirent les clients. Massages bien-être, méditation en tipi ou simplement cure de bio.

Où se restaurer

FISH D'VINE Poisson $$
(07-4948 0088 ; 303 Shute Harbour Rd ; plats 10-25 $; déj et dîner). Poisson et rhum, merveilleux mariage ! Ce concept original fait de nombreux adeptes. Très bons plateaux de fruits de mer et 100 rhums différents.

ALAIN'S RESTAURANT Français $$$
(07-4946 5464 ; 44 Coral Esplanade, Cannonvale ; plats 25-35 $; dîner jeu-sam). Restaurant français intime, de qualité, en face de la plage de Cannonvale. Linge blanc, argenterie et chandelles composent une ambiance romantique. Essayez le menu de 6 plats table d'hôte.

WATERLINE Australien moderne $$
(07-4948 1023 ; 1 Shingley Dr ; plats 20-30 $; déj et dîner mer-dim, petit-déj dim). Restaurant de Shingley Beach Resort offrant une vue superbe sur la marina, l'une des meilleures adresses du bord de mer. Cadre tropical et chic. Recommandé pour son service, sa cuisine et sa qualité constante.

Comment s'y rendre et circuler

Les grands aéroports les plus proches se trouvent à Proserpine et sur Hamilton Island. Le petit aéroport des Whitsundays (07-4946 9933) est à 6 km au sud-est de la ville. Voir p. 174 pour plus d'informations sur les vols.

Greyhound Australia (☎13 20 30 ; www.greyhound.com.au) et Premier Motor Service (☎13 34 10 ; www.premierms.com.au) desservent Brisbane (230 $, 19 heures), Mackay (38 $, 2 heures), Townsville (58 $, 4 heures 30) et Cairns (140 $, 11 heures).

South Molle Island

Les amateurs d'oiseaux et de longues plages de sable fin seront comblés par cette île, la plus grande du groupe des Molle (4 km²). Près de 15 km de chemins sillonnent son relief accidenté, dominé par le Mt Jeffreys (198 m). L'ascension du Spion Kop mérite aussi le détour.

L'**Adventure Island Resort** (☎1800 464 444 ; www.koalaadventures.com.au ; dort à partir de 49-100 $, d 180-240 $; ❄@🏊) est loin d'être luxueux. Chambres rudimentaires de type motel, et bungalows en front de mer. Trois nuits minimum.

Daydream Island

Daydream Island n'est pas la plus belle des Whitsunday Islands, mais son emplacement à 1 km seulement de Shute Harbour (15 min de ferry) est particulièrement pratique pour les familles qui ont peu de temps.

Le **Daydream Island Resort & Spa** (☎1800 075 040, 07-4948 8488 ; www.daydreamisland.com ; formule 3 nuits 900-2 500 $; ❄📶🏊), un peu tape-à-l'œil, est bien géré. Le complexe offre cinq catégories de chambres au choix et est entouré de magnifiques jardins tropicaux.

Hook Island

Deuxième plus grande île des Whitsundays avec ses 53 km², Hook Island, dont la majeure partie dépend du parc national, culmine à 450 m à Hook Peak. Ses plages offrent d'agréables expériences de plongée et de snorkeling.

Les plus spartiates optent pour **Hook Island Wilderness Resort** (☎07-4946 9380 ; www.hookislandresort.com ; empl 20 $/pers, d avec/sans sdb 120/100 $; ❄🏊), site usé aux installations rudimentaires pourvu d'un **restaurant** (plats 16-27 $) servant de l'alcool, des fruits de mer, de la viande et des pâtes.

Le casoar, maillon fort de la forêt humide

Le casoar est un oiseau coureur, incapable de voler. Il a la taille d'un homme adulte, possède trois orteils, une tête bleu et violet, des caroncules (excroissances charnues pendant à son cou) rouges, une corne semblable à un casque et un surprenant plumage noir qui s'apparente davantage à une tignasse. Enfin, le casoar australien est connu sous le nom de "casoar du Sud", même si on le rencontre uniquement dans le nord du Queensland.

Le casoar est en voie de disparition. Il reste moins de 1 000 individus, menacés par la réduction de leur habitat et la vulnérabilité des œufs et des poussins face aux chiens et aux cochons sauvages. Un certain nombre d'oiseaux sont également renversés par des voitures : prêtez attention aux panneaux de signalisation indiquant leur présence. Vous aurez une chance d'apercevoir des casoars autour de Mission Beach et à Cape Tribulation, dans le Daintree National Park.

À côté du centre d'information des visiteurs de Mission Beach, le **Wet Tropics Environment Centre** (☎07-4068 7197 ; www.wettropics.gov.au ; Porter Promenade, Mission Beach ; ⏰10h-16h), dont le personnel bénévole vient de la **Community for Cassowary & Coastal Conservation** (C4 ; www.cassowaryconservation.asn.au), propose une exposition sur la protection des casoars. Les bénéfices de la boutique de souvenirs financent leur habitat. Renseignez-vous sur le site www.savethecassowary.org.au.

Whitsunday Island

Whitehaven Beach, sur Whitsunday Island, est une étendue de sable blanc de 7 km bordée de végétation tropicale et d'une mer bleue étincelante. Parfaite pour le snorkeling à son extrémité sud, c'est l'une des plus belles plages d'Australie.

Hamilton Island

Hamilton Island a de quoi surprendre. Très peuplée et urbanisée, elle ressemble davantage à une ville qu'à un lieu de villégiature. Or si son aspect n'invite guère à l'évasion, difficile de ne pas se laisser impressionner par le nombre d'hébergements, de bars, de restaurants et d'activités proposés.

Hamilton Island Resort (☎07-4946 9999 ; www.hamiltonisland.com.au ; d à partir de 314 $;) propose de nombreuses options : bungalows, villas luxueuses, chambres d'hôtel chics et appartements.

Hamilton constitue une agréable excursion à la journée depuis Shute Harbour – une formule permettant de profiter de certaines infrastructures du complexe. Pour des renseignements sur le transport, voir p. 174.

Mission Beach

À moins de 30 km à l'est des plantations de cannes et de bananes de la Bruce Hwy, les hameaux qui composent Mission Beach sont dissimulés par une forêt tropicale classée.

Autour de Mission se déroulent de pittoresques sentiers de randonnée, parfaits pour observer la faune, notamment des casoars – c'est dans la forêt avoisinante que leur population est la plus dense d'Australie (environ 40 individus).

À voir et à faire

Les accros à l'adrénaline viennent à Mission Beach pratiquer des sports extrêmes et nautiques, notamment du rafting sur la Tully River (voir l'encadré p. 181). Et si vous avez votre propre planche, Bingil Bay est l'un des rares endroits du récif où l'on peut **surfer**, grâce à ses petites vagues constantes, autour de 1 m de hauteur.

Les **randonnées** sont magnifiques dans la région. Le centre d'information des visiteurs fournit des guides détaillant les chemins.

Mangrove, Mission Beach

Rafting sur la Tully River

Les vannes et les précipitations assurent toute l'année une eau abondante permettant de profiter de la Tully River. Les expéditions de raft coïncident avec l'ouverture quotidienne des vannes, donnant des rapides de classe 4 dans un paysage tropical.

Les excursions avec **Raging Thunder Adventures** (☎07-4030 7990 ; www.ragingthunder.com.au/rafting.asp ; excursion standard/excursion "xtreme" 185/215 $) ou **R'n'R White Water Rafting** (☎07-4041 9444 ; www.raft.com.au ; excursions 185 $) comprennent un barbecue à midi et le transport depuis Tully ou Mission Beach. Le transfert depuis Cairns et Palm Cove coûte 10 $ de plus (longues heures de bus à prévoir).

Jump the Beach Parachutisme
(☎1800 444 568 ; www.jumpthebeach.com.au ; sauts en tandem 9 000 [2 700 m]/11 000 [3 700 m]/14 000 pieds [4 200 m] 249/310/334 $)

Skydive Mission Beach Parachutisme
(☎1800 800 840 ; www.skydivemissionbeach.com ; sauts tandem 9 000 [2 700 m]/11 000 [3 700 m]/14 000 pieds [4 200 m] 249/310/334 $)

Spirit of the Rainforest Forêt tropicale
(☎07-4088 9161 ; www.echoadventure.com.au ; circuits 4 heures adulte/enfant 80/60 $; mar, jeu et sam). Des guides aborigènes locaux proposent un aperçu unique de la forêt humide autour de Mission Beach.

Coral Sea Kayaking Kayak
(☎07-4068 9154 ; www.coralseakayaking.com ; demi-journée/journée 77/128 $). Vers Dunk Island.

Fishin' Mission Pêche
(☎07-4088 6121 ; www.fishinmission.com.au ; demi-journée/journée 130/190 $). Expédition dans les îles ou les récifs.

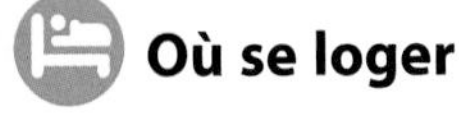

Où se loger

MISSION BEACH ECOVILLAGE Cabins **$$**
(☎07-4068 7534 ; www.ecovillage.com.au ; Clump Point Rd ; d 145-190 $;). Un écovillage avec bananiers, citronniers et chemin qui mène à la plage. Les bungalows les plus chers ont des spas, la piscine est très agréable, tout comme le **restaurant** (plats 19 $; dîner mar-sam).

CASTAWAYS RESORT & SPA Complexe balnéaire **$$$**
(☎1800 079 002 ; www.castaways.com.au ; Pacific Pde ; d 145-185 $, units 1/2 ch 205/295 $;). Les chambres les moins chères n'ont pas de balcon, les autres, les "Coral Sea," ont une terrasse avec banquette. Les *units* sont petits mais on peut profiter des 2 longues piscines, du luxueux **spa** (www.driftspa.com.au) et de l'animation du **bar-restaurant** (plats 12-32 $; petit-déj, déj et dîner).

Sejala on the Beach Cabins **$$$**
(☎07-4088 6699 ; http://missionbeachholidays.com.au/sejala ; 26 Pacific Pde ; d 239 $;). Trois huttes (demandez l'une des deux face à la plage) avec douche tropicale, terrasse avec BBQ et beaucoup de charme.

Où se restaurer

NEW DELI Café, épicerie fine **$**
(shop 1, 47 Porter Promenade ; plats 7,50-15,50 $; 9h30-18h dim-ven ;). Crêpes aux myrtilles, saumon fumé ou bagels au brie pour le petit-déjeuner, et tarte courgette-feta à midi. Ou faites le plein pour un pique-nique gourmand.

SHRUBBERY TAVERNA Poisson **$$**
(David St ; plats 19-36 $; 17h-tard mer, midi-tard jeu-dim). À l'ombre d'un jardin de bambous, dégustez des tapas marines, des crevettes sel et poivre et une soupe de fruits de mer crémeuse. Musique live le vendredi soir et le dimanche après-midi.

Depuis/vers Mission Beach

Les bus **Greyhound Australia** (☎1300 473 946 ; www.greyhound.com.au) et **Premier** (☎13 34 10 ; www.premierms.com.au) s'arrêtent à Wongaling Beach à côté du "casoar géant" ; les tarifs de Greyhound/Premier sont de 21/19 $ adulte/enfant pour Cairns, 46/40 $ pour Townsville. **Sun Palm** (☎07-4087 2900 ; www.sunpalmtransport.com) propose des services quotidiens pour Cairns et l'aéroport de Cairns (49 $), Innisfail et Tully.

Cairns

L'ancienne bourgade, qui vivotait de la culture de la canne à sucre, est aujourd'hui une cité balnéaire internationale.

Pour nombre de visiteurs, cette étape est la dernière du périple le long de la côte est (ou le point de départ de ceux qui arrivent à l'aéroport international de Cairns). La ville abonde en bars et night-clubs, ainsi qu'en hébergements et en restaurants correspondant à toutes les gammes de prix.

À voir

FRONT DE MER ET LAGUNE Baignade, promenade

En l'absence de plage, les amateurs de soleil et de baignade se pressent sur les rives de la splendide **lagune** (⌚6h-22h jeu-mar, 12h-22h mer) aux eaux peu profondes, aménagée sur le front de mer (*foreshore*).

FLECKER BOTANIC GARDENS Jardins botaniques

(www.cairns.qld.gov.au ; Collins Ave, Edge Hill ; ⌚7h30-17h30 lun-ven, 8h30-17h30 sam et dim). Ces superbes jardins tropicaux abritent une végétation luxuriante et des plantes de la forêt humide. Des promenades guidées gratuites partent le mardi et le jeudi à 10h et 13h du **centre d'information** (⌚8h30-17h lun-ven). Sur place également : un excellent **café** (plats 14-19 $; ⌚7h-16h30).

CAIRNS REGIONAL GALLERY Galerie

(www.cairnsregionalgallery.com.au ; angle Abbott et Shields Sts ; adulte/moins de 16 ans 5 $/gratuit ; ⌚10h-17h lun-sam, 13h-17h dim). Installée dans

À gauche Cairns Foreshore Promenade
Ci-dessous Flecker Botanic Gardens

PHOTOGRAPHES : (À GAUCHE) LINDSAY BROWN/LONELY PLANET IMAGES © ; (CI-DESSOUS) RICHARD I'ANSON/LONELY PLANET IMAGES ©

un bâtiment à colonnades de 1936, cette galerie d'art plébiscitée met à l'honneur les artistes de cette région du Nord tropical, et tout particulièrement les artistes locaux et aborigènes.

TJAPUKAI CULTURAL PARK Centre culturel

(☎07-4042 9900 ; www.tjapukai.com.au ; Kamerunga Rd, Smithfield ; adulte/enfant 35/17,50 $; ⌚9h-17h). Prévoyez au moins 3 heures pour profiter pleinement de ce centre culturel aborigène, auquel est intégré le Creation Theatre, où la légende de la Création est narrée au moyen d'hologrammes géants, de performances d'acteurs et de danseurs, et d'une galerie d'exposition. On peut aussi assister à des démonstrations de jet de boomerang et de lance, et partir en canoë sur le lac pour observer des tortues.

REEF TEACH Centre d'interprétation

(☎07-4031 7794 ; http://reefteach.wordpress.com ; 2e ét, Main Street Arcade, 85 Lake St ; adulte/enfant 15/8 $; ⌚conférences 18h30-20h30 mar-sam). Avant de partir pour la Grande Barrière de corail, approfondissez vos connaissances dans cet excellent centre d'interprétation et de documentation, où des experts des fonds marins vous expliqueront comment identifier les différentes espèces de coraux et de poissons, et surtout comment préserver le récif.

Où se loger

FLORIANA GUESTHOUSE Guesthouse $$

(☎07-4051 7886 ; www.florianaguesthouse.com ; 183 The Esplanade ; s 69 $, d 79-120 $; ❄@📶🏊). Tenue par Maggie, musicienne de jazz, cette pension avec parquet ciré et cadre Art déco fait revivre la Cairns d'antan. Le majestueux escalier conduit à 10 chambres à la déco personnalisée, certaines avec bow-windows, d'autres avec balcon.

Cairns

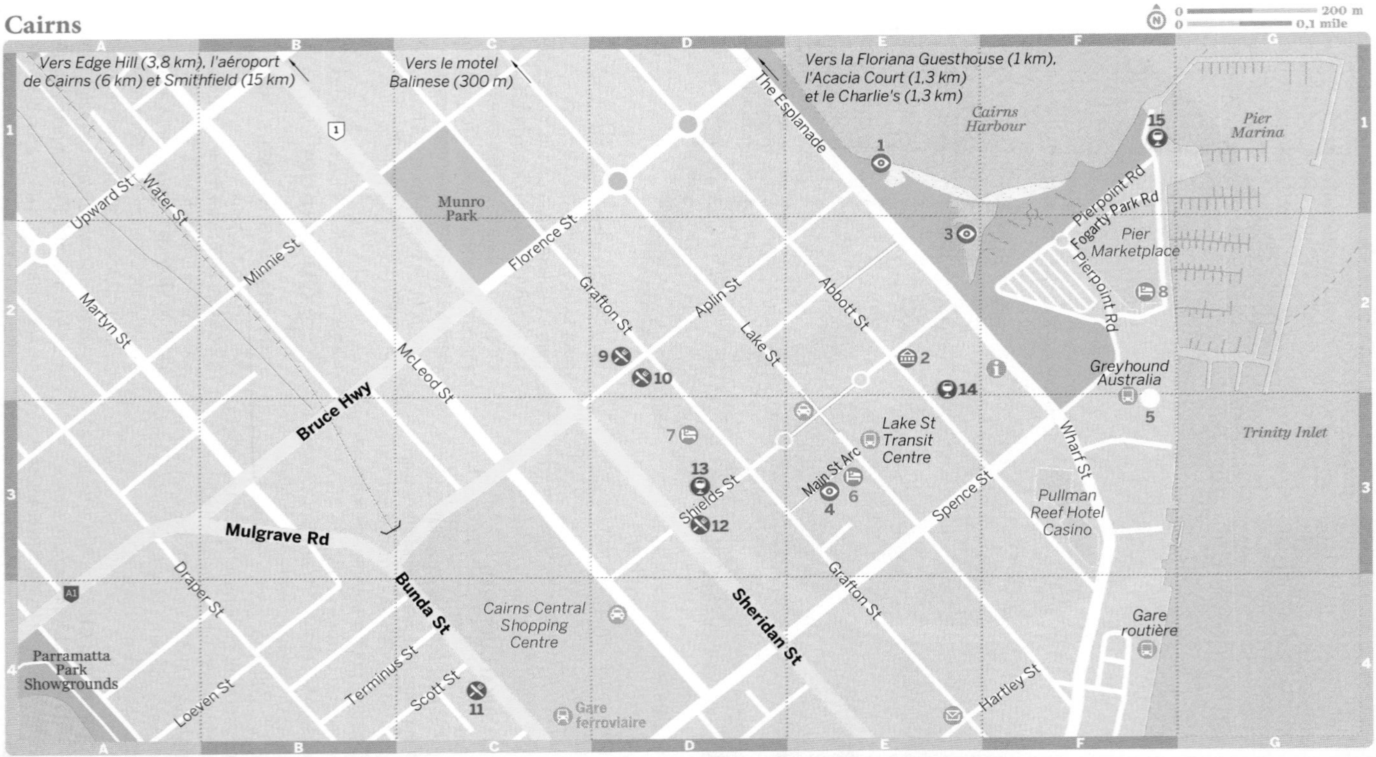

0 — 200 m
0 — 0,1 mile

Vers Edge Hill (3,8 km), l'aéroport de Cairns (6 km) et Smithfield (15 km)

Vers le motel Balinese (300 m)

Vers la Floriana Guesthouse (1 km), l'Acacia Court (1,3 km) et le Charlie's (1,3 km)

Cairns Harbour

Pier Marina

Trinity Inlet

The Esplanade

Pierpoint Rd

Fogarty Park Rd

Pier Marketplace

Greyhound Australia

Wharf St

Pullman Reef Hotel Casino

Gare routière

Hartley St

Spence St

Grafton St

Lake St Transit Centre

Main St Arc

Abbott St

Lake St

Aplin St

Shields St

Sheridan St

Florence St

Munro Park

McLeod St

Bruce Hwy

Mulgrave Rd

Bunda St

Cairns Central Shopping Centre

Gare ferroviaire

Scott St

Terminus St

Draper St

Loeven St

Parramatta Park Showgrounds

Martyn St

Minnie St

Water St

Upward St

1, 2, 3, 4, 5, 6, 7, 8, 9, 10, 11, 12, 13, 14, 15

A1

A, B, C, D, E, F, G

Cairns

À voir

Activités

Où se loger

Où se restaurer

Où prendre un verre

SHANGRI-LA Hôtel **$$$**
(07-4031 1411 ; www.shangri-la.com ; Pierpoint Rd ; ch à partir de 270 $;). Dominant la marina, un cinq-étoiles qui a tout : l'emplacement, la vue, les équipements (salle de sport, bar de piscine, etc.) et un service attentif. Luxueuses chambres "Horizon Club".

REEF PALMS Appartements **$$**
(1800 815 421 ; www.reefpalms.com.au ; 41-7 Digger St ; appt 125-145 $;). Toutes les chambres, dans le style traditionnel du Queensland, sont aménagées pour cuisiner. Les plus grandes ont même un coin salon et une sdb balnéo. Idéal pour les couples et les familles.

NORTHERN GREENHOUSE Auberge de jeunesse **$$**
(1800 000 541 ; www.friendlygroup.com.au ; 117 Grafton St ; dort/lits jum/appt 28/95/120 $;). Ambiance décontractée pour cette sympathique adresse, qui, en plus des dortoirs, loue de jolis appartements de style studio avec cuisine et balcon. La terrasse centrale, la piscine et la salle de jeux sont parfaites pour lier connaissance. Petit-déjeuner et barbecue du dimanche gratuits.

INN CAIRNS Appartements **$$**
(07-4041 2350 ; www.inncairns.com.au ; 71 Lake St ; app 125-188 $;). La façade discrète cache d'authentiques appartements de centre-ville. Prenez l'ascenseur jusqu'à la piscine du 1er étage ou jusqu'au jardin du toit en terrasse pour un apéritif. Les beaux appartements, tout équipés, sont meublés d'objets en verre et en fer forgé.

ACACIA COURT Hôtel **$$**
(1300 850 472 ; www.acaciacourt.com ; 223-227 The Esplanade ; d 120-145 $;). À courte distance à pied de la ville en longeant le "front de mer" dans un grand édifice. Les chambres, avec vue sur la mer ou sur les montagnes, sont d'un excellent rapport qualité/prix. La plupart ont un balcon. Le fameux restaurant buffet Charlie's est au rez-de-chaussée.

BALINESE Motel **$$**
(1800 023 331 ; www.balinese.com.au ; 215 Lake St ; d à partir de 138 $;). Bali rencontre Cairns dans cet établissement aménagé dans des immeubles bas. Ici, on se réveille dans un décor de mobilier en bois au style authentique et d'objets en céramique.

Où se restaurer

OCHRE Australien moderne **$$**
(07-4051 0100 ; www.ochrerestaurant.com.au ; 43 Shields St ; plats 30-36 $; déj lun-ven, dîner tous les soirs ;). Salle ocre et prune pour ce restaurant Mod Oz novateur dont le menu propose des produits du terroir australien (crocodile au poivre, kangourou à la sauce au *quandong*, ou panacotta au myrthe citronné). Assiette dégustation et menu dégustation (6 plats).

GREEN ANT CANTINA Mexicain **$$**
(07-4041 5061 ; www.greenantcantina.com ; 183 Bunda St ; plats 17-40 $; dîner). Cet insolite petit coin de Mexique implanté derrière la gare ferroviaire mérite le détour pour ses *quesadillas*, *enchiladas* et beignets de crevettes tigrées à la pâte parfumée à la Corona. Excellente carte de cocktails.

CHARLIE'S Poisson $$

(223-227 The Esplanade ; buffets 28,50 $; dîner). Sans être très chic, ce restaurant de l'Acacia Court hotel est cependant renommé pour ses buffets de poisson et de fruits de mer à volonté proposés tous les soirs. Emplissez votre assiette de crevettes, d'huîtres ou de plats chauds et allez la déguster sur la terrasse en bord de piscine. Excellents cocktails.

FUSION ORGANICS Café $

(angle Aplin et Grafton Sts ; plats 4-19,50 $; 7h-16h lun-ven, jusqu'à 13h sam ;). Dans un ancien poste d'ambulances en brique rouge datant de 1921. Côté cuisine, les chefs indiens préparent des plats bio non-allergènes tels que *frittatas*, beignets à la farine de maïs et pains garnis. Au petit-déjeuner : gaufres à la farine de sarrasin et jus de fruits "détox" (énergisants).

ADELFIA GREEK TAVERNA Grec $$

(07-4041 1500 ; www.adelfiagreektaverna.com ; angle Aplin et Grafton Sts ; plats 21-30 $; déj ven, dîner mar-dim). Le bris d'assiettes, la musique méditerranéenne, la danse orientale et les copieuses portions d'authentique cuisine grecque font de cette taverne une adresse idéale pour passer une bonne soirée en famille. Téléphonez pour vous renseigner sur les horaires des spectacles.

Où prendre un verre

SALT HOUSE Bar

(www.salthouse.com.au ; 6/2 Pierpoint Rd ; 9h-2h). À côté du nouveau yacht-club de Cairns, le Salt House est devenu un lieu incontournable dès son ouverture, il y a 3 ans. L'établissement compte en fait 2 bars : le luxueux Sailing Bar, évoquant un yacht, avec musique live, et le Deck Bar, d'inspiration balinaise, qui sert de délicieux cocktails et où officient des DJ.

COURT HOUSE HOTEL Pub

(38 Abbott St ; 9h-tard). Aménagé dans l'ancien tribunal de Cairns (1921), d'un blanc étincelant, le pub du Court House abrite un bar sur îlot en bois. Courses de crapauds-buffles le mercredi soir.

12 BAR BLUES Jazz

(62 Shields St ; 19h-tard mar-dim). Concerts intimistes. Le bar vit au rythme du jazz, du blues et du swing, et ouvre ses micros aux compositeurs le jeudi soir, ainsi qu'aux chanteurs amateurs le dimanche soir.

Renseignements

Argent

American Express (63 Lake St). Installé dans les locaux de la banque Westpac.

Travelex (75 Abbott St)

Office du tourisme

Centre d'information des visiteurs de Cairns & Tropical North (www.tropicalaustralia.com.au ; 51 The Esplanade ; 8h30-18h30). Office du tourisme de l'État dispensant des renseignements impartiaux. Réserve au besoin l'hébergement et les circuits organisés.

Services médicaux

Cairns Base Hospital (07-4050 6333 ; The Esplanade). Urgences 24h/24.

Cairns City 24 Hour Medical Centre (07-4052 1119 ; angle Florence St et Grafton St). Médecine générale et subaquatique.

Depuis/vers Cairns

Avion

Qantas (13 13 13 ; www.qantas.com.au ; angle Lake et Shields St), Virgin Australia (13 67 89 ; www.virginaustralia.com) et Jetstar (13 15 38 ; www.jetstar.com.au) relient Cairns à Brisbane, Sydney, Melbourne, Darwin et Townsville.

Bus

Greyhound Australia (1300 473 946 ; www.greyhound.com.au). Assure 4 liaisons quotidiennes jusqu'à Brisbane (310 $, 29 heures) via Townsville (81 $, 6 heures), Airlie Beach (139 $, 11 heures) et Rockhampton (215 $, 18 heures).

Premier (13 34 10 ; www.premierms.com.au). Assure chaque jour 1 liaison avec Brisbane (205 $, 29 heures) via Innisfail (19 $, 1 heure 30), Mission Beach (19 $, 2 heures), Tully (26 $, 2 heures 30), Cardwell (30 $, 3 heures), Townsville (55 $, 5 heures 30) et Airlie Beach (90 $, 10 heures).

CATHY FINCH/LONELY PLANET IMAGES ©

À ne pas manquer Circuits organisés à partir de Cairns

GRANDE BARRIÈRE DE CORAIL

Les excursions incluent généralement le transport, le déjeuner et le matériel de snorkeling. Les agences proposent aussi des formules plongée sous-marine, y compris des cours d'initiation. Les bateaux partent de la Pier Marina et du Reef Fleet Terminal vers 8h, et rentrent à 18h.

Great Adventures Plongée
(☎07-4044 9944 ; www.greatadventures.com.au ; adulte/enfant à partir de 190/95 $). Excursions à la journée en catamaran rapide jusqu'à un ponton flottant, avec étape à Green Island en option (à partir de 210/105 $). Également : engins semi-submersibles et bateau à fond transparent.

Silverswift Plongée
(☎07-4044 9944 ; www.silverseries.com.au ; adulte/enfant à partir de 167,50/125,50 $). Catamaran très prisé emmenant en excursion de snorkeling/plongée sur trois récifs extérieurs.

Sunlover Plongée
(☎07-4050 1333 ; www.sunlover.com.au ; adulte/enfant à partir de 180/65 $). Catamaran rapide menant au ponton du Moore Reef. Aussi : sorties en semi-submersible et plongée avec scaphandre. Familial.

CAPE TRIBULATION ET LA DAINTREE

Après la Grande Barrière de corail, "Cape Trib" est l'excursion à la journée la plus populaire. Elle comprend en principe une croisière sur la Daintree River.

Billy Tea Bush Safaris Circuit écotouristique
(☎07-4032 0077 ; www.billytea.com.au ; excursions 1 jour adulte/enfant 170/120 $). Circuits écotouristiques d'une journée à Cape Trib et sur la piste de 4x4 Bloomfield Track jusqu'à Emmagen Creek.

Cape Trib Connections Excursions
(☎07-4041 7447 ; www.capetribconnections.com ; excursions à la journée 124 $). Mossman Gorge, Cape Tribulation Beach et Port Douglas. Propose aussi des circuits nuit comprise.

Tropical Horizons Tours Excursions
(☎07-4035 6445 ; www.tropicalhorizonstours.com.au ; excursions d'une journée à partir de 161 $). Excursions d'une journée à Cape Trib et sur la Daintree ; propose aussi des circuits nuit comprise.

Si vous aimez… Les récifs coralliens

Si vous aimez les récifs coralliens, vous devriez aimer ces autres sites de plongée du Nord tropical au large de Cairns :

1 **HERON ISLAND**
Cette île corallienne délicate et tranquille est entourée d'une grande étendue de récifs. Il suffit de faire quelques pas dans l'eau pour se trouver parmi une nuée de poissons multicolores.

2 **LADY ELLIOT ISLAND**
L'île corallienne la plus méridionale de la Grande Barrière compte 19 sites de plongée très réputés. Difficile de savoir par où commencer.

3 **LIZARD ISLAND**
Isolée et accidentée, Lizard Island abrite les sites de plongée les plus renommés d'Australie : Code Hole, célèbre pour ses "mérous-patates" géants et dociles, et Pixie Bommie.

4 **SS YONGALA**
Considéré comme l'une des plus belles épaves d'Australie, ce site, accessible via Townsville, fourmille de vie aquatique.

John's Kuranda Bus (☎0418-772 953). Circule entre Cairns et Kuranda 2 à 5 fois/jour (4 $, 30 min). Départ du Lake Street Transit Centre.

Sun Palm (☎07-4087 2900 ; **www.sunpalmtransport.com**). Assure 2 liaisons vers le nord de Cairns à Cape Tribulation (78 $, 3 heures) via Port Douglas (35 $, 1 heure 30) et Mossman (40 $, 1 heure 45). Liaisons directes à destination de Port Douglas et jusqu'à Mission Beach (49 $, 2 heures).

Train

Le *Sunlander* part de la gare ferroviaire **(Bunda St)** de Cairns les mardis, jeudis et samedis à destination de Brisbane (aller à partir de 219 $, 31 heures 30). Le Scenic Railway (p. 190) circule tous les jours depuis/vers Kuranda. Contactez Queensland Rail (☎**1800 872 467 ; www.traveltrain.com.au**).

Voiture et moto

Les grandes agences de location sont représentées à Cairns et à l'aéroport. Nombreuses agences (voiture et camping-car) à bas coût dans la ville.

Comment circuler

Depuis/vers l'aéroport

L'aéroport est à 7 km au nord de Cairns. Nombre d'hébergements proposent le transfert gratuit. La navette Sun Palm (☎**07-4087 2900 ; www.sunpalmtransport.com**) part de l'aéroport et se rend dans le CBD (adulte/enfant 10/5 $). On peut réserver son transport depuis/vers les plages au nord de Cairns (18 $), Palm Cove (18 $), Port Douglas (35 $), Mossman (45 $) et Cape Tribulation (78 $, 2 liaisons/j). Les Black & White Taxis (☎**13 10 08**) facturent environ 26 $.

Bus

Sunbus (☎**07-4057 7411 ; www.sunbus.com.au**) dessert Cairns et ses environs au départ du Lake Street Transit Centre (horaires affichés).

Taxi

Black & White Taxis (☎**13 10 08**). Possède une station près de l'angle de Lake St et Shields St, et une autre dans McLeod St, devant le Cairns Central Shopping Centre.

Îles au large de Cairns

Green Island, Fitzroy Island et les Frankland Islands peuvent aisément faire l'objet d'une escapade à la journée depuis Cairns. Au programme : soleil, snorkeling et détente.

Green Island

Cette superbe île corallienne, à seulement 45 min de Cairns, possède des sentiers balisés avec panneaux explicatifs, une plage de sable blanc et des sites de snorkeling. Tour de l'île à pied en 30 min environ.

Great Adventures (☎**07-4044 9944 ; www.greatadventures.com.au ; 1 Spence St, Cairns ; adulte/enfant 75/37,50 $**) et **Big Cat** (☎**07-4051 0444 ; www.greenisland.com.au ; adulte/enfant à partir de 75/37,50 $**) organisent des excursions à la journée. Circuits en bateau à fond transparent ou à bord de semi-submersibles.

Sinon, gagnez l'île à bord de l'**Ocean Free** (07-4052 1111 ; www.oceanfree.com.au ; adulte/enfant à partir de 135/90 $), passez une bonne partie de la journée au large au Pinnacle Reef, et faites une étape sur l'île.

Fitzroy Island

Montagne escarpée surgissant de la mer, l'île de Fitzroy comporte des plages couvertes de corail, des forêts, des sentiers de promenade, et le dernier phare australien à fonctionner grâce à du personnel résident. Le site de snorkeling le plus couru est celui des rochers de **Nudey Beach** (à 1,2 km du complexe hôtelier).

Raging Thunder (07-4030 7900 ; www.ragingthunder.com.au ; adulte/enfant 42/21 $) Reef Fleet Terminal, Cairns ; adulte/enfant 58/31,50 $) organise une excursion à la journée par jour depuis Cairns (départ à 8h30).

Frankland Islands

Si vous caressez l'idée de vivre sur une île inhabitée (elles sont au nombre de cinq) bordée de récifs coralliens, de profiter de belles possibilités de snorkeling et de splendides plages de sable blanc, cap sur le Frankland Group National Park.

Frankland Islands Cruise & Dive (07-4031 6300 ; www.franklandislands.com.au ; adulte/enfant à partir de 136/84 $) organise d'excellentes excursions à la journée, incluant une croisière sur la Mulgrave River, le matériel de snorkeling et le déjeuner.

FORÊT HUMIDE DE DAINTREE

Atherton Tableland

Chutes d'eau, pâturages verdoyants et étendues de forêt humide composent les paysages de ce haut plateau, dont les zones limitrophes sont arides et évoquent l'outback. Si les touristes sillonnent la région en voiture, le cyclotourisme a aussi la cote. Prenez votre temps afin de profiter des cascades qui jalonnent le chemin et des boutiques de produits régionaux.

Le Daintree National Park

Avant que ce parc national ne protège la **forêt humide de Daintree** (Daintree Rainforest), ce territoire fut l'objet de bien des controverses. En 1983, malgré les oppositions, une piste – le Bloomfield Track – fut tracée au bulldozer entre Cape Tribulation et la Bloomfield River, traversant une forêt humide fragilisée, dont le sort émut le monde entier, ainsi que le gouvernement fédéral australien. Malgré la résistance de l'industrie forestière et du gouvernement du Queensland, la région fut inscrite au patrimoine mondial en 1988 et l'exploitation du bois interdite.

Le classement au patrimoine mondial n'a toutefois aucun impact sur les droits d'accès à la propriété foncière. Aussi, depuis les années 1990, le gouvernement du Queensland et les agences de protection de l'environnement œuvrent pour racheter et réhabiliter ces propriétés, les inclure dans le parc et mettre en place des centres d'interprétation destinés aux visiteurs. Pour plus de renseignements, consultez le site Internet de **Rainforest Rescue** (www.rainforestrescue.org.au).

BIODIVERSITÉ

À l'extrême nord du Queensland, la zone des Wet Tropics, classée au patrimoine mondial de l'Unesco, recèle d'étonnantes poches de biodiversité. Elle s'étend de Townsville à Cooktown, du littoral à l'arrière-pays, couvrant 894 420 ha de marais, de mangrove, de bois d'eucalyptus et de forêt tropicale humide. Elle ne représente que 0,01% de la surface de l'Australie, mais elle abrite 36% de l'ensemble des mammifères, 50% des espèces aviaires, environ 60% des espèces de papillons et 65% des espèces de fougères.

Comment s'y rendre et circuler

Trans North (☎07-4095 8644 ; www.transnorthbus.com) assure régulièrement la liaison en bus entre Cairns et le plateau (*tableland*). Les bus partent du n°46 Spence St, et vont à Kuranda (8 $, 45 min), Mareeba (16,80 $, 1 heure), Atherton (22 $, 1 heure 45), Herberton (28 $, 2 heures, 3/sem). **John's Kuranda Bus** (☎0418 772 953 ; www.kuranda.org) assure la liaison entre Cairns et Kuranda 2 à 5 fois/jour (4 $, 20 min).

Kuranda

Depuis Cairns, on peut se rendre facilement à Kuranda en petit train, en téléphérique ou en bus. Ce village niché dans un splendide paysage de forêt humide se résume à une sorte de grand marché où l'on trouve aussi bien des objets "aborigènes" fabriqués en Chine que de l'huile d'émeu. Une journée de visite suffit en général.

Kuranda Riverboat (☎07-4093 7476 ; adulte/enfant 14/7 $; ttes les heures 10h30-14h30). Installée derrière la gare, cette agence organise des balades de 45 min sur la paisible Barron River.

Le **Australian Butterfly Sanctuary** (☎07-4093 7575 ; www.australianbutterflies.com ; 8 Rob Veivers Dr ; adulte/enfant 16/8 $; 10h-16h) propose des visites de 30 min dans une volière de papillons ou rendez-vous à côté, au **Birdworld** (☎07-4093 9188 ; www.birdworldkuranda.com ; Heritage Markets ; adulte/enfant 16/8 $; 9h-16h), qui abrite 75 espèces d'oiseaux.

Depuis/vers Kuranda

TransNorth (☎07-4095 8644 ; www.transnorthbus.com; 46 Spense St) assure 5 liaisons en bus quotidiennes pour Kuranda (8 $, 45 min).

Le **Kuranda Scenic Railway** (☎07-4036 9333 ; www.ksr.com.au) serpente sur 34 km de Cairns à Kuranda à travers un paysage pittoresque de montagnes et franchit au passage 15 tunnels. Le trajet dure 1 heure 45 et les trains partent de Cairns tous les jours à 8h30 et 9h30, et repartent de la jolie gare de Kuranda, dans Arara St, à 14h et 15h30.

Le **Skyrail Rainforest Cableway** (☎07-4038 1555 ; www.skyrail.com.au ; adulte/enfant aller simple 42/21 $, aller-retour 61/30.50 $; 9h-17h15) est l'un des plus longs téléphériques au monde. Il part du croisement de Kemerunga Rd et de la Cook Hwy, à Smithfield, la banlieue nord de Cairns (15 min de route au nord de Cairns) et rejoint Kuranda (Arara St) en 1 heure 30. Le dernier départ de Cairns et Kuranda a lieu à 15h30 ; transferts depuis/vers le terminal. Aussi, possibilités de trajets combinés Scenic Railway et Skyrail.

Mareeba

Centrée sur l'élevage de bétail, les fabriques de café et de sucre, Mareeba est essentiellement un centre administratif et une ville d'approvisionnement pour le nord du Tableland et certains secteurs de la péninsule du cap York.

Les marchés de Kuranda

Les Kuranda Original Rainsforest Markets (www.kurandaoriginalrainforestmarket.com.au ; Therwine St ; 9h-15h), marchés dotés de promenades en bois rénovées installées en terrasse dans la forêt humide, et d'où s'élève l'odeur des bâtonnets d'encens, ont ouvert en 1978. Ils demeurent le meilleur endroit pour voir des artisans à l'œuvre (tels que des souffleurs de verre), acheter des articles en chanvre, et goûter à des produits locaux comme le miel et le vin de fruits.

En face des Original Markets, l'Heritage Markets déborde de souvenirs et d'objets artisanaux tels que céramiques, huile d'émeu, bijoux, vêtements (beaucoup de tissus teintés au nœud) et figurines fabriquées avec des pistaches. Le **New Kuranda Markets** (www.kuranda.org ; 21-23 Coondoo St ; 9h-16h) est le premier marché que l'on croise en remontant depuis la gare ferroviaire ; c'est un ensemble ordinaire d'échoppes, sans plus.

Kuranda Scenic Railway

RICHARD I'ANSON/LONELY PLANET IMAGES ©

Le **Mareeba Heritage Museum & Tourist Information Centre** (☎07-4092 5674 ; www.mareebaheritagecentre.com.au ; Centenary Park, 345 Byrnes St ; entrée libre ; ⌚8h-16h), un musée du Patrimoine doublé d'un centre d'information, présente des expositions sur l'environnement de la région et sur ses activités industrielles.

Les **Mareeba Wetlands** (☎1800 788 755 ; www.jabirusafarilodge.com.au ; adulte/enfant 12/6 $; ⌚9h-16h30 avr-jan), réserve de 20 km^2 englobant des forêts, des prairies, des marais et la vaste Clancy's Lagoon, plairont aux amateurs d'ornithologie. Un nombre impressionnant d'espèces d'oiseaux se rassemble ici, et l'on croise parfois des kangourous et des crocodiles d'eau douce. Les marais sont sillonnés par plus de 12 km de sentiers. Divers circuits safari (à partir de 38 $) ont lieu en semaine, mais l'on peut aussi participer à une écocroisière de 30 min (adulte/enfant 15/7,50 $) ou pagayer à bord d'un canoë (15 $ l'heure).

Port Douglas

Port Douglas (ou "Port" tout court) est le lieu de villégiature luxueux du nord du Queensland. Ceux qui cherchent à fuir l'animation touristique de Cairns apprécieront le caractère plus sophistiqué et intime de Port Douglas. Cette localité est aussi toute proche d'une superbe plage de sable blanc, et la Grande Barrière de corail se trouve à moins d'une heure du rivage.

À voir et à faire

Sable et palmiers s'étendent à perte de vue le long de Four Mile Beach – rendez-vous au **Flagstaff Hill Lookout** pour un merveilleux panorama.

À l'embranchement de la Cooktown Hwy, **Wildlife Habitat Port Douglas** (☎07-4099 3235 ; www.wildlifehabitat.com.au ; Port Douglas Rd ; adulte/enfant 30/15 $; ⌚8h-17h) garde des animaux endémiques dans des enclos ressemblant à leur habitat naturel. On y voit notamment des koalas, des casoars, des jabirus d'Asie, des crocodiles et des kangourous arboricoles.

Le dimanche, la bande herbeuse d'Anzac Park est investie par les **Port Douglas Markets** (en bas de Macrossan St ; ⌚8h-13h30 dim). Les étals vendent des objets d'art, d'artisanat, des bijoux, des fruits tropicaux de production locale, des glaces, du lait de coco et des plats chauds.

La Cuppa, une fabrication artisanale

Tous les ingrédients nécessaires à la confection de la Cuppa (café, thé, lait et sucre) sont produits dans les environs d'Atherton Tableland.

La culture du café est importante dans la région ; voici une sélection de producteurs proposant une visite de leur plantation :

Jacques Coffee Plantation (07-4093 3284 ; www.jaquescoffee.com ; 232 Leotta Rd ; circuits adulte/enfant 15/8 $; 9h-17h). Faites le tour de la plantation dans une "machine à grains" et dégustez la liqueur de café. Indiqué sur la Kennedy Hwy, à 8 km à l'est de Mareeba.

North Queensland Gold Coffee Plantation (07-4093 2269 ; www.nqgoldcoffee.com.au ; Dimbulah Hwy ; circuits 5 $; 8h-17h). Bruno Maloberti assure en personne une visite divertissante de la plantation familiale. Goûtez ses grains de café enrobés de chocolat noir. Situé à 10,2 km au sud-ouest de Mareeba.

Skybury Coffee Plantation (07-4093 2190 ; www.skybury.com.au ; Dimbulah Hwy ; adulte/enfant 23,75/11,90 $; circuits 10h30, 11h45 et 14h15). Un peu tape-à-l'œil. Les circuits incluent la projection d'un film et une dégustation. Restaurant sur place. Situé à 9 km à l'ouest de Mareeba.

Circuits organisés

Croisières vers les Low Isles

Plusieurs croisières partent vers les Low Isles, un îlot corallien entouré d'un lagon, où se dresse un phare. Parmi les activités : snorkeling et observation des nids de tortues.

Reef Sprinter Récif
(07-4099 3175 ; www.reefsprinter.com.au ; adulte/enfant 100/80 $). Trajet ultrarapide de 15 min jusqu'aux Low Isles pour du snorkeling, rapide également (et sans mal de mer !).

Sailaway Voile
(07-4099 4772 ; www.sailawayportdouglas.com ; adulte/enfant 191/121 $). Sortie voile et snorkeling très appréciée (27 passagers maximum) jusqu'aux Low Isles, l'idéal pour les familles. Propose aussi des balades de 1 heure 30 au crépuscule (50 $ lun-ven) au large de Port Douglas.

Excursions sur la Grande Barrière

Les circuits comprennent généralement 2 à 3 arrêts sur les récifs, entre autres St Crispins Reef, Agincourt Reef, Chinaman Reef et Tongue Reef. Les tarifs indiqués ici comprennent les taxes de récif, le matériel de snorkeling, l'aller-retour depuis votre hébergement, le déjeuner et les boissons.

Calypso Récif
(07-4099 6999 ; www.calypsocharters.com.au ; adulte/enfant 195,50/140,50 $). Grand catamaran se rendant sur 3 récifs extérieurs.

Haba Récif
(07-4098 5000 ; www.habadive.com.au ; Marina Mirage ; adulte/enfant 180,50/104,50 $). Club de plongée réputé et établi de longue date. Également : circuits de 25 min en bateau à fond transparent (16/8 $ par adulte/enfant).

Poseidon Récif
(07-4099 4772 ; www.poseidon-cruises.com.au ; adulte/enfant 195,50/135,50 $). Catamaran de luxe appartenant à une sympathique famille qui effectue des sorties sur l'Agincourt Reef.

Silversonic Récif
(07-4087 2100 ; www.silverseries.com.au ; adulte/enfant 180,50/129,50 $). Excursions tranquilles jusqu'à l'Agincourt Reef.

Wavelength Récif
(07-4099 5031 ; www.wavelength.com.au ; adulte/enfant 200/150 $). Snorkeling sur 3 récifs extérieurs avec un biologiste ; 30 pers maximum.

Autres circuits

BTS Tours Excursions, tourisme
(07-4099 5665 ; www.btstours.com.au ; adulte/enfant 154/110 $). Circuits dans la Daintree Rainforest et à Cape Trib, avec balade en canoë.

Reef & Rainforest Connections Excursions, tourisme
(07-4099 5333 ; www.reefandrainforest.com.au ; adulte/enfant à partir de 163/105 $). Choix de circuits écotouristiques à la journée, notamment à Cape Trib et aux Bloomfield Falls, à Kuranda et dans la Mossman Gorge.

Où se loger

PINK FLAMINGO Complexe hôtelier de charme $$
(07-4099 6622 ; www.pinkflamingo.com.au ; 115 Davidson St ; ch 125-195 $;). Ses chambres peintes de flamboyants fuchsia, pourpre et orange ouvrant sur des cours privées entourées de murs (avec hamacs, baignoire et douches extérieures) et la boule à facettes du bar en plein air font du Pink Flamingo l'adresse la plus branchée de Port Douglas. Au programme également : projections de films sous les palmiers, salle de sport ou location de vélo pour un tour en ville. Gérance et propriétaires gays, et établissement ouvert à tous (sauf aux enfants).

HIBISCUS GARDENS Complexe hôtelier $$$
(1800 995 995 ; www.hibiscusportdouglas.com.au ; 22 Owen St ; d à partir de 205 $;). Ses influences balinaises (mobilier et accessoires en teck, portes accordéon, persiennes intérieures et, çà et là, un bouddha) confèrent à cet élégant établissement son ambiance exotique. Le spa, spécialisé dans les techniques de soin et produits aborigènes, est réputé être la meilleure adresse de la ville où se faire dorloter.

BY THE SEA PORT DOUGLAS Appartements $$
(07-4099 5387 ; www.bytheseaportdouglas.com.au ; 72 Macrossan St ; d à partir de 175 $;). Proches de la plage et du centre-ville, les 12 chambres tout équipées de l'établissement sont réparties sur 3 niveaux – dans celles des niveaux supérieurs, on aperçoit la plage à travers les palmiers. Les chambres rénovées le sont dans des tons neutres rehaussés de touches de couleur éclatantes.

Port Douglas Motel Motel $
(07-4099 5248 ; www.portdouglasmotel.com ; 9 Davidson St ; d 96 $;). Pas de vue mais des chambres pimpantes et un excellent emplacement.

Port o' Call Lodge Auberge de jeunesse $
(07-4099 5422 ; www.portocall.com.au ; angle Port St et Craven Cl ; dort 35 $, d 99-119 $;). Cette sobre auberge de jeunesse affiliée à YHA, et alimentée en énergie solaire et éolienne, est dotée d'un bistrot d'un bon rapport qualité/prix.

Low Isles

Port Douglas Retreat Appartements **$$**
(☎07-4099 5053 ; www.portdouglasretreat.com.au ; 31-33 Mowbray St ; d 149-179 $; ❄📶🏊). Cet édifice traditionnel de style Queenslander abrite 36 appartements. Allongez-vous sur un transat sur la vaste terrasse en bois qui entoure la piscine frangée de palmiers.

Où se restaurer

BEACH SHACK Australien moderne **$$**
(☎07-4099 1100 ; www.the-beach-shack.com.au ; 29 Barrier St, Four Mile Beach ; plats 21-29,50 $; 🕒dîner ; 🌶). Adresse Mod Oz servant de délicieuses aubergines aux noix de macadamia (avec légumes grillés, fromage de chèvre et roquette sauvage). Ce restaurant sur le sable éclairé de lanternes se situe à l'extrémité sud de Four Mile Beach. Bons poissons de récifs, aloyau et spécialités du jour.

ZINC Australien moderne **$$**
(☎07-4099 6260 ; www.zincportdouglas.com ; 53-61 Macrossan St ; plats 25-34 $; 🕒7h-24h). Plus de 70 vins différents (dont 40 au verre) et 110 alcools et liqueurs. Les plats sautés sont accompagnés d'une purée de patates douces à la pomme et à la vanille et de noix de cajou caramélisées. Immense aquarium.

ON THE INLET Poisson **$$**
(☎07-4099 5255 ; www.portdouglasseafood.com ; 3 Inlet St ; plats 22-39,50 $; 🕒déj et dîner). Dans ce restaurant s'avançant au-dessus de Dickson Inlet, vous dînerez sur une immense terrasse. Profitez de la formule "crevettes et boisson" à 18 $ entre 15h30 et 17h30, ou choisissez vous-même vos langouste et crabes de vase dans l'aquarium. Excellent service et atmosphère sympathique.

RE:HAB Café, galerie **$**
(www.beijaflordesign.com.au ; 7/42 Macrossan St ; 🕒8h-18h ; @📶). La préparation du café est un art dans cet établissement décontracté. Des motifs sont esquissés dans la mousse du café fraîchement torréfié. Gâteaux maison, muffins et feuilletés, et une petite cour zen à l'arrière.

À gauche Iron Bar **Ci-dessous** Zinc
PHOTOGRAPHES : (À GAUCHE) PAUL DYMOND/LONELY PLANET IMAGES © ; (CI-DESSOUS) © PAUL DYMOND / ALAMY

Où prendre un verre

TIN SHED Club (alcool servi)
(www.thetinshed-portdouglas.com.au ; 7 Ashford Ave). Une véritable affaire et l'une des adresses favorites des habitants. Dîner sur le front de mer pour un prix raisonnable – les boissons sont elles aussi bon marché : inscrivez-vous et faites la queue avant de vous installer à l'une des tables en terrasse donnant sur la rivière ou sur la mer.

IRON BAR Pub
(5 Macrossan St). Les éléments de déco sur le thème des baraques de tondeurs ne détonnent jamais au Queensland. L'ensemble a plutôt bonne tenue (métal rustique et vieux bois), et même le mobilier extérieur est en bois vieilli. Après avoir terminé votre faux-filet Don Bradman (les plats de viande portent le nom d'Australiens célèbres), rendez-vous à l'étage pour assister à la course de crapauds-buffles (5 $).

Renseignements

Le centre d'information des visiteurs de Port Douglas (**07-4099 5599 ; www.tourismportdouglas.com.au ; 23 Macrossan St ; 8h-18h30**) fournit des cartes et peut vous aider à réserver une excursion.

Depuis/vers Port Douglas

Pour plus d'informations sur les moyens de transport depuis/vers Cairns, reportez-vous p. 186.

Coral Reef Coaches (**07-4098 2800 ; www.coralreefcoaches.com.au**) relie Port Douglas à Cairns (36 $, 1 heure 15), via l'aéroport de Cairns et Palm Cove.

Sun Palm (**07-4087 2900 ; www.sunpalmtransport.com**) assure de fréquentes liaisons quotidiennes entre Port Douglas et Cairns (35 $, 1 heure 30) via les plages au nord de Cairns et l'aéroport, et remonte la côte jusqu'à Mossman (10 $, 20 min), Daintree Village et le ferry (20 $, 1 heure), ainsi que Cape Tribulation (48 $, 3 heures).

Vaut le détour
Lizard Island

Les spectaculaires îles de l'archipel de Lizard sont rassemblées à 27 km de la côte, elle-même à environ 100 km de Cooktown. Jigurru (Lizard Island), site sacré pour les Aborigènes dingaal, offre un terrain rocailleux et montagneux propice à des randonnées. Elle possède de superbes plages de sable blanc idéales pour se baigner, et elle est bordée d'un récif où faire du snorkeling et de la plongée.

Il existe de beaux sites de plongée tout près de l'île, et la Grande Barrière de corail extérieure est à moins de 20 km. On y trouve deux des sites de plongée les plus connus d'Australie : Cod Hole et Pixie Bommie.

De merveilleuses promenades, comme celle qui monte au **Cook's Look** (368 m), permettent de passer rapidement de l'humidité de la mangrove et de la forêt à des paysages arides et rocailleux.

Le **Lizard Island Resort** (1300 863 248 ; www.lizardisland.com.au ; Anchor Bay ; d à partir de 1 700 $;) a de luxueuses villas, un spa et un restaurant haut de gamme. Choix complet d'activités. Les enfants ne sont pas admis.

Réservez par l'intermédiaire du complexe hôtelier pour tous les transferts aériens depuis/vers Cairns (aller-retour 530 $). **Daintree Air Services** (1800 246 206 ; www.daintreeair.com.au) organise des circuits d'une journée complète depuis Cairns ; départ à 8h (690 $). Le circuit comprend le déjeuner, le matériel de snorkeling, le transport et un guide.

Airport Connections (07-4099 5950 ; www.tnqshuttle.com ; 3h20-17h20) fait circuler une navette (36 $, ttes les heures) entre Port Douglas, les plages au nord de Cairns et l'aéroport de Cairns, qui poursuit jusqu'au CBD de Cairns.

Comment circuler

Bus

Sun Palm (07-4087 2900 ; www.sunpalmtransport.com ; 7h-24h) décrit une boucle ininterrompue toutes les 30 min de Wildlife Habitat Port Douglas à la Marina Mirage, avec arrêts réguliers en route. Hélez le chauffeur aux arrêts.

Voiture et moto

Port Douglas compte nombre de petites agences indépendantes de location de voiture ainsi que des guichets de grandes chaînes internationales. Comptez environ 65 $/jour pour une petite voiture, et 130 $/jour pour un 4x4, assurance en sus.

Latitude 16 (07-4099 4999 ; www.latitude16.com.au ; 54 Macrossan St). Loue aussi des Mokes ouverts sur les côtés (à partir de 49 $/j).

Thrifty (07-4099 5555 ; www.thrifty.com.au ; 50 Macrossan St)

Daintree Village

En dépit de son emplacement au beau milieu de la forêt humide, le **Daintree Village** n'est pas une localité particulièrement arborée. Les fermes d'élevage établies près de la Daintree River occupent même des terrains complètement dégagés. La plupart des voyageurs viennent pour observer les crocodiles, que de nombreux petits prestataires emmènent voir en bateau.

Bruce Belcher's Daintree River Cruises Croisières fluviales
(07-4098 7717 ; www.daintreerivercruises.com ; croisières 1 heure adulte/enfant 25/10 $). Croisières d'une heure sur un bateau couvert.

Crocodile Express Croisières fluviales
(07-4098 6120 ; www.daintreeconnection.com.au ; Daintree Village ; croisières 1 heure adulte/enfant 25/13 $; à partir de 8h30, tlj). Le tour-opérateur historique de croisières sur la Daintree River.

Daintree River Experience Observation des oiseaux (☎07-4098 7480 ; www.daintreecruises.com.au ; croisières de 2 heures adulte/enfant 50/35 $). De paisibles circuits au lever et au coucher du soleil sur un bateau, à la découverte des oiseaux.

Où se loger et se restaurer

DAINTREE ECO LODGE & SPA Hôtel de charme $$$ (☎07-4098 6100 ; www.daintree-ecolodge.com.au ; 20 Daintree Rd ; s/d à partir de 550/598 $;). Les 15 "banyans" (cabanes dans les arbres ; 10 avec spa privé) sont haut perchés dans la canopée, à quelques kilomètres au sud de Daintree Village. Même le spa est soucieux d'écologie, et possède une gamme de produits et de soins bio d'inspiration aborigène. Les non-résidents sont les bienvenus dans le superbe **Julaymba Restaurant** (plats 29-32 $; petit-déj, déj et dîner), où l'on cuisine avec des produits locaux tels que baies, noix, feuilles et fleurs. Goûtez absolument au cocktail Flaming Green Ant (à base de fourmis vertes pilées !).

RED MILL HOUSE B&B $$$ (☎07-4098 6233 ; www.redmillhouse.com.au ; 11 Stewart St ; s/d 160/200 $;). Les passionnés d'ornithologie vont plébisciter le Red Mill. La grande véranda donnant sur la forêt humide est l'endroit rêvé pour observer les animaux. Il y a 4 chambres bien aménagées, un grand salon-bibliothèque commun, et un hébergement familial de 2 chambres (à partir de 260 $). Promenades guidées d'observation des oiseaux à la demande.

Daintree Escape Cabins $$ (☎07-4098 6021 ; www.daintreeescape.com.au ; 17 Stewart St ; d 175 $;). Ravissantes *cabins* au milieu de jardins herbeux à courte distance à pied du village.

Cape Tribulation

Ce petit coin de paradis conserve une atmosphère de bout du monde avec ses édifices sobres, ses panneaux invitant à faire attention aux casoars qui traversent la route ou, plus effrayant, aux crocodiles : du coup, les balades sur la plage sont une vraie aventure.

La forêt humide descend jusqu'à deux magnifiques plages de sable blanc – Myall et Cape Trib – séparées par un cap accidenté.

Ocean Safari (☎07-4098 0006 ; www.oceansafari.com.au ; adulte/enfant 108/69 $; 9h et 13h) emmène des petits groupes de personnes (25 pers maximum) en croisière de snorkeling sur la Grande Barrière de corail, à seulement une demi-heure du rivage.

Jungle Surfing (☎07-4098 0043 ; www.junglesurfing.com.au ; 90 $) permet de faire un parcours en tyrolienne dans la canopée, avec un arrêt à cinq plateformes. Les circuits partent de la Cape Tribulation Pharmacy (à côté du supermarché IGA).

Circuits organisés

Cape Trib Horse Rides Équitation (☎1800 111 124 ; 95 $/pers ; 8h et 13h30). Promenades tranquilles le long de la plage.

Cape Tribulation Kayak Kayak (☎07-4098 0077 ; www.capetribcamping.com.au ; sorties 2 heures 60 $). Circuits guidés en kayak et location de kayak (kayak simple/double 20/30 $ l'heure).

Mason's Tours Randonnée, 4x4 (☎07-4098 0070 ; www.masonstours.com.au ; Mason's Store, Cape Tribulation Rd). Des sentiers interprétatifs de 2 heures (adulte/enfant 49/40 $) ou d'une demi-journée (70/55 $), et une marche nocturne d'observation des crocodiles (49 $). Propose également des circuits en 4x4 sur la Bloomfield Track (à partir de 135/114 $).

Depuis/vers Cape Tribulation

Des bus **Sun Palm** (☎07-4087 2900 ; www.sunpalmtransport.com) circulent tous les jours entre la ville de Cairns et Cape Tribulation (adulte/enfant 78/39 $, 3 heures 30). Départ de Cairns à 7h et 13h.

Melbourne et la Great Ocean Road

Melbourne, deuxième ville d'Australie, est le grand centre urbain de l'État du Victoria et le centre artistique du pays. Ici, les accros de culture et les gastronomes se régalent d'art, de musique, de théâtre, de cinéma... et de cuisine. Les meilleurs cafés expresso d'Australie vous attendent et il y a toujours un concert, un vernissage ou une installation urbaine originale quelque part. Melbourne a beau être une grande ville, elle conserve un fort esprit de quartier, symbolisé par la féroce rivalité entre les fans d'Australian Rules (*footy*).

Plus au sud, l'extraordinaire Great Ocean Road, l'une des plus belles routes panoramiques au monde, se fraie un chemin à travers un paysage de criques, de falaises et de plages battues par les vagues, où se succèdent petites cités côtières et parcs nationaux luxuriants. Au sud, la pointe la plus méridionale du pays abrite un splendide parc côtier – le Wilsons Promontory National Park –, offrant d'immenses étendues de bush et des plages de sable blanc.

Street art, Hosier Lane (p. 203), Melbourne

Tram historique de classe W, Melbourne

Melbourne et la Great Ocean Road

0 50 km
0 25 miles

B300
B360
Melba Hwy
Maroondah Hwy
Yarra Glen
Healesville
Yarra Valley
Yarra River
Melbourne Airport
A300
VICTORIA
Hamilton
Henty Hwy
Hamilton Hwy
Midland Hwy
MELBOURNE
Werribee
Dandenong
Pakenham
M1
Princes Fwy
La Trobe River
Moe
Traralgon
Morwell
Warragul
Gippsland
B140
Hamilton Hwy
A1
A200
Mortlake
Lake Corangamite
Winchelsea
Geelong
Corio Bay
Port Phillip
Péninsule de Bellarine
Nepean Hwy
Cranbourne
Western Port
Queenscliff
Portsea
Hastings
French Island
Bass Hwy
Torquay
Péninsule de Mornington
Korumburra
Leongatha
Moyne River
Princes Hwy
Portland
Port Fairy
Griffiths Island
Warrnambool
Colac
Anglesea
Aireys Inlet
Cap Schanck
Flinders
Phillip Island
San Remo
Yarram
Peterborough
Bay of Islands
Port Campbell
Port Campbell National Park
Twelve Apostles
Great Otway National Park
Great Ocean Rd
Lorne
Wonthaggi
Inverloch
Foster
A440
Snake Island
B100
Apollo Bay
Cap Paterson
Yanakie
Cap Otway
Cap Liptrap
Wilsons Promontory National Park
Tidal River
Wilsons Promontory
DÉTROIT DE BASS
TASMANIE
Hogan Group
King Island
Ferries vers la Tasmanie

1. Melbourne artistique
2. Great Ocean Road
3. Melbourne Cricket Ground
4. Queen Victoria Market
5. Rues où se restaurer
6. Wilsons Promontory National Park
7. Phillip Island

Melbourne et la Great Ocean Road À ne pas manquer

1

Melbourne artistique

Les habitants le disent volontiers, la particularité de Melbourne est que l'on y trouve énormément d'espaces créatifs ouverts aux artistes. Le charme de la ville réside avant tout dans ces endroits méconnus qui sortent de l'ordinaire, ces petites allées, ces bâtiments anonymes...

Nos conseils

FORMES DE STREET ART Pochoirs, *graphs*, tags, collages **MEILLEURE PHOTO** Un peu partout, notamment à Fitzroy, les très beaux collages de Miso et Ghostpatrol, deux artistes talentueux.

Ma sélection

Melbourne artistique par Bernadette Alibrando

GUIDE ET CONSULTANTE EN ART (WWW.WALKTOART.COM.AU)

1 LANEWAY ART COMMISSIONS

Ce projet de commandes artistiques du conseil municipal a été initié en 2001. Les œuvres exposées changent constamment ; certaines rues méritent vraiment le détour. Le mieux est de se munir de la carte Laneways Commissions. En vous déplaçant dans la ville, apprenez à vous ménager des pauses et à lever les yeux pour découvrir les événements du moment. En 2011, les œuvres exposées célèbrent le travail d'artistes aborigènes du Victoria.

2 PLATFORM

En dessous de Flinders St, dans une galerie souterraine carrelée de rose baptisée Campbell Arcade, le groupe artistique Platform organise des expositions dans des vitrines. La dernière vitrine sert toujours à des expositions multimédias, généralement très originales.

3 CENTRE PLACE ET HOSIER LANE

Avec New York, Londres, Berlin et Barcelone, Melbourne fait partie des cinq premières villes du monde en matière d'art de rue. Dans certaines allées, comme celles de Hosier et d'Union, la ville a autorisé des graffitis et pochoirs aussi politiques que colorés. L'art de rue à Melbourne doit beaucoup à Andy Mac, dont on peut voir l'**Until Never Gallery** (www.untilnever.net) dans Hosier Lane. Platform dispose aussi de trois vitrines sur le Majorca Building, à Centre Place, où sont exposés les travaux d'artistes émergents.

4 GALERIES D'ART

L'**Australian Centre for Contemporary Art** (p. 217) est un formidable musée d'art contemporain. Faites un saut au **Gertrude Contemporary Art Space** (www.gertrude.org.au) et au **Lamington Drive** (www.lamingtondrive.com), près de Gertrude St à Fitzroy et de Smith St à Collingwood, pour admirer le meilleur de l'illustration. Dans Swanston St, la **Stephen McLaughlan Gallery** (www.stephenmclaughlangallery.com.au) a des collections et une vue magnifique. Ne manquez pas le **Sarah Scout** (www.sarahscoutpresents.com) dans Crossley St, l'**Utopian Slumps** (www.utopianslumps).com) et le **Screen Space** (www.screenspace.com) dans Guildford Lane.

Great Ocean Road

Depuis longtemps, les Melbourniens passent leurs vacances dans cette région sauvage qui borde la Great Ocean Road. Capitale du surf du Victoria, Torquay constitue la porte d'entrée de cette côte spectaculaire. Plages et bush se succèdent vers l'ouest, en direction des fameux Twelve Apostles. **Ci-dessous** Erskine Falls (p. 246) **En haut, à droite** Great Ocean Road. En bas, à droite : Twelve Apostles

Nos conseils

PRESSÉ ? Faites un **tour en hélicoptère** au-dessus des Twelve Apostles **À ÉVITER** Restez dessous ou au sommet des falaises qui bordent les plages, car elles sont friables **Voir p. 244**.

2

Ma sélection

Great Ocean Road par Craig Baird

CONSERVATEUR, SURF WORLD MUSEUM

1 TORQUAY

Torquay (p. 245) est l'endroit idéal pour découvrir la culture du surf. Plus grand musée du surf au monde, le **Surf World Museum** (p. 245) est consacré à l'histoire du surf australien. Vous trouverez du matériel dernier cri dans les magasins spécialisés locaux et pourrez apprendre à dompter les vagues dans les écoles de surf. Plusieurs galeries sont également consacrées à cette discipline.

2 BELLS BEACH

La Great Ocean Road rentre légèrement dans les terres entre Torquay et Anglesea. À 7 km environ de Torquay, elle vire vers la célèbre **Bells Beach** (p. 246), spectaculaire plage ouverte sur l'océan, riche en histoire. C'est là qu'est organisée la plus ancienne compétition de surf du monde, la Rip Curl Pro. Bells Beach mérite également le détour pour les plateformes en haut des falaises, qui offrent de superbes points de vue sur les vagues et les surfeurs.

3 LORNE

Le littoral n'a pas le monopole de la beauté : autour de **Lorne** (p. 246), nombre de cascades et de sentiers invitent à s'immerger en pleine nature. Si vous parvenez à vous détacher de la baie de Lorne, ne manquez pas la **Qdos Gallery** (p. 246). Au milieu des arbres, à deux pas de Lorne, elle abrite une belle collection d'art contemporain.

4 SUR LA ROUTE

La Great Ocean Road impose son propre rythme. En plusieurs points, elle conduit à quelques mètres de l'eau. Par endroits, de superbes plages de sable et des petites criques isolées sont facilement accessibles à pied.

5 PORT CAMPBELL NATIONAL PARK

Le littoral déchiqueté derrière le **cap Otway** (p. 249) est baptisé Shipwreck Coast (côte des Naufragés). Au **Port Campbell National Park** (p. 249), des falaises abruptes de 70 m se dressent contre une mer infatigable, qui a sculpté de spectaculaires arches, tunnels et formations, comme les **Twelve Apostles** (p. 247).

Melbourne Cricket Ground

Melbourne accueille des manifestations sportives internationales comme l'Open de tennis d'Australie ou le Grand Prix Formule 1 d'Australie, mais c'est avant tout le football australien (ou *footy*) qui déchaîne les passions. De mars à septembre, les stades vibrent au son des rugissements de milliers de spectateurs. Le plus grand stade à participer à l'événement est le **Melbourne Cricket Ground** (p. 220), appelé MCG ou simplement "G", pouvant abriter jusqu'à 100 000 personnes.

3

5

Rues où se restaurer

Brunswick St, à Fitzroy, abrite toutes sortes de cafés, de bars, de pubs et une population bohème. **Smith St**, à Collingwood, compte de nombreuses pâtisseries grecques et balinaises. À Richmond, **Victoria St** est l'artère vietnamienne de la ville. Quant à **Little Bourke St**, c'est le cœur de Chinatown. Rendez-vous dans **Lygon St**, à Carlton, pour manger italien et dans **Sydney Rd**, à Brunswick, pour goûter la cuisine du Moyen-Orient. Lygon St

Queen Victoria Market

4

Plus de 600 marchands déballent leurs marchandises au **Queen Victoria Market** (p. 213), le plus grand marché en plein air de l'hémisphère Sud, créé il y a 130 ans. Le samedi, très animé, des milliers de Melbourniens viennent faire le plein de produits frais. Le dimanche est dominé par les marchands de vêtements ; si le style est souvent discutable, les prix sont particulièrement avantageux.

6

Wilsons Promontory National Park

Assez proche de Melbourne, le **Wilsons Promontory National Park** (p. 251), ou "Prom", possède de superbes plages de sable blanc, des animaux étonnants, des ravines pleines de fougères et des sentiers extraordinaires. La pointe sud du continent compte aussi plus de 80 km de pistes pour randonneurs expérimentés.

7

Phillip Island

Phillip Island (p. 241) est située à l'entrée de la Westernport Bay, à 140 km au sud-est de Melbourne. Elle est surtout célèbre pour sa Penguin Parade, l'une des principales curiosités touristiques de l'État. Des milliers de visiteurs viennent chaque année pour voir ce défilé des manchots, qui regagnent tranquillement leurs quartiers après une journée de pêche.

Melbourne et la Great Ocean Road : le best of

Arts et culture

Quartier des arts (p. 216). À Southbank, le cœur culturel de Melbourne – salles de concert, théâtres, musées…

Federation Square (p. 212). Rendez-vous préféré des habitants, "Fed Square" est aussi connu pour ses galeries et ses lieux culturels.

Ian Potter Centre : National Gallery of Victoria Australia (p. 212). Extraordinaire collection d'art colonial, contemporain et aborigène.

Melbourne Museum (p. 221). Un bâtiment moderne, dédié à l'histoire naturelle et culturelle.

Sites avec vue

Twelve Apostles (p. 247). Luttant contre l'océan, les six formations rocheuses subsistant forment un tableau admirable depuis la falaise.

Eureka Tower & Skydeck 88 (p. 217). Immense gratte-ciel pour un point de vue vertigineux sur Melbourne.

Rochers et phoques (p. 242). Admirez l'océan et la formation rocheuse des Nobbies ou les otaries à fourrure de Phillip Island se prélassant dessous.

Escapades dans la nature

Wilsons Promontory (p. 251). Plages dorées, ravines verdoyantes remplies de fougères arborescentes et wombats curieux. Partez en randonnée !

Les Otways (p. 248). Traversez le parc national à pied ou à vélo, le nez levé vers les kookaburras et les koalas qui peuplent la canopée.

Phillip Island (p. 241). Au programme sur cette île à la beauté sauvage : facéties des otaries à fourrure et défilé des manchots.

Où déjeuner

Chinatown (p. 213). De bonnes adresses pour un *yum cha* (thé et bouchées à la chinoise).

Pubs de Melbourne (p. 233). Outre la bière, les pubs de Melbourne servent aussi des repas très consistants.

Queen Victoria Market (p. 213). Faites le plein de bonnes choses, notamment du fromage et du pain frais.

Melbourne Cricket Ground (p. 220). Dégustez une tourte en soutenant votre équipe favorite.

À gauche Flèche de l'Arts Centre
Ci-dessus Les Otways

Ce qu'il faut savoir

À PRÉVOIR

Un mois avant Réservez vos places de théâtre à Melbourne et renseignez-vous sur les concerts de musique.

Deux semaines avant Planifiez votre trajet sur la Great Ocean Road et réservez une voiture de location.

Une semaine avant Réservez dans un restaurant haut de gamme ou achetez un billet pour assister à un match au Melbourne Cricket Ground.

ADRESSES UTILES

Tourism Victoria (www.visitvictoria.com). Bonne source d'informations. Adresses utiles.

Centre d'information des visiteurs de Melbourne (www.visitmelbourne.com). À Federation Square, dans le centre-ville.

Parks Victoria (www.parkweb.vic.gov.au). Gère les parcs nationaux de l'État du Victoria.

Information Victoria (www.information.vic.gov.au). Grand choix de publications sur Melbourne et le Victoria. Librairie au 505 Little Collins St, dans le centre de Melbourne.

Royal Automobile Club of Victoria (RACV ; www.racv.com.au). Édite l'excellent guide *Experience Victoria* (infos sur les hébergements et les circuits). Également, renseignements et assistance routière.

COMMENT CIRCULER

À pied Dans les ruelles du centre de Melbourne, remplies de bons cafés.

En tram À travers les quartiers du cœur de Melbourne.

En voiture Le long de la sinueuse Great Ocean Road.

En train Pour rallier les banlieues de Melbourne.

En bus Vers le défilé des manchots de Phillip Island et depuis/vers l'aéroport de Melbourne en Skybus.

MISES EN GARDE

Conduire à Melbourne Attention aux passagers descendant des tramways et aux *hook turns* – pour tourner à droite il faut serrer à gauche et attendre que le feu de la rue que l'on souhaite emprunter passe au vert.

Défilé de manchots sur Phillip Island De préférence juste après le coucher du soleil.

Suggestions d'itinéraires

Le Victoria comprend non seulement Melbourne, la ville la plus "branchée" d'Australie, mais une foule de petites villes assoupies où pratiquer le surf sur la côte bordant la Great Ocean Road. Incontournable.

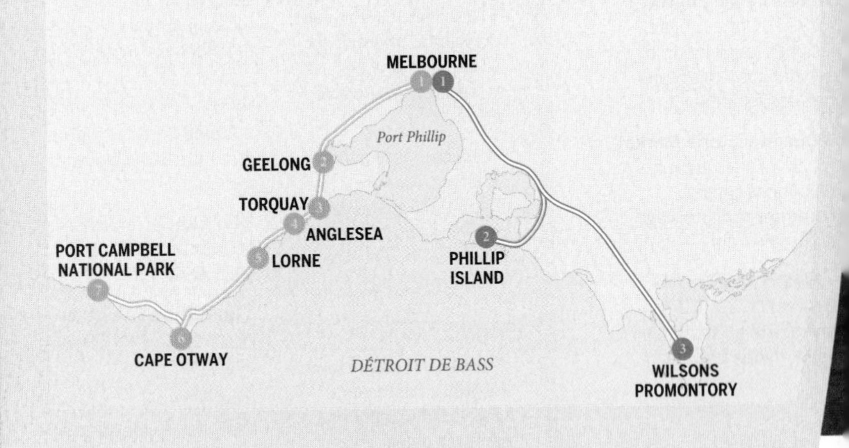

3 JOURS

DE MELBOURNE AU WILSONS PROMONTORY PARK

Vie nocturne et vie sauvage

Débutez votre périple à **(1) Melbourne**, capitale multiculturelle de l'État du Victoria, qui offre un choix aussi créatif qu'éclectique de concerts et de représentations théâtrales et une belle diversité de cuisines du monde. Quand vous aurez pleinement profité de la vie nocturne, des cafés et des matchs de *footy*, vous pourrez quitter la grande ville pour explorer la côte sauvage du Victoria.

Il est facile d'organiser un circuit ou de louer une voiture pour visiter la paisible **(2) Phillip Island**, à l'entrée de Westernport Bay. L'île est connue pour sa Penguin Parade – un défilé de manchots sur la plage. Vous trouverez aussi sur place une colonie d'otaries à fourrure et plusieurs très jolies plages.

Depuis Phillip Island, dirigez-vous vers le **(3) Wilsons Promontory**, surnommé le "Prom". Ce promontoire est réputé pour sa faune abondante, ses superbes plages et ses excellents sentiers de randonnée. Ne manquez pas la promenade de 2 heures jusqu'à Squeaky Beach, une magnifique plage de sable blanc.

5 JOURS

DE MELBOURNE AU PORT CAMPBELL NATIONAL PARK

Le long de la Great Ocean Road

Enfourchez un deux-roues à **(1) Melbourne** et rejoignez **(2) Geelong**, qui mérite le détour pour son front de mer ; mangez-y un morceau avant de reprendre la route.

La fantastique Great Ocean Road commence officiellement à **(3) Torquay**, capitale du surf de l'État. Vous pourrez y visiter un musée du surf, faire du lèche-vitrines et tenter de dompter la houle sur une planche. Sur place, des vagues tranquilles et des écoles de surf vous attendent, ainsi que la célèbre Bells Beach (non conseillée aux débutants). **(4) Anglesea** promeut une culture du surf plus détendue, tandis que **(5) Lorne** offre de belles randonnées, à la découverte de cascades et de plages ravissantes. Vous découvrirez d'autres villes calmes, des plages isolées et une route sinueuse ponctuée de panoramas spectaculaires en chemin vers le **(6) cap Otway** – une partie du littoral appelée "côte des Naufragés". Derrière le cap, on trouve l'éblouissant **(7) Port Campbell National Park**, où les falaises calcaires forment d'étonnantes formations rocheuses comme les Twelve Apostles, ainsi que des arches et des *blowholes* (trous dans la roche par lesquels s'engouffre la mer).

Bells Beach (p. 244)

Découvrir Melbourne et la Great Ocean Road

Les incontournables

- **Melbourne** Éclectique, cosmopolite et bohème.
- **Great Ocean Road** (p. 244). Une route mythique le long d'une côte déchiquetée.
- **Wilsons Promontory** (p. 251). Superbes plages, affleurements rocheux, forêts et bushwalking.
- **Phillip Island** (p. 241). Escapade paisible et faune étonnante.

Birrarung Marr, grande roue et Federation Bells (conçus par Neil McLachlan et Anton Hasell en collaboration avec les architectes de Swaney Draper)

MELBOURNE

Les occasions de se divertir ne manquent pas dans cette grande métropole. La dégustation de café, la gastronomie, l'art et la mode sont ici pris très au sérieux, sans être pour autant réservés à une élite bien informée. Tout ce dont vous avez besoin pour vous régaler, découvrir les bars et faire du shopping se résume à deux choses : un budget pas trop serré, mais, surtout, la curiosité et l'habileté nécessaires pour dénicher des escaliers dissimulés au bout de ruelles couvertes de graffitis.

À voir

Centre de Melbourne

FEDERATION SQUARE — Site d'intérêt

(carte p. 218 ; www.federationsquare.com.au ; angle Flinder St et Swanston St). L'éblouissante Federation Square est devenue le lieu des rassemblements, qu'il s'agisse de fêtes, de manifestations ou de commémorations. Cette place au parvis "vallonné" en grès de Kimberley rappelle les places des centres-villes d'Europe. Vous trouverez en sous-sol le **centre d'information des visiteurs** (**☎03-9928 0096 ; ⏲9h-18h ; visites 12 $/adulte**) de Melbourne.

IAN POTTER CENTRE : NATIONAL GALLERY OF VICTORIA AUSTRALIA — Galerie d'art

(NGVA ; carte p. 218 ; www.ngv.vic.gov.au ; ⏲10h-17h mar-dim). Ce centre abrite la riche collection de peintures, arts décoratifs, photographies, gravures, dessins, sculptures, vêtements, tissus et bijoux australiens de la National Gallery of Victoria.

La collection aborigène, installée au rez-de-chaussée, est dédiée aux arts premiers. À l'étage sont exposées des collections permanentes de peintures et dessins coloniaux exécutés par des artistes aborigènes du XIXe siècle.

AUSTRALIAN CENTRE FOR THE MOVING IMAGE Musée

(ACMI ; carte p. 218 ; www.acmi.net.au ; ⌚10h-18h). L'ACMI réussit à éduquer, captiver et amuser en même temps, et possède assez de jeux et de films pour garder ses visiteurs rivés devant un écran pendant plusieurs jours, voire plusieurs mois. L'exposition "Screenworld" rend hommage au travail des auteurs australiens de cinéma et de télévision. À l'étage, l'Australian Mediatheque est réservée au visionnage des programmes de la National Film and Sound Archive (archives audio et vidéo australiennes), et de l'ACMI.

BIRRARUNG MARR Parc

(carte p. 218 ; entre Federation Sq et la Yarra). Avec ses buttes herbeuses, ses promenades aménagée sur les rives de la Yarra et sa flore endémique savamment plantée, le Birrarung Marr, qui signifie "rivière de brumes" en wurundjeri, est une addition récente au patchwork de parcs et de jardins de Melbourne. On y admire et entend les sculpturales **Federation Bells** (cloches de la Fédération) qui font retentir des airs différents selon une programmation aléatoire.

CHINATOWN Quartier

(carte p. 218 ; Little Bourke St, entre Spring St et Swanston St). Les mineurs chinois arrivés en quête de la "nouvelle montagne d'or" dans les années 1850 se sont établis dans cette portion de Little Bourke St, aujourd'hui flanquée d'arcades rouges. Il y a là tout un tas de bars et de restaurants, dont l'une des meilleures tables de Melbourne, le Flower Drum (p. 229). Venez y déguster un *yum cha*, ou explorer les petites ruelles attenantes pour vous régaler de raviolis ou siroter des cocktails, tard le soir. C'est bien sûr à Chinatown que se déroulent les célébrations du Nouvel An chinois les plus animées. Quant au **Chinese Museum (carte p. 218 ; Musée chinois, www.chinesemuseum.com.au ; 22 Cohen Pl ; adulte/enfant 7,50/5,50 $; ⌚10h-17h)**, il retrace l'histoire des Chinois du Victoria.

OLD MELBOURNE GAOL Édifice historique

(carte p. 218 ; ✆03-8663 7228 ; www.oldmelbournegaol.com.au ; Russell St ; adulte/enfant/famille 21/11/49 $; ⌚9h30-17h). Cet austère monument à la justice du XIXe siècle est aujourd'hui un musée. Construit en 1841, ce fut une prison jusqu'en 1929. Le dernier son que Ned Kelly, le légendaire hors-la-loi, entendit ici en 1880 fut le bruit métallique de la trappe. On peut voir son masque mortuaire, ainsi que son armure, et suivre son histoire.

QUEEN VICTORIA MARKET Marché

(carte p. 218 ; www.qvm.com.au ; 513 Elizabeth St ; ⌚6h-14h mar et jeu, 6h-17h ven, 6h-15h sam, 9h-16h dim). Il y a plus de 130 ans que ce site accueille un marché – auparavant, c'était un cimetière. C'est ici que les habitants de Melbourne font provision de produits frais, dont des produits bio et des spécialités asiatiques. Il y a, entre autres, des traiteurs, des halles aux poissons et aux viandes, ainsi qu'un secteur consacré aux restaurants et à la restauration rapide. Le mercredi soir, de la mi-novembre à la fin février, un marché nocturne, avec stands de nourriture, bars et musique, investit les lieux.

KOORIE HERITAGE TRUST Centre culturel

(carte p. 218 ; www.kooriheritagetrust.com ; 295 King St ; don d'une pièce de 1 ou 2 $, visites 15 $; ⌚10h-16h). Ce centre culturel consacré à la culture aborigène du Sud-Est australien s'attache principalement aux objets façonnés et à l'oralité. On peut voir dans ses galeries diverses œuvres d'art contemporaines et traditionnelles, un modèle d'arbre scarifié en son centre, ainsi qu'une exposition permanente sur l'histoire des Koorie du Victoria.

IMMIGRATION MUSEUM Musée

(carte p. 218 ; www.museumvictoria.com.au/immigrationmuseum ; 400 Flinders St ; adulte/enfant 8 $/gratuit ; ⌚10h-17h). Le musée de l'Immigration retrace les nombreuses histoires des migrants à travers des effets

Agglomération de Melbourne

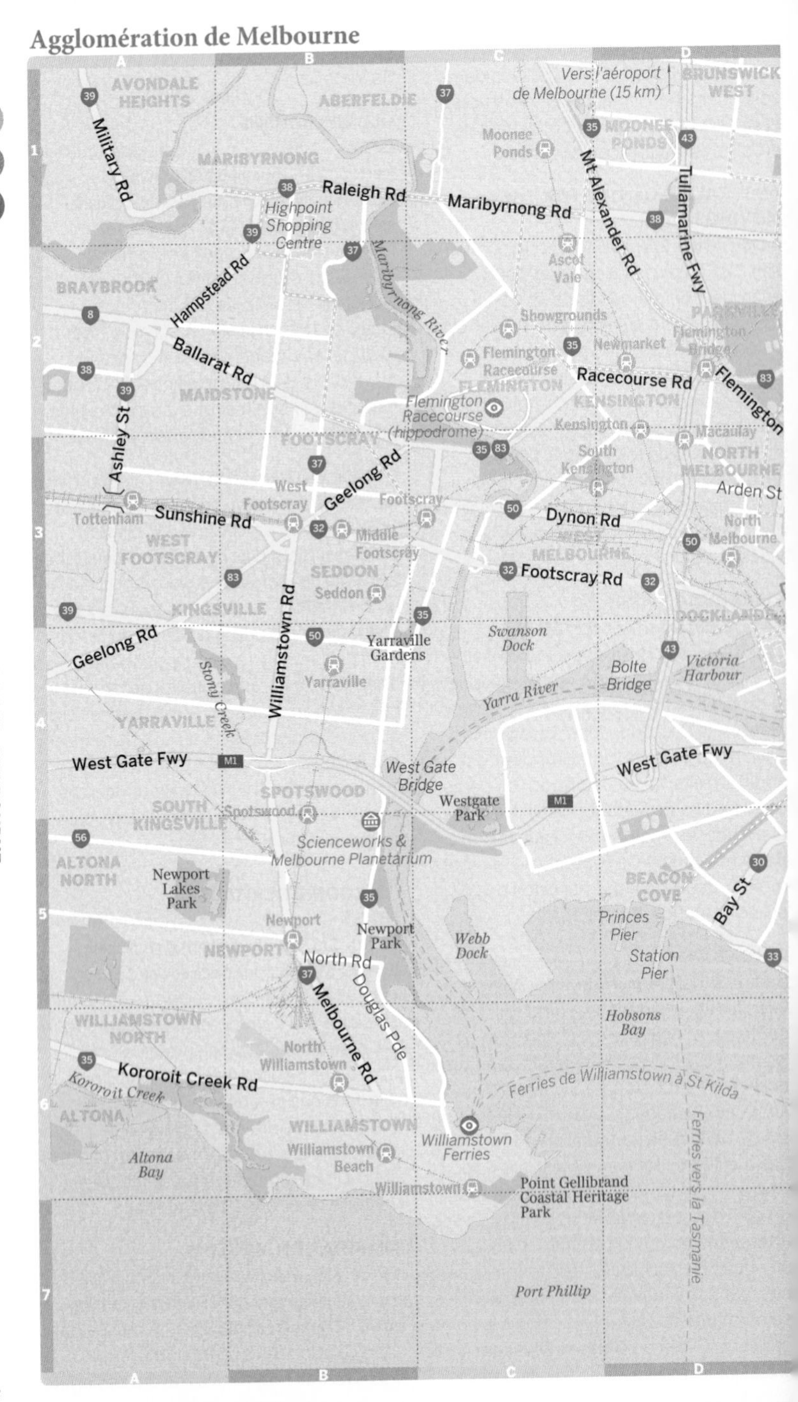

DÉCOUVRIR MELBOURNE ET LA GREAT OCEAN ROAD MELBOURNE

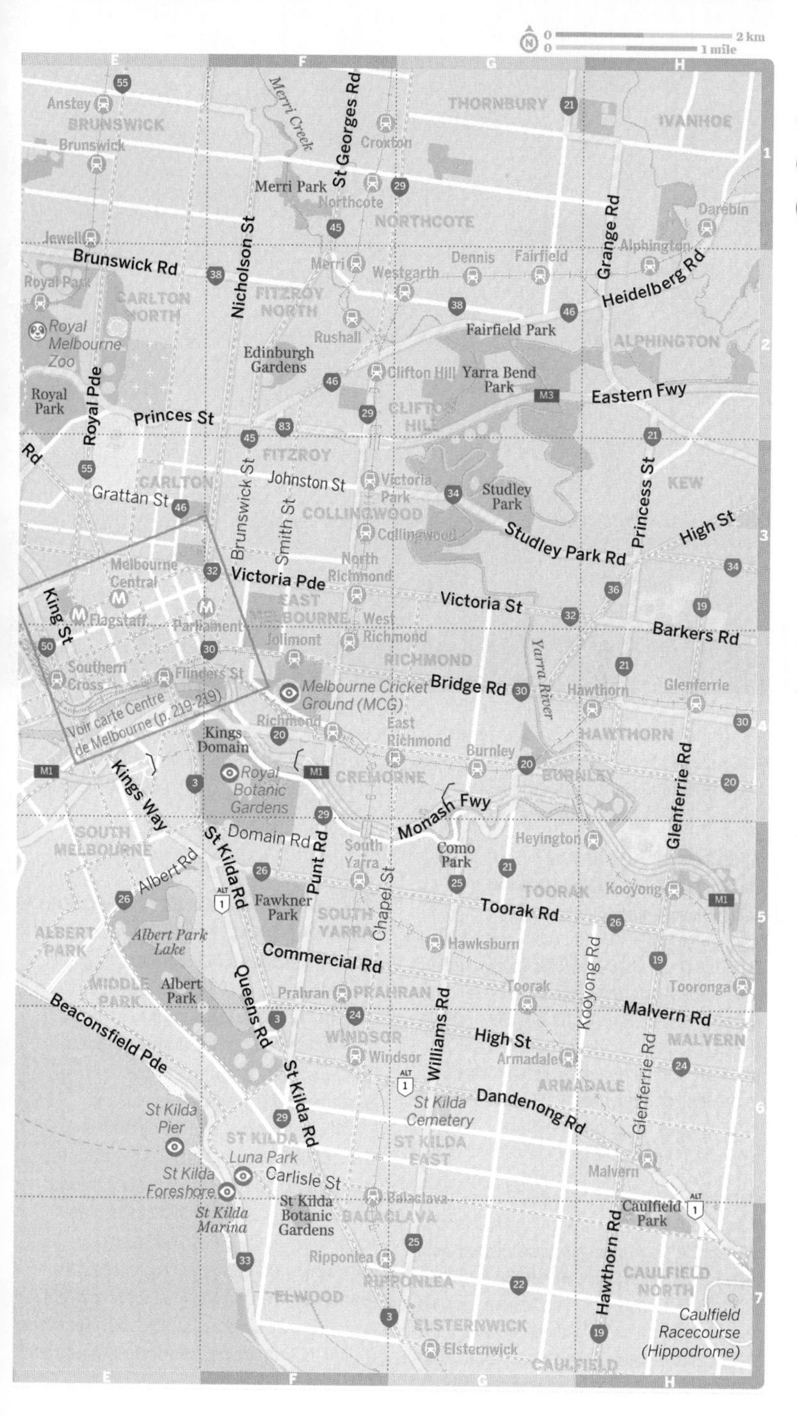

Brunswick Rd
Nicholson St
St Georges Rd
Merri Creek
Merri Park
Grange Rd
Heidelberg Rd
Fairfield Park
Edinburgh Gardens
Yarra Bend Park
Eastern Fwy
Royal Park
Royal Pde
Princes St
Royal Melbourne Zoo
Johnston St
Brunswick St
Smith St
Grattan St
Studley Park
Studley Park Rd
Princess St
High St
Victoria Pde
Victoria St
Barkers Rd
King St
Melbourne Cricket Ground (MCG)
Bridge Rd
Yarra River
Voir carte Centre de Melbourne (p. 219-219)
Kings Domain
Royal Botanic Gardens
Kings Way
Monash Fwy
Glenferrie Rd
St Kilda Rd
Domain Rd
Punt Rd
Chapel St
Albert Rd
Como Park
Toorak Rd
Fawkner Park
Albert Park Lake
Commercial Rd
Kooyong Rd
Albert Park
Queens Rd
Williams Rd
Malvern Rd
Beaconsfield Pde
High St
St Kilda Rd
Dandenong Rd
St Kilda Cemetery
St Kilda Pier
Luna Park
Carlisle St
St Kilda Foreshore
St Kilda Marina
St Kilda Botanic Gardens
Caulfield Park
Hawthorn Rd
Caulfield Racecourse (Hippodrome)

personnels, ainsi que des documents visuels et sonores. De façon symbolique, il est aménagé dans l'ancienne Customs House (bureau des douanes ; 1858-1870).

MELBOURNE AQUARIUM Aquarium

(carte p. 218 ; ☎03-9923 5999 ; www.melbourneaquarium.com.au ; angle Queenswharf Rd et King St ; adulte/enfant/famille 33/19/88 $; 🕘9h30-18h). Les raies, mérous et requins évoluant dans cet immense aquarium de 2,2 millions de litres font la joie des visiteurs qui les découvrent au gré d'un tunnel de verre. Des plongeurs se mêlent aux requins 3 fois par jour. Vous pouvez vous joindre à eux, moyennant 150-345 $.

YOUNG & JACKSON'S Édifice historique

(carte p. 218 ; www.youngandjacksons.com.au ; angle Flinders St et Swanston St). En face de Flinders Street Station se trouve un pub réputé pour sa bière (servie depuis 1861), mais surtout pour le tableau *Chloé*. Peinte par Jules Joseph Lefebvre (1836-1911), cette jeune préadolescente qui regarde par-dessus son épaule et au-delà, hors du tableau, fit sensation au Salon de 1875, à Paris.

Southbank et Docklands

GRATUIT **NATIONAL GALLERY OF VICTORIA INTERNATIONAL** Galerie d'art

(NGVI ; hors cartes p. 218 ; www.ngv.vic.gov.au ; 180 St Kilda Rd ; 🕘10h-17h mer-lun). Derrière un mur d'eau, vous découvrirez des œuvres d'art internationales allant de l'Antiquité à nos jours. Achevé en 1967, le bâtiment d'origine de la NGV – l'"icône loufoque" de Roy Grounds (1905-1981), un des grands architectes australiens du XXe siècle – fut l'un des chefs-d'œuvre modernistes les plus controversés du pays, mais aussi, pour finir, l'un des plus respectés. Un réaménagement intérieur a été entrepris de 1996 à 2003 sous la direction de Mario Bellini. N'oubliez pas d'admirer le plafond à vitraux du Great Hall.

À gauche Etihad Stadium (p. 224) et le Bolte Bridge, Docklands
Ci-dessous Chutes d'eau, National Gallery of Victoria International
PHOTOGRAPHES : (À GAUCHE) CHRISTOPHER GROENHOUT/LONELY PLANET IMAGES © ; (CI-DESSOUS) KRZYSZTOF DYDYNSKI/LONELY PLANET IMAGES ©

EUREKA TOWER & SKYDECK 88 Tour

(carte p. 218 ; www.eurekaskydeck.com.au ; 7 Riverside Quay, Southbank ; adulte/enfant/famille 18/9/40 $, The Edge supp 12/8/29 $; ⏲10h-22h, dernière entrée 21h30). Édifiée en 2006, la tour Eureka comporte 92 étages. Prenez son ascenseur pratiquement jusqu'au sommet (sans oublier de regarder en bas) et vous grimperez 88 étages en moins de 40 secondes. "The Edge" – ainsi s'appelle le cube de verre qui donne le frisson – permet de s'avancer hors de l'édifice. Vertige garanti.

GRATUIT AUSTRALIAN CENTRE FOR CONTEMPORARY ART Galerie

(ACCA ; www.accaonline.org.au ; 111 Sturt St ; ⏲10h-17h mar-ven, 11h-18h sam-dim ; 🚊1). L'ACCA est l'une des galeries d'art contemporain les plus passionnantes d'Australie. Le bâtiment lui-même est un écrin parfait : son extérieur rouillé rappelle les usines qui occupaient autrefois le site, et son vaste et élégant intérieur se réinventant sans cesse est conçu pour accueillir des installations souvent impressionnantes par leur ampleur.

VICTORIAN ARTS CENTRE Édifice d'intérêt

(carte p. 218 ; www.theartscentre.com.au ; 100 St Kilda Rd). L'Arts Centre comporte 2 bâtiments distincts : la grande salle de concert (**Hamer Hall**, qui, à l'heure où nous écrivons, est en travaux de réaménagement) et le **Theatres Building** (bâtiment des théâtres), surmonté d'une flèche inspirée de la tour Eiffel, qui s'illumine la nuit. Tous deux sont reliés par des passerelles paysagères.

DOCKLANDS Historique

(carte p. 214 ; www.docklands.vic.gov.au ; 🚊70, 86). Jusqu'au milieu des années 1960, ce quartier en bordure de la Yarra était la principale zone industrielle et de docks. Au milieu des années 1990, on y a installé

Centre de Melbourne

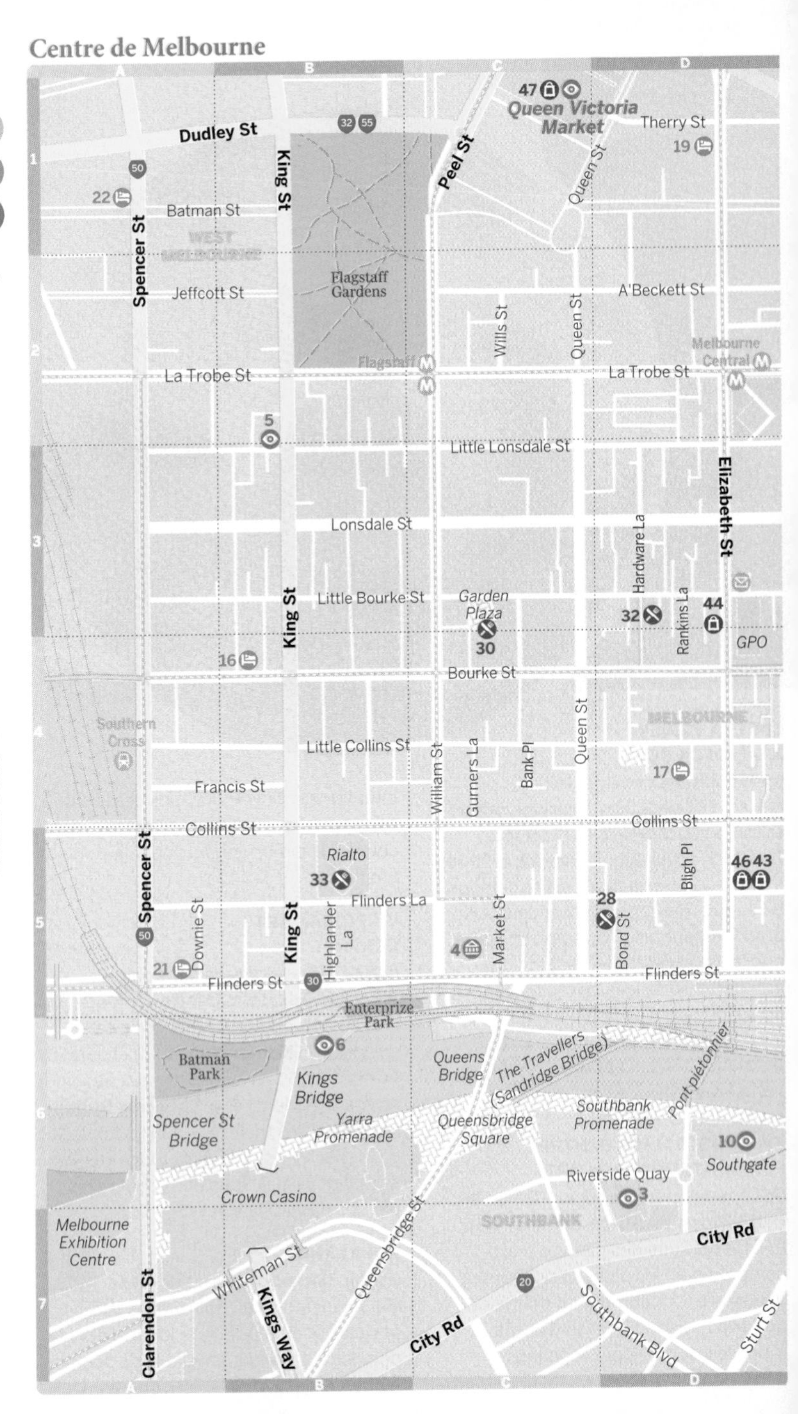

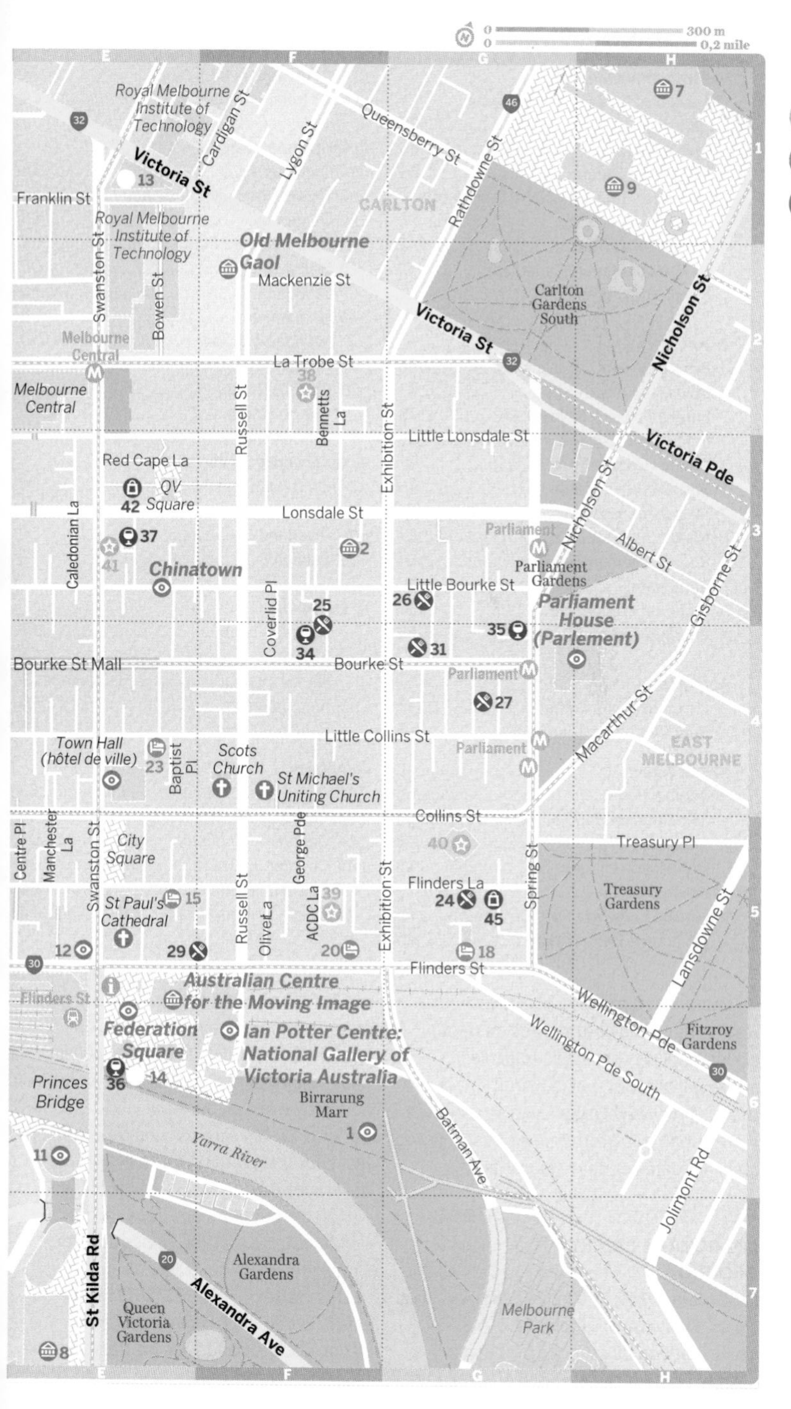

Royal Melbourne Institute of Technology
Cardigan St
Lygon St
Queensberry St
Rathdowne St
Victoria St
Franklin St
CARLTON
Old Melbourne Gaol
Mackenzie St
Swanston St
Bowen St
Melbourne Central
Carlton Gardens South
Nicholson St
La Trobe St
Russell St
Bennetts La
Exhibition St
Little Lonsdale St
Victoria Pde
Red Cape La
QV Square
Lonsdale St
Caledonian La
Chinatown
Coverlid Pl
Parliament
Parliament Gardens
Albert St
Gisborne St
Little Bourke St
Parliament House (Parlement)
Bourke St Mall
Bourke St
Macarthur St
Little Collins St
Town Hall (hôtel de ville)
Baptist Pl
Scots Church
St Michael's Uniting Church
EAST MELBOURNE
Collins St
Treasury Pl
Centre Pl
Manchester La
City Square
George Pde
Spring St
Flinders La
Treasury Gardens
St Paul's Cathedral
Oliver La
ACDC La
Lansdowne St
Flinders St
Australian Centre for the Moving Image
Wellington Pde
Federation Square
Ian Potter Centre: National Gallery of Victoria Australia
Wellington Pde South
Fitzroy Gardens
Princes Bridge
Birrarung Marr
Batman Ave
Yarra River
Jolimont Rd
St Kilda Rd
Alexandra Gardens
Alexandra Ave
Queen Victoria Gardens
Melbourne Park
300 m
0,2 mile

Centre de Melbourne

Les incontournables

Australian Centre for the Moving Image ... E5
Chinatown ... E3
Federation Square ... E6
Ian Potter Centre: National Gallery of Victoria Australia ... F6
Old Melbourne Gaol ... F2
Parliament House (Parlement) ... H4
Queen Victoria Market ... C1

À voir

1 Birrarung Marr ... F6
2 Chinese Museum ... F3
3 Eureka Tower & Skydeck 88 ... D6
4 Immigration Museum ... C5
5 Koorie Heritage Trust ... B2
6 Melbourne Aquarium ... B6
7 Melbourne Museum ... H1
8 NGVI ... E7
9 Royal Exhibition Building ... H1
10 Southgate ... D6
11 Victorian Arts Centre ... E6
12 Young & Jackson's ... E5

Activités

13 Melbourne City Baths ... E1
14 Real Melbourne Bike Tours ... E6

Où se loger

15 Adelphi Hotel ... E5
16 Alto Hotel on Bourke ... B4
17 Causeway 353 ... D4
18 Hotel Lindrum ... G5
19 Jasper Hotel ... D1
20 Medina Executive Flinders Street ... F5
21 Melbourne Central YHA ... A5
22 Robinsons in the City ... A1
23 Victoria Hotel ... E4

Où se restaurer

24 Cumulus Inc ... G5
25 Flower Drum ... F4
26 Gingerboy ... G3
27 Italian Waiters Club ... G4
28 Maha ... D5
29 Movida ... F5
30 Movida Aqui ... C3
Movida Next Door ... (voir 29)
31 Pellegrini's Espresso Bar ... G4
32 Portello Rosso ... D3
33 Vue de Monde ... B5

Où prendre un verre

34 Croft Institute ... F4
35 Melbourne Supper Club ... G4
36 Riverland ... E6
37 Section 8 ... E3

Où sortir

38 Bennetts Lane ... F2
39 Cherry ... F5
Hamer Hall ... (voir 11)
40 Kino Cinemas ... G5
41 Rooftop Cinema ... E3

Achats

42 Aesop ... E3
43 Aesop ... D5
44 Captains of Industry ... D3
45 Counter ... G5
46 Polyester Records ... D5
47 Queen Victoria Market ... C1

un ensemble d'ateliers, d'immeubles résidentiels, des commerces de détail et des lieux de sortie. Les touristes apprécieront tout particulièrement le premier-né, **New Quay**, avec ses œuvres d'art public, ses promenades et son grand choix de cafés et de restaurants.

East Melbourne et Richmond

MELBOURNE CRICKET GROUND Stade

(MCG ; carte p. 214 ; ☎03-9657 8888 ; www.mcg.org.au ; Brunton Ave ; Jolimont, 48, 75). Le "G" est l'un des grands stades du monde et, pour beaucoup d'Australiens, un lieu sacré. L'AFL Grand Final s'y tient chaque année en septembre et, en 1858, le premier match de football australien (Australian Rules) s'est déroulé à l'endroit où se trouvent aujourd'hui le MCG et son parking. En 1877, il a accueilli le premier *test-match* de cricket entre l'Australie et l'Angleterre. Le MCG a aussi été le principal stade lors des Jeux olympiques de Melbourne en 1956 et des Jeux du Commonwealth de 2006.

Des **visites** (☎03-9657 8879 ; adulte/enfant/famille 20/10/50 $) vous feront découvrir les stands, les gradins, la zone réservée aux entraîneurs, la Long Room et (en fonction des disponibilités) les vestiaires et le terrain. Ces visites ont lieu entre 10h et 15h les jours de relâche. Mieux vaut réserver même si ce n'est pas impératif. C'est aussi dans "le G" que se trouve le **National Sports Museum** ; vous pouvez participer à une visite incluant le MCG et l'entrée au musée (adulte/enfant/famille visite comprise 30/15/60 $).

FITZROY GARDENS Jardins

(carte p. 214 ; entre Wellington Pde, Clarendon St, Lansdowne St et Albert St ; Parliament, City Circle, 48, 75). La ville s'interrompt tout net à l'est de Spring St pour céder la place aux verdoyants Fitzroy Gardens. Là, les belles allées bordées d'ormes champêtres, les massifs de fleurs, les vastes pelouses, les fontaines insolites et l'étang offrent un havre de paix aux citadins.

Fitzroy et ses environs

CENTRE FOR CONTEMPORARY PHOTOGRAPHY Galerie d'art

(CCP ; www.ccp.org.au ; 404 George St, Fitzroy ; don apprécié ; 11h-18h mer-ven, 12h-17h sam-dim ; 86). Ce centre à but non lucratif accueille des expositions temporaires dans plusieurs salles, qui vont des techniques traditionnelles à l'art très conceptuel.

GRATUIT **ABBOTSFORD CONVENT** Site historique

(03-9415 3600 ; www.abbotsfordconvent.com.au ; 1 St Heliers St, Abbotsford ; 7h30-22h ; Victoria Park, 203). Ce couvent, qui date de 1861, s'étend sur un terrain de plus de 7 ha en bordure de rivière à seulement 4 km du CBD. Les religieuses sont parties depuis longtemps, et le couvent abrite aujourd'hui un ensemble d'ateliers d'artistes et de bureaux d'architectes, de designers, etc. Un **marché Slow Food** (www.mfm.com.au ; 2 $; 8h-13h) a lieu le quatrième samedi du mois, et le **Shirt and Skirt Market** (marché de la chemise et de la jupe) se déroule le troisième dimanche du mois. De l'autre côté de la piste cyclable, la **Collingwood Children's Farm** (www.farm.org.au ; adulte/enfant/famille 8/4/16 $; 9h-17h ; Victoria Park, 203), ferme rustique au bord de l'eau, permet aux enfants de découvrir les animaux de la ferme. Elle possède aussi un splendide café.

Si vous aimez…
Les musées et les galeries d'art

Si les expositions du Melbourne Museum vous ont plu, voici une sélection d'autres musées et galeries d'art dans la ville :

1 **NATIONAL SPORTS MUSEUM**
Melbourne est férue de sport. Le National Sports Museum, au sein du Melbourne Cricket Ground, en est un vibrant hommage.

2 **AUSTRALIAN CENTRE FOR THE MOVING IMAGE**
Certes, vous n'êtes pas là pour regarder la télévision, mais cette visite de la cinémathèque australienne (film et télévision) vous fera voir le petit écran autrement.

3 **OLD MELBOURNE GAOL**
Même si l'endroit est lugubre, l'ancienne geôle de Melbourne (c'est ici que fut emprisonné Ned Kelly, le légendaire hors-la-loi) offre une extraordinaire plongée dans l'histoire de la ville.

4 **IMMIGRATION MUSEUM**
L'Australie est une terre d'immigration et peu de villes peuvent se targuer d'être aussi cosmopolites que Melbourne. Situé dans l'ancien bâtiment des douanes, cet intéressant musée raconte l'histoire de ces migrants qui ont accosté à Melbourne.

Carlton et ses environs

MELBOURNE MUSEUM Musée

(hors carte p. 214 (13 11 02 ; www.museumvictoria.com.au ; 11 Nicholson St, Carlton ; adulte/enfant 8 $/gratuit, expos 24/16 $; 10h-17h ; Parliament, City Circle, 86, 96, 250, 251, 402). Cet espace d'exposition postmoderne mêle les expositions d'objets anciens et les expositions interactives. Il traite tant de sujets qu'il perd un peu en cohérence, offrant toutefois un bel aperçu de l'histoire naturelle et culturelle du Victoria. Traversez les reconstitutions de ruelles des années 1800 ou plongez-vous dans la légende de Phar Lap, cheval de course le plus célèbre du pays. Le Bunjilaka (centre aborigène), au rez-de-chaussée, présente l'histoire – grande et petite – des Aborigènes à travers des objets et des documents sonores. Il y a aussi un atrium à ciel ouvert planté d'une forêt comportant des espèces animales et végétales du Victoria, ainsi qu'un **cinéma Imax** juste à côté.

ROYAL EXHIBITION BUILDING Édifice historique

(hors carte p. 214 ; www.museumvictoria.com.au/reb ; Nicholson St, Carlton ; Parliament, City Circle, 86, 96, 250, 251, 402). Construit pour l'Exposition internationale de 1880, et classé au patrimoine mondial de l'Unesco en 2004, ce bel édifice victorien symbolise la gloire de la révolution industrielle, de l'Empire colonial britannique et la suprématie économique de la Melbourne du XIXe siècle.

Les **visites** (**réservations 13 11 02 ; adulte/enfant 5/3,50 $**) partent pratiquement chaque jour du Melbourne Museum à 14h.

ROYAL MELBOURNE ZOO Zoo

(carte p. 214 ; 03-9285 9300 ; www.zoo.org.au ; Elliott Ave, Parkville ; adulte/enfant/famille 25/13/57 $; 9h-17h ; Royal Park, 55). Le zoo de Melbourne est l'une des attractions phares de la ville. Des chemins traversent certains enclos, et l'on peut même se promener dans la volière, franchir un pont enjambant l'enclos aux lions ou pénétrer dans une serre tropicale, royaume des papillons multicolores. Le zoo accueille également une grande diversité d'animaux australiens au cœur d'un bush reconstitué, des ornithorynques dans un aquarium, des phoques, des tigres, de nombreux reptiles et des éléphants. L'été, des **Twilight Concerts** (concerts au crépuscule) sont organisés. **Roar 'n' Snore** (**"rugissements et ronflements", adulte/enfant 195/145 $, sept-mai**) permet de camper une nuit dans le zoo et de se joindre aux gardiens le lendemain à l'heure du nourrissage des animaux.

Entrée du Luna Park

Vaut le détour
Williamstown

Petit bijou empli de navires de plaisance, Williamstown est à courte distance en bateau (ou en voiture) du CBD. Le port offre une vue splendide sur Melbourne, et plusieurs boutiques touristiques s'alignent sur l'esplanade.

C'est à Gem Pier qu'accostent les ferries de passagers venant visiter Williamstown et qu'ils en repartent. Étant donné le cadre maritime de la localité, c'est le moyen le plus approprié de venir depuis Melbourne. Les **Williamstown Ferries** (03-9517 9444 ; www.williamstownferries.com.au) naviguent chaque jour sur la baie de Hobsons et la Yarra River, depuis/vers **Southgate** (carte p. 218), en s'arrêtant en chemin aux sites intéressants, dont les Docklands. Les **Melbourne River Cruises** (03-9629 7233 ; www.melbcruises.com.au) accostent aussi à Gem Pier, et remontent également la Yarra jusqu'à Southgate. Le prix du billet varie en fonction de la destination. Récupérez les horaires au centre d'information des visiteurs de Williamstown, très pratique, ou à Federation Square, ou contactez directement les compagnies maritimes. Réservation conseillée.

South Yarra, Prahran et Windsor

ROYAL BOTANIC GARDENS Jardins botaniques

(RGB ; carte p. 214 ; www.rbg.vic.gov.au ; 7h30-20h30 nov-mars, 7h30-17h30 avr-oct ; 8). Les Royal Botanic Gardens (RBG) sont l'une des attractions phares de Melbourne. Installés au bord de la Yarra, ces magnifiques jardins botaniques – qui figurent parmi les beaus beaux du pays – réunissent des plantes d'Australie et du monde entier. Il faut aussi visiter l'excellent **Ian Potter Children's Garden**, un jardin spécialement conçu pour les enfants.

En été, les jardins accueillent les projections du **Moonlight Cinema** (p. 234) et des représentations théâtrales.

PRAHRAN MARKET Marché

(www.prahranmarket.com.au ; 163 Commercial Rd, South Yarra ; 7h-17h mar, jeu et sam, 7h-18h ven, 10h-15h dim ; Prahran, 72, 78, 79). Véritable institution vieille de plus d'un siècle, le Prahran Market est l'un des marchés où l'on vend les meilleurs produits – nourriture bio, pâtes fraîches et espace pour grignoter sur place.

St Kilda et ses environs

LUNA PARK Parc de loisirs

(carte p. 214 ; www.lunapark.com.au ; Lower Esplanade, St Kilda ; adulte/enfant 1 tour de manège 9,40/7,50 $, accès illimité aux attractions 42/32 $; vérifier sur le site pour les horaires saisonniers ; 16, 96). Inauguré en 1912, ce parc d'attractions historique conserve son atmosphère d'antan, en particulier grâce à l'effrayante bouche béante de Mr. Moon qui semble vous avaler à l'entrée. Il y a des montagnes russes en bois classées, ainsi qu'une panoplie de manèges modernes (sensations fortes garanties !).

ST KILDA FORESHORE Plage

(carte p. 214 ; Jacka Blvd, St Kilda ; 16, 96). Certes, il y a des promenades bordées de palmiers, un parc et une longue bande de sable, mais rien de commun avec Bondi Beach (à Sydney) ou Noosa Beach (à Brisbane). Le front de mer de St Kilda évoque plus la station balnéaire anglaise de Brighton qu'*Alerte à Malibu*, malgré sa construction clinquante. Et c'est ce qu'apprécient les Melbourniens : un petit supplément d'âme et un charme certain par tous les temps, avec le gris des nuages et des vagues en hiver, et le bleu étincelant en été.

Si vous aimez… Le sport

Si vous aimez vous mêler aux supporters dans de grands stades comme le Melbourne Cricket Ground, vous devriez aimer ces autres endroits :

1 **ETIHAD STADIUM**
(☎03-8625 7700 ; www.etihadstadium.com.au ; Docklands). Avec son toit en pente ultramoderne et ses 52 000 places, c'est l'autre grand stade de *footy* de la ville – il accueille différents événements sportifs (dont des matchs de soccer) et divertissements (concerts). Des **visites** (☎03-8625 7277 ; adulte/enfant/famille 14/7/37 $; ⏲11h, 13h et 15h) du stade sont proposées en semaine.

2 **FLEMINGTON RACECOURSE**
(carte p. 214). Course hippique suivie par la nation tout entière, la **Melbourne Cup** (www.vrc.net.au) a lieu ici le premier mardi de novembre. Le site Internet vous donnera les dates de toutes les courses.

3 **OLYMPIC PARK**
(☎03-9286 1600 ; www.mopt.com.au ; Batman Ave, Jolimont). Le stade du **Melbourne Storm** (www.melbournestorm.com.au) est le seul club de Melbourne où se tiennent les matchs de la **National Rugby League** (NRL ; www.nrl.com.au), la ligue nationale de rugby, en hiver.

4 **ROD LAVER ARENA**
(☎03-9286 1600 ; www.mopt.com.au ; Batman Ave, Jolimont). Ce vaste bâtiment doté d'un toit rétractable, éliminant d'emblée les aléas de la météo, accueille l'**Open de tennis d'Australie** (www.ausopen.org) – les meilleurs joueurs mondiaux viennent y disputer chaque année le premier tournoi du Grand Chelem.

JEWISH MUSEUM OF AUSTRALIA Musée
(☎03-9534 0083 ; www.jewishmuseum.com.au ; 26 Alma Rd, St Kilda ; adulte/enfant/famille 10/5/20 $; ⏲10h-16h mar-jeu, 11h-17h dim ; 🚆Balaclava). Les expositions interactives racontent l'histoire des juifs d'Australie depuis l'arrivée des premiers juifs d'Europe, tandis que les expositions permanentes sont centrées sur la culture religieuse et les fêtes juives.

South Melbourne, Port Melbourne et Albert Park

SOUTH MELBOURNE MARKET Marché
(angle Coventry St et Cecil St, South Melbourne ; ⏲8h-16h mer, jusqu'à 18h ven, jusqu'à 16h sam-dim ; 🚋96). L'intérieur labyrinthique du marché regorge d'étals vendant toutes sortes d'articles, des tapis aux *bok choy* (choux chinois). Ses *dim sim*, parfaits les lendemains de soirée arrosée, sont réputés dans tout Melbourne et vendus dans plusieurs cafés sous le nom de "South Melbourne Market Dim Sims".

ALBERT PARK LAKE Lac
(carte p. 214 ; entre Queens Rd, Fitzroy St, Aughtie Dr et Albert Rd, Albert Park ; 🚋96, 112). En faisant le tour (5 km) de ce lac artificiel, on voit de beaux cygnes noirs plonger brusquement dans l'eau. L'endroit est aussi investi par les joggeurs, les cyclistes, les promeneurs ou encore les joueurs, dont la clameur retentit sur les terrains de sport.

Activités

Baignade

FITZROY SWIMMING POOL Baignade
(☎03-9205 5180 ; Alexandra Pde, Fitzroy ; adulte/enfant 4,60/2,10 $; 🚋112). Entre deux baignades, les gens aiment bien prendre le soleil sur les gradins ou sur la pelouse. Le panneau en italien indiquant "Aqua Profonda" a été peint en 1953, à l'initiative du directeur, qui devait régulièrement porter secours aux enfants italiens ne sachant pas lire l'anglais.

MELBOURNE CITY BATHS Baignade
(carte p. 218 ; ☎03-9663 5888 ; www.melbournecitybaths.com.au ; 420 Swanston St, Melbourne ; baignade adulte/enfant/famille 5,50/2,60/12 $, gymnase 20 $; ⏲6h-22h lun-jeu, 6h-20h ven, 8h-18h sam-dim). Le bâtiment, classé, date de 1903.

Canoë, kayak

KAYAK MELBOURNE Circuits en kayak
(**☎0418 106 427 ; www.kayakmelbourne.com.au ; circuits 89 $**). Kayak Melbourne vous emmène en balade pendant 2 heures entre les bâtiments les plus récents de la ville et vous explique l'historique des plus anciens. Les circuits au clair de lune sont les plus évocateurs et comprennent un dîner avec *fish and chips*.

STUDLEY PARK BOATHOUSE Location canoë et kayak
(**☎03-9853 1828 ; www.studleyparkboathouse.com.au**). Préparez un pique-nique et louez un canoë ou un kayak pour 2 dans le hangar à bateaux – 30 $ la première heure.

Vélo

Vous trouverez des cartes des pistes cyclables au centre d'information des visiteurs de Federation Square (carte p. 218) et chez **Bicycle Victoria** (**☎03-8636 8888 ; www.bv.com.au**). Porter un casque quand on roule à vélo est obligatoire en Australie. Empruntez un vélo grâce au système Vélib' local (p. 240), au réseau de prêt privé ou optez pour un vieux vélo vintage.

HUMBLE VINTAGE Location de vélo
(**☎0432 032 450 ; www.thehumblevintage.com**). Procurez-vous un vélo bien spécial issu de la collection de cycles rétro (vélos de course, de ville et vélos pour dames) proposée ici. Comptez un minimum de 30 $/jour, ou de 80 $/semaine, cadenas, casque et carte (sensationnelle) compris. On peut récupérer les vélos à St Kilda, dans le CBD et à Fitzroy. Renseignez-vous par téléphone car l'emplacement change.

Circuits organisés

ABORIGINAL HERITAGE WALK Aborigènes
(**☎03-9252 2429 ; www.rbg.vic.gov.au ; Royal Botanic Gardens ; adulte/enfant 25/10 $; 11h mar, jeu et 1er dim du mois**). Les Royal Botanic Gardens occupent les terres ancestrales de leurs propriétaires d'origine, les Aborigènes, dont ce fascinant circuit de 1 heure 30 fait découvrir l'histoire, des chants des pistes à la connaissance traditionnelle des plantes.

GRATUIT **City Circle Trams** Circuit en tramway
(**www.metlinkmelbourne.com.au**). Des trams gratuits de classe W font un circuit dans la ville (et s'enfoncent dans les Docklands) de 10h à 18h tous les jours.

GRATUIT **MELBOURNE CITY TOURIST SHUTTLE** Circuit en bus
(**www.thatsmelbourne.com.au ; 9h-16h30**). Durant environ 1 heure 30, ce bus touristique fait des étapes dans Melbourne et ses *inner suburbs* (faubourgs). Il s'arrête

Studley Park Boathouse sur la Yarra River
PHOTOGRAPHE : GLENN BEANLAND/LONELY PLANET IMAGES ©

notamment dans Lygon St, à Carlton, au Queen Victoria Market, au Melbourne Museum et, les jours où il n'y a pas de match, au MCG.

GRATUIT **GREETER SERVICE** Circuit à pied
(☎03-9658 9658 ; Melbourne Visitor Centre, Federation Sq). Organisé par le centre d'information des visiteurs de Melbourne, ce "circuit d'orientation" gratuit, de 2 heures minimum, part chaque jour de Federation Square à 9h30 (réservation obligatoire). Il est conduit par des "accueillants" bénévoles désireux de partager leur savoir. Il s'agit de donner aux visiteurs une bonne compréhension de la façon dont Melbourne est construite et de ses principaux sites.

Hidden Secrets Tours Petites rues
(☎03-9663 3358 ; www.hiddensecretstours.com ; circuits 70-145 $). Des circuits à pied sur des thèmes variés : petites rues pittoresques et arcades, vin, architecture, café et cafés, Melbourne d'antan, etc.

REAL MELBOURNE BIKE TOURS Vélo
(carte p. 218 ; ☎0417 339 203 ; www.rentabike.net.au ; Federation Sq ; circuits déj inclus adulte/enfant 110/79 $). Circuits à vélo de 4 heures couvrant le CBD, et certains secteurs de Yarra et Fitzroy. Propose également des vélos à louer (avec sièges pour enfants) à l'heure (15 $), à la journée (30 $) et à la semaine (100 $).

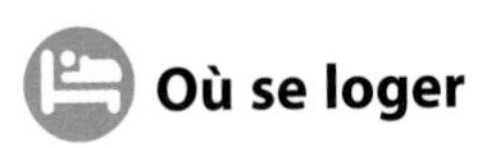

Où se loger

CENTRE DE MELBOURNE

MELBOURNE CENTRAL YHA Auberge de jeunesse $
(carte p. 218 ; ☎03-9621 2523 ; www.yha.com.au ; 562 Flinders St ; dort/d 32/100 $; @ 📶). Le bâtiment d'époque, totalement transformé, compte désormais une réception, de jolies chambres, ainsi que des cuisines et parties communes à chacun des 4 niveaux – ici, on fait la part belle au divertissement. Restaurant épatant (Bertha Brown) aménagé au rez-de-chaussée et vaste toit-terrasse.

MEDINA EXECUTIVE FLINDERS STREET Résidence hôtelière $$
(carte p. 218 ; ☎03-8663 0000 ; www.medina.com.au ; 88 Flinders St ; app à partir de 165 $; ❄). Ces beaux appartements monochromes sont extrêmement spacieux et luxueux. Demandez-en un situé à l'avant pour profiter de la vue sur le parc, ou tâchez d'apercevoir les ruelles de Melbourne depuis les immenses studios (cuisine équipée), avec parquet.

ADELPHI HOTEL Hôtel design $$
(carte p. 218 ; ☎03-8080 8888 ; www.adelphi.com.au ; 187 Flinders Lane ; ch à partir de 185 $; ❄ @ 📶 🏊). Ce discret établissement de Flinders Lane, conçu par Denton Korker Marshall au début des années 1990, fut l'un des premiers hôtels design d'Australie. Les chambres douillettes,

Melbourne avec des enfants

- **ACMI** (p. 213). Accès libre aux consoles de jeux et aux projections de films. Génial par temps de pluie.
- **Melbourne Zoo** (p. 222). La formule "Roar 'n' Snore" (camping dans le zoo) permet d'en découvrir les coulisses.
- **National Sports Museum** (p. 221). Une visite excitante qui fera rêver les champions en herbe.
- **Melbourne Museum** (p. 221). Le Children's Museum propose des expositions interactives qui font la joie des enfants.

Léopard des neiges, Royal Melbourne Zoo (p. 222)

ALEX DISSANAYAKE/LONELY PLANET IMAGES ©

aux équipements d'origine, ont résisté à l'épreuve du temps, et la piscine qui s'avance au-dessus de Flinders Lane a été plusieurs fois copiée.

ROBINSONS IN THE CITY Hôtel de charme $$
(carte p. 218 ; ☎03-9329 2552 ; www.ritc.com.au ; 405 Spencer St ; ch petit-déj compris à partir de 185 $; ❄ ☰). Ce petit bijou – une ancienne boulangerie datant de 1850 – se caractérise par ses 6 grandes chambres, une allure moderne éclectique et un service chaleureux. Pas de sdb dans les chambres : chacune a la sienne dans le couloir.

ALTO HOTEL ON BOURKE Hôtel $$
(carte p. 218 ; ☎03-9606 0585 ; www.altohotel.com.au ; 636 Bourke St ; ch à partir de 160 $, app à partir de 190 $; ❄ @ ☰). Un hôtel soucieux d'écologie (douches économisant l'eau, ampoules à économie d'énergie, fenêtres à double vitrage qui s'ouvrent), et promouvant le recyclage. Chambres bien équipées, à la décoration sobre et neutre.

CAUSEWAY 353 Hôtel $$
(carte p. 218 ; ☎03-9660 8888 ; www.causeway.com.au ; 353 Little Collins St ; ch petit-déj compris à partir de 150 $; ❄ @ ☰). Nul besoin d'une chambre avec vue, au regard de la situation du Causeway 353, où le petit-déjeuner est servi dans un café, situé dans une petite rue animée. Quant aux chambres, simples et chics, dotées de lits immenses et de mobilier gainé de cuir, elles vous permettront de vous réveillez frais et dispos après une nuit de rêve.

HOTEL LINDRUM Hôtel de charme $$$
(carte p. 218 ; ☎03-9668 1111 ; www.hotellindrum.com.au ; 26 Flinders St ; ch à partir de 245 $; ❄ @ ☰). Ce bel hôtel était autrefois la salle de billard du légendaire et imbattable Walter Lindrum. Tons chauds, éclairage subtil et beaux tissus. Les chambres deluxe offrent une vue splendide sur Melbourne, par des baies vitrées ou des fenêtres en arc.
Les chambres standards, agréables, ont cependant moins de cachet. L'un des meilleurs hôtels de charme de la ville. Et il y a, bien sûr, une table de billard.

JASPER HOTEL Hôtel $$
(carte p. 218 ; ☎03-8327 2777 ; www.jasperhotel.com.au ; 489 Elizabeth St ; ch à partir de 180 $; ❄ @ ☰). Le vieil Hotel Y, relooké par Jackson Clements Burrows, s'agrémente à présent d'éclairages tamisés, de belles couleurs,

de sdb aérées et de beaux tissus d'ameublement aux motifs graphiques. Les clients ont accès gratuitement aux équipements sportifs des Melbourne City Baths voisins.

VICTORIA HOTEL Hôtel **$$**
(carte p. 218 ; ☎03-9669 0000 ; www.victoriahotel.com.au ; 215 Little Collins St ; s/d 99/110 $; ❄@📶🏊). L'emblématique "Vic", fondé en 1880, compte 400 chambres, toutes assez différentes, mais douillettes et dotées d'un éclairage tamisé. Les "Bellerive" et les "Heritage" sont les plus haut de gamme.

FITZROY ET SES ENVIRONS

BROOKLYN ARTS HOTEL Concept hôtel **$$**
(☎03-9419 9328 ; www.brooklynartshotel.com ; 48-50 George St, Fitzroy ; s/d petit-déj compris 95/135 $; 📶 ; 🚋**86)**. Un petit hôtel plein de cachet, aux 7 chambres (l'une d'elle a même un piano) superbement décorées. Maggie, la propriétaire, a fait appel à des artistes qui viennent régulièrement loger dans l'établissement. Conversations animées autour du petit-déjeuner continental.

Carlton et ses environs

DOWNTOWNER ON LYGON Hôtel **$$**
(☎03-9663 5555 ; www.downtowner.com.au ; 66 Lygon St, Carlton ; ch à partir de 169 $; ❄@📶 ; 🚋**1, 8)**. Il y a ici un ensemble surprenant de chambres aux dimensions variées, dont des chambres attenantes idéales pour les familles ou les couples voyageant entre amis. Si possible, demandez une chambre la plus lumineuse possible. Emplacement parfait entre le CBD et les restaurants de Lygon St.

SOUTH YARRA, PRAHRAN ET WINDSOR

PUNTHILL APARTMENTS SOUTH YARRA Appartements **$$**
(☎1300 731 299 ; www.punthill.com.au ; 7 Yarra St, South Yarra ; ch à partir de 180 $; ❄📶 ; 🚆**South Yarra)**. Les petits détails (tableau noir et craie pour laisser des messages dans la cuisine, assortiment de bonbons à la réglisse sur la table de chevet) font tout le charme de cette excellente adresse. Les chambres sont pimpantes, avec des équipements pour laver le linge, et celles avec balcon ont un petit carré de faux gazon.

ART SERIES (CULLEN) Concept hôtel **$$**
(☎03-9098 1555 ; www.artserieshotels.com.au/cullen ; 164 Commercial Road, Prahran ; ch à partir de 169 $; ❄@📶 ; 🚋**78,79)**. Des cloisons opaques très tendance séparent la chambre de la sdb dans ce tout nouveau concept hôtel, dont la décoration est composée d'œuvres d'Adam Cullen, un artiste de Sydney. Empruntez la "Cullen Car" (60 $/j) ou le vélo Kronan (5 $/h), et tout Melbourne saura où vous logez !

ST KILDA ET SES ENVIRONS

THE PRINCE Hôtel **$$$**
(☎03-9536 1111 ; www.theprince.com.au ; 2 Acland St, St Kilda ; ch petit-déj compris à partir de 260 $; ❄@📶 ; 🚋**16, 79, 96, 112)**. Le Prince possède, comme de juste, une réception imposante, et les chambres offrent un intéressant mélange : proportions d'origine remontant à l'époque du pub, matériaux naturels et esthétique au design sobre. Les "équipements" de l'hôtel englobent des bars et des auditoriums très cotés, de même qu'un caviste au rez-de-chaussée.

BASE Auberge de jeunesse **$$**
(☎03-8598 6200 ; www.basebackpackers.com ; 17 Carlisle St, St Kilda ; dort à partir de 30 $, ch à partir de 110 $; ❄@📶 ; 🚋**16, 79, 96)**. Filiale du groupe Accor, la Base a des dortoirs aux lignes modernes, chacun avec sdb, ainsi que d'élégantes chambres doubles. Il y a un étage réservé aux voyageuses, ainsi qu'un bar et des soirées concert pour l'ambiance.

HOTEL TOLARNO Hôtel **$$**
(☎03-9537 0200 ; www.hoteltolarno.com.au ; 42 Fitzroy St, St Kilda ; ch à partir de 155 $; ❄@📶 ; 🚋**16, 79, 96, 112)**. L'hôtel se trouve à l'emplacement de la galerie Tolarno, la toute première galerie

de Georges Mora. À l'étage, les chambres aux couleurs vives ont un mobilier éclectique et une literie confortable. Si quelques chambres situées à l'avant du bâtiment sont parfois bruyantes, elles sont cependant dotées de balcons, de parquet et de grandes fenêtres.

Autour de St Kilda

MIDDLE PARK HOTEL Hôtel-pub **$$**
(☎03-9690 1958 ; www.middleparkhotel.com.au ; 102 Canterbury Rd, Middle Park ; ch petit-déj compris à partir de 180 $; 🚋112 ; ❄📶). Tiroirs de table de chevet fermés à clé arborant un "x", porte-clefs en forme de "x" (c'est la formule "intimité" à 70 $)... Une rénovation de fond en comble de cet hôtel de 2 étages vieux de 120 ans par la célèbre agence d'architectes Six Degrees a rendu les chambres aussi luxueuses que modernes : en haut de l'escalier en bois, vous trouverez des stations iPod et des douches tropicales. Au rez-de-chaussée vous attend un pub-restaurant contemporain. Le petit-déjeuner gastronomique servi en salle est un délice.

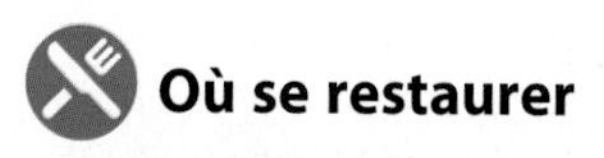

Où se restaurer

CENTRE DE MELBOURNE

VUE DE MONDE
Français, australien moderne **$$$**
(carte p. 218 ; ☎03-9691 3888 ; www.vuedemonde.com.au ; Rialto, 525 Collins St ; menu gourmand déj/dîner à partir de 100/150 $; 🕒déj et dîner mar-ven, dîner sam). L'adresse favorite des Melbourniens pour les dîners des grandes occasions a déménagé jusqu'à l'ancienne "plate-forme d'observation" du Rialto – la vue correspond bien désormais au nom de l'enseigne. Grâce à Shannon Bennett, véritable visionnaire, on s'y régale d'une fantastique cuisine française (réserver).

FLOWER DRUM Chinois **$$$**
(carte p. 218 ; ☎03-9662 3655 ; www.flower-drum.com ; 17 Market Lane ; plats 35-55 $; 🕒déj lun-sam, dîner tlj). Les produits les plus raffinés et les plus frais sont préparés avec un grand souci du détail. C'est pourquoi cette institution de Chinatown affiche complet des semaines à l'avance.

Movida Next Door (p. 230)

RICHARD I'ANSON/LONELY PLANET IMAGES ©

Marios (p. 232)

GERARD WALKER/LONELY PLANET IMAGES ©

GINGERBOY Asiatique moderne **$$**
(carte p. 218 ; ☎03-9662 4200 ; www.gingerboy.com.au ; 27-29 Crossley St ; petites portions 13-16 $, grandes portions 30-36 $; ⌚déj et dîner lun-ven, dîner sam). Passez outre le cadre ultrabranché et l'ambiance festive de week-end, car Teague Ezard s'approprie avec talent la cuisine de rue préparée à la minute. On se régale donc de noix de Saint-Jacques à la confiture de piment vert ou de thazard au lait de coco avec sauce au tamarin et à l'arachide. L'établissement a 2 salles. Réservation obligatoire.

CUMULUS INC Australien moderne **$$**
(carte p. 218 ; www.cumulusinc.com.au ; 45 Flinders Lane ; plats 21-38 $; ⌚petit-déj, déj et dîner lun-sam). Le Cumulus Inc est l'une des meilleures tables de la ville, dans le remarquable style d'Andrew McConnell, à prix raisonnables. L'accent est mis sur les bons produits, cuisinés avec art et simplicité. Vous choisirez des sardines et tomate fumée sur toasts, au comptoir en marbre pour le petit-déjeuner, ou des huîtres fraîches, à déguster confortablement installé sur des banquettes en cuir.

MOVIDA Espagnol **$$**
(carte p. 218 ; ☎03-9663 3038 ; www.movida.com.au ; 1 Hosier Lane ; tapas 4-6 $, raciones 10-17 $; ⌚déj et dîner). La Movida est nichée dans une ruelle pavée ornée d'une incroyable collection d'œuvres de street art – on fait difficilement plus typique de Melbourne. Vous prendrez place au bar, à table près des fenêtres, ou en salle (sur réservation). La **Movida Next Door** (à côté) est l'endroit idéal pour boire une bière et grignoter des tapas avant un spectacle ; plus loin, dans le quartier de la chambre des avocats, la grande **Movida Aqui** dispose d'une jolie terrasse.

ITALIAN WAITERS CLUB Italien **$$**
(carte p. 218 ; 1er ét, 20 Meyers Pl ; plats 15-18 $; ⌚déj et dîner). Jadis fief des serveurs italiens et espagnols qui venaient se détendre après le travail en jouant à la *scopa* (un jeu de cartes) et en sirotant un verre de vin, il accueille aujourd'hui une clientèle très variée, férue de plats de pâtes et de formules régulièrement renouvelées.

PORTELLO ROSSO Tapas **$$**
(carte p. 218 ; www.portellorosso.com.au ; 15 Warburton Lane ; tapas 15 $; ⌚déj mar-ven, dîner mar-sam). Le chef Aaron Whitney étant

passé par Byron Bay et Majorque avant de rejoindre Melbourne, attendez-vous à déguster d'authentiques et excellentes tapas. Il y a un bar à cocktails à l'ancienne à l'étage (le Murmur), et l'établissement tout entier rappelle son passé ouvrier.

MAHA Moyen-oriental **$$**
(carte p. 218 ; ☎03-9629 5900 ; www.mahabg.com.au ; 21 Bond St ; petites portions 8-10 $, grandes portions 20-26 $; ⏲déj et dîner lun-ven, dîner sam). Pensez à réserver pour manger dans cette belle salle en sous-sol, qui rend hommage à la richesse et à la complexité des cuisines du Moyen-Orient et de l'est de la Méditerranée, revisitées avec une touche légère et moderne. Les racines maltaises du chef Shane Delia font aussi sentir leur influence : le lapin ne disparaît du menu que lorsqu'il n'est pas de saison.

PELLEGRINI'S ESPRESSO BAR Italien, café **$**
(carte p. 218 ; ☎03-9662 1885 ; 66 Bourke St ; plats 12-16 $; ⏲petit-déj, déj et dîner). Équivalent italien emblématique d'un classique *diner* des années 1950, resté inchangé depuis cette époque. Faites votre choix parmi les diverses pâtes et sauces et postez-vous à la table du fond pour regarder les ingrédients mélangés dans de grosses marmites toujours fumantes. En été, terminez le repas par une louche de *granita* à la pastèque.

NORTH MELBOURNE

COURTHOUSE HOTEL Cuisine de pub **$$**
(www.thecourthouse.net.au ; 86 Errol St, North Melbourne ; plats 18-41 $; ⏲déj et dîner lun-sam ; 🚋57). Ce pub situé à l'angle de la rue réussit à conserver le confort et l'ambiance familière des autres établissements servant de la cuisine de pub. Formule déjeuner d'un bon rapport qualité/prix (37 $, avec verre de vin) ; plats moins chers au bar.

RICHMOND

DEMITRI'S FEAST Grec **$**
(www.dimitrisfeast.com.au ; 141 Swan St, Richmond ; plats 14-16 $; ⏲petit-déj et déj mar-dim ; 🚋70). Attention : n'essayez pas de chercher une place assise le week-end. Privilégiez plutôt un jour tranquille en semaine. Vous aurez ainsi tout le temps, et assez d'espace, pour profiter à loisir des plats proposés au déjeuner, telle la salade de calmars accompagnée d'un aïoli à l'ouzo.

RICHMOND HILL CAFE & LARDER Café **$$**
(www.rhcl.com.au ; 48-50 Bridge Rd, Richmond ; brunch 12-30 $; ⏲petit-déj et déj ; 🚆West Richmond, 🚋48, 75). Ancien fief de la chef réputée Stephanie Alexander, l'endroit a conservé sa belle salle à fromages et propose toujours des mets simples, comme les tartines de chèvre chaud. Les plus courageux pourront goûter aux cocktails du petit-déjeuner. Wellington St, dans le CBD, devient ensuite Bridge Rd.

FITZROY ET SES ENVIRONS

CUTLER & CO Australien moderne **$$$**
(☎03-9419 4888 ; www.cutlerandco.com.au ; 55 Gertrude St, Fitzroy ; plats 37-47 $; ⏲dîner mar-dim, déj ven et dim ; 🚋86). Tendance et branché (mais pour de bonnes raisons), voici le tout dernier restaurant d'Andrew McConnell. Si la décoration est un tantinet trop appuyée, le personnel attentionné et de bon conseil, ainsi que les plats délicieux (le cochon de lait est particulièrement apprécié) ont fait de cette adresse l'une des meilleures tables de Melbourne.

ST JUDE'S CELLAR Australien moderne **$$**
(www.stjudescellars.com.au ; 389-391 Brunswick St, Fitzroy ; plats environ 22-26 $; ⏲déj et dîner mar-dim, petit-déj sam-dim ; 🚋112). Un entrepôt sombre redécoré, cool et chaleureux, qui n'a rien perdu de son aspect industriel. Le restaurant derrière la boutique de caviste installée en devanture permet d'échapper agréablement à l'agitation de Brunswick St. Parmi les plats figurent des moules au cidre Coldstream accompagnées de poireaux, et du ragoût de chèvre. Desserts originaux.

MOROCCAN SOUP BAR Nord-africain, végétarien **$$**
(☎03-9482 4240 ; 183 St Georges Rd, North Fitzroy ; banquet 18 $; ⏲18h-22h mar-dim ;

112). Vous devrez atttendre qu'Hana vous fasse asseoir puis vous annonce la liste des soupes, entrées et délicieux tajines. La formule banquet, de 3 plats, est d'un excellent rapport qualité/prix. L'établissement ne sert pas d'alcool, mais il y a un bar ravissant juste à côté.

BABKA BAKERY CAFE Boulangerie, café **$**
(358 Brunswick St, Fitzroy ; plats 8-16 $; petit-déj et déj mar-dim ; 112). Les saveurs russes ont la part belle dans les mets, préparés avec amour, proposés au petit-déjeuner et au déjeuner. Les parfums de la cannelle et du pain frais vous feront patienter pour vous offrir un café. Les gâteaux, savoureux, s'achètent à emporter, tout entiers au besoin.

Marios Café **$**
(303 Brunswick St, Fitzroy ; plats environ 14-25 $ petit-déj, déj et dîner ; 112). Un passage par ce café est un must pour qui visite Melbourne. Les petits-déjeuners, très copieux, sont servis tous les jours. Le service est rapide et le café corsé comme on l'aime.

CARLTON ET SES ENVIRONS

ABLA'S Libanais **$$**
(03-9347 0006 ; www.ablas.com.au ; 109 Elgin St, Carlton ; plats 25 $; déj jeu et ven, dîner lun-sam ; 1, 8, 96, 205). Abla Amad, dont la cuisine authentique et pleine de saveurs a inspiré toute une génération de chefs libanais locaux, est ici aux fourneaux. Apportez une bouteille de votre vin favori et prenez place pour le banquet obligatoire du vendredi ou du samedi soir.

EMBRASSE RESTAURANT Français **$$**
(03-9347 3312 ; www.embrasserestaurant.com.au ; 312 Drummond St, Carlton ; plats 27-37 $; dîner mer-dim, déj jeu-dim). Pois chiches à la cocotte-minute et émulsions, purées, fleurs : c'est ce que propose Nicolas Poelaert, pour le plus grand plaisir de la clientèle. Tout près du cœur de Lygon St, ce restaurant baigne dans une ambiance intime et formelle. Le déjeuner dominical, de 4 plats, est une ode à la France.

TIAMO Italien **$$**
(303 Lygon St Carlton ; plats 13-10 $). Si vous êtes las des cafés "à l'australienne", optez pour l'un des vrais cafés-restaurants italiens de Lygon Street. L'ambiance est au rire et à la joie de vivre, comme dans les restaurants d'antan.

ST KILDA ET SES ENVIRONS

ATTICA Contemporain **$$$**
(03-9530 0111 ; www.attica.com.au ; 74 Glen Eira Rd, Ripponlea ; dégustation 8 plats 144 $; dîner mar-sam ; Ripponlea). Célèbre pour être la seule table de Melbourne (de fait en banlieue) à avoir figuré sur la liste San Pellegrino des meilleurs restaurants en 2010, l'Attica sert les plats inventifs de Ben Shewry. Les portions, plutôt petites, mettent l'accent sur la texture des mets (pommes de terre cuites dans la terre, par exemple).

CICCIOLINA Méditerranéen **$$**
(www.cicciolinastkilda.com.au ; 130 Acland St, St Kilda ; plats 19-40 $; déj et dîner ; 16, 96). Salle chaleureuse, aux boiseries sombres, éclairage tamisé et esquisses au crayon, institution à St Kilda. Le menu Méditerranée est tendance et généreux, et le service sympathique. Pas de réservations : venez tôt ou patientez dans le petit bar plein de cachet, à l'arrière.

I CARUSI II Pizzeria **$$**
(231 Barkly St, St Kilda ; pizzas 14-18 $; dîner ; 16, 96). Les pizzas ont ici une pâte très savoureuse et donnent dans la sobriété. Elles sont tout simplement garnies de mozzarella, de pecorino et d'une poignée d'autres ingrédients de premier choix. Réservation recommandée.

SOUTH YARRA, PRAHRAN ET WINDSOR

JACQUES REYMOND Australien moderne **$$$**
(03-9525 2178 ; www.jacquesreymond.com.au ; 78 Williams Rd, Prahran ; 3 plats à partir de 98 $; déj jeu-ven, dîner mar-sam ; 6). Jacques Reymond fut le pionnier en matière de menus dégustation. Les assiettes dégustation ont désormais la taille d'une entrée, et existent aussi

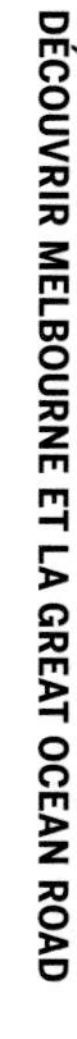

en version végétarienne. Le menu témoigne d'influences françaises et asiatiques. Au rang des petites touches personnelles : le beurre baratté maison.

Windsor Castle Pub **$$**
(89 Albert St, Windsor ; plats 15-25 $; Windsor). Petits coins douillets, dénivelés, cheminées (ou, en été, *beer garden*) et une bonne cuisine de pub. Tout pour plaire.

Où prendre un verre

CENTRE DE MELBOURNE

RIVERLAND Bar
(carte p. 218 ; www.riverlandbar.com ; Vaults 1-9, Federation Wharf (au-dessous du Princes Bridge) ; 7h-24h). Ce magnifique édifice en pierre bleue se tient au bord de l'eau. La simplicité est de rigueur : du bon vin, de la bière pression et des en-cas de bar.

SECTION 8 Bar alternatif
(carte p. 218 ; www.section8.com.au ; 27-29 Tattersalls Lane ; 8h-tard lun-ven, 12h-tard sam-dim). Le plus récent en matière de conteneurs de navire marchand transformés en établissements tendance. Venez siroter une bière Mountain Goat, en compagnie de Melbourniens branchés qui prennent un verre après le travail et apprécient la déco faite de caisses et les meilleurs DJ de la ville, dit-on.

MELBOURNE SUPPER CLUB Bar
(carte p. 218 ; 1er ét, 161 Spring St ; 17h-3h lun-sam). À Melbourne, le Supper Club est le bar où l'on échoue lorsque tous les autres ont fermé, car il reste ouvert très tard, et les artistes aiment y boire un verre après le spectacle. Consultez la longue carte des vins et relaxez-vous : les sommeliers se feront un plaisir de vous servir.

CROFT INSTITUTE Bar
(carte p. 218 ; www.thecroftinstitute.net ; 21-25 Croft Alley ; 17h-tard lun-ven, 20h-tard sam). Niché dans une ruelle en retrait d'une autre ruelle (donc difficile à trouver), ce bar au décor d'institut scientifique met à l'épreuve la détermination des buveurs. Offrez-vous un bécher de vodka distillée maison dans le laboratoire du rez-de-chaussée (pour rester dans l'ambiance, certains verres s'accompagnent de fausses seringues en plastique).

EAST MELBOURNE ET RICHMOND

DER RAUM Bar
(www.derraum.com.au ; 438 Church St, Richmond ; 17h-tard ; East Richmond, 70). Son nom évoque les films de Fritz Lang. De fait, l'endroit a quelque chose de sombre, tant sur le plan de la déco que de son extrême dévotion aux alcools forts. Les bouteilles suspendues au plafond témoignent du passé du lieu.

Section 8
PHOTOGRAPHE : TIM BARKER/LONELY PLANET IMAGES ©

MOUNTAIN GOAT BREWERY Microbrasserie
(www.goatbeer.com.au ; angle North et Clark Sts, Richmond ; ⏲à partir de 17h mer et ven uniquement). Microbrasserie locale aménagée dans un immense hangar où l'on brasse de la bière. Vous pourrez goûter aux spécialités tout en grignotant une pizza, ou participer à une visite gratuite de la brasserie le mercredi soir.

FITZROY ET SES ENVIRONS

NAPIER HOTEL Pub
(www.thenapierhotel.com ; 210 Napier St, Fitzroy ; ⏲15h-23h lun-jeu, 13h-1h ven et sam, 13h-23h dim ; 🚊112, 86). Le Napier, ouvert depuis plus de 100 ans, a vu le quartier changer de visage. Il reste une excellente adresse pour manger de la cuisine de pub.

LITTLE CREATURES DINING HALL Brasserie
(www.littlecreatures.com.au ; 222 Brunswick St, Fitzroy ; 📶 ; 🚊112). Wi-Fi gratuit, vélos en libre service, ambiance agréable pour les enfants en journée, bref, l'adresse idéale pour se régaler d'énormes pizzas en buvant du vin ou de la bière.

NAKED FOR SATAN Bar
(www.nakedforsatan.com.au ; 285 Brunswick St ; ⏲tous les jours, 12h-jusque tard ; 🚊112). Très animé, bruyant et entretenant une légende de Brunswick St (celle d'un homme surnommé Satan qui distillait clandestinement de la vodka sous la boutique, dans le plus simple appareil, ou presque, à cause de la chaleur), cet établissement fait le plein grâce à ses *pintxos* (tapas sous forme de petites tartines ; 2 $) et ses boissons aux noms astucieux.

CARLTON ET SES ENVIRONS

GERALD'S BAR Bar à vin
(386 Rathdowne St, Carlton North ; ⏲17h-23h lun-sam ; 🚊1, 8, 🚌253). On sert ici du vin au verre et l'on passe de bons disques vinyles derrière le bar en bois. Si vous avez un petit creux, régalez-vous de terrine, par exemple, ou de poitrine de porc.

À gauche Corner Hotel (p. 237) **Ci-dessous** Hotel Esplanade (p. 237)

PHOTOGRAPHE : (À GAUCHE) GLENN BEANLAND/LONELY PLANET IMAGES © ; (CI-DESSOUS) RICHARD NEBESKY/ LONELY PLANET IMAGES ©

ST KILDA ET SES ENVIRONS

CARLISLE WINE BAR Bar à vin

(137 Carlisle St, Balaclava ; brunch sam-dim, dîner tlj ; Balaclava, 3, 16). Les habitants adorent cette ancienne boucherie à l'ambiance souvent survoltée où l'on voue un véritable culte au vin. Le personnel vous traitera comme un habitué et vous dénichera un verre de vin très spécial, ou vous concoctera tranquillement un cocktail au milieu de la ruée du week-end. Carlisle St s'étend à l'est de St Kilda Rd.

GEORGE PUBLIC BAR Bar

(www.georgepublicbar.com.au ; sous-sol, 127 Fitzroy St, St Kilda ; 96, 16). Derrière la peinture écaillée et les fenêtres en arche édouardiennes du George Hotel, le Melbourne Wine Room et son grand comptoir font le bonheur des Melbourniens qui viennent prendre un verre après le travail. Le George Public Bar, souvent appelé Snakepit (la fosse aux serpents), se trouve à l'intérieur du bâtiment.

Où sortir

Clubs et discothèques

ALUMBRA Club

(www.alumbra.com.au ; Shed 9, Central Pier, 161 Harbour Esplanade, Docklands ; 16h-tard ven-dim). La musique excellente et l'emplacement de rêve impressionnent plus que le décor exubérant, à mi-chemin entre Bali et le Maroc.

REVOLVER UPSTAIRS Club

(www.revolverupstairs.com.au ; 229 Chapel St, Prahran ; 12h-4h lun-jeu, 24h ven-dim ; Prahran, 6). Le tapageur Revolver peut faire penser au salon de sa propre maison en version gigantesque – avec 54 heures de musique non-stop le week-end...

Cinémas

Les multiplexes sont partout dans Melbourne, et l'on trouve aussi quelques

Marina et promenade du front de mer de St Kilda (p. 223)

JOHN BANAGAN/LONELY PLANET IMAGES ©

cinémas d'art et d'essai très prisés dans le CBD et les faubourgs environnants.

Astor Cinéma
(www.astor-theatre.com ; angle Chapel St et Dandenong Rd, St Kilda ; Windsor ; 64)

CINEMA NOVA Cinéma
(www.cinemanova.com.au ; 380 Lygon St, Carlton ; 1, 8)

KINO CINEMAS Cinéma
(carte p. 218 ; www.palacecinemas.com.au ; Collins Pl, 45 Collins St). Les cinémas en plein air remportent un franc succès en été. Consultez leurs sites Internet pour connaître les dates et la programmation.

Moonlight Cinema Cinéma en plein air
(www.moonlight.com.au ; porte D, Royal Botanic Gardens, Birdwood Ave, South Yarra ; 8). Apportez une couverture, un oreiller et de quoi dîner (on peut aussi acheter à manger et à boire sur place) et installez-vous au clair de lune, au milieu des jardins.

ROOFTOP CINEMA Cinéma en plein air
(carte p. 218 ; www.rooftopcinema.com.au ; niv 6, Curtin House, 252 Swanston St, Melbourne). Une vue splendide, un camion ambulant de burgers appelé Beatbox Kitchen, et un bar.

Théâtres

MALTHOUSE THEATRE Théâtre
(03-9685 5111 ; www.malthousetheatre.com.au ; 113 Sturt St, South Melbourne ; 1). La Malthouse Theatre Company propose souvent les pièces les plus passionnantes.

MELBOURNE THEATRE COMPANY Théâtre
(MTC ; 03-8688 0800 ; www.mtc.com.au ; angle Southbank Blvd Southbank). La grande compagnie de théâtre de la ville propose une quinzaine de spectacles chaque année, de Shakespeare et d'autres classiques au théâtre contemporain (dont quantité d'œuvres de dramaturges australiens).

Musique live

NORTHCOTE SOCIAL CLUB Musique live
(03-9489 3917 ; www.northcotesocialclub.com ; 301 High St, Northcote ; 86). L'une des meilleures salles de concert de Melbourne. Sa scène a déjà accueilli quantité de jeunes talents internationaux, et met aussi l'accent sur les talents locaux. Si vous souhaitez juste prendre un verre, sachez

que le bar est animé chaque soir de la semaine, à moins d'opter pour un moment de farniente sur la terrasse l'après-midi.

CORNER HOTEL Musique live

(☎03-9427 9198 ; www.cornerhotel.com ; 57 Swan St, Richmond ; fermé lun ; Richmond, 70). L'auditorium de l'établissement est l'une des salles de concert de taille moyenne les plus courues de Melbourne. Le toit en terrasse jouit d'une vue splendide sur la ville mais il est souvent bondé, et fréquenté par une clientèle éclectique.

BENNETTS LANE Musique live

(carte p. 218 ; www.bennettslane.com ; 25 Bennetts Lane, Melbourne ; billets à partir de 15 $; 20h30-tard). Le Bennetts est, de longue date, le creuset du jazz à Melbourne. Il attire la crème des talents locaux et internationaux et un public qui sait à quel moment applaudir un solo.

HOTEL ESPLANADE Musique live

(http://espy.com.au ; 11 The Esplanade, St Kilda ; 12h-tard lun-ven, 8h-tard week-ends ; 96, 16). Amateurs de rock, réjouissez-vous, "l'Espy" reste miteux à souhait et ouvert à tous. Il y a des groupes presque chaque soir. La cuisine du fond est rutilante et, pour le prix d'un plat, on obtient une place au premier rang, offrant une vue imprenable sur le coucher de soleil à St Kilda.

TOTE Musique live

(www.thetotehotel.com ; angle Johnston et Wellington Sts, Fitzroy ; 16h-tard jeu-dim ; 86). La fermeture du Tote en 2010 a mis un coup d'arrêt à la vie nocturne de Melbourne. Les gens ont protesté dans les rues du CBD contre les lois relatives à la possession d'une licence IV, tenues pour responsables de cette fermeture, et les auditeurs des radios ont poussé les hauts cris sur les ondes. Les clients ont gagné. Les lois sur la licence IV ont été amendées, et, sous la férule des nouveaux propriétaires, le Tote a rouvert pour perpétuer sa tradition de concerts de rock grunge.

CHERRY Musique live

(carte p. 218 ; ACDC Lane, Melbourne ; 17h-tard mar-ven, 21h-tard sam). Ce refuge du rock'n'roll a encore une belle vitalité. Il y a souvent la queue, mais une fois à l'intérieur, une atmosphère décontractée et un brin anarchiste domine. Musique live (jamais d'électro) certains soirs seulement.

Achats

CENTRE DE MELBOURNE

CAPTAINS OF INDUSTRY Vêtements

(carte p. 218 ; www.captainsofindustry.com.au ; niv 1, 2 Somerset Pl). Où obtenir en même temps une coupe de cheveux, un vêtement sur mesure et une paire de chaussures ? Ici. Le personnel du Captains, qui travaille dur, propose aussi des petits-déjeuners comme à la maison et des déjeuners inventifs.

COUNTER Artisanat, design

(carte p. 218 ; www.craftvic.org.au ; 31 Flinders Lane). Le détaillant de Craft Victoria est une vitrine de l'artisanat. Ses bijoux, tissus, accessoires, objets en verre et céramiques comblent le fossé entre art et artisanat, et font de superbes cadeaux souvenirs.

AESOP Beauté

Centre-ville (carte p. 218 ; QV, 35 Albert Coates Lane et 268 Flinders Lane) ; Fitzroy (242 Gertrude St, Fitzroy) ; Prahran (143 Greville St, Prahran). Entreprise de cosmétiques locale proposant des produits naturels aux emballages sobres. La gamme, très variée, est fabriquée à partir d'extraits de plantes.

FITZROY ET SES ENVIRONS

CRUMPLER Accessoires

(www.crumpler.com.au ; angle Gertrude St et Smith St, Fitzroy ; 86). Crumpler a démarré avec des sacoches de facteur à porter dans le dos. Il vend maintenant toutes sortes de modèles (étuis pour appareil photo, ordinateur, iPod, etc.). Ses articles durables et pratiques sont en vente partout dans le monde.

THIRD DRAWER DOWN Design

(www.thirddrawerdown.com ; 93 George St, Fitzroy ; 86). Boutique très originale vendant toutes sortes d'objets de déco et utiles aux couleurs vives, du moulin à graines de sésame aux serviettes de plage imprimées "Beer o'clock".

POLYESTER RECORDS Musique
(387 Brunswick St, Fitzroy ; 🚋112). Cet excellent magasin de disques vend des titres indépendants du monde entier depuis plusieurs décennies, ainsi que des places de concert. Il y a également une **enseigne (carte p. 218 ; 288 Flinders Lane, Melbourne)** dans le CBD.

CARLTON ET SES ENVIRONS

READINGS Livres
(309 Lygon St, Carlton ; www.readings.com.au ; 🚋16). Une flânerie dans cette librairie indépendante peut durer tout un après-midi si le cœur vous en dit. Vous trouverez une table chargée de livres spécialisés (et bon marché), un personnel bien informé et d'innombrables ouvrages sur les rayonnages, de Lacan à *Charlie & Lola*.

SOUTH YARRA, PRAHRAN ET WINDSOR

CHAPEL STREET BAZAAR Pièces de collection
(217-223 Chapel St, Prahran ; 🚆Prahran, 🚋78, 79). Ce vieux passage à arcades empli de stands est une ode au rétro. Verrerie d'art italienne ou coquetiers Noddy, tout y est.

Renseignements

Argent

Il y a des distributeurs de billets (DAB) dans toute la ville. Les grands hôtels proposent un service de change, à l'instar de la plupart des banques pendant leurs heures d'ouverture. Vous trouverez plusieurs bureaux de change dans Swanston St.

Office du tourisme

Centre d'information des visiteurs de Melbourne **(MVC ; ☎03-9658 9658 ; Federation Sq ; ⏰9h-18h tlj)**

Services médicaux

Le Travel Doctor **(TVMC ; www.traveldoctor.com.au)** centre-ville **(☎03-9935 8100 ; niv 2, 393 Little Bourke St)** ; Southgate **(☎03-9690 1433 ; 3 Southgate Ave, Southgate)** est spécialisé dans les vaccinations.

L'hôpital public Royal Melbourne Hospital **(☎03-9342 7666 ; www.rmh.mh.org.au ; 300 Grattan St, Parkville)** a un service d'urgences.

Depuis/vers Melbourne

Avion

Melbourne est desservie par 2 aéroports, Avalon et Tullamarine, mais pour le moment, seules les compagnies nationales Tiger **(☎03-9335 3033 ; www.tigerairways.com)** et Jetstar **(☎13 15 38 ; www.jetstar.com)** partent d'Avalon. Celles-ci assurent aussi des vols depuis/vers l'aéroport Tullamarine, qui s'ajoutent aux vols intérieurs et internationaux des compagnies Qantas **(☎13 13 13 ; www.qantas.com)** et Virgin Australia **(☎13 67 89 ; www.virginaustralia.com)**.

Bateau

Le Spirit of Tasmania **(☎1800 634 906 ; www.spiritoftasmania.com.au)** traverse le détroit de Bass de Melbourne à Devonport, en Tasmanie, chaque soir ; il y a également des traversées en journée en haute saison (comptez 11 heures).

Bus, voiture et moto

Southern Cross Station **(carte p. 218 ; www.southerncrossstation.net.au)** est la principale gare des bus longue distance.

V/Line **(www.vline.com.au)**. Couvre tout le Victoria.

Firefly **(www.fireflyexpress.com.au)**. Depuis/vers Adélaïde et Sydney.

Greyhound **(www.greyhound.com.au)**. Couvre toute l'Australie.

Train

Les trains longue distance circulent aussi depuis/vers la gare de Southern Cross Station.

Comment circuler

Depuis/vers l'aéroport

AÉROPORT TULLAMARINE

Il n'y a ni train ni tramway pour l'aéroport de Tullamarine. En taxi, la course jusqu'au CBD coûte un minimum de 40 $. Sinon, prenez le SkyBus **(☎03-9335 3066 ; www.skybus.com.au ; adulte/enfant aller simple 16/6 $)**, bus express qui effectue le trajet depuis/vers Southern Cross Station en 20 min.

WILL SALTER/LONELY PLANET IMAGES ©

À ne pas manquer Les meilleurs marchés de Melbourne

Rose Street Artists' Market (www.rosestmarket.com.au ; 60 Rose St, Fitzroy ; 11h-17h sam-dim ; 112). L'un des marchés artisanaux les plus intéressants et les plus populaires, à courte distance à pied de Brunswick St.

Camberwell Sunday Market (www.sundaymarket.com.au ; Station St, derrière l'angle de Burke Rd et Riversdale Rd, Camberwell ; don d'une pièce de 1 ou 2 $; 7h-12h30 dim ; Camberwell, 70,72,75). Ce vide-grenier permet aux uns de se débarrasser de vieux objets, aux autres de faire des trouvailles.

Esplanade Market (www.esplanademarket.com ; Upper Esplanade, entre Cavell St et Fitzroy St, St Kilda ; 10h-17h dim ; 96). Envie de faire des courses au bord de la mer ? Voici un kilomètre de tréteaux mis bout à bout, sur lesquels vous dénicherez des objets artisanaux de toutes sortes (jouets, savons bio, sculptures métalliques en forme de poisson, etc.).

Queen Victoria Market (Queen Vic Market ; carte p. 218 ; www.qvm.com.au ; 513 Elizabeth St, Melbourne ; 6h-14h mar et jeu, 6h-17h ven, 6h-15h sam, 9h-16h dim). Ne manquez pas ce marché vieux de 130 années (photo ci-dessus), avec sa halle aux viandes, ses traiteurs et ses immenses allées de fruits et légumes. Le mercredi, en été, il accueille aussi un marché nocturne animé, avec stands de nourriture et musique.

AÉROPORT AVALON

À l'arrivée et au départ de tous les vols, un bus Avalon Airport Transfers (www.sitacoaches.com.au ; aller simple 20 $; 50 min) fait la navette entre l'aéroport Avalon et la ville. Le bus part de Southern Cross Station ; consultez les horaires sur le site Internet. Il est inutile de réserver.

Taxi

Les taxis sont équipés de compteurs. Entre 22h et 5h, il faut payer à l'avance la somme estimée pour le trajet. En fin de parcours, vous devrez, en fonction du montant réel de la course, compléter la somme ou vous faire rembourser la différence. Les frais de péage s'ajoutent à la course.

Transports publics

Flinders Street Station est la principale station de métro reliant la ville et les banlieues proches. Le City Loop circule sous terre et relie les quatre coins de la ville.

Un vaste réseau de lignes de tramway dessert toute la ville. Les lignes circulent selon un axe nord-sud et est-ouest en suivant la plupart des grandes artères. Il y des tramways environ toutes les 10 min du lundi au vendredi, toutes les 10-15 min le samedi, et toutes les 20 min le dimanche. Pour plus de précisions, consultez Metlink **(www.metlinkmelbourne.com.au)**. Pensez aussi à prendre le tramway gratuit City Circle, qui fait le tour de la ville.

BILLETS

Le système de transports myki **(www.myki.com.au)** concerne les bus, trams et trains, et fonctionne avec un pass électronique disponible en ligne (10 $ plein tarif), à Flinders Street Station, au MetShop **(☎13 16 38 ; Melbourne Town Hall, angle Swanston St et Little Collins St)** et à l'agence "myki" de Southern Cross Station.

Il faut recharger son pass "myki" aux machines installées dans la plupart des gares et stations (ou bien en ligne, solution qui prend 24 heures). Si vous ne restez que quelques jours en ville, il est possible d'acheter des billets "court terme" aux distributeurs des bus, des trains et des trams, sachant que leurs tarifs sont légèrement plus élevés que ceux d'un pass "myki".

Coût :

- Zone 1 : Myki Money 2 heures 2,94 $, billets "short term" 2 heures 3,70 $
- Zone 1 : Myki Money 1 journée 5,88 $, billets "short term" 1 journée 6,80 $

Vélo

Le Melbourne Bike Share **(www.melbournebikeshare.com.au ; ☎1300 711 590)**, Vélib' melbournien inauguré en 2010, a démarré lentement, en partie à cause des lois du Victoria qui obligent à porter un casque quand on circule à vélo. Des casques subventionnés sont désormais disponibles dans les supérettes 7Eleven dans tout le CBD (5 $ avec un remboursement de 3 $ au retour). Chaque première tranche de location de 30 min est gratuite. Une inscription à la journée (2,50 $) ou à la semaine (8 $) nécessite de posséder une carte bancaire. Il faut également payer une caution de 300 $.

Vol en montgolfière au-dessus du vignoble du domaine Chandon, Yarra Valley

JULIET COOMBE/LONELY PLANET IMAGES ©

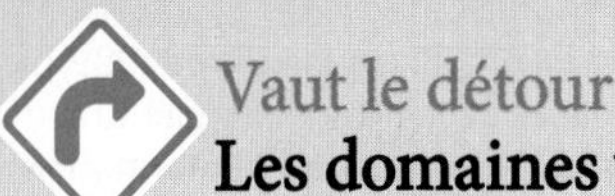

Vaut le détour

Les domaines viticoles de la Yarra Valley

À une heure au nord-est de Melbourne, on dénombre dans la **Yarra Valley** (www.wineyarravalley.com) plus de 80 domaines dispersés dans ses collines – les premières vignes furent plantées à Yering Station en 1838. Cette région au climat frais est propice aux chardonnay, pinot noir et pinot gris.

Boat O'Craigo (☎03-8357 0188 ; 458 Maroondah Hwy, Healesville). Domaine huppé, centré sur 2 vignobles qui produisent des rouges fruités et des blancs – vins de syrah et pinot gris notamment.

Domaine Chandon (☎9738 9200 ; www.chandon.com.au ; 727 Maroodah Hwy, Coldstream). Fondé par la maison Moët, ce domaine chic mérite le détour pour ses visites guidées gratuites (13h et 15h), lors desquelles il est possible de déguster le célèbre breuvage pétillant.

Rochford (☎03-5962 2119 ; www.rochfordwines.com ; angle Maroondah Hwy et Hill Rd, Coldstream). Rochford est une immense exploitation possédant un restaurant et un café, qui accueille régulièrement des concerts.

TarraWarra Estate (☎03-5957 3510 ; www.tarrawarra.com.au ; 311 Healesville–Yarra Glen Rd, Yarra Glen). Un bistrot convivial et une belle galerie d'art (5 $) sont installés dans l'étonnant bâtiment de ce producteur.

Yering Farm Wines (☎03-9739 0461 ; www.yeringfarmwines.com ; St Huberts Rd, Yering). Une petite cave rustique et sympathique installée dans un vieil hangar qui bénéficie d'une belle vue.

Yering Station (☎03-9730 0100 ; www.yering.com ; 38 Melba Hwy, Yering). Un complexe moderne, qui se double d'un bon restaurant, d'une épicerie fine et d'un bar. L'établissement produit un rouge capiteux, assemblage de syrah et de viognier.

Voiture et moto

LOCATION DE VOITURE

Avis (☎13 63 33 ; www.avis.com.au)

Budget (☎1300 362 848 ; www.budget.com.au)

Hertz (☎13 30 39 ; www.hertz.com.au)

Europcar (☎1300 131 390 ; www.europcar.com.au)

Thrifty (☎1300 367 227 ; www.thrifty.com.au)

Rent a Bomb (☎03-9696 7555 ; www.rentabomb.com.au)

ROUTES À PÉAGE

Les motos circulent gratuitement sur l'autoroute CityLink. Les conducteurs de voiture devront, en revanche, acheter un pass s'ils comptent emprunter l'une des deux routes à péage (CityLink ou EastLink, qui va de Ringwood à Frankston).

PHILLIP ISLAND

Réputée pour sa parade des manchots et son Grand Prix moto, Phillip Island, île de 100 km² à l'environnement naturel spectaculaire, draine un étrange mélange de surfeurs, de motards et de touristes du monde entier se pressant pour admirer les manchots.

Mais cette île à la beauté sauvage a beaucoup plus à offrir : une grande colonie de phoques, une avifaune abondante autour des marais de Rhyl, ainsi que des koalas.

À voir et à faire

Phillip Island Nature Parks

Ce parc "naturel" englobe trois attractions vedettes de l'île : le **défilé des manchots**

(Penguin Parade ; ☎03-5951 2800 ; www.penguins.org.au ; Summerland Beach ; adulte/enfant/famille 20/10/50 $; ⏲10h-crépuscule), le **Koala Conservation Centre** (☎03-5952 1307 ; adulte/enfant/famille 10/5/25 $; ⏲10h-17h, horaires prolongés en été), en retrait de Phillip Island Rd, équipé de passerelles surélevées, et **Churchill Island** (☎03-5956 7214 ; adulte/enfant/famille 10/5/25 $; ⏲10h-16h30, horaires étendus en été), une ferme en activité de 57 ha, où furent plantées les premières céréales de l'État du Victoria, et qui présente aujourd'hui des expositions sur les techniques anciennes, notamment sur le barattage du beurre et la forge.

Les **manchots pygmées** sont la principale curiosité. Ce sont les plus petits manchots du monde, et sont très populaires auprès du public. Le complexe qui leur est consacré comprend des amphithéâtres pouvant accueillir 3 800 spectateurs. De là, au crépuscule, on peut voir les manchots revenir de la mer et rejoindre leurs nids, installés dans des terriers. Des **visites** (adulte 35-70 $) sont proposées. Vous pouvez ainsi vous faire accompagner par un garde forestier (ranger) ou observer les manchots à partir d'une Skybox (plateforme surélevée).

Seal Rocks et les Nobbies

À l'extrême sud-ouest de l'île, un groupe de rochers baptisé **Nobbies** émerge de l'océan. Derrière eux, les **Seal Rocks** accueillent la plus importante colonie de phoques à fourrure d'Australie. Le **Nobbies Centre** (☎03-5951 2816 ; entrée libre, visites guidées adulte/enfant 10/5 $; ⏲10h-20h été, 11h-17h automne, 11h-16h hiver, 11h-18h printemps) abrite un intéressant centre d'interprétation de la nature proposant des jeux interactifs. Ses grandes baies vitrées offrent une vue superbe sur les 6 000 phoques à fourrure qui s'y prélassent pendant la saison des amours, d'octobre à décembre.

Motor Racing Circuit

Même quand les motos ne tournent pas, les fans de moteurs adorent le **circuit de Grand Prix moto** (☎03-5952 9400 ; www.phillipislandcircuit.com.au ; Back Beach Rd ; ⏲8h30-17h30 lun-ven), "regonflé" pour le Grand Prix moto d'Australie de 1989, bien que l'île ait accueilli son premier Grand Prix dès 1928. Le **centre d'information des visiteurs** (☎03-5952 9400 ; ⏲9h-18h) propose des **visites guidées du circuit** (adulte/enfant/famille 19/10/44 $; ⏲visites 11h et 14h) de 45 min, comprenant une visite de l'History of Motorsport Museum (musée consacré à l'histoire des sports à moteur), et la possibilité de faire des tours de piste dans des V8 (1/2/3 pers 210/315/365 $, réservation obligatoire).

Plages et surf

Woolamai, l'une des plages ouvertes sur l'océan populaires du côté sud de l'île, est bordée de courants dangereux. En revanche, l'ambiance est familiale sur **Smiths Beach**, très fréquentée les week-ends d'été. Les plages du nord de l'île, vers Cowes notamment, sont plus paisibles et abritées.

Island Surfboards (www.islandsurfboards.com.au ; cours de surf 55 $, location de planche 13/40 $ par h/j ; Smiths Beach ☎03-5952 3443 ; 65 Smiths Beach Rd ; Cowes ☎03-5952 2578 ; 147 Thompson Ave) dispense des cours de surf et loue des planches et des combinaisons.

Oiseaux et vie sauvage

Vous pourrez observer de nombreux spécimens de la faune locale au **Phillip Island Wildlife Park** (☎03-5952 2038 ; Thompson Ave ; adulte/enfant/famille 15/8/40 $ ⏲10h-17h30, horaires prolongés en été), à environ 1 km au sud de Cowes, dont des diables de Tasmanie, des casoars et des *quolls* (chats marsupiaux).

Circuits organisés

Go West Circuits d'une journée
(☎1300 736 551 ; www.gowest.com.au ; circuit d'une journée 125 $). Excursion au départ de Melbourne, avec déjeuner et commentaire en plusieurs langues sur iPod.

Wildlife Coast Cruises Nature, croisière
(☎1300 763 739 ; 5952 3501 ; www.wildlifecoastcruises.com.au ; Rotunda Bldg, Cowes Jetty ; circuits 35-70 $; ⏲nov-mai).

Diverses croisières au départ de Cowes, dont des sorties d'observation des phoques, au crépuscule, et autour du cap. Propose aussi une croisière d'une demi-journée comprenant la visite de French Island (adulte/enfant 55/75 $) et une autre d'une journée jusqu'au Wilsons Promontory (140/190 $).

Où se loger

SURF & CIRCUIT ACCOMMODATION Appartements **$$**
(**03-5952 1300 ; www.surfandcircuit.com ; 113 Justice Rd, Cowes ; app 135-380 $;**). Parfaits pour les familles et les groupes, ces 8 spacieux logements de 2 et 3 chambres, confortables et modernes, peuvent loger jusqu'à 6-10 personnes. Ils sont équipés d'une cuisine, d'un salon (TV plasma) et d'un patio – baignoire balnéo pour certains.

Waves Apartments Appartements **$$**
(**03-5952 1351 ; www.thewaves.com.au ; Esplanade ; d/tr/qua à partir de 180/195/210 $;**). Proches de la plage principale de Cowes, ces appartements chics jouissent d'une vue imprenable (pour ceux qui la dominent). Les appartements indépendants et modernes, (avec sdb balnéo), sont dotés d'un balcon ou d'un patio.

Où se restaurer

INFUSED
Australien moderne **$$**
(**03-5952 2655 ; www.infused.com.au ; 115 Thompson Ave, Cowes ; plats 25-38 $; déj et dîner mer-lun**). Dans un décor tendance de bois et de pierre, cette adresse décontractée sert des déjeuners ou des dîners superbement présentés, ainsi que des cocktails de fin de soirée.

La carte de cuisine Mod Oz éclectique fait la part belle aux produits de la mer, et les plats vont des huîtres fraîches aux curries asiatiques et aux entrecôtes de bœuf Black Angus.

MADCOWES Café, épicerie fine **$**
(**03-5952 2560 ; 17 The Esplanade, Cowes ; plats 7-17 $; petit-déj et déj**). Cet élégant café-épicerie fine donne directement sur la plage. N'hésitez pas à goûter aux pancakes à la ricotta ou au plateau dégustation, et faites le tour des vins et des produits en magasin.

Renseignements

Centres d'information des visiteurs de Phillip Island (**1300 366 422, 03-5956 7447 ; www.visitphillipisland.com ; 9h-17h, 9h à 18h pendant les vacances scolaires ; @**) Newhaven (**895 Phillip Island Tourist Rd**) ; Cowes (**angle Thompson St et Church St**)

Depuis/vers Phillip Island

En voiture, Phillip Island n'est accessible que par le pont reliant San Remo à Newhaven.

Plage de Torquay

Au départ de Melbourne, prenez la Monash Fwy (M1) et sortez à Packenham, pour rejoindre la South Gippsland Hwy à Koo Wee Rup.

Bus

V/Line (☎13 61 96 ; www.vline.com.au) assure des liaisons en train/bus au départ de Southern Cross Station, à Melbourne, via la gare Dandenong ou Koo Wee Rup (10,40 $, 2 heures 30). Pas de ligne directe.

Ferry

Les Inter Island Ferries (☎03-9585 5730 ; www.interislandferries.com.au ; aller-retour adulte/enfant/vélo 21/10/8 $) circulent entre Stony Point, sur la péninsule de Mornington, et Cowes via French Island (45 min). Deux traversées les lundis et mercredis, trois les mardis, jeudis, vendredis, samedis et dimanches.

Comment circuler

Louez vos vélos chez Ride On Bikes (☎03-5952 2533 ; www.rideonbikes.com.au ; 43 Thompson Ave, Cowes ; demi-journée/journée 25/35 $)

GREAT OCEAN ROAD

La Great Ocean Road (B100) figure au palmarès des routes les plus grandioses d'Australie. En la parcourant, le voyageur découvre des plages de surf de classe internationale et des fermes laitières, il traverse des poches de forêt humide et de paisibles cités côtières, et peut observer des koalas qui se prélassent en haut des arbres. C'est un magnifique itinéraire, à la hauteur de la réputation de cette route littorale qui porte bien son nom.

Depuis/vers Geelong

Ces circuits partent de Melbourne et couvrent généralement la Great Ocean Road en une journée :

Go West Tours (☎1300 736 551 ; www.gowest.com.au)

Ride Tours (☎1800 605 120; www.ridetours.com.au)

Autopia Tours (☎03-9391 0261; www.autopiatours.com.au)

Goin South (☎1800 009 858; www.goinsouth.com.au)

Otway Discovery (☎03-9654 5432; www.otwaydiscovery.com.au)

Adventure Tours (☎1800 068 886; www.adventuretours.com.au)

Bus

Trois bus par semaine (lun, mer et ven) empruntent la Great Ocean Road entre Geelong et Warrnambool (27 $, 6 heures). Environ 10 bus V/Line (☎13 61 96 ; www.vline.com.au) par jour rallient Port Fairy (3,40 $, 30 min), dont 3 continuent jusqu'à Portland (9,20 $, 1 heure 30). Les lundis, mercredis et vendredis, un bus dessert Apollo Bay (15,80 $, 3 heures 30).

Kangourous, Anglesea Golf Club

Distances et temps de trajet – Great Ocean Road

De Melbourne à Geelong	75 km	1 heure
De Geelong à Torquay	21 km	15 min
De Torquay à Anglesea	21 km	15 min
D'Anglesea à Aireys Inlet	10 km	10 min
D'Aireys Inlet à Lorne	22 km	15 min
De Lorne à Apollo Bay	45 km	1 heure
D'Apollo Bay à Port Campbell	88 km	1 heure 10
De Port Campbell à Warrnambool	66 km	1 heure
De Warrnambool à Port Fairy	28 km	20 min
De Port Fairy à Portland	72 km	1 heure
De Portland à Melbourne	440 km	6 heures 30

Christians Bus Co (**03-5562 9432**) assure la liaison avec Port Fairy (3,30 $, départ 8h) les mardis, vendredis et samedis.

Train

Des trains **V/Line** (**13 61 96 ; www.vline.com.au ; Merri St**) desservent Melbourne (26 $, 3 heures 15, 3-4/j).

Torquay

Dans les années 1960 et 1970, Torquay n'était qu'une station balnéaire assoupie parmi d'autres. À l'époque, le surf était considéré comme une activité "contre-culturelle", et ses adeptes des marginaux hippies qui vivaient dans des combis délabrés et fumaient du haschich.

Depuis, le surf est devenu tendance, faisant recette dans le monde entier, et Torquay s'est hissée au rang de capitale incontestée du surf en Australie. C'est ici que vit l'âme de Rip Curl et de Quicksilver, célèbres marques de surf – à l'origine toutes deux fabricantes de combinaisons. C'est l'endroit idéal pour s'équiper avant d'attaquer les déferlantes. Bells Beach, plage légendaire pour les surfeurs de toute la planète, n'est qu'à quelques encablures.

À voir et à faire

SURFWORLD MUSEUM Musée
(**www.surfworld.org.au ; Surf City Plaza, Beach Rd ; adulte/enfant/famille 10/6/20 $; 9h-17h**). Installé à l'arrière de la Surf City Plaza, ce musée est un hommage au surf australien, avec expositions itinérantes, théâtre et expositions de photos anciennes et de planches de surf en balsa.
Cours de surf de 2 heures à partir de 50 $. Essayez :

Go Ride A Wave Cours de surf
(**1300 132 441 ; www.gorideawave.com.au ; 1/15 Bell St, Torquay ; 143b Great Ocean Rd, Anglesea ; 9h-17h**)

Torquay Surfing Academy Cours de surf
(**03-5261 2022 ; www.torquaysurf.com.au ; 34a Bell St, Torquay ; 9h-17h**)

Où se loger

BELLBRAE HARVEST Appartements **$$$**
(**03-5266 2100 ; www.bellbraeharvest.com.au ; 45 Portreath Rd ; d 200 $;**). Loin des foules effrénées, ces 3 superbes appartements en duplex, séparés, donnent sur un

barrage. Tout confort : douche à effet de pluie, kitchenette, immense TV écran plat, etc. Ils jouissent surtout d'un environnement extrêmement calme.

Où se restaurer

SCORCHED Australien moderne **$$**
(**☎03-5261 6142 ; www.scorched.com.au ; 17 The Esplanade ; plats 26-36 $; ⌚déj ven-dim, dîner mer-dim).** Sans doute la table la plus huppée de Torquay, donnant sur le front de mer. Décor chic discret avec des fenêtres qui s'ouvrent assez pour permettre à la brise de rafraîchir les clients. Nous recommandons l'assiette dégustation de saison.

Renseignements

Centre d'information des visiteurs de Torquay (**www.greatoceanroad.org ; Surf City Plaza, Beach Rd ; @**)

De Torquay à Anglesea

Quelque 7 km séparent Torquay de **Bells Beach**, dont le puissant "point break" est devenu légendaire dans le monde entier (c'est sur cette plage que Keanu Reeves et Patrick Swayze se donnent la réplique pour la scène finale du film *Point Break*). Depuis 1973, Bells accueille chaque année à Pâques le **Rip Curl Pro** (**www.aspworldtour.com**) – l'événement à ne pas manquer de l'ASP World Tour, championnat du monde de surf.

À 9 km au sud-ouest de Torquay, une route part vers le spectaculaire **Point Addis**, 3 km plus bas, où une grande plage sauvage, appréciée des nudistes, attire surfeurs, deltistes et nageurs. À Point Addis, un panneau signale la **Koorie Cultural Walk**, itinéraire de 1 km passant par la réserve naturelle d'**Ironbark Basin**, qui permet d'en savoir plus sur la façon dont les Aborigènes vivaient ici avant l'arrivée des Européens.

Anglesea

Main Beach, la plage principale d'Anglesea, est le lieu idéal pour apprendre à surfer, et **Point Roadknight Beach**, bien abritée, est parfaite pour les enfants. Ne manquez pas les **kangourous** qui ont investi le parcours de golf de la localité, ou louez un bateau et remontez l'Anglesea River.

Activités

Go Ride A Wave Surf
(**☎1300 132 441 ; www.gorideawave.com.au ; 143b Great Ocean Rd ; ⌚9h-17h).** Loue kayaks et planches de surf. Cours de surf de 2 heures (à partir de 75 $).

Renseignements

Centre d'information des visiteurs (**16/87 Great Ocean Rd ; ⌚9h-17h sept-mai, 10h-16h juin-août**)

Lorne

Lorne bénéficie d'un cadre naturel idyllique. De hauts eucalyptus bordent ses rues en pente et sa plage incurvée donne sur la scintillante Loutit Bay. La localité s'anime en été, lorsque les excursionnistes investissent les restaurants et les boutiques. Mais, qu'elle soit bondée de touristes ou non, Lorne est une ravissante cité balnéaire où séjourner.

À voir et à faire

QDOS ART GALLERY Galerie d'art
(**☎03-5289 1989 ; www.qdosarts.com ; 35 Allenvale Rd ; ⌚8h30-18h jeu-lun, tlj vacances scolaires).** Caché dans les collines à l'arrière de Lorne, Qdos n'en finit pas d'accueillir des œuvres "artsy" dans sa galerie, et des sculptures émaillent son jardin luxuriant. Vous pourrez faire une pause dans le café, qui sert des plats succulents, ou loger dans l'une des luxueuses "treehouses" zen (200 $/nuit, 2 nuitées minimum, pas d'enfants).

ERSKINE FALLS Chutes d'eau
Faites une escapade hors de la ville jusqu'à ces magnifiques chutes d'eau.

La plateforme d'observation est facilement accessible à pied, mais vous pouvez descendre les 250 marches (souvent glissantes) qui mènent à leur base, où vous continuerez à vous promener.

Où se loger

CHAPEL Cottage $$$
(☎03-5289 2622 ; thechapellorne@bigpond.com ; 45 Richardson Blvd ; d 200 $; ❄). Ce magnifique cottage contemporain en duplex semble tout droit sorti d'un magazine de décoration avec ses jolis meubles asiatiques, ses taches de couleur et ses baies vitrées ouvrant sur la forêt. Un établissement romantique pour les amateurs de nature.

ALLENVALE COTTAGES Cottages $$
(☎03-5289 1450 ; www.allenvale.com.au ; 150 Allenvale Rd ; d à partir de 175 $). Ces 4 cottages indépendants (logeant chacun 4 pers ou plus) en bois, datant du début des années 1900, ont été magnifiquement restaurés. Ils sont installés sur une pelouse au milieu d'arbres luxuriants, à 2 km au nord-ouest de Lorne. Idéal pour les familles.

GREAT OCEAN ROAD COTTAGES & BACKPACKERS YHA Auberge de jeunesse $
(☎03-5289 1070 ; www.yha.com.au ; 10 Erskine Ave ; tentes 25 $, dort 20-30 $, d 55-75 $, cottages 170 $). Blotti dans le bush, parmi les cacatoès et les koalas, ce lodge en bois de 2 étages abrite de vastes dortoirs, ainsi que des doubles d'un excellent rapport qualité/prix. Il y a aussi des tentes bon marché avec lit déjà fait. Les cottages en forme de A, plus chers, disposent d'une cuisine, d'une sdb particulière, et logent jusqu'à 6 personnes.

Où se restaurer

BA BA LU BAR Espagnol $$$
(www.babalubar.com.au ; 6a Mountjoy Pde ; plats 32-42 $; ⏲petit-déj, déj et dîner). Ambiance espagnole au Ba Ba Lu Bar qui organise des soirées paellas où s'invitent des chanteurs chiliens, l'été. Délicieuses tapas et quantité de plats à base de viande. Bar animé jusqu'aux petites heures du jour.

Kafe Kaos Café $
(www.kafekaos.com.au ; 52 Mountjoy Pde ; déjeuner 8-15 $; ⏲petit-déj et déj). Lumineux, gai, et typique d'une philosophie gastronomique

Le bon nombre d'apôtres

Les célèbres Twelve Apostles ne sont pas au nombre de 12, et, d'après les données que l'on a, ne l'ont jamais été. Depuis la plateforme d'observation, on en voit clairement 7, mais peut-être peut-on en distinguer d'autres moins nets ? Nous nous sommes longuement entretenus avec les employés de Parks Victoria, le personnel de l'office du tourisme et même le chargé d'entetien de la plateforme, mais il n'y a rien de certain. Les habitants ont tendance à dire que "ça dépend d'où on regarde", ce qui est vrai.

Ces formations rocheuses étaient appelées à l'origine "la Truie et les Porcelets" ("Sow and Piglets"). Mais les falaises calcaires, très tendres, sont fragiles et ne cessent d'être érodées par les vagues incessantes : l'une des formations de 70 m de haut s'est écroulée dans l'océan en juillet 2005 et l'Island Archway a perdu l'arche qui lui avait donné son nom en juin 2009. En observant attentivement les vagues qui lèchent la base des falaises, vous assistez un peu à la création d'un nouvel apôtre...

très détendue – les clients pieds nus, en maillot de bain, se régalent de paninis, *bruschetta*, burgers et frites.

Renseignements

Centre d'information des visiteurs de Lorne (☎1300 891 152 ; www.visitsurfcoast.com.au ; 15 Mountjoy Pde ; ⌚9h-17h)

Apollo Bay

Synonyme de festivals de musique et de belles plages, Apollo Bay, qui profite de sa proximité avec les Otways, est l'un des plus agréables villages de la Great Ocean Road.

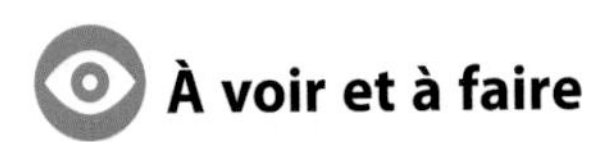

À voir et à faire

COMMUNITY MARKET Marché
(www.apollobay.com/market_place ; ⌚8h30-16h30 sam). Dans l'artère principale, ce marché-brocante est idéal pour acheter des pommes de la région, des souvenirs artisanaux et des objets insolites.

MARK'S WALKING TOURS Circuits à pied
(☎0417 983 985 ; www.greatoceanwalk.asn.au/markstours ; promenade 2-3 heures adulte/enfant 50/15 $). Partez en balade dans la région avec Mark Brack, fils du gardien du phare du cap Otway, qui connaît cette partie du littoral, son histoire et ses fantômes mieux que quiconque.

Apollo Bay Sea Kayaking Circuits en kayak
(☎0405 495 909 ; www.apollobaysurfkayak.com.au ; circuits 2 heures 65 $). Direction : une colonie de phoques à fourrure, en kayak 2 places. Départ de la plage de Marengo. Convient aux enfants de plus de 12 ans.

Otway Expeditions Aventures en plein air
(☎03-5237 6341 ; http://otwayexpeditions.tripod.com ; sorties en buggy "argo" à partir de 45 $). Propose des circuits en VTT (avec suspensions à l'avant et à l'arrière) dans les Otways (minimum 6 pers), et des circuits ludiques en buggy "argo" 8x8 amphibies.

Où se loger

YHA ECO BEACH Auberge de jeunesse $
(☎03-5237 7899 ; 5 Pascoe St ; dort 32-38 $, d 88-95 $, f 109-145 $; ❄@). Même si votre budget n'est pas serré, cette auberge de jeunesse conçue par un architecte est un lieu exceptionnel où séjourner. Très tournée vers l'écologie, elle dispose de salons, cuisines, salles TV, lounge Internet et toits-terrasses.

Le naufrage du Loch Ard

La côte du Victoria, entre le cap Otway et Port Fairy, était tristement célèbre au temps de la marine à voile, en raison des récifs y affleurant et du brouillard, dense et fréquent. En à peine 40 ans, plus de 80 navires sombrèrent le long de cette bande côtière de 120 km de longueur.

Le naufrage le plus célèbre est celui du *Loch Ard*, un clipper qui coula au large de Mutton Bird Island à 4h du matin lors de sa dernière nuit de traversée depuis l'Angleterre, en 1878. Parmi les 37 membres d'équipage et les 19 passagers à bord, seuls 2 survécurent. Eva Carmichael, qui ne savait pas nager et s'était agrippée aux débris de l'épave, fut rejetée dans une faille, où elle fut secourue par l'élève officier Tom Pearce. Eva et Tom étaient tous deux âgés de 19 ans, et, malgré les spéculations de la presse sur une supposée idylle, Eva regagna rapidement l'Irlande (cette fois, en paquebot) et ils ne se revirent jamais.

Vaut le détour
Port Fairy

Fondée en 1835 par des pêcheurs de baleine et des chasseurs de phoques, cette petite bourgade côtière située à l'embouchure de la Moyne dispose aujourd'hui encore d'une importante flotte de pêche. Avec ses édifices en *bluestone* (sorte de basalte) et en grès, ses maisons blanchies à la chaux, ses bateaux de pêche colorés et ses rues arborées, Port Fairy est désormais une destination touristique haut de gamme, agrémentée de galeries d'art, de magasins d'antiquités et de boutiques.

Le centre d'information des visiteurs dispose de brochures et de cartes indiquant les parcours des populaires **Shipwreck Walk** (randonnée des Naufragés) et **History Walk** (circuit historique). Sur **Battery Hill**, un poste d'observation a conservé les canons et les fortifications installés dans les années 1860. Il y a aussi une belle excursion d'une heure à faire autour de **Griffiths Island**, là où la Moyne se jette dans la mer.

Nelson's Perch B&B B&B **$$**
(03-5237 7176 ; www.nelsonsperch.com ; 54 Nelson St ; d 160 $;). Plus pimpant que bien des B&B défraîchis de la ville, le Nelson's propose 3 chambres, chacune avec cour, et accès Wi-Fi gratuit.

Où se restaurer

Vista Poisson **$$**
(www.thevistaseafoodrestaurant.com ; 155 Great Ocean Rd, plats 25-35 $; dîner). Un fabuleux restaurant haut de gamme, dans l'artère principale, où l'on peut prendre le temps de déguster ses fruits de mer locaux accompagnés d'un bon vin de la région.

La Bimba Australien moderne **$$$**
(125 Great Ocean Rd ; plats 25-45 $; petit-déj, déj et dîner mer-lun). Situé à l'étage, ce restaurant Mod Oz exceptionnel mérite que l'on fasse une folie. C'est un lieu chaleureux, élégant mais décontracté, qui jouit d'une belle vue. Service sympathique. Bonne carte des vins.

Renseignements

Centre d'information des visiteurs de la Great Ocean Road (03-5237 6529 ; 100 Great Ocean Rd ; 9h-17h)

Cape Otway

Le cap Otway est le deuxième point le plus méridional du continent australien (après la péninsule de Wilson) et l'une des zones les plus humides de l'État. Cette partie du littoral est particulièrement magnifique, sauvage et dangereuse : plus de 200 navires ont fait naufrage entre le cap Otway et Port Fairy en un siècle (des années 1830 aux années 1930), ce qui lui a valu le surnom de "Shipwreck Coast" ("côte des Naufragés").

L'embranchement pour Lighthouse Rd, qui mène, 12 km plus bas, au phare, se trouve à 21 km d'Apollo Bay. Le **Cape Otway Lighthouse** (03-5237 9240 ; www.lightstation.com ; adulte/enfant/famille 17/8/42 $; 9h-17h), qui fut construit en 1848 par plus de 40 maçons, sans mortier ni ciment, est le phare le plus ancien d'Australie encore debout.

Port Campbell National Park

La route cesse de grimper après les Otways et offre un paysage très différent alors qu'elle pénètre dans une région étroite relativement plate, broussailleuse et escarpée, rejoignant de hautes falaises de 70 m qui surplombent l'océan entre Princetown et Peterborough.

C'est ici que se trouve le Port Campbell National Park – site des Twelve Apostles – tronçon le plus connu de la Great Ocean Road.

Les **Gibson Steps**, marches taillées à la main dans la falaise au XIXe siècle (remplacées plus récemment par des marches en ciment), descendent jusqu'à la fameuse Gibson Beach. Les **Twelve Apostles** (Douze Apôtres) sont des amas rocheux dressés, solitaires, dans l'océan, près du rivage, à la suite de l'érosion de la falaise. Aujourd'hui, seuls sept "apôtres" sont encore visibles depuis les plateformes d'observation (lire l'encadré p. 247). Le discret **point de vue** (Great Ocean Rd ; 9h-17h), en bord de route, 6 km après Princetown, est équipé de toilettes et d'un café.

Pour avoir un bon aperçu des formations rocheuses en hélicoptère, **12 Apostles Helicopters** (03-5598 6161 ; www.12apostleshelicopters.com.au), juste derrière le parking près du point de vue, propose un vol de 10 min (à partir de 95 $/pers) au-dessus des Twelve Apostles, de la Loch Ard Gorge, du Sential Rock et de Port Campbell.

Non loin, la **Loch Ard Gorge** (gorge du Loch Ard) est le lieu où s'est déroulée l'histoire la plus émouvante de la Shipwreck Coast : c'est là que deux jeunes gens, seuls survivants du naufrage du clipper *Loch Ard* (lire l'encadré p. 248), parvinrent à rejoindre la côte.

Port Campbell

Perchée au bord d'une baie splendide créée par l'érosion des falaises calcaires, Port Campbell, petite localité balayée par les vents, est une escale de choix après la visite des Twelve Apostles.

Circuits organisés

Port Campbell Touring Company — Visites
(03-5598 6424 ; www.portcampbelltouring.com.au ; circuits demi-journée 65 $). Visites de l'Apostle Coast, promenade vespérale autour de Loch Ard et sorties de pêche à Crofts Bay.

Où se loger et se restaurer

PORT CAMPBELL GUESTHOUSE — Guesthouse $
(0407 696 559 ; www.portcampbellguesthouse.com.au ; 54 Lord St ; guesthouse/auberge par pers 35/38 $). Un établissement proche de la ville, où l'on se sent chez soi : une maison douillette avec 4 chambres à l'arrière et une partie "auberge de jeunesse" séparée à l'avant. Idéal pour les familles.

ROOM SIX — Restaurant $$
(28 Lord St ; plats 15-30 $; petit-déj, déj et dîner ven-mer). Une bonne adresse pour un dîner savoureux (produits de la mer de la région) ou un simple en-cas en journée. Agréable ambiance.

Renseignements

Centre d'information des visiteurs de Port Campbell (1300 137 255 ; www.visit12apostles.com.au ; 26 Morris St ; 9h-17h)

De Port Campbell à Warrnambool

La Great Ocean Road continue vers l'ouest de Port Campbell, passant devant d'autres formations rocheuses. La plus proche est l'**Arch**, au large de Point Hesse.

Le **London Bridge** (ou London Arch), écroulé, se trouve à proximité. C'était jusqu'à une période récente une plateforme rocheuse à 2 arches reliée au continent, et les visiteurs pouvaient emprunter un étroit pont naturel pour s'y rendre. En janvier 1990, le pont s'écroula, abandonnant deux touristes terrifiés sur cette "île" nouvellement formée (ils furent finalement récupérés par un hélicoptère).

La **Bay of Islands** se trouve à 8 km à l'ouest de la minuscule **Peterborough**, où une courte promenade depuis le parking vous mènera à de fantastiques points de vue.

La Great Ocean Road se termine non loin de là (à l'est de Warrnamboll),

Top 3 des randonnées dans le Prom

- **Lilly Pilly Gully Nature Walk** – Une promenade facile de 5 km (2 heures) à travers la lande et les forêts d'eucalyptus, où vit une faune variée.
- **Mt Oberon Summit** – Au départ du parking de Mt Oberon, ce parcours de difficulté moyenne à supérieure (7 km, 2 heures 30) offre une excellente introduction au Prom. Superbe panorama depuis le sommet. La navette gratuite de Mt Oberon fait l'aller-retour jusqu'au parking de Telegraph Saddle.
- **Squeaky Beach Nature Walk** – Une autre promenade facile de 5 km aller-retour, à travers des étendues côtières plantées d'arbres à thé et de banksias, puis sur une merveilleuse plage de sable blanc.

à l'embranchement avec la Princess Hwy, qui traverse les terres traditionnelles des Gunditjmara jusqu'en Australie du Sud.

GIPPSLAND

Moins connue que la Great Ocean Road, à l'ouest, la côte sud-est du Victoria s'enorgueillit pourtant des plus belles plages de l'État et des meilleurs parcs nationaux littoraux, comme le somptueux Wilsons Promontory, ainsi que de lacs ravissants.

Wilsons Promontory National Park

Immenses étendues de bush, superbes paysages côtiers et plages de sable blanc isolées, le "Prom" est l'un des parcs nationaux les plus appréciés du pays – et notre parc côtier préféré.

Partie la plus méridionale de l'Australie continentale, le Prom formait jadis un bras de terre qui permettait de rejoindre la Tasmanie.

Tidal River, à 30 km de l'entrée du parc, en est la principale agglomération, où trouver un bureau de Parks Victoria, une supérette, un café et un hébergement. Autour de Tidal River, les animaux sont étonnamment peu farouches : les martins-chasseurs géants (kookaburras) d'Australie et les perruches semblent attendre qu'on les nourrisse (ne cédez pas à la tentation), tandis que les wombats (des marsupiaux) sortent des sous-bois en toute indifférence.

Il vous faudra faire une halte au **poste d'entrée** (**9h-coucher du soleil**) du parc, où l'on vous remettra un billet d'entrée gratuit.

Activités

Plus de 80 km de **sentiers de randonnée** fléchés sillonnent le parc, traversant des forêts, des marais, des vallées couvertes de fougères arborescentes, des montagnes de granit et de longues plages bordées de dunes. Le parc n'est pas réservé aux marcheurs : un parking est aménagé près de la route de Tidal River, menant à de magnifiques plages et points de vue.

Les splendides plages de **Norman Bay** (Tidal River) et, après le promontoire, de **Squeaky Beach** conviennent à la baignade – le sable de quartz y est d'une rare finesse.

Circuits organisés

Bunyip Tours Nature
(1300 286 947, 03-9650 9680 ; www.bunyiptours.com ; journée 120 $). Excursion

guidée d'une journée dans le Prom depuis Melbourne, avec possibilité de rester 2 jours de plus sans accompagnement.

Hiking Plus Nature
(☎0418-341 537 ; www.hikingplus.com ; excursions 3/5 jours 1 100/1 800 $). Randonnées avec guide dans le Prom depuis Foster. Le forfait comprend les repas, un massage et un spa, et ne nécessite qu'un sac léger.

Où se loger

Tidal River

Située sur Norman Bay, à une courte marche de la superbe plage, Tidal River connaît une popularité bien méritée. Autour de Tidal River, les animaux se laissent approchés : martins-chasseurs géants (kookaburras), perruches ou wombats. Réservez longtemps à l'avance auprès de **Parks Victoria** (☎1800 350 552, 13 19 63 ; www.parkweb.vic.gov.au), surtout pour les week-ends et les périodes de vacances. Pendant les vacances de Noël, les emplacements sont tirés au sort (candidatures en ligne dès le 31 juillet).

Une variété d'hébergements est disponible : **camping** (empl sans élec 20-24 $/voiture et 3 pers, empl avec élec 44-52 $/véhicule jusqu'à 8 pers), **huttes** (4/6 lits 65/100 $) et **cabins** (petits bungalows d 110-172 $, adulte supp 23 $), luxueuses **tentes safari** (d 250 $, pers supp 20 $) et le **Lighthouse Keepers' Cottage** (cottages 8 lits 51-83 $/pers), isolé à l'extrémité sud du Prom.

Yanakie et Foster

BLACK COCKATOO COTTAGES Cottages $$
(☎03-5687 1306 ; www.blackcockatoo.com ; 60 Foley Rd, Yanakie ; d 160 $). Une magnifique vue sur le parc national sans quitter le confort de son lit – ni se ruiner ! Trois cottages privatifs raffinées et une maison de 3 chambres.

Prom Coast Backpackers Auberge de jeunesse $
(☎03-5682 2171 ; www.yha.com.au ; 40 Station Rd, Foster ; dort/d/f à partir de 30/70/90 $; @). À Foster, ce confortable petit cottage de 10 lits est l'auberge de jeunesse la plus proche du parc. Les propriétaires tiennent aussi le motel adjacent.

Whale Rock, Tidal River, Wilsons Promontory National Park

RICHARD I'ANSON/LONELY PLANET IMAGES ©

Où se restaurer

Le General Store de Tidal River vend des provisions et des articles de camping, mais les randonneurs économiseront en se ravitaillant à Foster. Le **Prom Café** (**petit-déj, déj et dîner ; plats 12-22 $**) propose des plats à emporter, et servent petits-déjeuners, repas légers et repas de style bistrot (week-ends et vacances).

Renseignements

Parks Victoria (**1800 350 552, 13 19 63 ; www.parkweb.vic.gov.au ; Tidal River ; 8h30-16h30**)

Depuis/vers le Wilsons Promontory National Park

Il n'existe pas de transport public direct entre Melbourne et le Prom, mais le Wilsons Promontory Bus Service (**Moon's Bus Lines; 03-5687 1249**) va de Foster à Tidal River (via Fish Creek) le vendredi à 16h30 ; retour le dim à 16h30 (8 $). Ce service est en correspondance avec les bus V/Line Melbourne-Fish Creek.

Des bus V/Line (**13 61 96 ; www.vline.com.au**) assurent une liaison directe Melbourne-Foster (16,60 $, 3 heures, 4/j), au départ de -Southern Cross Station.

Uluru et le Centre Rouge

Depuis Darwin, dynamique capitale de l'extrême nord australien, la Stuart Hwy vous conduit jusqu'au merveilleux Kakadu National Park, riche en art rupestre aborigène, en cascades et en faune sauvage. Le fameux *Ghan* traverse d'arides et anciennes contrées que l'on dirait désertées. Dans cette vaste région, l'humour local semble aussi rude que le climat et une spiritualité millénaire côtoie un mode de vie occidental.

Darwin, plus proche de Bali que de nombreuses villes australiennes, est la porte d'accès privilégiée au Kakadu National Park, où on peut découvrir la culture aborigène et la splendeur naturelle de la région. Le Centre Rouge (où le sable est véritablement rouge) dévoile un tout autre visage. Ici, la dureté du climat a donné à la région une beauté et une spiritualité qui n'échapperont pas aux visiteurs s'arrêtant au rocher d'Uluru. Les Kata Tjuta (monts Olgas), à proximité, sont tout aussi impressionnants.

Nitmiluk (Katherine Gorge) National Park (p. 285)

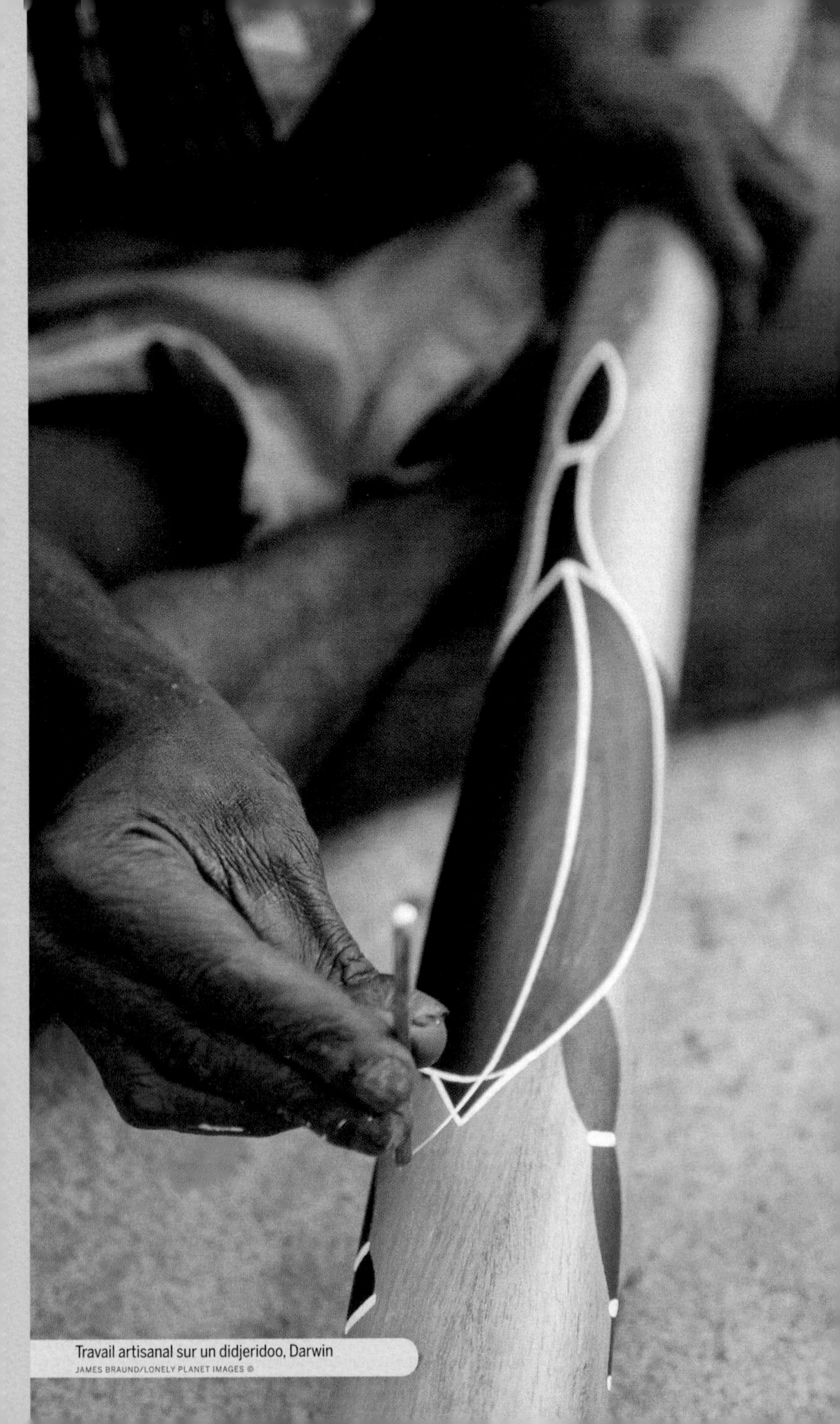

Travail artisanal sur un didjeridoo, Darwin
JAMES BRAUND/LONELY PLANET IMAGES ©

Uluru et le Centre Rouge

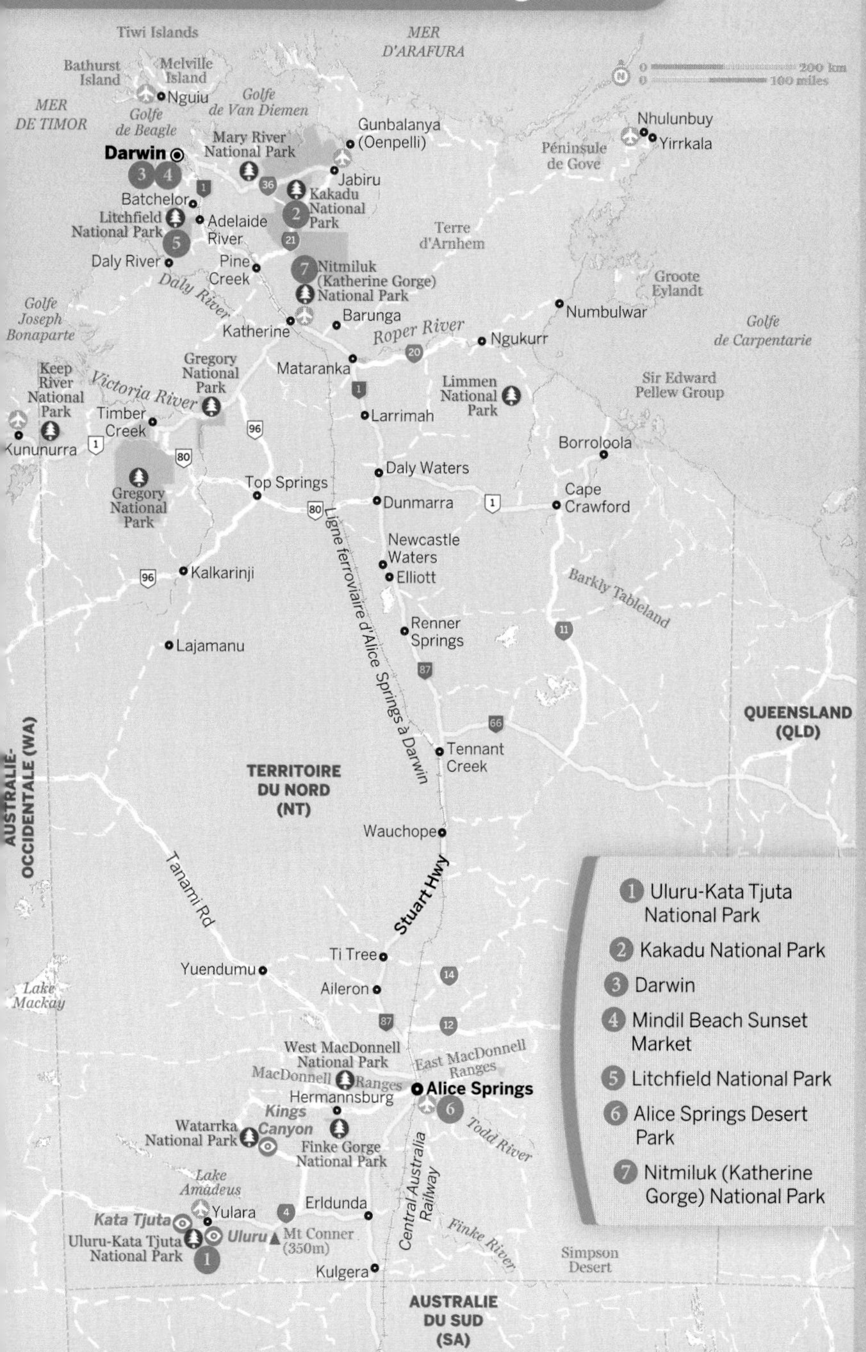

Uluru et le Centre Rouge À ne pas manquer

1

Uluru-Kata Tjuta National Park

Lorsqu'on vient du centre du continent pour voir le soleil se lever sur un spectaculaire rocher en grès, comme il le fait chaque jour depuis des centaines de millions d'années, on comprend pourquoi les Aborigènes vénèrent ce lieu qui les approvisionne en eau depuis toujours. **Ci-dessus** Uluru. En haut, à droite : Kata Tjuta
En bas, à droite Traditions aborigènes, Uluru

Nos conseils

POUR OBSERVER LES OISEAUX La période de mai à septembre **MEILLEUR LIEU D'OBSERVATION** Valley of the Winds ou Walpa Gorge (Kata Tjuta) **Voir p. 290**.

Ma sélection

Uluru-Kata Tjuta National Park par Tim Rogers

CHARGÉ D'ACCUEIL, ULURU-KATA TJUTA NATIONAL PARK

1 CIRCUIT AVEC UN GUIDE ANANGU

Participez à un **circuit** (p. 290) guidé par un Anangu, pour apprendre à voir le paysage comme les Aborigènes. Vous découvrirez une terre vénérée depuis des générations et entendrez la vraie langue de l'Australie, parlée dans les régions du désert depuis des milliers d'années. Vous comprendrez comment tout est lié et de quelle manière cette terre a toujours donné à son peuple ce dont il avait besoin.

2 LES DIFFÉRENTS VISAGES D'ULURU

L'hiver est la saison idéale pour faire des clichés au lever du soleil. En revanche, si vous venez en été, mieux vaut prendre des photos au crépuscule. Avec de la chance, peut-être observerez-vous un arc-en-ciel. Et lorsqu'il pleut, ce sont plus de 60 cascades qui dévalent d'Uluru – un spectacle qu'il n'est pas donné à tout le monde de voir.

3 ULURU POUR VOUS TOUT SEUL

Envie d'un peu de solitude ? Une heure avant le coucher du soleil, rejoignez l'un des trous d'eau qui bordent la promenade à la base d'Uluru. Tandis que les autres voyageurs s'éreinteront à prendre en photo le coucher du soleil, vous aurez le rocher pour vous tout seul. En restant assis, immobile, vous verrez les oiseaux venir boire et, à la tombée de la nuit, les microchiroptères (petites chauves-souris) sortir pour attraper des insectes.

4 KATA TJUTA (MONTS OLGAS)

J'adore me promener au milieu des Kata Tjuta (p. 291) au petit matin. À mesure que le soleil se lève, il projette toute une palette de couleurs et l'on voit les animaux s'animer sur les rochers. Vous pouvez également vous rendre au point de vue où les touristes viennent habituellement en voiture pour admirer le coucher du soleil. C'est un endroit formidable pour prendre le petit-déjeuner, face à la silhouette mystérieuse d'Uluru qui apparaît à la naissance de l'aube.

Kakadu National Park

Il y a quantité de choses à faire et à voir à Kakadu, entre la faune, la flore, les cascades, la culture aborigène, les points de vue et les promenades. Le passage brutal du Wet (saison humide) au Dry (saison sèche) transforme radicalement le paysage, de quoi justifier deux visites.

Ci-dessous Gunlom **En haut, à droite** Art rupestre aborigène, Nourlangie (p. 283) **En bas, à droite** Crocodile marin, Yellow Water (p. 283)

Nos conseils

MEILLEURE PHOTO Ubirr au soleil couchant

MEILLEURE PÉRIODE DE VISITE Le début du Dry (mai ou juin). Les cascades se réveillent et la nature est encore verte **Voir p. 281**

2

Kakadu National Park par Rick Delander

GUIDE DU KAKADU, ADVENTURE TOURS AUSTRALIA

1 FAUNE

Fogg Dam, en arrivant de Darwin, est un endroit peuplé de quantité d'animaux. Depuis les *billabong* (trous d'eau) comme Yellow Water, on peut observer les crocodiles. Vous pouvez aussi participer à un circuit pour voir ces grands prédateurs jaillir hors de l'eau, mais la balade des *billabong* est plus authentique, les oiseaux et les crocodiles évoluant dans leur environnement naturel.

2 CASCADES ET TROUS D'EAU

Que ce soit pendant le Wet ou le Dry, on trouve toujours un endroit où nager. Si certains panneaux mettent en garde contre la baignade, le parc dispose d'un système de surveillance pour suivre les déplacements des crocodiles. Parmi les lieux plus reculés, j'aime Maguk (Barramundi Gorge), Gunlom Falls et Jim Jim Falls. Au pied de cette dernière, il y a une grande piscine naturelle.

3 PROMENADES ET POINTS DE VUE

Les belles promenades ne manquent pas. Si vous choisissez la version longue, vous verrez des cascades et pourrez vous offrir un petit bain rafraîchissant. Les balades plus courtes autour d'Ubirr et de Nourlangie permettent d'admirer l'art rupestre, de même que de magnifiques panoramas. Depuis son sommet, Ubirr offre un point de vue à 360°, pour voir Kakadu dans toute sa splendeur.

4 LE KAKADU ABORIGÈNE

La culture aborigène est un autre aspect essentiel du parc. Ubirr constitue un excellent site pour admirer l'art rupestre et se familiariser avec cette culture. À Muirella Park, une association organise des débats et des ateliers. Le centre d'information des visiteurs de Bowali, près de Jabiru, propose une bonne exposition.

5 VOLS PANORAMIQUES

Pour rallier certains sites, il faut parfois marcher une heure. Vous gagnerez du temps en optant pour un vol panoramique en avion ou en hélicoptère. Des vols partent de Jabiru et Cooinda, mais aussi de Darwin.

Darwin

Darwin (p. 268), ville en pleine effervescence, garde une ambiance provinciale détendue typique des climats tropicaux. Des voiliers du port aux terrasses des restaurants, des musées historiques aux galeries d'art aborigène, on prend également la pleine mesure du mélange cosmopolite de Darwin dans les superbes marchés asiatiques qui se tiennent à la saison sèche.

Litchfield National Park

Situé à 115 km au sud de Darwin par la Stuart Hwy, l'impressionnant **Litchfield National Park** (p. 282) se pose en excellente alternative à Kakadu si vous manquez de temps. Ses cascades et ses trous d'eau sont aussi accessibles que photogéniques – vous pouvez même piquer une tête si le cœur vous en dit. La présence des crocodiles se fait moins sentir qu'à Kakadu et les routes goudronnées garantissent une excursion dans les meilleures conditions

Mindil Beach Sunset Market 4

Suivez votre odorat et les habitants de Darwin pour rejoindre le fantastique **Mindil Beach Sunset Market** (p. 269), situé au nord de la ville, à Mindil Beach. Le jeudi et le dimanche, de mai à octobre, on peut voir sur le marché des joueurs de didjeridoo, des danseurs, des étals de nourriture asiatique, des échoppes de souvenirs, des liseuses de tarot et des tatoueurs.

6 Alice Springs Desert Park

Quittez Alice Springs pour aller à la découverte de ce magnifique **parc naturel** (p. 286), où les créatures du désert australien daignent se montrer un tant soit peu. Ne manquez pas le spectacle des oiseaux de proie, ou venez tôt le matin ou tard le soir pour voir les oiseaux et les animaux en version diurne ou nocturne.

7 Nitmiluk (Katherine Gorge) National Park

À deux pas de Katherine, le **Nitmiluk National Park** (p. 285) est à couper le souffle. Avec son enfilade de 13 gorges de grès, traversées par la Katherine River, c'est un endroit idéal pour le canoë, la randonnée dans le bush, la natation ou les balades en bateau à l'ombre d'impressionnants surplombs rocheux. Si vous avez peu de temps, vous pouvez vous offrir une vue aérienne du parc en hélicoptère.

Uluru et le Centre Rouge : le best of

Rencontres aborigènes

Kakadu National Park (p. 281). Remarquables sites d'art rupestre et circuits informatifs.

Uluru-Kata Tjuta National Park (p. 290). Les circuits guidés par des Anangu révèlent le caractère sacré de ces rochers.

Museum & Art Gallery of the Northern Territory (p. 268). Admirez les collections d'art aborigène dans ce superbe musée.

Alice Springs (p. 284). Découvrez Alice et les MacDonnell Ranges avec un guide warlpiri.

Vie sauvage

Kakadu National Park (p. 281). Crocodiles, grues brolgas, lézards, serpents, aigles de mer, papillons, barramundis : Kakadu est une véritable arche de Noé.

Alice Springs Desert Park (p. 286). Le meilleur endroit pour voir les mystérieux (et très timides) animaux du désert.

Territory Wildlife Park (p. 279). Un véritable défilé d'oiseaux et d'autres animaux du Top End.

Crocosaurus Cove (p. 269). Saluez les crocodiles en plein Darwin.

Activités de plein air

Randonnée à Kata Tjuta (p. 291). Une randonnée dans la Valley of the Winds, au cœur des monts Olgas.

Canoë dans le Nitmiluk (Katherine Gorge) National Park (p. 285). Pagayez à l'ombre des impressionnantes parois rocheuses du Nitmiluk.

Nager dans le Litchfield National Park (p. 282). Plongez dans une piscine naturelle au pied d'une cascade bouillonnante.

Pédaler à Darwin (p. 272). La ville a d'excellentes pistes cyclables et peu de voitures.

Achats

- **Mindil Beach Sunset Market** (p. 269). Cuisine multiculturelle et artisanat asiatique.
- **Galeries aborigènes de Darwin** (p. 269). Œuvres de style "rayon X", didjeridoos et artisanat des îles Tiwi.
- **Galeries d'Alice Springs** (p. 285). Pour des œuvres du désert central, notamment des peintures "pointillistes".

gauche Milan à plastron, Territory Wildlife Park
Ci-dessus Ubirr, Kakadu National Park

Ce qu'il faut savoir

À PRÉVOIR

- **Un mois avant** Au moins un mois à l'avance lors de la haute saison, réservez une chambre à Yulara.
- **Deux semaines avant** Réservez une place dans le *Ghan*, ainsi qu'un logement et la location d'une voiture à Darwin.
- **Une semaine avant** Réservez une visite guidée de 2 jours du Kakadu National Park ou un circuit d'une journée à partir de Darwin.

ADRESSES UTILES

- **Tourism Top End** (www.tourismtopend.com.au). Organisme touristique de Darwin.
- **Travel NT** (www.travelnt.com). Site touristique officiel.
- **Parks & Wildlife Service** (www.nt.gov.au/nreta/parks). Informations sur les parcs et les réserves du Territoire du Nord.
- **Automobile Association of the Northern Territory** (AANT; www.aant.com.au). Renseignements et assistance routière.
- **Road Report** (www.ntlis.nt.gov.au/roadreport) État des routes.

COMMENT CIRCULER

- **En avion** Vers Alice Springs ou Darwin depuis les grandes villes de la côte est.
- **En train** De Darwin à Alice Springs à bord du *Ghan*.
- **En voiture** Dans les parcs nationaux de Kakadu et de Litchfield.
- **À pied** Au pied d'Uluru et à travers les Kata Tjuta.

MISES EN GARDE

- **Crocodiles** Ils peuvent s'aventurer assez loin sur la terre ferme – fiez-vous aux panneaux.
- **Méduses-boîtes** Malgré la chaleur, il est déconseillé de se baigner dans les eaux tropicales d'octobre à mai.
- **Yulara** Les hébergements affichent souvent complet en hiver. Réservez bien à l'avance.

Suggestions d'itinéraires

Il émane du Territoire du Nord (Northern Territory, NT) une atmosphère énigmatique : autour d'Uluru, le bleu infini du ciel se heurte aux étendues désertiques, tandis qu'à Darwin et dans l'extrême nord (Top End) résonne le chant des oiseaux, le tumulte des rivières et de la nature indomptée.

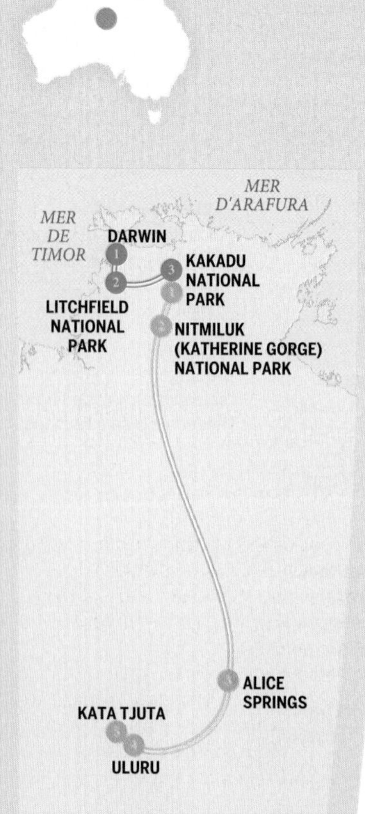

DE DARWIN AU KAKADU NATIONAL PARK

Découverte du Top End

Débutez votre périple dans la capitale du Top End, **(1) Darwin**, où vous savourerez des délices d'Asie et d'ailleurs sur les étals du Mindil Beach Sunset Market. Du crocodile, de l'émeu, du kangourou et du barramundi figurent sur la carte de nombreux restaurants (très décontractés). Ensuite, terminez en beauté en prenant un verre dans Mitchell St.

Prenez Stuart Hwy vers le sud et filez vers le **(2) Litchfield National Park**, qui offre quelques-unes des meilleurs piscines naturelles du Top End. À deux pas, Batchelor propose une bonne sélection d'hébergements ainsi qu'un pub très prisé.

Prenez le bateau à Adelaide River Crossing et faites une halte au **(3) Kakadu National Park**. Vous pourrez y pêcher un barramundi ou participer à une excursion aborigène dans le bush. Familiarisez-vous avec la chasse, les périodes de migration et les modifications de la végétation. Observez la préparation d'un repas typique du bush et goûtez le résultat. Ne manquez pas les randonnées à Nourlangie et Ubirr pour admirer l'art rupestre aborigène.

En haut, à gauche Gunlom Falls, Kakadu National Park (p. 281).
En haut, à droite Danseur aborigène, Katherine

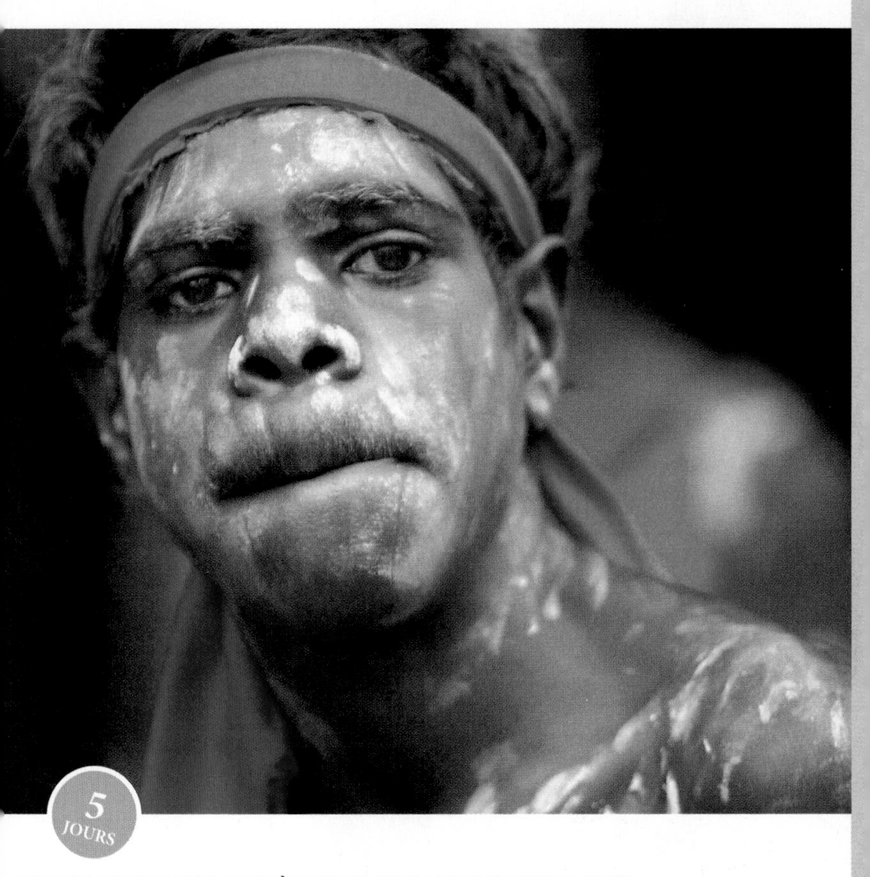

DU KAKADU NATIONAL PARK À L'ULURU-KATA TJUTA NATIONAL PARK

Voyage au centre du désert

Les étonnantes cultures aborigènes d'Australie sont aussi variées que le pays. Démarrez ce voyage dans le Top End tropical par le **(1) Kakadu National Park**, où les communautés aborigènes possèdent une histoire millénaire, comme en attestent les nombreuses galeries d'art rupestre. Quant au règne animal, peu d'endroits en Australie peuvent se vanter de posséder pareil réservoir.

Visitez les sublimes gorges du **(2) Nitmiluk (Katherine Gorge) National Park**, près de Katherine, ou montez à bord du fameux *Ghan* pour rallier **(3) Alice Springs**, plus au sud. Vous pourrez y découvrir l'art aborigène du désert central australien et peut-être acquérir une peinture "pointilliste". Ne manquez pas l'excellent Alice Springs Desert Park pour comprendre comment la faune locale survit aux rudesses du désert.

Les ambiances et les couleurs d'**(4) Uluru** changent au fil des heures. Pour bien apprécier cette région extraordinaire, deux journées ne sont pas superflues. Une visite sous la conduite d'un guide vous permettra de comprendre la vraie nature et la signification du mythique rocher. Accordez-vous du temps en tête-à-tête avec le pays en faisant le tour d'Uluru et des fabuleux sommets écarlates des **(5) Kata Tjuta (monts Olgas)**.

Découvrir Uluru et le Centre Rouge

Les incontournables

- **Darwin** (p. 268). Bouillonnante capitale du nord australien.
- **Kakadu National Park** (p. 281). Créatures tropicales sauvages et patrimoine aborigène.
- **Alice Springs** (p. 284). La plus grande ville du centre de l'Australie.
- **Uluru-Kata Tjuta National Park** (p. 290). L'emblématique Uluru et les non moins impressionnants Kata Tjuta (monts Olgas).
- **Litchfield National Park** (p. 282). Version réduite de Kakadu pour une excursion d'un jour depuis Darwin.

En combi dans le Kakadu National Park
PHOTOGRAPHE : RICHARD I'ANSON/LONELY PLANET IMAGES ©

DARWIN

Seule métropole tropicale d'Australie, Darwin est résolument tournée vers la mer de Timor. Plus proche de Bali que de Bondi, elle est souvent considérée par les Australiens du Sud comme un curieux avant-poste, ou même comme un simple point d'accès au Kakadu National Park.

On est donc surpris de découvrir une ville cossue, cosmopolite, jeune et multiculturelle, qui doit une part de sa prospérité à l'industrie minière et au tourisme.

À voir

MUSEUM & ART GALLERY OF THE NORTHERN TERRITORY Musée

(MAGNT ; www.nt.gov.au/nreta/museums ; Conacher St, Fannie Bay ; gratuit ; 9h-17h lun-ven, 10h-17h sam-dim). Ce superbe musée possède de belles salles bien aménagées consacrées au Top End. La **collection d'art aborigène**, particulièrement saisissante, comprend notamment des sculptures et des peintures sur écorce venant des Tiwi Islands et de la Terre d'Arnhem et des peintures pointillistes du désert. Une salle entière est dévolue au **cyclone Tracy**. L'exposition présente la ville avant et après la catastrophe, et une salle obscure vous plonge dans le vrombissement de Tracy, un son que vous n'oublierez pas de sitôt ! La **Maritime Gallery** renferme une collection d'étranges et merveilleux objets artisanaux des îles voisines et d'Indonésie, un lougre perlier (voilier utilisé pour la pêche perlière) et une embarcation de réfugiés vietnamiens.

La star des animaux empaillés est sans conteste **Sweetheart**, un crocodile marin de 780 kg et de 5 m de longueur. La créature est devenue célèbre en raison de ses nombreuses attaques de voiliers sur la Finniss River, au sud de Darwin.

CROCOSAURUS COVE Zoo

(www.croccove.com.au ; 58 Mitchell St ; adulte/enfant 28/16 $; 9h-20h30, dernière entrée 19h). Au beau milieu de Mitchell Sreet, Crocosaurus Cove est un centre dédié à ces fascinants animaux. Six des plus grands crocodiles vivant en captivité peuvent être observés dans des aquariums et des bassins dernier cri. Vous verrez aussi des barramundis, des tortues et des raies, ainsi qu'un immense reptilarium (qui réunit le plus grand nombre de reptiles du pays).

MINDIL BEACH SUNSET MARKET Marché

(www.mindil.com.au ; près de Gilruth Ave ; 17h-22h jeu, 16h-21h dim mai-oct). Le jeudi et le dimanche, lorsque le soleil décline à l'horizon, la moitié de la population de Darwin descend à Mindil Beach munie de tables, de chaises, de couvertures, de Thermos et de jeunes enfants, pour s'installer sous les cocotiers, dans le délicieux fumet émanant des étals. Les gourmands seront au septième ciel : les spécialités thaïlandaises, cingalaises, indiennes, chinoises et malaisiennes se disputent la vedette avec les plats brésiliens, grecs, portugais et autres, pour environ 5 à 8 $ la portion. Ne manquez pas les brochettes sauce *satay* (aux cacahuètes) de Bobby's et terminez par une salade de fruits, une pâtisserie ou une bonne crêpe. Passez ensuite aux choses sérieuses : les emplettes. Les étals artisanaux croulent sous les bijoux faits main, les vêtements *tie-dye*, les objets aborigènes et les articles indonésiens ou thaïlandais. Flânez dans le marché, offrez-vous un massage ou arrêtez-vous pour écouter de la musique improvisée. Mindil Beach est à environ 2 km du centre. Le marché est desservi par les bus n[os]4 et 6, mais vous pouvez aussi prendre une navette (2 $).

DARWIN WATERFRONT PRECINCT Quartier du port

(www.waterfront.nt.gov.au). L'ambitieux projet (plusieurs millions de dollars) du port de Darwin est déjà bien avancé. La première phase a vu la construction d'un terminal pour les bateaux de croisière, d'hôtels de luxe, de restaurants et de boutiques chics, d'une passerelle d'accès et d'un ascenseur gratuit à l'extrémité sud de Smith St, et du **Wave Lagoon (adulte/enfant demi-journée 5/3,50 $, journée 8/5 $; 10h-18h).**

Le vieux quai, le **Stokes Hill Wharf** (www.darwinport.nt.gov.au), est agréable pour se promener l'après-midi. Au bout du quai, un espace de **restauration** (*food centre*) est installé dans un ancien entrepôt. L'endroit est idéal pour déjeuner dehors, prendre une bière fraîche ou dîner de fruits de mer en admirant le coucher du soleil sur le port.

GALERIES D'ART Galerie d'art

Maningrida Arts & Culture (www.maningrida.com ; Shop 1, 32 Mitchell St ; 9h-17h lun-ven, 11h30-16h30 sam). Sculptures en fibres, tissages et peintures de la communauté Kunibidji à Maningrida, sur les berges de la Liverpool River, en Terre d'Arnhem. Les propriétaires sont aborigènes.

Territory Colours (www.territorycolours.com ; 46 Smith St Mall ; 10h-17h). Peintures et objets contemporains en verre, porcelaine ou bois, produits par des artistes locaux, notamment par l'artiste aborigène Harold Thomas.

Mbantua Fine Art Gallery (www.mbantua.com.au ; 2/30 Smith St Mall ; 9h-17h lun-sam). Des motifs utopistes aux couleurs vives peints sur toutes sortes de supports, de la toile à la céramique.

EAST POINT RESERVE Jardin

Cette langue de terre au nord de Fannie Bay est particulièrement plaisante en fin d'après-midi, à l'heure où les wallabies viennent manger et où le soleil se couche sur la baie.

Le **lac Alexander**, un petit lac artificiel d'eau salée, permet de nager toute l'année sans craindre les méduses-boîtes. Il comprend une aire de jeux pour les enfants et des espaces de pique-nique avec des barbecues. Une **promenade en**

Centre de Darwin

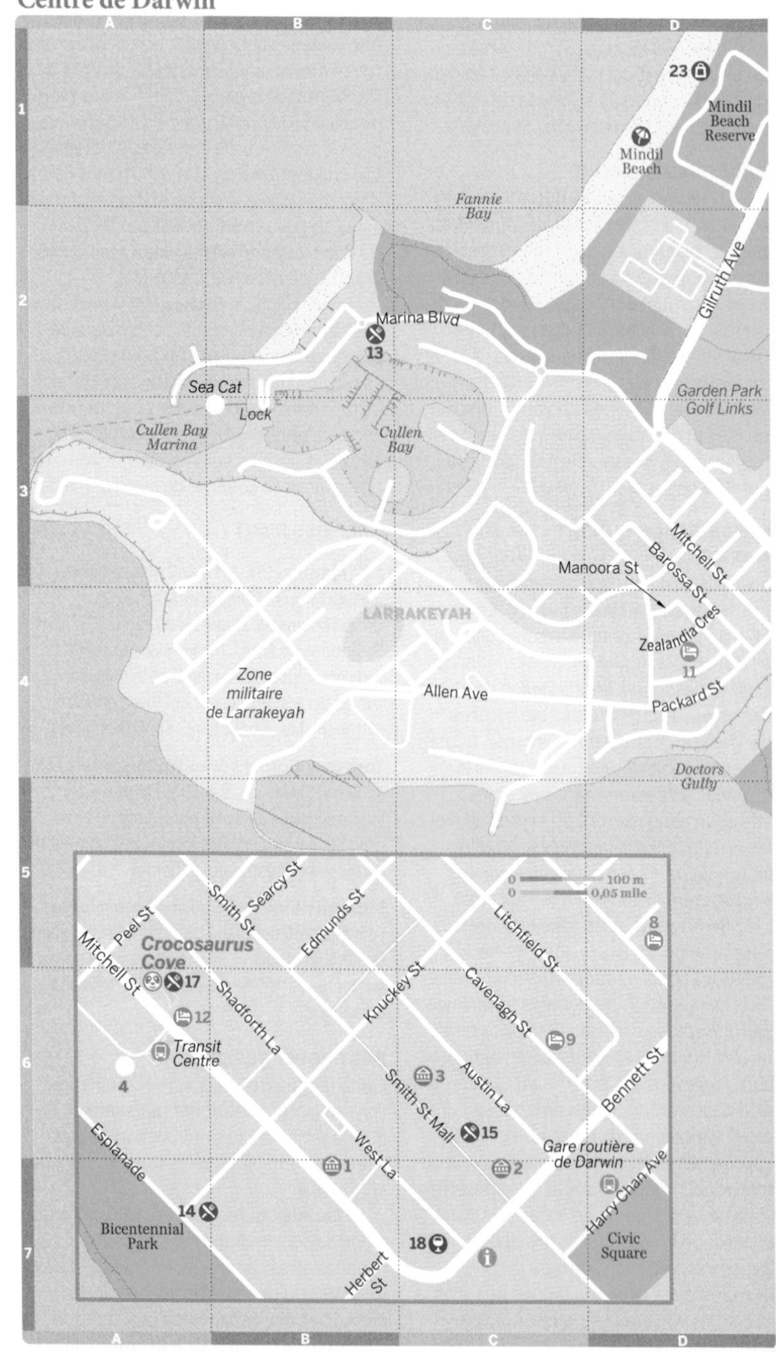

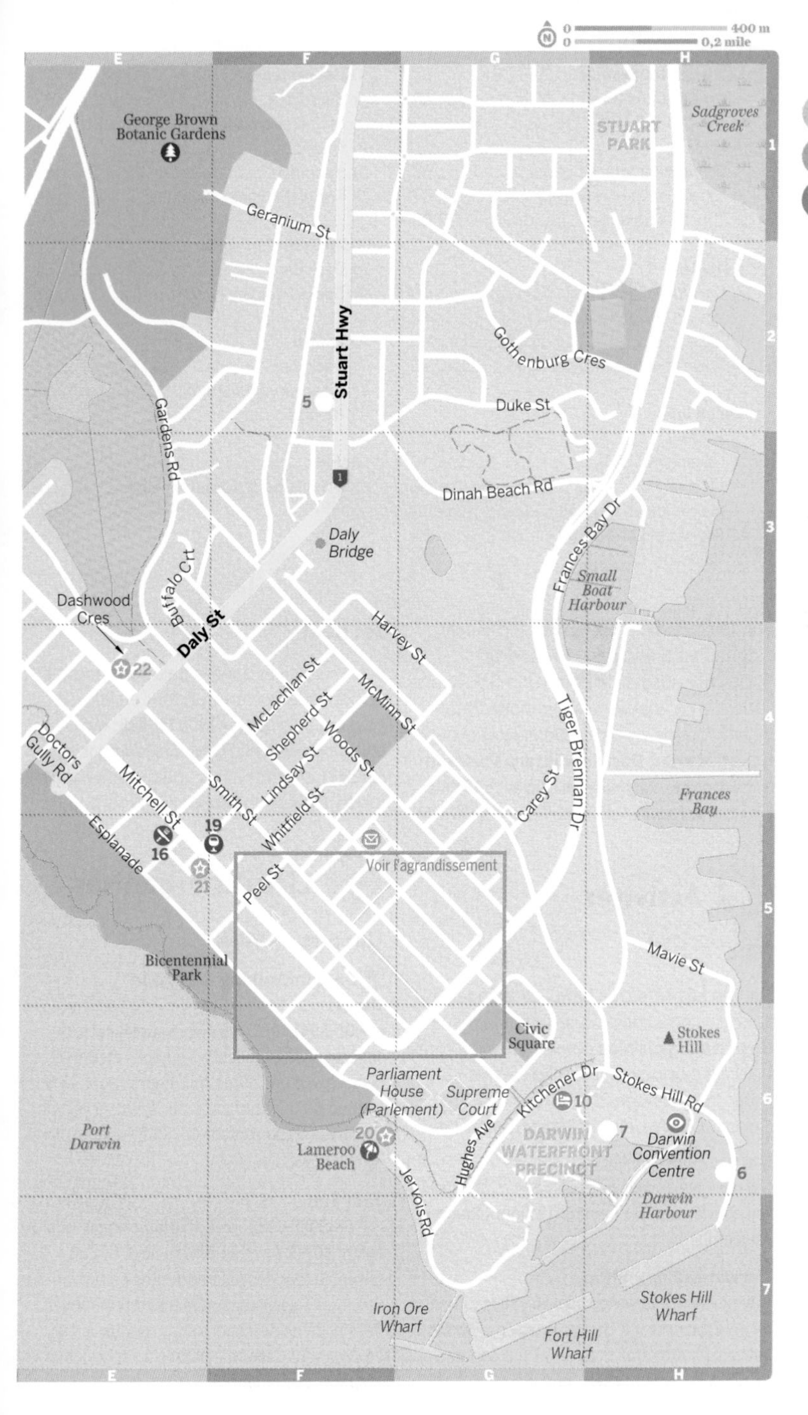
0 400 m
0 0,2 mile
George Brown
Botanic Gardens
Sadgroves
Creek
STUART
PARK
Geranium St
Stuart Hwy
Gothenburg Cres
Duke St
Gardens Rd
Dinah Beach Rd
Daly
Bridge
Frances Bay Dr
Small
Boat
Harbour
Buffalo Crt
Dashwood
Cres
Daly St
Harvey St
McLachlan St
McMinn St
Shepherd St
Woods St
Lindsay St
Tiger Brennan Dr
Doctors
Gully Rd
Mitchell St
Smith St
Whitfield St
Carey St
Frances
Bay
Esplanade
Peel St
Voir l'agrandissement
Mavie St
Bicentennial
Park
Civic
Square
Stokes
Hill
Parliament
House
(Parlement)
Supreme
Court
Kitchener Dr
Stokes Hill Rd
Port
Darwin
Lameroo
Beach
Hughes Ave
DARWIN
WATERFRONT
PRECINCT
Darwin
Convention
Centre
Jervois Rd
Darwin
Harbour
Iron Ore
Wharf
Stokes Hill
Wharf
Fort Hill
Wharf

Centre de Darwin

Les incontournables
Crocosaurus Cove A6

À voir
1 Maningrida Arts & Culture B7
2 Mbantua Fine Art Gallery C7
3 Territory Colours C6

Activités
4 Darwin Holiday Shop A6
5 Darwin Scooter Hire F2
6 Oz Jet H6
7 Wave Lagoon H6

Où se loger
8 Argus D5
9 Cavenagh C6
10 Medina Vibe G6
Melaleuca on Mitchell ..... (voir 12)
11 Steeles at Larrakeyah D4
12 Value Inn A6

Où se restaurer
13 Buzz Café B2
14 Char Restaurant A7
15 Four Birds C6
16 Hanuman E5
17 Tap on Mitchell A6

Où prendre un verre
18 Deck Bar C7
19 Ducks Nuts Bar & Grill F5

Où sortir
20 Deckchair Cinema F6
21 Discovery & Lost Arc E5
22 Nirvana E4

Achats
23 Mindil Beach Sunset Market D1

planches dans la mangrove (⏲8h-18h), longue de 1,5 km, part du parking.

Du côté nord de la pointe, on trouve une série d'emplacements de canons datant de la Seconde Guerre mondiale et le petit mais fascinant **Darwin Military Museum** (www.darwinmilitarymuseum.com.au ; 5434 Alec Fong Lim Dr ; adulte/enfant 12/5 $; ⏲9h30-17h).

Activités

Vélo

Darwin se prête très bien aux balades à vélo : il y a peu de circulation et le réseau de **pistes cyclables** couvre presque toute la ville. Le principal axe relie l'extrémité nord de Cavenagh St à Fannie Bay, Coconut Grove, Nightcliff et Casuarina.

Darwin Scooter Hire Vélo
(www.esummer.com.au ; 9 Daly St ; ⏲8h-17h lun-ven, 9h-15h sam). VTT pour 20 $/jour (caution exigée 100 $).

Darwin Holiday Shop Vélo
(www.darwinholidayshop.com.au ; Shop 2, Mantra on the Esplanade, 88 The Esplanade ; ⏲9h-17h lun-ven, 9h-13h sam). Pour un VTT, comptez 20/25 $ la demi-journée/journée.

Jet boat

Si une croisière dans la baie vous semble un peu fade, préférez un tour en *jet boat* avec Oz Jet (☎1300 135 595 ; www.nt.ozjetboating.com ; 30 min adulte/enfant 55/30 $), et offrez-vous quelques sensations fortes. Départ du Stokes Hill Wharf.

Circuits organisés

Circuits en ville

Darwin Walking & Bicycle Tours Marche, vélo
(☎08-8942 1022 ; www.darwinwalkingtours.com.au). Visites pédestres guidées du Darwin historique d'une durée de 2 heures pour 25 $ (gratuit pour les enfants), ou circuits à vélo de 3 heures (adulte/enfant 45/35 $) pour explorer Fannie Bay et East Point.

Tour Tub Tour de ville
(☎08-8985 6322 ; www.tourtub.com.au ; adulte/enfant 40/15 $; ⏲9h-16h jan-nov). Circuit faisant le tour des différents sites de Darwin sur une journée, à bord d'un minibus semi-ouvert. Possibilité de descendre et de monter à loisir. Le paiement s'effectue auprès du conducteur (espèces seulement).

Croisières dans la baie

Anniki Pearl Lugger Cruises Voile
(☎0428 414 000 ; www.anniki.com.au ; adulte/enfant 70/50 $). Croisières de 3 heures au coucher du soleil sur un vieux lougre perlier que l'on peut voir dans le film *Australia*. Vin pétillant compris (avec de quoi grignoter).

Spirit of Darwin Croisières
(☎0417 381 977 ; www.spiritofdarwin.net ; adulte/enfant 45/20 $). Croisières de 2 heures à bord d'un catamaran climatisé, motorisé et autorisé à servir de l'alcool. Départs de la Cullen Bay Marina tous les jours à 14h et à 17h30 pour le coucher du soleil.

Excursions en terres aborigènes

Northern Territory Indigenous Tours Circuits avec guides aborigènes
(☎1300 921 188 ; www.ntindigenoustours.com). Circuits haut de gamme au Litchfield National Park, avec arrêt au Territory Wildlife Park (adulte/enfant 249/129 $).

Sacred Earth Safaris Hors des sentiers battus
(☎08-8981 8420 ; www.sacredearthsafaris.com.au). Excursions en petits groupes de plusieurs jours (4x4 et camping) autour de Kakadu, Katherine et dans le Kimberley. Les circuits de 2 jours à Kakadu commencent à 695 $; pour l'escapade de 5 jours dans le Top End, comptez 1 995 $.

Wallaroo Eco Tours Excursions
(☎08-8983 2699 ; www.litchfielddaytours.com). Excursions en petits groupes au Litchfield National Park (120 $).

Où se loger

Centre-ville

CAVENAGH Auberge de jeunesse, motel $
(☎1300 851 198, 08-8941 6383 ; www.thecavenagh.com ; 12 Cavenagh St ; dort 25-30 $, d 89-159 $; ❄@📶🏊). Cet ancien motel des années 1980 propose de belles chambres doubles et des dortoirs corrects, répartis autour d'une immense piscine centrale. L'ambiance est décontractée, festive et propice aux rencontres, et il y a un bar animé sur place (très bruyant lorsque des matchs de rugby sont diffusés !).

Mindil Beach (p. 269)

DAVID WALL/ALAMY ©

MELALEUCA ON MITCHELL Auberge de jeunesse $
(☎1300 723 437 ; www.momdarwin.com.au ; 52 Mitchell St ; dort 30 $, d avec/sans sdb 115/95 $; ❄@📶🏊). Mention spéciale pour la terrasse sur le toit, surplombant Mitchell St. Elle est dotée d'un bar avec TV grand écran et d'un spa à cascade. Le paradis des fêtards ! Les chambres aux murs blancs sont impeccables mais manquent d'âme.

ARGUS Appartements $$$
(☎08-8925 5000 ; www.argusdarwin.com.au ; 6 Cardona Ct ; app 1/2/3 ch à partir de 260/410/495 $; ❄@🏊). Dans un coin de la ville planté de tours d'appartements, l'Argus sait faire la différence. Les appartements sont spacieux, avec de jolies sdb, de grands espaces carrelés, des balcons pour dîner et des cuisines bien équipées.

VALUE INN Hotel $$
(☎08-8981 4733 ; www.valueinn.com.au ; 50 Mitchell St ; d à partir de 135 $; ❄@📶🏊). Au beau milieu de l'animation de Mitchell St, mais tranquille et confortable. Bon rapport qualité/prix, surtout hors saison. Les chambres avec sdb, petites, logent jusqu'à 3 personnes (réfrigérateur et TV).

MEDINA VIBE Hôtel $$
(☎08-8941 0755 ; www.medina.com.au ; 7 Kitchener Dr ; d/studio à partir de 170/180 $, app 1/2 ch 425/600 $; ❄@📶🏊). Deux hôtels dans le même bâtiment : des doubles standards au Vibe, et des studios et appartements à côté, à la Medina. Dans les deux cas, vous serez reçu par un personnel chaleureux et bénéficierez d'un emplacement de choix dans le Darwin Waterfront Precinct.

Périphérie de la ville

FEATHERS SANCTUARY Hôtel de charme $$$
(☎08-8985 2144 ; www.featherssanctuary.com ; 49a Freshwater Rd, Jingili ; d avec petit-déj 330 $; ❄🏊). Sublime hôtel pour ornithologues et amoureux de la nature, le Feathers loue

À gauche Dîner au bord de l'eau, Stokes Hill Wharf (p. 269)
Ci-dessous Collection d'art aborigène, Museum & Art Gallery of the Northern Territory (p. 268)
PHOTOGRAPHES : (À GAUCHE) ANDREW WATSON/LONELY PLANET IMAGES © ; (CI-DESSOUS) WILL SALTER/ LONELY PLANET IMAGES ©

de luxueux cottages en bois et acier, avec sdb semi-ouvertes. Les jardins verdoyants dissimulent un point d'eau et une volière abritant des espèces rares.

STEELES AT LARRAKEYAH B&B **$$**
(Darwin City B&B ; ☎08-8941 3636 ; www.darwinbnb.com.au ; 4 Zealandia Cres, Larrakeyah ; d à partir de 175 $, app 1/2 ch 250/270 $;). L'emplacement est idéal, à mi-chemin entre le centre-ville, Cullen Bay et Mindil Beach, et les 3 jolies chambres de style colonial espagnol sont équipées avec réfrigérateur, TV à écran plat et entrée privative.

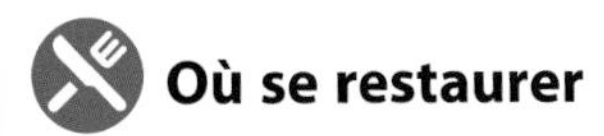

Où se restaurer

Centre-ville

FOUR BIRDS Café **$**
(Shop 2, Star Village, 32 Smith St Mall ; plats 4-8 $; petit-déj et déj lun-ven, lun-sam juin-août). Un petit café branché, niché sous les arcades à l'emplacement de l'ancien Star Cinema (victime du cyclone de 1974), qui fait très bien les choses: bagels, sandwichs toastés, muffins, paninis et café.

HANUMAN Indien, thaï **$$**
(☎08-8941 3500 ; www.hanuman.com.au ; 28 Mitchell St ; plats 16-36 $; déj lun-ven, dîner tlj ;). Raffiné, ni prétentieux ni guindé, le Hanuman propose des plats thaïlandais et indiens innovants, dans une élégante salle à manger ouverte et sur la terrasse. Ses spécialités ? Les huîtres à la citronnelle, au piment et à la coriandre et le *meen mooli* (poisson de récif à la noix de coco et aux feuilles de curry). Le menu, varié, annonce aussi des plats végétariens exotiques. Organisation de banquets.

DUCKS NUTS BAR & GRILL Australien moderne **$$**
(☎08-8942 2122 ; www.ducksnuts.com.au ; 76 Mitchell St ; plats 15-35 $; petit-déj, déj

Si vous aimez… Les marchés

Si vous aimez l'hypnothique Mindil Beach Sunset Market de Darwin, vous aimerez sûrement aussi ces autres marchés :

1 PARAP VILLAGE MARKET
(www.parapvillage.com.au ; Parap Shopping Village, Parap Rd, Parap ; ⏲8h-14h sam). Un petit marché animé où les riverains se retrouvent chaque samedi. Toutes les cuisines d'Asie du Sud-Est sont représentées – vous trouverez de quoi faire à manger.

2 RAPID CREEK MARKET
(www.rapidcreekshoppingcentre.com.au ; 48 Trower Rd, Rapid Creeek ; ⏲6h30-13h30 dim). Le plus vieux marché de Darwin est également tourné vers l'Asie, avec une large sélection de fruits et de légumes exotiques, au milieu du parfum des épices et des effluves de *satay*.

3 NIGHTCLIFF MARKET
(www.marketsonline.com.au ; Pavonia Way, Nightcliff ; ⏲8h-14h dim). Marché local très fréquenté, au nord de la ville, dans le Nightcliff Shopping Centre.

4 TODD MALL MARKET
(www.toddmallmarkets.com.au; ⏲9h-13h 2e dim du mois, mai-déc). Flânez dans ce marché, au milieu des musiciens ambulants, des stands d'art aborigène, des woks fumants, des rayons de vêtements, des bijoux et toutes sortes d'objets.

et dîner). Un bar-restaurant en perpétuelle effervescence, qui prépare des produits du Top End à la mode asiatique ou méditerranéenne. Goûtez les cuisses de canard à la thaïlandaise et le curry de banane, la papillote de barramundi ou les délicieux jarrets d'agneau. Bons petits-déjeuners et cafés également.

CHAR RESTAURANT Grillades **$$$**
(☎08-8981 4544 ; www.charrestaurant.com.au ; 70 The Esplanade ; plats 31-46 $; ⏲déj mer-ven, dîner tlj). La spécialité est le steak grillé (la viande est cuite à la perfection), mais il y a également des fruits de mer, des lasagnes au crabe et au crocodile et un menu végétarien bien pensé.

Périphérie de la ville

SAFFRRON Indien **$$**
(☎08-8981 2383 ; www.saffrron.com ; Shop 14, 34 Parap Rd, Parap ; plats 14-26 $; ⏲déj et dîner mar-dim ; 🖉). Le meilleur restaurant indien de Darwin offre un cadre contemporain et intime. La carte revisite les spécialités du sous-continent : généreux poulet au beurre, curry d'agneau du Kerala, vivaneau entier du Territoire du Nord façon Madras, entre autres.

BUZZ CAFÉ Australien moderne **$$**
(☎08-8941 1141 ; www.darwinhub.com/buzz-cafe ; 48 Marina Blvd, Cullen Bay ; plats 16-41 $; ⏲déj et dîner tlj, petit-déj dim). Ce bar-restaurant raffiné, agrémenté de meubles en teck indonésien et en lave du Mt Bromo, s'enorgueillit d'une terrasse sur plusieurs niveaux dominant la marina. Un lieu parfait pour déjeuner au soleil et prendre quelques verres. La cuisine est de style Mod Oz (cuisine australienne moderne), avec des salades créatives et des plats à partager.

Où prendre un verre

TAP ON MITCHELL Bar
(www.thetap.com.au ; 51 Mitchell St). L'une des terrasses les plus animées de Mitchell St. Les repas bon marché (*nachos*, hamburgers, calmars) complètent une bonne sélection de vins et de bières.

DARWIN SKI CLUB Club sportif
(www.darwinskiclub.com.au ; Conacher St, Fannie Bay). Troquez l'animation de Mitchell St contre un superbe coucher de soleil dans l'ambiance décontractée de ce club de ski nautique de Vestey's Beach, délicieusement désuet. Les palmiers du *beer garden* laissent

apercevoir un panorama sublime. Concerts fréquents.

DECK BAR Bar
(www.thedeckbar.com.au ; 22 Mitchell St). À l'extrémité la moins festive de Mitchell St, le Deck Bar réchauffe l'ambiance grâce à ses happy hours et à ses concerts réguliers. La terrasse est idéale pour observer le ballet des passants.

Où sortir

Musique live

NIRVANA Jazz, blues
(☎08-8981 2025 ; 6 Dashwood Cres). Passez la lourde porte : ce restaurant-bar douillet accueille des concerts de jazz/blues les jeudis, vendredis et samedis et une scène ouverte le mardi.

Discothèques

DISCOVERY & LOST ARC Discothèque
(www.myspace.com/discovery_nightclub ; 89 Mitchell St ; 🕒21h-4h ven-sam). Avec 3 niveaux où résonnent la techno, le hip-hop et le R&B, le Discovery est le plus grand club de Darwin. Le Lost Arc, un bar éclairé aux néons, ouvre sur Mitchell St. L'ambiance commence à se réchauffer vers 22h.

Cinémas

DECKCHAIR CINEMA
Cinéma en plein air
(☎08-8981 0700 ; www.deckchaircinema.com ; Jervois Rd, Waterfront Precinct ; adulte/enfant 13/6 $; 🕒guichet à partir de 18h30 avr-nov). Pendant le Dry (saison sèche), la Darwin Film Society gère cet excellent cinéma en plein air situé sous l'extrémité sud de l'Esplanade. Des transats sont prévus – prenez un coussin pour plus de confort. Vous pourrez apporter un pique-nique, mais pas d'alcool, puisque le bar en vend du vendredi au mercredi (il sert également des nouilles *teriyaki*, des pâtes à la bolognaise, etc.).

Renseignements

Argent

Il y a des distributeurs automatiques de billets (DAB) fonctionnant 24h/24 partout en ville, et des bureaux de change dans Mitchell St.

Office du tourisme

Tourism Top End **(☎1300 138 886, 08-8980 6000 ; www.tourismtopend.com.au ; 6 Bennett St ; 🕒8h30-17h lun-ven, 9h-15h sam, 10h-15h dim).** Des centaines de brochures ; possibilité de réserver circuits et hébergements.

Darwin Ski Club

Un voyage en train inoubliable

Le *Ghan*, célèbre train inter-États géré par le Great Southern Rail (www.gsr.com.au), traverse le pays depuis Darwin jusqu'à Adélaïde, en passant par Katherine et Alice Springs. Ce n'est pas le mode de transport le plus économique ni le plus rapide, mais c'est une excellente façon d'appréhender les vastes étendues désertiques du cœur de l'Australie.

Le terminus de Darwin est situé dans Berrimah Rd, à 15 km/20 min du centre-ville. Rejoindre le centre en taxi vous coûtera 30 $; le service de navettes depuis/vers le Transit Centre coûte 10 $.

Pour un voyage entre Darwin ou Katherine et Alice Springs, le billet coûte 358/668 $ en siège/couchette ; entre Darwin et Adélaïde, comptez 716/1 372 $. Le train circule une fois par semaine (deux fois par semaine de mai à juillet).

Services médicaux

Royal Darwin Hospital (**08-8920 6011 ; www.health.nt.gov.au ; Rocklands Dr, Tiwi ; 24h/24**). Accidents et urgences.

Travellers Medical & Vaccination Centre (**08-8901 3100 ; www.traveldoctor.com.au ; 1er ét, 43 Cavenagh St ; 8h30-12h et 13h30-17h lun-ven**). Centre médical et de vaccination pour les voyageurs. Consultation sur rendez-vous.

Depuis/vers Darwin

Avion

Outre les principales compagnies (ci-après) arrivant à l'aéroport international de Darwin (**www.darwinairport.com.au ; Henry Wrigley Dr, Marrara**), des itinéraires mineurs sont assurés par des compagnies locales ; renseignez-vous dans une agence de voyages.

Qantas (**www.qantas.com.au**). Vols directs pour Perth, Adélaïde, Canberra, Sydney, Brisbane, Alice Springs et Cairns.

Virgin Australia (**www.virginaustralia.com**). Vols directs entre Darwin et Brisbane, Melbourne et Perth.

Jetstar (**www.jetstar.com**). Vols directs pour Melbourne.

Bus

Greyhound Australia (**www.greyhound.com.au**) assure les liaisons longue distance depuis le Transit Centre (**69 Mitchell St**). Il y a au moins un bus par jour, dans chaque sens, sur la Stuart Hwy, avec des arrêts à Pine Creek (71 $, 3 heures), Katherine (88 $, 4 heures 30), Mataranka (125 $, 7 heures), Tennant Creek (265 $, 14 heures 30) et Alice Springs (367 $, 22 heures).

Pour se rendre à Kakadu, un bus fait chaque jour l'aller-retour entre Darwin et Cooinda (87 $, 4 heures 30) via Jabiru (62 $, 3 heures 30).

Voiture et camping-car

Pour se déplacer dans la ville, la location d'un véhicule ordinaire est assez bon marché, mais vous n'irez pas très loin avec les 100 km gratuits offerts par la plupart des agences. Les tarifs commencent à environ 40 $/jour pour une petite voiture, à raison de 100 km/jour. De nombreux 4x4 sont également à louer. Il est toutefois préférable de s'y prendre à l'avance. En outre, sachez que les tarifs et les dépôts de garantie excèdent ceux d'un véhicule classique.

La plupart des agences de location ouvrent tous les jours et possèdent des bureaux dans le centre-ville. Avis, Budget, Hertz et Thrifty ont des guichets à l'aéroport.

Advance Car Rentals (**www.advancecar.com.au ; 86 Mitchell St**). Petite enseigne locale proposant des formules attrayantes (renseignez-vous sur le kilométrage illimité).

Comment circuler

Depuis/vers l'aéroport

L'aéroport international de Darwin (**www.darwinairport.com.au**) se trouve à 12 km au nord-est du centre. Il accueille des vols intérieurs et internationaux. La navette Darwin Airport Shuttle (☎1800 358 945, 08-8981 5066 ; **www.darwinairportshuttle.com.au**) vous permettra de descendre ou de monter presque n'importe où dans le centre, moyennant 13 $. Si vous quittez Darwin, réservez la veille. En taxi, la course jusqu'au centre coûte environ 25 $.

Scooter

Darwin Scooter Hire (**www.esummer.com.au ; 9 Daly St**). Loue des VTT/scooters de 50 cm³/motos pour 20/60/180 $ par jour.

Taxi

Appelez Darwin Radio Taxis (☎**13 10 08 ; www.131008.com**).

Transports publics

Darwinbus (**www.nt.gov.au/transport**) gère un vaste réseau de bus au départ de la gare routière de Darwin (**Darwin Bus Terminus ; Harry Chan Ave**), située en face de Brown's Mart.

Le billet adulte (2 $) est valable 3 heures, pour un nombre de trajets illimité sur le réseau des bus – compostez en montant dans le premier bus. Des forfaits à la journée (5 $) et à la semaine (15 $) sont également en vente aux guichets des bus, chez les marchands de journaux et dans les centres d'information des visiteurs.

Autre solution, le Tour Tub (**www.tourtub.com.au**) est un bus privé qui sillonne les principaux sites de Darwin pendant toute la journée. Système *hop-on hop-off*, où vous pourrez descendre et monter à votre guise.

ENVIRONS DE DARWIN

TERRITORY WILDLIFE PARK Zoo

(**www.territorywildlifepark.com.au ; 960 Cox Peninsula Rd ; adulte/enfant 26/13 $; 🕒8h30-18h, dernière entrée 16h**). Les spécimens les plus fascinants de la faune australienne sont présentés dans un zoo à ciel ouvert dernier cri. Ne manquez pas le Flight Deck, où les rapaces font la démonstration de leur habileté (spectacle gratuit à 11h et 14h30 tlj) ; la Nocturnal House permet d'observer des animaux nocturnes comme le bilby et la chauve-souris. Le zoo compte aussi 11 volières représentant chacune un habitat différent, des mangroves aux zones humides,

Crocodile marin, Territory Wildlife Park

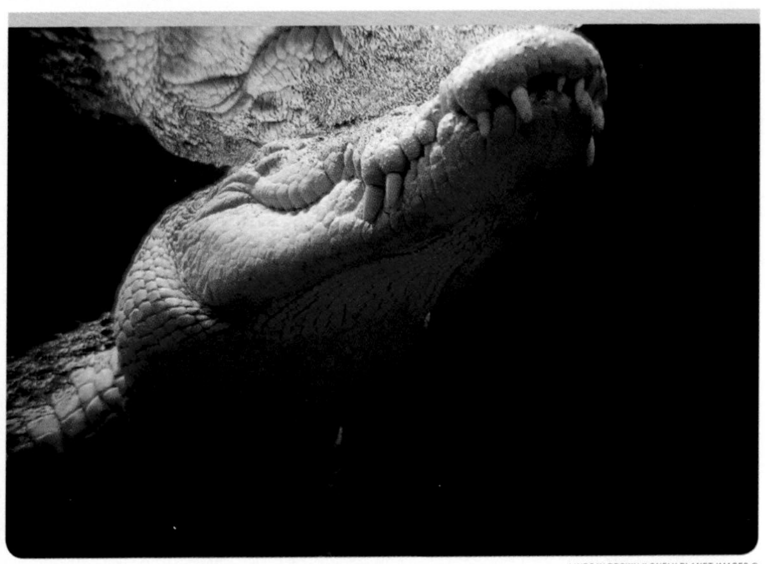

LINDSAY BROWN/LONELY PLANET IMAGES ©

Kakadu National Park

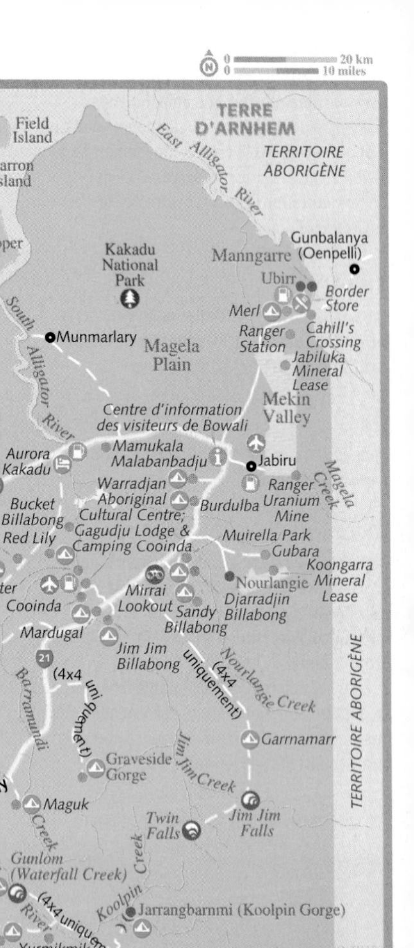

et une immense volière, reconstituant une forêt de mousson. Le grand attrait du site reste toutefois l'aquarium, traversé par un tunnel transparent permettant d'admirer des barramundis, des raies, des poissons-scies et des scléropages, tandis qu'un autre bassin contient un crocodile marin de 3,8 m de longueur.

L'embranchement menant au Territory Widlife Park est à 48 km de Darwin sur la Stuart Hwy. De là, le parc est encore à 10 km.

KAKADU ET TERRE D'ARNHEM

Kakadu National Park

Bien plus qu'un simple parc national, le Kakadu est un univers naturel et culturel à part.

En quelques jours seulement, vous découvrirez des *billabong* (trous d'eau) peuplés de **créatures sauvages**, vous admirerez des peintures rupestres vieilles de 25 000 ans sous la houlette d'un guide aborigène, vous vous baignerez dans des piscines naturelles au pied de **cascades** et vous userez vos semelles dans les escarpements de grès.

Le Kakadu héberge plus de 25 espèces de grenouilles, 55 sortes de poissons d'eau douce, 60 races de mammifères, 120 reptiles différents, 280 espèces d'oiseaux (dont un tiers originaire d'Australie) et au moins 10 000 variétés d'insectes.

Si vous aimez… Les parcs nationaux

Si vous aimez le Kakadu National Park, vous devriez aussi apprécier :

1 **LITCHFIELD NATIONAL PARK** Les chutes qui s'écoulent du haut du plateau de la Tabletop Range font la renommée de ce parc de 1 500 km² et alimentent des cascades transparentes et sans crocodiles.

2 **NITMILUK (KATHERINE GORGE) NATIONAL PARK** La ravissante Katherine Gorge s'étire au milieu de ce parc de 2 920 km², à environ 30 km de Katherine. Cette série de 13 gorges de grès profondes a été creusée par la Katherine River, qui traverse la Terre d'Arnhem pour se jeter dans la mer de Timor. Rejoignez un circuit organisé ou lancez-vous dans votre propre canoë.

3 **WEST MACDONNELL NATIONAL PARK** (**www.nt.gov.au/nreta/parks/find/westmacdonnell.html**). Camping et bushwalking, notamment sur le Larapinta Trail, dans un environnement spectaculaire ponctué de gorges, à l'ouest d'Alice Springs.

4 **WATARRKA (KINGS CANYON) NATIONAL PARK** (**www.nt.gov.au/nreta/parks/find/watarrka.html**). L'immense Kings Canyon (nord d'Uluru) offre une spectaculaire randonnée en boucle de 6 km.

Circuits organisés

Kakadu Animal Tracks Circuits avec guide aborigène
(**☎08-8979 0145 ; www.animaltracks.com.au ; adulte/enfant 189/129 $**). Basé à Cooinda, cet opérateur organise des circuits avec guide aborigène combinant safari et circuit culturel.

Top End Explorer Tours Excursions
(**☎1300 556 609, 08-8979 3615 ; www.kakadutours.net.au ; adulte/enfant 168/140 $**). Excursions en 4x4 aux Jim Jim Falls et aux Twin Falls (assez peu fréquentées).

Kakadu Air Dans les airs
(**☎1800 089 113 ; www.kakaduair.com.au**). Vols en avion de 30 min/1 heure pour 130/210 $ par adulte. Les vols en hélicoptère, plus chers, sont aussi plus impressionnants. Ils coûtent de 195 $ (20 min) à 495 $ (1 heure 10) par personne.

YELLOW WATER CRUISES Croisières
(**☎1800 500 401; www.gagudju-dreaming.com**). Croisière d'observation de la faune sur la South Alligator River et le Yellow Water Billabong. Achetez vos billets au Gagudju Lodge, à Cooinda, d'où une navette vous conduira au point de départ. Les croisières de 2 heures (adulte/enfant 95/69 $) partent à 6h45, 9h et 16h30 ; celles de 1 heure 30 (adulte/enfant 64/44 $) à 11h30, 13h15 et 14h45.

Ubirr et ses environs

Il faut bien plus que quelques centaines de visiteurs se déversant des bus touristiques pour troubler la majesté d'Ubirr. Les **peintures rupestres**, de styles et d'époques différents, en imposent d'emblée.

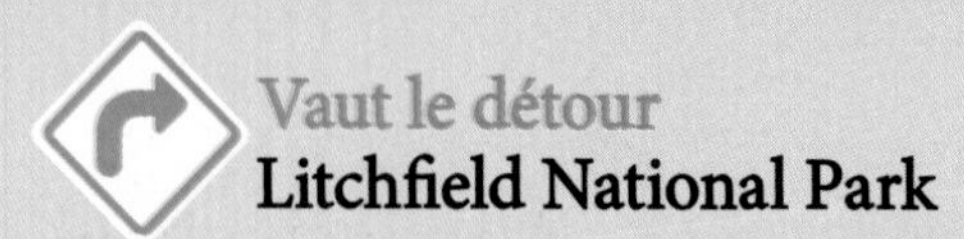

Litchfield National Park

Moins connu que le Kakadu, ce parc a pourtant la faveur des habitants du Territoire et figure sans conteste parmi les plus belles régions du Top End pour la **randonnée dans le bush** (bushwalking), le **camping** et surtout la **baignade**, grâce à des chutes d'eau qui se jettent dans des bassins magnifiques et tout à fait sûrs.

Les deux routes mènent vers le Litchfield (situé à 115 km de Darwin), se rejoignant et formant une boucle dans le parc.

Environ 17 km après avoir pénétré dans le parc à Batchelor, on parvient à ce qui ressemble à un champ de stèles funéraires. Il s'agit de **termitières magnétiques**, dont la pointe sert de sépulture aux termites. Le roi et la reine sont installés au pied, tandis que les ouvrières s'affairent entre la base et le sommet.

Quelque 6 km plus loin, un embranchement conduit à **Buley Rockhole** (2 km), où l'eau tombe en cascade dans une série de trous d'eau rocheux, assez grands pour que l'on puisse s'y baigner. Cet embranchement mène aussi aux **Florence Falls** (5 km), des cascades accessibles en 15 min à pied en descendant 135 marches jusqu'à un beau bassin profond, entouré de forêt de mousson.

Puis, 18 km après l'embranchement pour les Florence Falls, on arrive au carrefour des **Tolmer Falls**, des chutes situées à 450 m de la route. Une boucle de 1,6 km (45 min) offre une vue magnifique sur la vallée.

De retour sur la route principale, il faut parcourir encore 7 km jusqu'à l'embranchement vers le site le plus couru de Litchfield, les **Wangi Falls** (prononcer "wongaye"), à 1,6 km sur une route secondaire. Les cascades coulent toute l'année des deux côtés d'un immense promontoire en roche orange et remplissent un énorme bassin bordé de forêt humide.

Le superbe panorama du **Nardab Lookout** (point de vue) est accessible par une montée de 250 m depuis la galerie principale. La contemplation de la plaine inondable en contrebas, tandis que le soleil plonge à l'ouest et que la lune se lève à l'est, constitue une expérience magique.

Jabiru

La présence, la taille et la structure de Jabiru ont quelque chose d'incongru en plein cœur d'un parc national. En réalité, la ville ne doit son existence qu'à la mine d'uranium de Ranger.

Où se loger et se restaurer

LAKEVIEW PARK Cabins $$

(☎08-8979 3144 ; www.lakeviewkakadu.com.au ; 27 Lakeside Dr ; empl avec élec et sdb 35 $, bungalows/d/cabins 115/125/225 $; ❄). Privé de vue sur le lac, ce magnifique parc paysager tenu par des Aborigènes se distingue néanmoins de ses homologues du Kakadu par son choix de bungalows au décor tropical, nichés dans la verdure.

KAKADU LODGE & CARAVAN PARK Complexe hôtelier, caravaning $$$

(☎1800 811 154 ; www.auroraresorts.com.au ; Jabiru Dr ; empl sans/avec élec 26/38 $, cabins à partir de 240 $; ❄@≋). Ce complexe hôtelier est doté d'emplacements verts et ombragés et d'une piscine lagon (projection de films au bord de la piscine le vendredi). Les *cabins* (petits bungalows) avec cuisine logent jusqu'à 5 personnes et doivent être réservés longtemps à l'avance (malgré leur déco défraîchie). Également, un bar-restaurant.

Nourlangie

En apercevant Nourlangie Rock, on comprend l'importance de cette excroissance de la Terre d'Arnhem aux yeux des Aborigènes. Cette masse de grès rouge, parcourue de marbrures orange, blanches et noires, émerge des forêts environnantes pour tomber, d'un côté, en falaises escarpées au pied desquelles se trouvent les **fresques rupestres** les plus connues du Kakadu.

Un circuit pédestre d'environ 2 km (ouvert de 8h au coucher du soleil) mène à l'**abri rocheux d'Anbangbang**, utilisé depuis 20 000 ans comme refuge et comme support de fresques. À côté, l'**Anbangbang Gallery** présente des personnages du Dreaming ("Temps du Rêve") repeints dans les années 1960. De la galerie naturelle, un court sentier débouche sur le **Gunwarddehwarde Lookout** (point de vue).

Jim Jim Falls et Twin Falls

Aussi isolées que spectaculaires, ces deux cascades sont emblématiques du Top End. Les **Jim Jim Falls**, des chutes de 215 m de haut, sont impressionnantes après la pluie (elles ne sont alors visibles que du ciel) ; en juin, ce ne sont plus en revanche qu'un mince filet d'eau. Les Twin Falls sont alimentées en eau toute l'année. On ne s'y baigne pas, mais peu importe : le trajet qui y mène est tout aussi plaisant – il comprend une petite **traversée en bateau** (adulte/enfant 2,50/gratuit, 7h30-17h) et le franchissement d'une passerelle en bois au-dessus de l'eau.

Cooinda et Yellow Water

Cooinda, surtout connu pour les croisières dans la zone humide appelée Yellow Water (voir p. 281), forme aujourd'hui un complexe touristique chic. À environ 1 km du complexe, le **Warradjan Aboriginal Cultural Centre** (**www.kakadu-attractions.com/warradjan.htm ; Yellow Water Area ; 9h-17h**) retrace l'histoire de la Création et abrite une collection permanente fabuleuse, comprenant notamment des *clap sticks* (percussions en forme de bâtons), des sacs à sucre et des exemples d'art rupestre.

Le **Gagudju Lodge & Camping Cooinda** (**1800 500 401, 08-8979 0145 ; www.gagudjulodgecooinda.com.au ; empl sans/avec élec 32/40 $, dort 55 $, ch petit budget/lodge à partir de 110/208 $;**) est l'hébergement le plus prisé du parc. Les *units* climatisés adaptés aux budgets serrés, petits mais assez confortables, partagent les équipements du camping. Les chambres du lodge, spacieuses et plus douillettes, accueillent jusqu'à 4 personnes. Il y a aussi une épicerie, un guichet d'information touristique, une pompe à essence et un excellent bar en plein air, le **Barra Bar & Bistro** (**plats 13-30 $; petit-déj, déj et dîner**).

Motifs aborigènes sur vitraux à l'Araluen Cultural Precinct

Centre d'Alice Springs

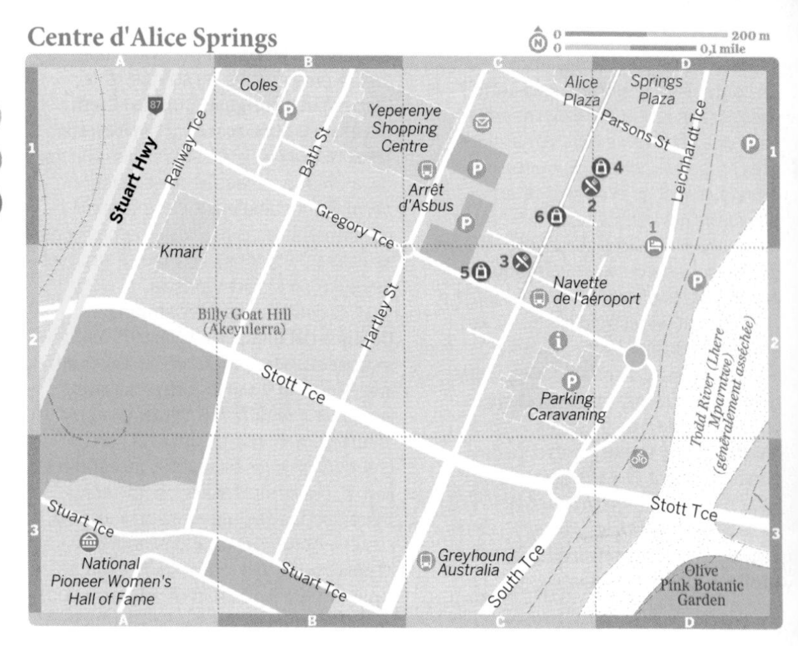

Centre d'Alice Springs

Où se loger

1 Aurora Alice Springs D1

Où se restaurer

2 Red Ochre Grill C1
3 Soma C2

Achats

4 Gallery Gondwana D1
5 Mbantua Gallery C2
6 Todd Mall Market C1

Renseignements

L'entrée dans le parc se fait au moyen d'un Park Pass **(adulte/enfant 25 $/gratuit)** valable 14 jours. Vous pourrez vous le procurer, ainsi que l'excellente brochure *Visitor Guide*, au centre d'information des visiteurs de Bowali, au Tourism Top End à Darwin, au Gagudju Lodge Cooinda ou au centre d'information des visiteurs de Katherine. Vous devrez l'avoir sur vous en permanence, car les rangers (gardes forestiers) effectuent des contrôles (et infligent des amendes).

L'excellent centre d'information des visiteurs de Bowali **(08-8938 1121 ; www.kakadunationalparkaustralia.com/bowali_visitors_center.htm ; Kakadu Hwy, Jabiru ; 8h-17h)** propose des expositions qui vous renseigneront sur l'écologie du parc, envisagée selon des perspectives aborigènes et extérieures. La brochure *What's On* explique où et quand écouter gratuitement les conférences données par les rangers.

Comment s'y rendre et circuler

De nombreux visiteurs choisissent de découvrir Kakadu dans le cadre d'un circuit organisé, ce qui leur permet d'accéder facilement aux principaux sites. Avec son propre véhicule, on peut aussi bien se débrouiller seul, à condition de bien se renseigner sur l'état des routes (Jim Jim Falls et Twin Falls, par exemple, ne sont accessibles qu'en 4x4).

Greyhound Australia **(www.greyhound.com.au)** assure chaque jour l'aller-retour entre Darwin et Cooinda (87 $, 4 heures 30) via Jabiru (62 $, 3 heures 30).

ALICE SPRINGS

Ville emblématique de l'outback, Alice Springs n'est plus la colonie reculée qui a nourri sa légende. Pourtant, le désert

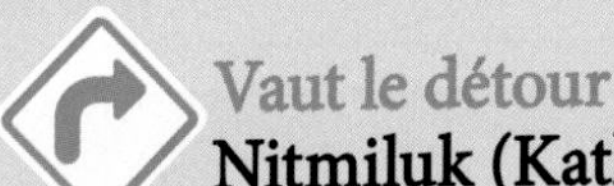

Vaut le détour
Nitmiluk (Katherine Gorge) National Park

La **Katherine Gorge** s'étire au milieu du **Nitmiluk (Katherine Gorge) National Park** (www.nt.gov.au/nreta/parks/find/nitmiluk.html), un parc de 2 920 km² situé à environ 30 km de Katherine. Il s'agit en réalité d'une série de 13 **gorges** de grès profondes, creusées par la **Katherine River**, qui traverse la Terre d'Arnhem pour se jeter dans la mer de Timor.

Le parc compte près de 120 km de sentiers balisés – pour des promenades de 2 km ou des randonnées de plusieurs jours (jusqu'à 66 km).

Nitmiluk Tours (☎1300 146 743, 08-8972 1253; www.nitmiluktours.com.au) loue des canoës simples/doubles pour une demi-journée (45/67 $, départs 8h et 12h30) ou une journée complète (59/86 $, départ 8h). Inclut un bidon de protection pour votre appareil et autres objets sensibles à l'eau, une carte et un gilet de sauvetage.

Une façon plus reposante d'explorer les gorges est de faire une des croisières organisées par **Nitmiluk Tours** (☎1300 146 743, 08-8972 1253; www.nitmiluktours.com.au). La **croisière de 2 heures** (adulte/enfant 60/36 $) conduit dans la deuxième gorge et inclut la visite d'une galerie d'art rupestre (et une marche de 800 m).

Le Nitmiluk Helicopter Tours (☎1300 146 743 ; www.airbournesolutions.com.au ; vols à partir de 88 $/pers) propose divers forfaits : de l'aperçu de 8 min au-dessus des 3 premières gorges (88 $/pers), au vol de 18 min au-dessus des 13 gorges (202 $).

RENSEIGNEMENTS

Le **Nitmiluk Centre** (☎1300 146 743, 08-8972 1253 ; www.nitmiluktours.com.au ; 🕓7h-18h) organise des expositions instructives sur la géologie du parc, sa faune, ses propriétaires traditionnels – les Jawoyn – et l'arrivée des Européens.

DEPUIS/VERS NITMILUK

Une route bitumée de 30 km relie Katherine au Nitmiluk Centre, proche du parking où commencent les gorges et où démarrent les croisières.

Un service de navettes quotidiennes entre Katherine et les gorges est assuré par **Nitmiluk Tours** (☎1300 146 743, 08-8972 1253 ; www.nitmiluktours.com.au ; Shop 2, 27 Katherine Tce, Katherine ; adulte/enfant aller-retour 25/18 $), au départ du Nitmiluk Town Booking Office. On peut venir vous chercher à votre hôtel si vous en faites la demande.

rouge et les chaînes rocheuses qui composent le paysage ne laissent aucun doute sur son isolement.

Alice Springs représente un point de chute parfait pour explorer l'Australie centrale : l'Uluru-Kata Tjuta National Park est à seulement 4 heures de route.

À voir

ARALUEN CULTURAL PRECINCT Centre culturel
(www.nt.gov.au/nreta/arts/ascp ; angle Larapinta Dr et Memorial Ave ; pass adulte/enfant 10/7 $).

Le quartier culturel d'Araluen englobe une collection d'histoire naturelle, un superbe centre artisanal, un cimetière, un jardin de sculptures, des sites sacrés et un musée de l'Aviation, tous reliés entre eux par un sentier. Vous pourrez vous promener librement à l'extérieur, dans le cimetière et les jardins, mais l'accès aux expositions nécessite un pass.

ARALUEN ARTS CENTRE Galerie d'art
Le milieu artistique d'Alice Springs est très vivant et l'Araluen Arts Centre est son centre névralgique. Il comporte un théâtre

MARTIN COHEN/LONELY PLANET IMAGES ©

À ne pas manquer Alice Springs Desert Park

Si vous n'avez pas encore vu de perche pailletée ou de gecko marbré au cours de votre voyage, il faut aller dans l'**Alice Springs Desert Park** (www.alicespringsdesertpark.com.au ; Larapinta Dr ; adulte/enfant 20/10 $; 7h30-18h, dernière entrée 16h30), qui rassemble toutes les créatures du centre de l'Australie. Les enclos, installés en plein air pour l'essentiel, recréent fidèlement les habitats naturels des animaux.

Essayez de faire coïncider votre visite avec le sensationnel **spectacle de rapaces** (10h et 15h30), mettant à l'honneur des crécerelles, des milans et de superbes aigles. Les passionnés se lèveront aux aurores pour l'**excursion ornithologique** (adulte/enfant 50/25 $; 7h30 mer et sam) et prendront leur petit-déjeuner avec les oiseaux.

L'excellente **nocturnal house** (maison nocturne) abrite des créatures particulièrement rares et discrètes, comme le bilby (petit rongeur), ainsi que des espèces menacées que vous pourrez observer lors d'une **visite nocturne guidée** (nocturnal tour ; adulte/enfant 20/10 $; 19h30 lun-ven), avec possibilité de dîner (adulte/enfant 60/35 $; 18h mar-jeu).

Le parc est aisément accessible en vélo (2,5 km depuis la ville). Par ailleurs, la navette de **Desert Park Transfers** (1800 806 641 ; www.tailormadetours.com.au ; adulte/enfant 48/28 $) circule 5 fois/jour pendant les heures d'ouverture du parc. Le tarif comprend l'entrée du parc et l'aller-retour jusqu'à votre hôtel.

de 500 places et 4 galeries consacrées à l'art de la région du désert central.

MUSEUM OF CENTRAL AUSTRALIA Musée

(10h-17h). La collection d'histoire naturelle de ce petit musée évoque l'époque de la mégafaune, il y a entre 20 000 et 50 000 ans, où vivaient des wombats de la taille d'un hippopotame et des oiseaux de 3 m de hauteur incapables de voler. Grâce à l'audioguide gratuit, la voix d'un paléontologue rend la visite plus vivante.

Circuits organisés

DREAMTIME TOURS Aborigène
(08-8955 5095; www.rstours.com.au; adulte/enfant 84/42 $, avec votre véhicule 66/33 $; 8h30-11h30). Organise le "Dreamtime & Bushtucker Tour", un circuit de 3 heures, qui donne l'occasion de rencontrer des Warlpiri et de découvrir leurs traditions.

L'Astragale Ville
(08-8953 6293 ; eroullet@gmail.com ; 35 $). Evelyne Roullet, francophone, propose un circuit pédestre dans Alice Springs. Départ du centre d'information des visiteurs à 9h30 et 14h30.

EMU RUN TOURS Outback
(08-8953 7057; www.emurun.com.au). Expéditions d'une journée à Uluru (199 $) et de 3 jours à Uluru et à Kings Canyon (390 $). Les excursions d'une journée en petits groupes dans les MacDonnell Ranges occidentales ou à la Palm Valley (120 $), incluant le thé du matin, le déjeuner et le ticket d'entrée, sont aussi recommandées.

Où se loger

ALICE STATION BED & BREAKFAST B&B $$
(08-8953 6600 ; www.alicestation.com ; 25 The Fairway ; s/d/ste 175/190/210 $;). La gérante de ce mignon B&B, dont l'arrière donne sur le bush, a réellement des kangourous dans son jardin. Construite avec d'anciennes traverses de chemin de fer du *Ghan*, cette maison invite à la détente, en particulier dans le salon commun et les chambres décorées d'art aborigène.

ALICE IN THE TERRITORY Hôtel $
(08-8952 6100 ; www.alicent.com.au ; 46 Stephens Rd ; dort/s/d 25/89/99 $;). Après d'importants travaux (2 millions de dollars), cet immense hôtel jadis appelé Comfort Inn est devenu la meilleure affaire de la ville. Les chambres deluxe ont des sdb minuscules, mais elles sont lumineuses, confortables et dotées de 2 chaînes gratuites diffusant des films.

ALICE ON TODD Appartements $$
(08-8953 8033 ; www.aliceontodd.com ; angle Strehlow St et South Tce ; studio 120 $, app 1/2 ch 147/184 $, app 1/2 ch deluxe 160/198 $;). Un complexe d'appartements sûr et séduisant, sur les rives de la Todd River. Les appartements de 1 ou 2 chambres sont dotés d'une cuisine et d'un salon.

AURORA ALICE SPRINGS Hôtel $$
(1800 089 644, 08-8950 6666 ; www.auroraresorts.com.au ; 11 Leichhardt Tce ; d standard/deluxe/executive 130/150/230 $;). En plein centre-ville (la porte de derrière donne sur Todd Mall), cet hôtel moderne invite à la détente et se double d'un bon restaurant, le Red Ochre Grill (voir ci-dessous).

Où se restaurer

HANUMAN RESTAURANT Thaï $$
(08-8953 7188 ; Crowne Plaza Alice Springs, Barrett Dr ; plats 14-30 $; déj lun-ven, dîner tlj). Difficile de vous croire dans l'outback quand vous aurez goûté aux délicieuses spécialités thaïlandaises et indiennes de ce restaurant raffiné. Les saveurs thaïlandaises dominent au menu, mais vous aurez largement de quoi combler une envie de curry.

SOMA Café $
(64 Todd Mall ; plats 12-15 $; petit-déj et déj). Parfait pour observer les passants et surtout pour se régaler, ce café de Todd Mall sert des plats sophistiqués et un excellent café. Ingrédients bio et certains plats sans gluten.

RED OCHRE GRILL Australien moderne $$
(Todd Mall ; plats 11-31 $; 6h30-21h30). Le Red Ochre Grill concocte une cuisine fusion inventive privilégiant les viandes de l'outback et les herbes et légumes de la région : myrte citronné, baies roses et tomates du bush.

Achats

GALLERY GONDWANA Art aborigène
(08-8953 1577; www.gallerygondwana.com.au; 43 Todd Mall; 9h30-18h lun-ven, 10h-17h sam-dim). Cette galerie privée traite directement avec les centres d'art et les artistes des communautés. Les œuvres proviennent d'artistes montants ou reconnus, originaires des déserts du Centre et de l'Ouest, et notamment de Yuendumu et d'Utopia.

MBANTUA GALLERY Art aborigène
(08-8952 5571 ; www.mbantua.com.au ; 71 Gregory Tce ; 9h-18h lun-ven, 9h30-17h sam). Une galerie privée, qui s'étend jusqu'à Todd Mall et réunit de nombreuses œuvres d'artistes de la région d'Utopia, ainsi que des paysages en aquarelle de l'école de Namatjira ; café sur place.

Renseignements

Argent

Les grandes banques équipées de DAB, comme ANZ, Commonwealth, National Australia et Westpac, sont rassemblées dans Todd Mall et ses environs, dans le centre-ville.

Office du tourisme

Visitor Information Centre Tourism Central Australia (1800 645 199, 08-8952 5199 ; www.centralaustraliantourism.com ; 60 Gregory Tce ; 8h30-17h lun-ven, 9h30-16h sam-dim). Bonne documentation, dont une brochure gratuite. Si vous pensez louer une voiture, renseignez-vous sur les forfaits avec kilométrage illimité.

Services médicaux

Alice Springs Hospital (08-8951 7777 ; Gap Rd)

Alice Springs Pharmacy (08-8952 1554 ; Shop 19, Yeperenye Shopping Centre, 36 Hartley St ; 8h30-19h30)

Depuis/vers Alice Springs

Avion

Qantas (13 13 13, 08-8950 5211 ; www.qantas.com.au) et Tiger Airways (08-9335 3033 ; www.tigerairways.com.au) assurent des liaisons quotidiennes entre Alice Springs et d'autres métropoles.

Uluru

Uluru (Ayers Rock)

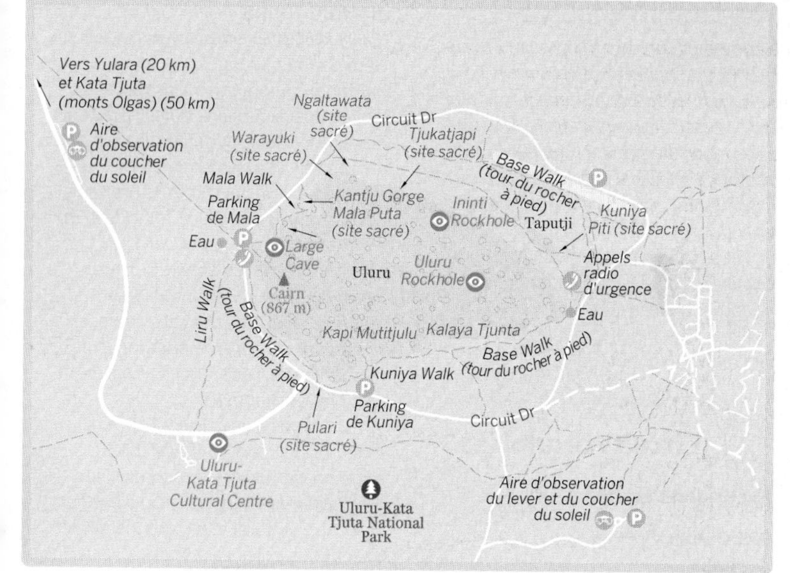

Bus

Greyhound Australia (**☎1300 473 946 ; www.greyhound.com.au ; Shop 3, 113 Todd St ; ⏲bureau 8h30-11h30 et 13h30-16h lun-ven)** assure des départs réguliers depuis Alice Springs (horaires consultables sur le site Internet).

Austour (**☎1800 335 009 ; www.austour.com.au)** propose les tarifs les plus bas entre Alice Springs et Yulara (140/70 $ adulte/enfant). Les bus **AAT Kings** (**☎08-8952 1700 ; www.aatkings.com)** circulent entre Alice Springs et Yulara (adulte/enfant 150/75 $), et entre Kings Canyon et Alice Springs (159/80 $).

Train

Les billets pour le transaustralien *Ghan* sont à réserver auprès de **Trainways** (**☎13 21 47 ; www.trainways.com.au)** ou **Travelworld** (**☎08-8953 0488 ; 40 Todd Mall)**.

Voiture et moto

Toutes les grandes agences de location ont des bureaux à Alice Springs, et beaucoup ont des guichets à l'aéroport. Avant de réserver, renseignez-vous auprès du **Visitor Information Centre Tourism Central Australia** (**☎1800 645 199, 08-8952 5199)** sur les forfaits avec kilométrage illimité. Un véhicule standard (2 roues motrices) vous conduira dans la plupart des sites des MacDonnell Ranges – Uluru et Kings Canyon sont également accessibles par des routes bitumées.

Comment circuler

Depuis/vers l'aéroport

L'aéroport d'Alice Springs se trouve à 15 km au sud de la ville. La course en taxi coûte environ 30 $. La **navette de l'aéroport** (**☎08-8953 0310 ; Gregory Tce ; 1/2/3-5 pers aller 18,50/30/46 $)** coïncide avec les vols et dépose les passagers en ville, à leur hôtel.

Bus

Les bus publics **Asbus** (**☎08-8952 5611)** partent du **Yeperenye Shopping Centre** (**Hartley St)**. Les horaires sont disponibles au centre d'information des visiteurs.

Le bus touristique **Alice Wanderer** (**☎1800 722 111, 08-8952 2111 ; www.alicewanderer.com.au ; adulte/enfant 40/30 $; ⏲9h-16h)** décrit une boucle englobant les 11 principaux sites, dont l'ancien relais du télégraphe, la School of the Air, l'Old Ghan Museum et le quartier culturel.

ULURU-KATA TJUTA NATIONAL PARK

Pour beaucoup de visiteurs, australiens ou internationaux, le célèbre rocher d'Uluru, classé au patrimoine mondial de l'Unesco, figure en tête de liste des sites incontournables. Toute la zone a une profonde signification culturelle pour ses propriétaires ancestraux, les Aborigènes anangu.

Vous aurez largement de quoi vous occuper : balades, visites guidées, découverte de la culture du désert et contemplation des variations de couleur de l'énorme monolithe.

Circuits organisés

Excursions en bus

Seit Outback Australia Excursions en bus
(☎0458 107 777 ; www.seitoutbackaustralia.com.au). Excursions en petits groupes autour d'Uluru au coucher du soleil (adulte/enfant 120/95 $), et au lever du soleil à Kata Tjuta. Petit-déjeuner et marche dans la Walpa Gorge inclus.

AAT Kings Excursions en bus
(☎08-8956 2171 ; www.aatkings.com). Le plus grand choix de circuits en bus, avec diverses excursions d'une demi-journée ou d'une journée. Également des forfaits 3 jours (adulte/enfant à partir de 279/130 $).

Circuits culturels

ANANGU TOURS Circuits culturels
(☎08-8950 3030 ; www.ananguwaai.com.au). Géré par des Anangu de la communauté Mutitjulu, cet organisme propose différentes excursions qui permettent d'appréhender la symbolique du rocher du point de vue des Aborigènes.

Chaque jour, les visiteurs prenant part à l'Aboriginal Uluru Tour (139/95 $ adulte/enfant) commencent par admirer le lever du soleil sur Uluru, avant de prendre leur petit-déjeuner au centre culturel, puis de se laisser guider sur la Liru Walk (démonstrations de maniement des lances et autres techniques du bush).

Le Kuniya Sunset Tour (116/75 $, 4 heures 30) part à 14h30 (15h30 entre nov et fév). Il prévoit une visite au Mutitjulu Waterhole (trou d'eau) et au centre culturel et se termine par le coucher du soleil sur Uluru.

Vols panoramiques

Ayers Rock Helicopters Dans les airs
(☎08-8956 2077). Survol d'Uluru, 15 min pour 125 $; comptez 240 $ pour voir aussi les Kata Tjuta.

Ayers Rock Scenic Flights Dans les airs
(☎08-8956 2345 ; www.ayersrockresort.com.au/helicopter-flights). Les prix débutent à 95 $ pour un survol de 20 min d'Uluru. Avec les Kata Tjuta, comptez 185 $.

Grimper ou ne pas grimper...

Pour de nombreux visiteurs, l'ascension d'Uluru est un moment fort du voyage dans le Centre, voire un rite initiatique. Or, Uluru est un site sacré pour ses propriétaires traditionnels, les Anangu. Les Anangu ont installé à l'entrée du site d'Uluru le panneau "We don't climb" ("Nous ne montons pas"). Ils vous invitent à faire de même.

Gardiens d'Uluru, les Anangu se sentent responsables de la sécurité des visiteurs et sont bouleversés par les blessures et les accidents mortels qui se produisent sur le monolithe (et cela arrive – un homme est décédé en 2010). Pour ces mêmes raisons de sécurité, Parks Australia préfère que les visiteurs s'abstiennent de gravir le rocher.

JOHN BANAGAN/LONELY PLANET IMAGES ©

À ne pas manquer Kata Tjuta (monts Olgas)

Un séjour à Uluru n'est pas complet sans une visite des Kata Tjuta (monts Olgas), étonnant groupe de rochers arrondis, à 35 km à l'ouest d'Uluru. Pour bien des visiteurs, cet amas de 36 blocs, qui forment des vallées et des gorges profondes, est encore plus fascinant que son imposant voisin. Le plus haut de tous, le **Mt Olga** (546 m, 1 066 m au-dessus du niveau de la mer), dépasse Uluru d'environ 200 m.

La boucle de la **Valley of the Winds** ("vallée des Vents" ; 7,4 km, de 2 à 4 heures) est l'une des plus belles randonnées du parc. Elle serpente à travers des gorges et des terrains variés et offre un point de vue imprenable sur des blocs aux formes surréalistes.

La courte promenade balisée (2,6 km, 45 min) qui passe sous de hautes parois rocheuses avant d'atteindre la jolie **Walpa Gorge** est très belle l'après-midi, quand la lumière du soleil inonde la gorge.

Les Kata Tjuta, tout comme Uluru, passent par toutes les nuances de rouge au crépuscule.

Renseignements

Tous les jours, le parc (**www.environment.gov.au/parks/uluru ; adulte/enfant 25 $/gratuit**) ouvre une demi-heure avant le lever du soleil et ferme au crépuscule (soit environ de 5h à 21h de nov à mars et de 6h à 19h30 d'avr à oct). Les permis, valables 3 jours, sont disponibles à l'entrée accessible aux véhicules, sur la route venant de Yulara.

L'Uluru-Kata Tjuta Cultural Centre (**08-8956 1128 ; 7h-18h, guichet d'information 7h-18h**) est installé 1 km avant Uluru, sur la route de Yulara. Ne le ratez pas : ses expositions expliquent le *tjukurpa* (droit, religions et coutumes aborigènes), ainsi que l'histoire du parc national et sa gestion.

Au guichet d'information, dans la salle Nintiringkupai, des rangers (gardes forestiers) du parc vous remettront un guide des visiteurs et des brochures explicatives. En semaine, un ranger anangu assure tous les matins à 10h une présentation sur les aliments du bush et l'histoire aborigène.

Uluru (Ayers Rock)

Personne, pas même le plus blasé des voyageurs, ne reste indifférent lorsqu'Uluru apparaît pour la première fois à l'horizon. En y regardant de plus près, on est émerveillé par la surface délicatement dessinée dissimulant de nombreux sites sacrés pour les Anangu.

Activités

Randonnées

Plusieurs chemins sillonnent Uluru. Des visites guidées permettent de comprendre la faune, la flore, la géologie et l'importance culturelle des lieux.

Procurez-vous l'excellent *Visitor Guide & Maps* (guide complété par des cartes) au centre culturel : il fournit des informations sur les promenades répertoriées ci-après et réalisables sans guide – mais pas sur l'ascension du mont.

Base Walk Randonnée
Incontournable, ce sentier (10,6 km, 3-4 heures) fait le tour de la base du rocher, en passant devant des grottes sacrées, des peintures, des plissements de grès et des abrasions géologiques.

Liru Walk Randonnée
Ce sentier relie le centre culturel au départ de la Mala Walk, en traversant des étendues de mulga avant d'arriver à côté d'Uluru (4 km aller-retour, 1 heure 30).

Mala Walk Randonnée
Départ de la base du rocher, à l'endroit où commence l'ascension (2 km aller-retour, 1 heure). Des panneaux expliquent le *tjukurpa* (ensemble des droits et des coutumes aborigènes) des Mala (groupe des "lièvres-wallabies"), très important pour les Anangu. Également de beaux sites d'art rupestre.

Kuniya Walk Randonnée
Une courte marche (1 km aller-retour, 45 min) conduit, depuis le parking du côté sud, au point d'eau le plus permanent, le Mutitjulu, fief du serpent d'eau ancestral. Les points forts : l'observation des oiseaux et de fabuleux sites d'art rupestre.

Lever et coucher du soleil

À mi-chemin entre Yulara et Uluru, l'**aire d'observation du coucher du soleil** (*sunset viewing area*) révèle un panorama de carte postale (parking pour les voitures et les bus sur place). L'**aire d'observation du lever du soleil de Talnguru Nyakunytjaku** (*sunrise viewing area*) est perchée sur une dune de sable. La perspective embrasse Uluru et les Kata Tjuta dans toute leur splendeur.

Yulara (Ayers Rock Resort)

Yulara, le "village" de l'Uluru-Kata Tjuta National Park, a transformé l'un des endroits les plus inhospitaliers de la planète en un lieu accueillant pour les visiteurs. Implanté juste à l'extérieur du parc, à 20 km d'Uluru et à 53 km des Kata Tjuta, le complexe hôtelier est la base la plus proche pour explorer les sites des environs. Yulara possède les seuls hébergements, magasins d'alimentation et services de la région. Yulara offre près de 5 000 lits. Toutefois, mieux vaut réserver, surtout pendant les vacances scolaires, par le biais de la **centrale de réservation** (☎1300 134 044 ; www.ayersrockresort.com.au).

Renseignements

Très utile, la brochure *Welcome to Ayers Rock Resort* est disponible au centre d'information et à la réception des hôtels.

Tour & Information Centre (☎08-8957 732 ; Resort Shopping Centre ; ⌚8h-20h ; @). La plupart des tour-opérateurs et des agences de location de voiture sont représentés ici.

Centre d'information des visiteurs (☎08-8957 7377 ; ⌚9h-16h30). Des expositions présentent la géographie, la faune, la flore et l'histoire de la région.

Depuis/vers Yulara

Avion

Qantas (☎13 13 13 ; www.qantas.com.au) assure des liaisons directes avec Alice Springs, Melbourne, Perth, Adélaïde et Sydney. **Virgin Australia** (☎13 67 89 ; www.virginaustralia.com) a des vols quotidiens au départ de Sydney.

Bus

AAT Kings (☎1300 556 100 ; **www.aatkings.com**) offre une navette quotidienne (considérée comme une petite excursion) entre Alice Springs et Yulara, à 150/75 $ par adulte/enfant. Austour (☎1800 335 009 ; **www.austour.com.au**) propose les liaisons les moins chères entre Alice Springs et Uluru (tlj ; 140/70 $).

Voiture et moto

La route d'Alice Springs à Yulara est goudronnée et jalonnée de stations-service et d'établissements de restauration. Yulara se trouve à 441 km d'Alice Springs (et à 241 km à l'ouest d'Erldunda par la Stuart Hwy). Le trajet direct prend de 4 à 5 heures.

Comment circuler

Une navette gratuite attend les visiteurs à l'aéroport pour les déposer à leur hébergement dans le complexe ; dans l'autre sens, elle part 1 heure 30 avant les vols.

Uluru Express (☎08-8956 2152; **www.uluruexpress.com.au**) n'est ni un service de navette ni tout à fait un programme de circuits organisés. Cet organisme assure le transport aller-retour entre Yulara et Uluru moyennant 43/30 $ par adulte/enfant (50/30 $ au lever et au coucher du soleil). Les navettes du matin vers les Kata Tjuta reviennent à 70/40 $; celles de l'après-midi incluent un arrêt à Uluru, dans le sens du retour, pour aller observer le coucher du soleil (75/40 $).

Louer une voiture est une bonne option et permet de visiter Uluru et les Olgas à loisir. Hertz (☎08-8956 2244) est représenté dans les locaux du Tour & Information Centre, où vous trouverez aussi des lignes téléphoniques directes pour joindre les comptoirs Avis (☎08-8956 2266) et Thrifty (☎08-8956 2030) à l'aéroport de Connellan.

Perth et la côte ouest

L'Australie-Occidentale (Western Australia, WA) est gigantesque : cinq fois la superficie de la France. Cet État est souvent qualifié de "dernière frontière" australienne en raison de son immensité, de son faible peuplement – concentré sur la côte – et de l'isolement de sa capitale, Perth. Les Australiens de l'Ouest affichent un esprit d'indépendance façonné par les distances, et peut-être renforcé par la richesse minière, qui garantit à la région une économie florissante et la rend moins tributaire de la côte est.

Au nord de Perth, Shark Bay constitue un écosystème marin fascinant, abritant des espèces végétales et animales uniques au monde. Au sud, à quelques kilomètres de Perth, le port animé de Fremantle séduit par ses plages désertes, ses étendues de fleurs sauvages et ses forêts luxuriantes. Autour de Margaret River, la vigne est omniprésente, les restaurants offrent une gastronomie raffinée et les artisans sculptent leurs œuvres dans des bois étonnants – tels les eucalyptus karri, marri et jarrah.

Perth la nuit
PHOTOGRAPHE : ORIEN HARVEY/LONELY PLANET IMAGES ©

Ningaloo Marine Park (p. 332)
PETER PTSCHELINZEW/LONELY PLANET IMAGES ©

Perth et la côte ouest

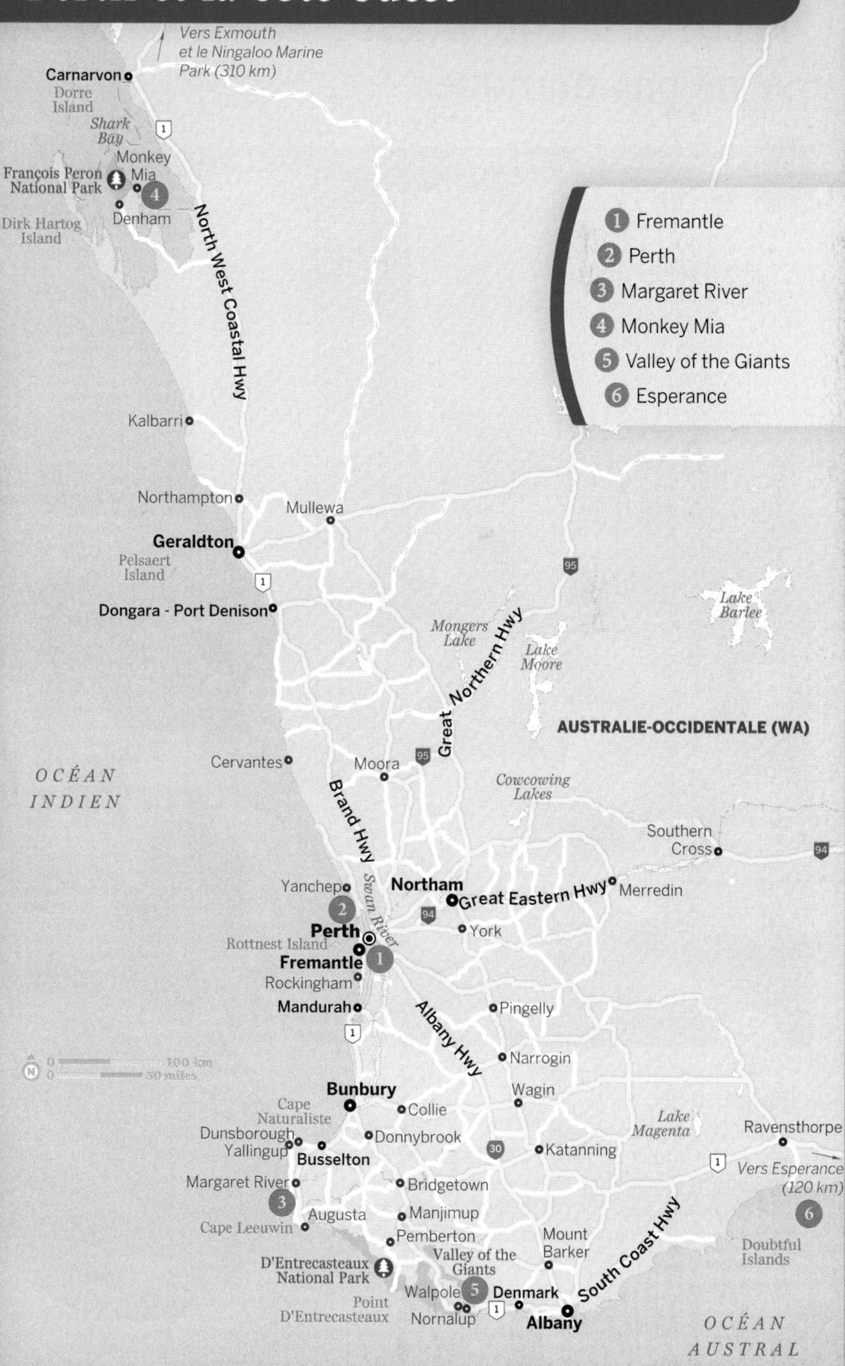

Vers Exmouth et le Ningaloo Marine Park (310 km)
Carnarvon
Dorre Island
Shark Bay
Monkey Mia
François Peron National Park
Denham
Dirk Hartog Island
North West Coastal Hwy
1 Fremantle
2 Perth
3 Margaret River
4 Monkey Mia
5 Valley of the Giants
6 Esperance
Kalbarri
Northampton
Mullewa
Geraldton
Pelsaert Island
Dongara - Port Denison
Mongers Lake
Great Northern Hwy
Lake Moore
Lake Barlee
AUSTRALIE-OCCIDENTALE (WA)
Cervantes
Moora
OCÉAN INDIEN
Brand Hwy
Cowcowing Lakes
Southern Cross
Yanchep
Northam
Great Eastern Hwy
Merredin
Swan River
Perth
York
Rottnest Island
Fremantle
Rockingham
Mandurah
Albany Hwy
Pingelly
Narrogin
0 100 km
0 50 miles
Bunbury
Wagin
Cape Naturaliste
Collie
Lake Magenta
Ravensthorpe
Dunsborough
Donnybrook
Yallingup
Busselton
Katanning
Vers Esperance (120 km)
Margaret River
Bridgetown
Augusta
Manjimup
Cape Leeuwin
Pemberton
Mount Barker
Doubtful Islands
South Coast Hwy
D'Entrecasteaux National Park
Valley of the Giants
Walpole
Denmark
Point D'Entrecasteaux
Nornalup
Albany
OCÉAN AUSTRAL

Perth et la côte ouest À ne pas manquer

1 Fremantle

Fremantle est une ville que les habitants n'aiment guère quitter. Sur le front de mer, l'ambiance est éclectique, décontractée, avec des pubs et des cafés accueillants. La ville compte aussi nombre de touristes et d'étudiants, ce qui permet à "Freo" de rester jeune.

Ci-dessus Little Creatures **En haut, à droite** Fishing Boat Harbour **En bas, à droite** Rottnest Island

Nos conseils

MEILLEURE PHOTO
Soleil couchant sur le port

DEUX HEURES À TUER ?
Faites un tour au Fremantle Market ou prenez un verre au Little Creatures **Voir p. 317**.

Fremantle par Phoebe Phillips

SERVEUSE, BRASSERIE LITTLE CREATURES

1 LITTLE CREATURES

Soirées costumées ou à thème, le **Little Creatures** (p. 320) vous réserve toujours une surprise. Le bar principal est bien garni et le Loft, juste à côté, est un bar lounge relaxant. Au Little Creatures, on brasse une bière fantastique – j'adore la Bright Ale, la Pale Ale et le Pipsqueak Cider – et on mange très bien. Si on touchait au menu, les habitués ne nous le pardonneraient pas !

2 MUSIQUE LIVE

La musique live est le point fort de Fremantle. Au nord de la ville, le **Mojos** (p. 321) propose des concerts et des soirées "open-mic" tous les soirs. Le Basement, dans l'enceinte du **Norfolk Hotel** (p. 321), programme aussi de très bons groupes et des sessions DJ à l'étage le dimanche et le vendredi. Quant au **Monk** (p. 321), il accueille des groupes le week-end et le lieu grouille toujours de musiciens.

3 SE RESTAURER ET PRENDRE UN VERRE

Fremantle compte d'excellents pubs et cafés. Le **Moore & Moore** (p. 320), dans le West End, est un petit café très agréable qui jouxte une galerie d'art. Au nord de la ville, **Harvest** (p. 320) est un restaurant haut de gamme avec une carte des vins impressionnante. Côté pubs, on signalera le **Monk** (p. 321), une autre microbrasserie, et le **Norfolk Hotel** (p. 321).

4 FISHING BOAT HARBOUR

Le Little Creatures et quelques restaurants de poisson pimentent désormais la promenade de ce petit port de pêche. L'ambiance est très décontractée et le front de mer offre une jolie balade.

5 ROTTNEST ISLAND

Des ferries pour **Rottnest Island** (p. 321) partent de Perth, mais le trajet est plus court depuis Fremantle. L'île compte de magnifiques spots de surf et de snorkeling, à moins que l'on préfère une petite croisière en bateau à fond de verre. On y trouve aussi des cafés, mais on peut tout simplement boire quelques bières autour d'un barbecue sur la plage.

Perth

Si vous pensez que **Perth** (p. 306) souffre de son isolement, détrompez-vous. Voilà une ville qui a du tempérament et de l'enthousiasme à revendre. Nous sommes peut-être loin de la côte est australienne, mais Perth, avec ses plages, sa qualité de vie et son climat n'a rien à envier aux autres grandes villes. Avec son excellente sélection de musées, restaurants, bars et discothèques, elle s'en sort haut la main.

2

4

Monkey Mia

La célèbre plage de **Monkey Mia** (p. 334) doit sa réputation à la présence de dauphins. Ces charmantes créatures fréquentent le lieu depuis le jour où deux pêcheurs aborigènes locaux, Jimmy Poland et Laurie Bellotti, leur ont distribué du poisson en rentrant de la pêche. Dans les années 1960, un touriste, Nin Watts, a entrepris de nourrir les dauphins depuis la plage. Alors, pourquoi pas vous ?

ANDREW WATSON/LONELY PLANET IMAGES ©

3 Margaret River

Extrêmement populaire, Margaret River (p. 324), l'un des meilleurs spots de surf d'Australie, séduit aussi par ses grottes côtières, ses restaurants raffinés et les vignobles qui parsèment ses terres boisées. Surnommée "Marg", cette ville est une sympathique enclave de cafés et d'hébergements propre à satisfaire aussi bien les surfeurs que les visiteurs venus de Perth pour le week-end.

ORIEN HARVEY/LONELY PLANET IMAGES ©

5 Valley of the Giants

Les eucalyptus de la "vallée des Géants" (p. 327), endémiques à cette région d'Australie-Occidentale, peuvent atteindre 60 m de hauteur, 16 m de circonférence et 400 ans d'âge. Longtemps, les visiteurs vinrent pour admirer cet étonnant "empire" d'arbres. Désormais, ils découvrent aussi la canopée grâce au spectaculaire Tree Top Walk.

6 Esperance

Accueillante et paisible, Esperance (p. 331) fait d'abord figure de petite ville sans prétention. Pourtant, elle s'est beaucoup développée ces dernières années, avec des cafés affichant d'excellentes cartes, des hébergements de premier ordre… et des touristes de plus en plus nombreux. Les plages immaculées, les îles, les points de vue et les lacs, restent tout aussi enchanteurs.

Perth et la côte ouest : le best of

Échappées sauvages

Shark Bay (p. 333). Un fascinant paradis marin entouré de belles formations géologiques.

Ningaloo Marine Park (p. 336). Ce récif de corail très accessible est fréquenté par une multitude de poissons colorés.

Valley of the Giants (p. 327). L'humilité s'impose face aux eucalyptus géants de la vallée.

Kings Park et le Botanic Garden (p. 311). Ce n'est pas très éloigné du centre-ville, mais les plantes et les fleurs y sont bien sauvages.

Vie urbaine

Dîner à Perth (p. 310). Fruits de mer exceptionnels avec vue sur le fleuve ou l'océan Indien.

Musique live à Fremantle (p. 321). Le son de "Freo", version musiciens de rue ou concerts dans les pubs.

Art aborigène à l'Art Gallery of Western Australia (p.306). Extraordinaires collections d'art aborigène de tout l'État.

Prendre un verre à Northbridge (p. 313). Parfois fruste ou factice, mais un secteur rarement terne !

Vacances détente

Margaret River (p. 324). Routes tranquilles, restaurants gastronomiques et bons vins.

Esperance (p. 331). Éloignée de tout, comme l'aiment les habitants.

Denmark (p. 328). À des années-lumière de la Scandinavie, Denmark est un paisible havre de paix sablonneux.

Rottnest Island (p. 321). De splendides vacances à l'ancienne : "pêche et baignade".

Plongée et snorkeling

Ningaloo Marine Park (p. 336). L'un des meilleurs sites au monde pour plonger avec des requins-baleines et des raies mantas.

Rottnest Island (p. 321). Sites de snorkeling protégés et cours de plongée dans une ambiance familiale, facile d'accès depuis Perth.

Monkey Mia (p. 334). Les fameux dauphins aiment venir à la rencontre des snorkelers.

Aquarium of Western Australia (p. 307). Armez-vous de courage et d'un tuba et plongez avec les requins.

À gauche Jeune aigle-pêcheur, Shark Bay
Ci-dessus Valley of the Giants (p. 327)

Ce qu'il faut savoir

À PRÉVOIR

Un mois avant Préparez votre parcours en Australie-Occidentale et réservez hébergement et véhicule.

Deux semaines avant Réservez un vol intérieur pour Denham si vous allez à Shark Bay, ou pour Exmouth, si vous avez coché Ningaloo Marine Park sur votre agenda.

Une semaine avant Réservez un cours de plongée ou un circuit avec les requins-baleines, et une table au Harvest à Fremantle ou au Balthazar à Perth.

ADRESSES UTILES

Tourism Western Australian (www.westernaustralia.com). Site officiel de renseignements touristiques. La plupart des villes ont un centre d'information.

Centre d'information des visiteurs d'Australie-Occidentale (www.bestofwa.com.au). Hébergement, circuits, événements et renseignements variés.

Department of Environment & Conservation (www.dec.wa.gov.au). Assure la gestion des parcs nationaux de l'État.

Royal Automobile Club of Western Australia (RACWA ; www.rac.com.au). Renseignements et assistance routière. Le RACWA publie l'excellent *Go See Discover Stay* – pour des adresses d'hébergements et des renseignements touristiques.

COMMENT CIRCULER

À pied Sous les eucalyptus géants ou parmi les fleurs sauvages.

À la nage Avec les requins-baleines et les dauphins.

En train À travers le continent, jusqu'à Sydney.

En avion À destination de Denham (pour Monkey Mia) et Exmouth (pour le Ningaloo).

En ferry Pour Rottnest Island.

MISES EN GARDE

Rottnest Island "Rotto" affiche complet des mois à l'avance pour l'été et les vacances scolaires.

Au **Ningaloo Marine Park**, les requins-baleines arrivent en mai et repartent en juillet.

Suggestions d'itinéraires

Perth et Fremantle offrent tous les attraits de la vie urbaine, tandis que le sud-ouest de l'Australie-Occidentale est constellé de plages, de vignobles et de forêts. Plus au nord, Shark Bay vous attend pour une baignade avec les dauphins.

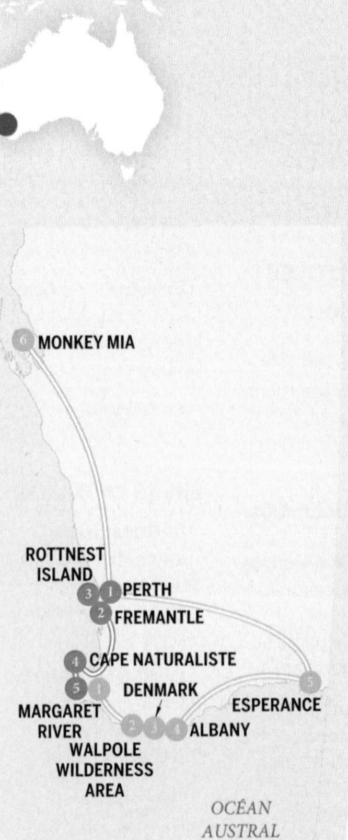

3 JOURS

DE PERTH À MARGARET RIVER

De la ville à la mer

À **(1) Perth**, faites le plein de plaisirs urbains dans les pubs, bars et restaurants de la ville. Allez admirer les expositions d'art aborigène à l'Art Gallery of Western Australia et piquez une tête à Cottesloe Beach. En saison, partez en croisière d'observation des baleines.

Faites un saut du côté de la dynamique **(2) Fremantle** pour un cours d'histoire maritime, ou pour prendre un verre en compagnie du Fremantle Doctor (la brise marine qui se lève chaque après-midi en été). Depuis "Freo", prenez le ferry pour passer une journée loin de toute préoccupation et de la circulation automobile à **(3) Rottnest Island**.

De retour sur le continent, dirigez-vous plein sud vers les fabuleuses plages de **(4) Cape Naturaliste**, avant de rejoindre **(5) Margaret River**, au cœur d'une région boisée dotée de vignobles. Vous y trouverez forcément un restaurant ou l'on vous servira des écrevisses bleues marinées arrosées d'un sauvignon frais. Les plages autour de "Margs" comptent parmi les meilleurs breaks du pays. Louez une long board et allez prendre la température de l'eau.

En haut, à gauche Art Gallery of Western Australia (p. 306)
En haut, à droite Shark Bay (p. 333)

DE MARGARET RIVER À MONKEY MIA

Baleines, dauphins et patrimoine naturel

Surfer, explorer les grottes, déguster de grands vins… **(1) Margaret River** pourrait vous retenir des jours entiers, mais n'oubliez pas ses environs.

Traversez les Southern Forests et découvrez les splendides forêts de karris d'Australie-Occidentale. Faites une halte à la **(2) Walpole Wilderness Area**, pour une balade sous une sublime canopée de *tingles*. Passez la nuit dans la tranquille cité de **(3) Denmark**. De là, accédez à la région viticole du Grand Sud, sous un climat plus tempéré.

Saluez le port baleinier d'**(4) Albany**, la plus ancienne colonie européenne d'Australie-Occidentale. La côte est spectaculaire. Pas rancunières, les baleines se laissent encore apercevoir depuis les plages entre juillet et la mi-octobre.

Prenez la Hwy 1 vers l'est et passez la nuit à **(5) Esperance**. De là, regagnez Perth par la route en passant par Kalgoorlie, ou prenez l'avion.

Si vous avez le temps, prenez un vol interne pour Denham, porte d'entrée de la splendide Shark Bay. Un formidable circuit culturel aborigène vous attend, de même que les dauphins sauvages le long des plages de **(6) Monkey Mia**.

Découvrir Perth et la côte ouest

Les incontournables

- **Perth** (p. 306). Capitale du Far West australien.
- **Fremantle** (p. 317). Ville portuaire branchée au sud de Perth.
- **Margaret River** (p. 326). Vignobles, plages et paradis des gourmets.
- **South Coast** (p. 326). Forêts, villes détendues et vieux ports baleiniers.
- **Shark Bay** (p. 333). Royaume aquatique avec les dauphins de Monkey Mia.

Cottesloe Beach

PHOTOGRAPHE : ORIEN HARVEY/LONELY PLANET IMAGES ©

PERTH

Située au bord d'une rivière et sous un ciel presque toujours bleu, Perth est une ville moderne et prospère, alimentant l'économie australienne depuis son rutilant quartier d'affaires. Cependant, son atmosphère est aussi paisible que la Swan River qui serpente parmi les gratte-ciel jusqu'à l'océan Indien, et sur laquelle glissent majestueusement des cygnes noirs.

À voir

GRATUIT **ART GALLERY OF WESTERN AUSTRALIA** Galerie d'art

(www.artgallery.wa.gov.au ; Perth Cultural Centre, Northbridge ; 10h-17h mer-lun). Inaugurée en 1895, cette galerie abrite la superbe collection d'art de l'État. Les galeries consacrées aux œuvres aborigènes en sont l'attrait principal. Visites guidées chaque jour.

GRATUIT **WESTERN AUSTRALIAN MUSEUM – PERTH** Musée

(www.museum.wa.gov.au ; Perth Cultural Centre, Northbridge ; 9h30-17h). Comptant parmi les 6 antennes du musée de l'État, celle-ci comprend des galeries consacrées aux dinosaures, aux mammifères, aux papillons et aux oiseaux, ainsi qu'un **centre de découverte pour les enfants** et une excellente exposition **Terre et hommes**, qui présente l'histoire indigène et coloniale.

PLAGES Plages

Quand le mercure monte à Perth, la seule décision raisonnable consiste à prendre la direction de l'ouest, où s'étendent de nombreuses plages de sable blanc. La plupart sont très simples, et vous ne trouverez pas de plages branchées comme celle de Bondi à Sydney. La plus connue, **Cottesloe**, est agréable, bordée d'un pavillon, de deux grands pubs et d'une poignée de commerces.

AQUARIUM OF WESTERN AUSTRALIA Aquarium
(AQWA ; ☎08-9447 7500 ; www.aqwa.com.au ; Hillarys Boat Harbour, Hillarys ; adulte/enfant 28/16 $; 🕙10h-17h). L'AQWA vous permet de découvrir les créatures marines d'Australie-Occidentale en toute sécurité. Vous pourrez vous promener dans un tunnel de 98 m de longueur en regardant filer au-dessus de vous d'immenses pastenagues, des tortues, des poissons et des requins. Les plongeurs et les amateurs de snorkeling pourront même s'offrir un face à face avec les requins (pensez à réserver ; 159 $ avec son propre matériel ; location de palmes et tuba/équipement de plongée 20/40 $; 13h et 15h).

GRATUIT **PERTH INSTITUTE OF CONTEMPORARY ARTS** Galerie d'art
(www.pica.org.au ; Perth Cultural Centre, Northbridge ; 🕙11h-18h mar-dim). Cet institut d'art contemporain, installé dans une élégante école de 1896, est l'une des plus grandes vitrines de l'art avant-gardiste australien.

Activités

Observation des baleines

Mills Charters Observation des baleines
(☎08-9246 5334 ; www.millscharters.com.au ; adulte/enfant 80/55 $). Départ depuis Hillarys Boat Harbour à 9h les mardis, jeudis, samedis et dimanches.

Oceanic Cruises Observation des baleines
(☎08-9325 1191 ; www.oceaniccruises.com.au ; adulte/enfant 70/35 $). Départ de Barrack Street Jetty à 9h15 tous les jours et retour à 17h45.

Vélo

Kings Park possède de bonnes pistes cyclables. D'autres longent la Swan River jusqu'à Fremantle et la côte de l'océan Indien. On peut transporter gratuitement son vélo sur le ferry à toute heure, ainsi que dans le train, sauf aux heures de pointe en semaine (7h-9h et 16h-18h30).

Pour louer des vélos, essayez :

Cycle Centre Location de vélo
(☎08-9325 1176 ; www.cyclecentre.com.au ; 313 Hay St ; jour/sem 25/65 $; 🕙9h-17h30 lun-ven, 9h-15h sam, 13h-16h dim)

About Bike Hire Location de vélo
(☎08-9221 2665 ; www.aboutbikehire.com.au ; Causeway Carpark, 1-7 Riverside Dr ; jour/sem à partir de 36/80 $; 🕙9h-17h). Loue également des kayaks (16/65 $ h/j).

Scarborough Beach Cycles Location de vélo
(☎08-9245 3887 ; www.scarboroughbeachcycles.com.au ; 10-12 Scarborough Beach Rd, Scarborough ; jour/sem 40/150 $; 🕙9h-17h)

SURF SAIL AUSTRALIA Planche à voile, kitesurf
(☎1800 686 089 ; www.surfsailaustralia.com.au ; 260 Railway Pde, West Leederville ; 🕙10h-17h lun-sam). Quand la brise de l'après-midi se lève, les véliplanchistes se rendent sur la Swan River, à Leighton et sur les plages au nord de Perth. Voici quelques adresses où vous pourrez louer ou acheter du matériel.

Funcats Voile
(☎0408 926 003 ; Coode St Jetty, South Perth ; 35 $/h ; 🕙oct-avr). Loue des catamarans sur le front de mer de South Perth.

Surfschool Surf
(☎08-9444 5399 ; www.surfschool.com ; 190 Scarborough Beach Rd, Mt Hawthorn ; adulte/enfant 55/50 $). Leçons de 2 heures à Scarborough Beach, planches et combinaisons comprises.

Circuits organisés

INDIGENOUS TOURS WA Circuits aborigènes
(www.indigenouswa.com). Pour voir Perth avec les yeux d'un Wadjuk. Parmi les options : l'**Indigenous Heritage Tour** (☎08-9483 1106 ; adulte/enfant 25/15 $; 🕙13h30).

ouvragé qui court sur toute sa façade. Les chambres sans prétention, mais confortables, peuvent être bruyantes.

MISS MAUD Hôtel $$
(**08-9325 3900 ; www.missmaud.com.au ; 97 Murray St ; s/d 169/189 $;**). Si vous aimez la Scandinavie, le kitsch ou *La Mélodie du bonheur*, vous apprécierez les murs aux décors alpins et les adorables chambres. Le *smorgasbörd* (déj/dîner 32/43 $) pourrait rassasier un escadron.

CITY WATERS Motel $$
(**08-9325 1566 ; www.citywaters.com.au ; 118 Terrace Rd ; s/d 105/120 $;**). Avec sa façade dans les tons orangés, le City Waters est l'un des rares motels à l'ancienne sur le front de mer de Perth. Les chambres sommaires font face au parking, mais elles sont propres, claires et spacieuses.

Northbridge, Highgate et Mt Lawley

EMPEROR'S CROWN Auberge de jeunesse $
(**08-9227 1400 ; www.emperorscrown.com.au ; 85 Stirling St ; dort 32 $, ch avec/sans sdb 98/88 $;**). La meilleure auberge de Perth offre un emplacement idéal (proche de l'animation de Northbridge, mais assez calme), un personnel sympathique et des chambres bien tenues. Un peu plus chère que les autres, mais on ne le regrette pas.

DURACK HOUSE B&B $$
(**08-9370 4305 ; www.durackhouse.com.au ; 7 Almondbury Rd, Mt Lawley ; s 160 $, d 175-190 $;**). Dans une rue résidentielle, un délicieux cottage à l'anglaise derrière une clôture blanche couverte de rosiers grimpants. Les 3 chambres ont le charme de l'ancien mais des sdb résolument modernes.

PENSION OF PERTH B&B $$
(**08-9228 9049 ; www.pensionperth.com.au ; 3 Throssell St ; s/d à partir de 120/150 $;**). Le grand luxe façon Belle Époque : chaises longues, tapis fleuris, lourds rideaux brochés, cheminées et miroirs aux cadres dorés. Deux chambres doubles avec fenêtres de type bow-windows (et petite sdb) donnent sur le parc ; à l'arrière, 1 chambre avec spa. Juste en face du superbe Hyde Park.

Subiaco et Kings Park

RICHARDSON Hôtel $$$
(**08-9217 8888 ; www.therichardson.com.au ; 32 Richardson St ; ch 450-550 $;**). En forme de bateau, le Richardson offre des chambres luxueuses et bien conçues. Les carreaux de marbre pâle, les murs dans les tons crème et d'intéressantes œuvres d'art lui donnent une ambiance d'été.

Plages

SWANBOURNE GUEST HOUSE Guesthouse $$
(**08-9383 1981 ; www.swanbourneguesthouse.com.au ; 5 Myera St, Swanbourne ; s/d 90/120 $**). Véritable havre de paix, cette pension est située en retrait d'une rue résidentielle arborée, à 20 min à pied de Swanbourne Beach. De votre chambre, vous n'entendrez que le chant des oiseaux.

Où se restaurer

Centre-ville

BALTHAZAR Australien moderne $$$
(**08-9421 1206 ; 6 The Esplanade ; plats 37-40 $; déj lun-ven, dîner lun-sam**). Dans une ambiance feutrée sans être snob, ce paradis gastronomique sert une cuisine à la hauteur de sa superbe carte des vins. La carte originale associe avec brio saveurs européennes et asiatiques.

GREENHOUSE Tapas $$
(**08-9481 8333 ; www.greenhouseperth.com ; 100 St Georges Tce ; tapas 10-18 $; 7h-24h lun-sam**). Un restaurant de style tapas où un décor très branché (ballots de paille, contreplaqué, tôle ondulée et murs extérieurs tapissés de 5 000 plantes en pots) accompagne une excellente cuisine.

ANNALAKSHMI Indien $
(**08-9221 3003 ; www.annalakshmi.com.au ; 1er ét, Western Pavilion ; prix à la discrétion des clients ; déj mar-ven et dim, dîner mar-dim ;**). La vue époustouflante sur la Swan River, comme la délicieuse cuisine, n'ont pas de prix. La clientèle éclectique déguste des curries végétariens épicés qu'elle paie en faisant un don.

PHILIP GAME/LONELY PLANET IMAGES ©

À ne pas manquer Kings Park et le Botanic Garden

(www.bgpa.wa.gov.au). Les habitants de Perth apprécient les 400 ha de bush du Kings Park, où ils pique-niquent sous les arbres, un œil sur les enfants qui s'ébattent sur les diverses aires de jeux. Les nombreux sentiers sont aussi prisés des marcheurs, tandis que les escaliers abrupts qui grimpent depuis la rivière attirent des files de joggeurs d'âge mûr.

Au cœur du parc, le jardin botanique de 17 ha abrite plus de 2 000 espèces de plantes originaires d'Australie-Occidentale. Au printemps, les fleurs sauvages qui font la renommée de l'État s'épanouissent. Ne manquez pas le **Lotterywest Federation Walkway** (9h-17h), un sentier de 620 m qui traverse le jardin et comprend une passerelle d'acier et de verre de 222 m de longueur permettant de se promener dans la canopée formée par les eucalyptus.

Des **promenades guidées** (10h et 14h), gratuites, partent du **centre d'information des visiteurs de Kings Park** (Fraser Ave ; 9h30-16h).

Northbridge, Highgate et Mt Lawley

JACKSON'S Australien moderne $$$

(08-9328 1177 ; 483 Beaufort St, Highgate ; plats 44 $, menu dégustation 125 $; dîner lun-sam). Dans ce restaurant de haute gastronomie, le plus réputé de la ville, des serveurs aux petits soins et en gants blancs vous présentent des plats merveilleusement créatifs.

MUST WINEBAR Français $$$

(08-9328 8255 ; www.must.com.au ; 519 Beaufort St, Highgate ; plats 36-44 $; 12h-24h). Le Must, le meilleur bar à vins de Perth, est aussi l'une de ses plus belles tables. L'ambiance est chic et branchée, voire un peu impertinente, et la carte associe avec brio classiques de bistrot et spécialités locales à base d'ingrédients de premier choix.

LITTLE WILLY'S Café $

(267 William St ; plats 8-12 $; petit-déj et déj). Un petit café tout simple servant une délicieuse cuisine. Vous pourrez apercevoir le grand Hot Rob à la machine à café.

Mt Hawthorn et Leederville

DIVIDO Italien **$$**
(08-9443 7373 ; www.divido.com.au ; 170 Scarborough Beach Rd ; plats 30-36 $; dîner lun-sam). Italien mais pas exclusivement, cet excellent restaurant romantique sert des pâtes fraîches maison et des plats raffinés.

DUENDE Tapas **$$**
(08-9228 0123 ; www.duende.com.au ; 662 Newcastle St ; tapas 5-17 $; 18h-tard sam-jeu, 12h-tard ven). Situé à un angle de rue, l'élégant Duende est idéal pour observer la vie nocturne de Leederville.

Subiaco et Kings Park

SUBIACO HOTEL Pub gastronomique **$$**
(08-9381 3069 ; www.subiacohotel.com.au ; 465 Hay St ; plats 19-32 $; petit-déj, déj et dîner). Un pub légendaire de la banlieue, aujourd'hui luxueusement rénové, où il faut voir et être vu dans la nouvelle salle à manger animée. Sur la carte, des plats légers, comme des salades César, des risottos végétariens ou des steaks cuits à la perfection et de bons poissons.

OLD BREWERY Viande **$$**
(08-9211 8910 ; www.theoldbrewery.com.au ; 173 Mounts Bay Rd, Kings Park ; plats 29-43 $; petit-déj dim, déj et dîner tlj). Perth est le genre de ville où même les grills sont chics, tel celui-ci conçu par un designer au sein du bâtiment historique de la Swan Brewery (1838). De cette brasserie, la vue sur la rivière et la ville est superbe, mais les vrais carnivores s'intéresseront aussi à la viande qui vieillit joliment dans des vitrines en verre.

Où prendre un verre

Centre-ville

GREENHOUSE Bar à cocktails
(www.greenhouseperth.com ; 100 St Georges Tce ; 7h-24h lun-sam). Dans une ville où l'on aime passer du bon temps à l'extérieur, il est surprenant qu'on ait tant tardé à ouvrir un bar sur le toit dans le quartier central. Branché et respectueux de l'environnement, le Greenhouse montre

À gauche Must Winebar (p. 311) **Ci-dessous** Luxe

PHOTOGRAPHES : (À GAUCHE ET CI-DESSOUS) ORIEN HARVEY/LONELY PLANET IMAGES ©

le chemin, créant l'événement dans la verdure au-dessus de son restaurant réputé.

HELVETICA Bar

(www.helveticabar.com ; à l'arrière du 101 St Georges Tce ; 15h-24h mar-jeu, 12h-24h ven, 18h-24h sam). Ce bar à whisky et à cocktails, qui a le nom de la célèbre police de caractères, attire une clientèle bohème qui tape du pied au son d'une musique pop alternative.

Northbridge, Highgate et Mt Lawley

BRISBANE Pub

(www.thebrisbanehotel.com.au ; 292 Beaufort St, Highgate ; 11h30-tard). Un architecte génial a transformé ce pub d'angle traditionnel de 1898 en établissement moderne. La grande cour, avec ses palmiers et ses bassins, distille une atmosphère de vacances.

EZRA POUND Bar

(189 William St, Northbridge ; 13h-24h jeu-mar). Dans une ruelle très appréciée, en retrait de William St, ce bar a la faveur de la clientèle bohème de Northbridge.

LUXE Bar à cocktails

(www.luxebar.com ; 446 Beaufort St, Highgate ; 20h-tard mer-dim). Avec ses lambris rétro, ses grands fauteuils voluptueux et ses rideaux de velours, le Luxe est très branché.

Plages

ELBA Bar

(www.elbacottesloe.com.au ; 29 Napoleon St ; 12h-24h lun-sam, 12h-22h dim). Le nom de la rue a inspiré la décoration de ce petit bar chic : portrait de Napoléon dans un cadre doré et lustres étincelants.

COTTESLOE BEACH HOTEL Pub

(www.cottesloebeachhotel.com.au ; 104 Marine Pde ; 11h-24h lun-sam, 11h-22h dim). Installez-vous sur la pelouse de ce vaste *beer garden*, ou contemplez le soleil couchant depuis le balcon. Ne manquez pas la session du dimanche.

Où sortir

Clubs et discothèques

Hip-E Club Discothèque
(www.hipeclub.com.au ; 663 Newcastle St, Leederville ; mar-sam). Pour danser toute la nuit sur "*Tainted Love*". Soirée "backpackers" le mardi.

Ambar Discothèque
(www.boomtick.com.au/ambar ; 104 Murray St). Meilleur club de Perth pour le breakbeat, le drum'n'bass et les DJ internationaux.

Musique live

Ellington Jazz Club Club de jazz
(www.theellington.com.au ; 191 Beaufort St, Northbridge ; debout uniquement 10 $; 19h-1h lun-jeu, 19h-3h ven et sam, 17h-24h dim). Session de jazz tous les soirs dans ce superbe club intimiste.

Bakery Centre d'art
(www.nowbaking.com.au ; 233 James St, Northbridge ; 19h-1h jeu-dim). Concerts de rock indé très courus presque tous les week-ends.

Moon Café
(www.themoon.com.au ; 323 William St, Northbridge ; 18h-0h30 lun et mar, 11h-1h30 mer, jeu et dim, 11h-3h30 ven et sam). Café ouvert jusque tard dans la nuit, avec chanteurs le mercredi, jazz le jeudi et poésie le samedi après-midi.

Théâtre et musique classique

Consultez le journal *West Australian* pour le programme des sorties. La plupart des billets peuvent être réservés via le **BOCS Ticketing** (08-9484 1133 ; www.bocsticketing.com.au).

STATE THEATRE CENTRE Théâtre
(www.statetheatrecentrewa.com.au ; 174 William St, Northbridge). Inauguré en 2011, ce complexe flambant neuf réunit les 575 places du Heath Ledger Theatre et les 234 places du Studio Underground. Il héberge la Black Swan State Theatre Company et la Perth Theatre Company.

HIS MAJESTY'S THEATRE Théâtre
(www.hismajestystheatre.com.au ; 825 Hay St). Abrite le WA Ballet (www.waballet.com.au) et le WA Opera (www.waopera.asn.au).

Perth Concert Hall Salle de concert
(www.perthconcerthall.com.au ; 5 St Georges Tce). Abrite le WA Symphony Orchestra (WASO ; www.waso.com.au).

Cinéma

Somerville Auditorium Cinéma en plein air
(www.perthfestival.com.au ; UWA, 35 Stirling Hwy, Crawley ; déc-mars). Une expérience incontournable à Perth.

Cinema Paradiso Cinéma
(www.lunapalace.com.au ; Galleria complex, 164 James St, Northbridge)

Moonlight Cinema Cinéma en plein air
(1300 551 908 ; www.moonlight.com.au ; Kings Park). L'été seulement.

His Majesty's Theatre

Perth avec des enfants

Bénéficiant d'un climat habituellement clément et dotée de grands espaces et de plages propices à la détente, Perth est un endroit idéal pour séjourner avec des enfants. De toutes les plages, Cottesloe est la plus sûre. Kings Park comporte des aires de jeux et des sentiers de promenade.

De nombreux sites célèbres de Perth captiveront le jeune public, notamment l'AQWA, le Western Australian Museum et l'Art Gallery of WA.

Parmi les nombreux attraits du **Perth Zoo** (www.perthzoo.wa.gov.au ; 20 Labouchere Rd, South Perth ; adulte/enfant 21/11 $; 9h-17h) figurent en premier lieu le trajet en ferry pour s'y rendre. Le **Scitech** (www.scitech.org.au ; City West Centre, Sutherland St, West Perth ; adulte/enfant 14/9 $; 10h-16h), consacré à la science et à la technologie, propose plus de 160 installations interactives.

L'**Adventure World** (www.adventureworld.net.au ; 179 Progress Dr, Bibra Lake ; adulte/enfant 47/39 $; 10h-17h jeu-lun oct-avr) a des manèges, des piscines, des toboggans aquatiques et un château. Il ouvre tous les jours durant les vacances scolaires et en décembre.

Le **Whiteman Park** (www.whitemanpark.com ; 8h30-18h), le plus grand parc de Perth (26 km²), offre plus de 30 km de sentiers et de pistes cyclables, et de nombreuses aires de pique-nique et de barbecue. Le site bien ordonné comprend le **Caversham Wildlife Park** (www.cavershamwildlife.com.au ; adulte/enfant 22/10 $; 8h30-17h30, dernière entrée 16h30), le **Bennet Brook Railway** (www.bennettbrookrailway.org ; adulte/enfant 8/4 $; 11h-13h mer, jeu, sam et dim), un **itinéraire en tram** (www.pets.org.au ; adulte/enfant 5/2,50 $; 12h-14h mar et ven-dim) et le **Motor Museum of WA** (www.motormuseumofwa.asn.au ; adult/enfant 8/5 $; 10h-16h).

Achats

Murray St Mall et Hay St Mall délimitent le quartier commerçant du centre, tandis que King St offre un choix de boutiques de grand luxe. À Leederville, Oxford St est la rue des boutiques branchées, des magasins de musique et des librairies sortant du lot.

Wheels & Doll Baby Vêtements
www.wheelsanddollbaby.com ; 26 King St). Une marque de Perth, rock et pin-up ultra branchée, qu'affectionnent Kate Moss et Katy Perry.

78 Records Musique
(www.78records.com.au ; 914 Hay St). Gigantesque magasin de disques indépendant au choix de CD impressionnant. Offres spéciales.

Oxford St Books Livres
(119 Oxford St). Personnel pro, grand choix de fictions et rayon voyages.

Renseignements

Offices du tourisme

i-City Information Kiosk (guichet d'information ; Murray St Mall ; 9h30-16h30 lun-jeu et sam, 9h30-20h ven, 11h-15h30 dim). Des bénévoles répondent à vos questions et organisent des circuits pédestres.

Centre d'information des visiteurs d'Australie-Occidentale (WA Visitors Centre ; 08-9483 1111 ; www.wavisitorcentre.com ; angle Forrest Pl et Wellington St ; 9h-17h30 lun-ven, 9h30-16h30 sam, 11h-16h dim). Le centre d'information des visiteurs est utile pour préparer un voyage à l'intérieur de l'État.

Services médicaux

Royal Perth Hospital (08-9224 2244 ; www.rph.wa.gov.au ; Victoria Sq)

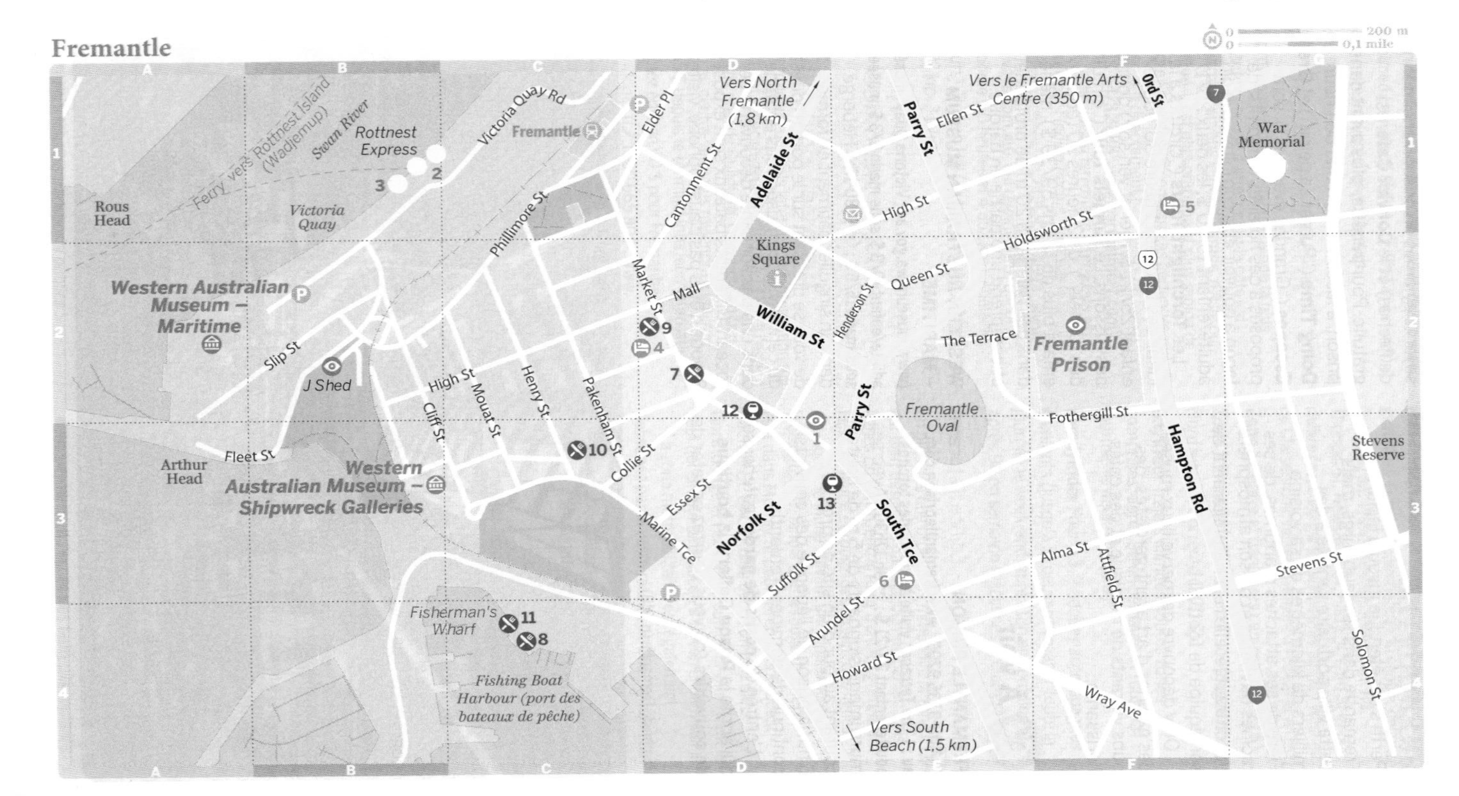
Fremantle
0 200 m
0 0,1 mile
Rous Head
Ferry vers Rottnest Island (Wadjemup)
Swan River
Rottnest Express
Victoria Quay
Victoria Quay Rd
Fremantle
Elder Pl
Vers North Fremantle (1,8 km)
Vers le Fremantle Arts Centre (350 m)
Ord St
War Memorial
Western Australian Museum – Maritime
Slip St
J Shed
Phillimore St
Cantonment St
Adelaide St
Parry St
Ellen St
High St
Holdsworth St
Kings Square
Market St
Mall
William St
Henderson St
Queen St
The Terrace
Fremantle Prison
Fremantle Oval
Fothergill St
Hampton Rd
Stevens Reserve
Cliff St
Mouat St
Henry St
Pakenham St
Collie St
Essex St
Norfolk St
South Tce
Marine Tce
Suffolk St
Arundel St
Alma St
Attfield St
Stevens St
Solomon St
Howard St
Wray Ave
Arthur Head
Fleet St
Western Australian Museum – Shipwreck Galleries
Fisherman's Wharf
Fishing Boat Harbour (port des bateaux de pêche)
Vers South Beach (1,5 km)

Fremantle

Les incontournables
Fremantle Prison F2
Western Australian Museum – Maritime A2
Western Australian Museum – Shipwreck Galleries B3

À voir
1 Fremantle Markets D3

Activités
2 Captain Cook Cruises B1
3 Oceanic Cruises B1

Où se loger
4 Bannister Suites Fremantle D2
5 Fothergills of Fremantle F1
Norfolk Hotel .... (voir 13)
6 Terrace Central B&B Hotel E3

Où se restaurer
7 Gino's D2
8 Little Creatures C4
9 Maya D2
10 Moore & Moore C3
11 Mussel Bar C4

Où prendre un verre
Little Creatures .... (voir 8)
12 Monk D2
13 Norfolk Hotel D3

sous-marin **HMAS Ovens** (visite ttes les 30 min de 10h à 15h30, durée 1 heure), qui fit partie de la flotte australienne.

GRATUIT **WESTERN AUSTRALIAN MUSEUM – SHIPWRECK GALLERIES** Musée

(www.museum.wa.gov.au ; Cliff St ; 9h30-17h). Installées dans un ancien magasin de ravitaillement (1852), les Shipwreck Galleries (galeries des Épaves) sont considérées comme le meilleur témoignage de l'histoire maritime de l'hémisphère ud. La section la plus passionnante est la **Batavia Gallery**, où est exposée une partie de la coque du *Batavia*, le célèbre navire marchand hollandais qui s'échoua en 1629.

GRATUIT **FREMANTLE ARTS CENTRE** Galerie d'art

(www.fac.org.au ; 1 Finnerty St ; 9h-17h). Cet impressionnant bâtiment de style néogothique, entouré de jolis jardins ombragés par des ormes, fut construit par les convicts dans les années 1860. Il abrita d'abord un asile psychiatrique. Sauvé de la démolition à la fin des années 1960, il accueille aujourd'hui des expositions d'art temporaires très intéressantes.

FREMANTLE MARKETS Marchés

(www.fremantlemarkets.com.au ; angle South Térace et Henderson St ; 8h-20h ven, 8h-17h sam et dim). Inaugurés en 1897, ces marchés colorés ont rouvert en 1975. Ils attirent aujourd'hui une foule de chalands, qui dévalisent les stands de souvenirs. La section des produits frais permet de faire des provisions de victuailles pour pique-niquer.

Circuits organisés

Fremantle Tram Tours Ville

(08-9433 6674 ; www.fremantletrams.com.au ; départ de l'hôtel de ville). Le bus Fremantle Tram ressemble à un vieux trolley, que l'on peut prendre et quitter tout au long de la journée pour visiter la ville (adulte/enfant 24/5 $).

Captain Cook Cruises Croisières

(08-9325 3341 ; www.captaincookcruises.com.au ; C Shed, Victoria Quay). Balades en bateau jusqu'à Perth (aller/retour 22/41 $) ; une croisière de 3 heures avec déjeuner (adulte/enfant 64/41 $) part à 12h45.

Où se loger

NORFOLK HOTEL Pub $$

(08-9335 5405 ; www.norfolkhotel.com.au ; 47 South Tce ; s/d sans sdb 80/110 $, d avec sdb 150 $;). Cet hôtel au-dessus d'un pub sort du lot. Chambres décorées avec goût dans des tons sobres, draps blancs impeccables et espace commun. Peut être bruyant, mais le bar ferme à minuit.

FOTHERGILLS OF FREMANTLE B&B **$$**
(08-9335 6784 ; www.fothergills.net.au ; 18-22 Ord St ; 160-255 $;). Des nus féminins en bronze ornent le jardin côté rue de ces vénérables demeures (1892) accrochées à la colline, tandis qu'une vache fleurie grandeur nature trouve refuge sous la véranda. D'autres touches d'art contemporain égaient l'intérieur d'époque.

TERRACE CENTRAL B&B HOTEL B&B **$$**
(08-9335 6600 ; www.terracecentral.com.au ; 79-85 South Tce ; d 165 $;). Construit autour d'une boulangerie datant de 1888, prolongée de terrasses, ce B&B spacieux est plein de caractère et de charme. À l'arrière, des appartements modernes de 1 et 2 chambres.

BANNISTER SUITES FREMANTLE Hôtel **$$$**
(08-9435 1288 ; www.bannistersuitesfremantle.com.au ; 22 Bannister St ; ch à partir de 210 $;). Moderne et pimpant, cet hôtel vient s'ajouter à la gamme chic de la scène hôtelière du centre-ville. Il vaut la peine de dépenser un peu plus pour l'une des suites avec grand balcon offrant une vue sur les toits.

Où se restaurer

Centre-ville

MAYA Indien **$$**
(08-9335 2796 ; www.mayarestaurant.com.au ; 77 Market St ; plats 17-28 $; dîner mar-dim, déj ven). Cette adresse avec nappes blanches et chaises en bois allie style classique et décontraction. Elle a acquis la réputation d'être une des meilleures tables indiennes d'Australie-Occidentale grâce à des spécialités réussies. Essayez le festin du Pendjab, de Delhi ou de Bombay.

MOORE & MOORE Café **$**
(46 Henry St ; plats 8-22 $; 8h-16h ;). Ce café au chic urbain se prolonge dans la galerie d'art adjacente et dans une cour dallée. Café excellent, délicieux petit-déjeuner (demi-portion à la demande), pâtisseries et wraps ; accès Wi-Fi gratuit.

GINO'S Café **$**
(www.ginoscafe.com.au ; 1 South Tce ; plats 13-17 $; petit-déj, déj et dîner ;). Vénérable café de Freo, devenu une attraction touristique en soi. Il demeure toutefois très prisé des habitants, qui apprécient son délicieux café.

Fishing Boat Harbour

LITTLE CREATURES Pub **$$**
(www.littlecreatures.com.au ; 40 Mews Rd ; plats 16-34 $; 10h-24h). Cet établissement classique de Freo avec vue sur le port sert des bières (brassées sur place) – et une cuisine – excellentes. Dans ce vaste hangar à bateaux, les serveurs sont souvent débordés, mais les pizzas cuites au feu de bois et les autres bons plats valent l'attente

MUSSEL BAR Poisson **$$**
(08-9433 1800 ; www.musselbar.com.au ; 42 Mews Rd, Fishing Boat Harbour ; plats 26-31 $; petit-déj, déj et dîner tlj). Pour une expérience plus formelle, ce bar à moules offre une vue romantique sur les eaux scintillantes du port. Moules à toutes les sauces, ou huîtres fraîches à déguster avec un verre de champagne.

North Fremantle

HARVEST Australien moderne **$$**
(08-9336 1831 ; www.harvestrestaurant.net.au ; 1 Harvest Rd, North Fremantle ; plats 32-39 $; petit-déj et déj ven-dim, dîner mar-dim). Poussez la lourde porte en métal couleur fuchsia : une salle tout en bois sombre, ornée d'œuvres d'art et de bibelots, sert de cadre à une généreuse cuisine Mod Oz (cuisine australienne moderne), exécutée avec un certain panache.

Où sortir et prendre un verre

LITTLE CREATURES Microbrasserie
(www.littlecreatures.com.au ; 40 Mews 24h). Dans un ancien hangar à bateaux du port, cette brasserie élabore différentes bières primées. Examinez les cuves à bière depuis la mezzanine ou buvez votre chope sur le ponton à l'arrière.

NORFOLK HOTEL Pub

(www.norfolkhotel.com.au ; 47 South Tce ; 11h-24h lun-sam, 11h-22h dim). Adoptez le rythme de Freo et dégustez avec gourmandise l'une des nombreuses bières à la pression qu'offre ce pub de 1887. La cour en pierre calcaire invite à la sieste, à l'ombre des ormes et des eucalyptus.

MONK Microbrasserie

(www.themonk.com.au ; 33 South Tce ; 11h30-tard). Bières maison et bons plats à savourer aux premières loges de la terrasse ou dans la superbe salle, décorée notamment d'anciennes traverses de chemin de fer.

MOJOS Pub, musique live

(www.mojosbar.com.au ; 237 Queen Victoria St, North Fremantle ; 19h-tard). Ce petit pub, doté d'un *beer garden* convivial à l'arrière, est une institution locale dans le domaine de la musique live. Il accueille des groupes locaux et nationaux, ainsi que des DJ.

Renseignements

Centre d'information des visiteurs (08-9431 7878 ; www.fremantle.wa.com.au ; Town Hall, Kings Sq ; 9h-17h lun-ven, 10h-15h sam, 11h30-14h-30 dim). Cartes gratuites et brochures.

Comment circuler

Fremantle se situe dans la Zone 2 du réseau de transports publics de Perth Transperth et n'est qu'à 30 min de Perth par le train. De nombreux bus circulent entre le centre de Perth et Fremantle, dont les nos 103, 106, 107, 111 et 158.

Un autre moyen agréable de rejoindre Fremantle depuis Perth est d'emprunter un des ferries (1 heure 15) que propose Captain Cook Cruises ; voir p. 315.

ENVIRONS DE PERTH

Rottnest Island (Wadjemup)

"Rotto", comme on l'appelle localement, est le terrain de jeu préféré des familles de Perth pendant les vacances. À seulement 19 km au large de Fremantle, cette île sans voitures est bordée de baies et de plages idylliques. En raison de sa taille (11 km de long sur 4,5 km de large), l'île est aussi le paradis du vélo, qui permet d'en faire facilement le tour pour choisir un petit bout de plage où passer la journée.

Et si vous avez besoin d'autres distractions, l'île est un endroit parfait pour pratiquer le snorkeling, la pêche, le surf et la plongée.

Rottnest Island est aussi le théâtre de festivités marquant la fin de l'année scolaire ou celle des examens universitaires. L'île est alors envahie par des jeunes qui font la fête nuit et jour. Selon vos goûts, vous pourrez alors y passer un moment formidable ou parfaitement déplaisant ; consultez le calendrier avant de partir.

Longreach Bay, Rottnest Island

Quokkas

Autrefois présents dans tout le sud-ouest de l'Australie, les quokkas sont aujourd'hui cantonnés dans les forêts du continent et sur Rottnest Island, où vit une population de 8 000 à 10 000 individus. Ces adorables petits marsupiaux, très sociables, ont subi au fil des années un sort peu enviable. D'abord, l'équipage du Hollandais de Vlamingh les prit pour des rats. Puis les colons britanniques déformèrent leur nom (les Noongar prononçaient sans doute *quak-a* ou *gwaga*). Mais, pire que tout, des brutes sadiques inventèrent dans les années 1990 le "quokka soccer" où un quokka servait de ballon. Il fallut la menace d'une amende de 10 000 $ pour faire cesser ce jeu cruel.

À voir

LE QUOD ET LE CIMETIÈRE ABORIGÈNE Site historique

(Kitson St). Aujourd'hui reconverti en hôtel, le bâtiment octogonal du Quod (1864), construit autour d'une cour centrale, fut la prison des Aborigènes. La maladie décimait les prisonniers, qui reposent par centaines dans une parcelle boisée adjacente au Quod, dans des tombes sans nom.

ROTTNEST MUSEUM Musée

(Kitson St ; don de 1 ou 2 $; 11h-15h30). Installé dans un ancien grenier à blé, ce modeste musée présente l'histoire naturelle et humaine de l'île.

Activités

RÉCIFS ET ÉPAVES Snorkeling, plongée

L'excellente visibilité ainsi que la présence de récifs coralliens et d'épaves invitent à la pratique de la **plongée** et du **snorkeling**. Des itinéraires de snorkeling sont balisés sous l'eau à **Little Salmon Bay** et à **Parker Point**. Rottnest Island Bike Hire loue tout le matériel de snorkeling ainsi que des kayaks.

La seule épave accessible sans bateau est celle de **Thomson Bay**.

BREAKS Surf

Les plus belles vagues déferlent à **Strickland Bay**, **Salmon Bay** et **Stark Bay**, à l'ouest de l'île. Des planches peuvent être louées à Rottnest Island Bike Hire.

Circuits organisés

GRATUIT **Rottnest Voluntary Guides** Circuits pédestres

(08-9372 9757 ; www.rvga.asn.au). Au départ du Salt Store, des guides bénévoles vous entraînent chaque jour dans des promenades à thème.

Discovery Coach Tour Bus

(www.rottnestisland.com ; adulte/enfant 33/16 $). Part 3 fois/jour de Thomson Bay (réservation au centre d'information des visiteurs) ; avec commentaire et arrêt à West End.

Rottnest Adventure Tour Bateau

(www.rottnestexpress.com.au ; adulte/enfant 50/25 $). Croisière de 90 min le long du littoral, à la découverte de la vie sauvage, dont les baleines en saison. Également au départ de Perth (adulte/enfant 130/65 $) et de Fremantle (115/57 $).

Où se loger et se restaurer

ROTTNEST ISLAND AUTHORITY COTTAGES Location de maison $$

(08-9432 9111 ; www.rottnestisland.com ; cottages 117-214 $). Plus de 250 villas et cottages à louer, de 4 à 8 lits. Certains sont magnifiques et idéalement situés au bord de la plage ; d'autres tiennent plus de la cabane.

HOTEL ROTTNEST Pub $$$

(08-9292 5011 ; www.hotelrottnest.com.au ; 1 Bedford Ave ; ch 270-320 $;). L'ancienne résidence d'été du gouverneur (1864),

a Quokka Arms, a été complètement
ransformée. L'ajout d'un pavillon en
erre en a fait un espace ouvert et
ccueillant. Les chambres immaculées
ont chics et modernes, mais chères.
uisine de bistrot (dont des pizzas),
des prix plutôt raisonnables (plats
8-27 $).

OTTNEST LODGE Hôtel **$$**
(**08-9292 5161 ; www.rottnestlodge.
om.au ; Kitson St ; ch 205-310 $;**). Un
onfortable établissement installé
utour de l'ancienne prison du Quod et
onnu pour ses fantômes. Si cela vous
nquiète, demandez l'une des chambres
umineuses de la nouvelle aile avec vue
ur la lagune. Le restaurant adjacent
Marlins Restaurant (**plats 26-36 $; déj et
îner**) offre un buffet au déjeuner pour les
roupes de visiteurs, ainsi qu'une cuisine
le pub le soir satisfaisant tous
es appétits.

Aristos Poisson **$$**
(**www.aristosrottnest.com.au ; Colebatch Ave ;
lats 16-30 $; déj et dîner**). Une adresse
affinée servant *fish and chips*, burgers, glaces
t un excellent café. Sur le front de mer, près
le l'embarcadère principal.

Renseignements

Centre d'information des visiteurs (**www.
rottnestisland.com**) ; Thomson Bay (**08-9372
9732 ; 7h30-17h sam-jeu, 7h30-19h ven,
horaires prolongés en été**) ; Fremantle (**08-
9432 9300 ; E Shed, Victoria Quay**). S'occupe
des réservations pour les hébergements gérés
par l'île ; possède un comptoir au bureau de
Fremantle, près de l'embarcadère des ferries.

Depuis/vers Rottnest Island

Avion

Rottnest Air-Taxi (**08-9292 5027 ; www.
rottnest.de**). Dessert l'île depuis l'aéroport
Jandakot à bord d'avions 4 places, pilote compris
(3 passagers aller/retour même jour/retour décalé
220/300/350 $) et 6 places (5 passagers aller/
retour même jour/retour décalé 300/400/480 $).

Bateau

Rottnest Express (**1300 467 688 ; www.
rottnestexpress.com.au**) ; Fremantle (**C Shed,
Victoria Quay ; adulte/enfant 60/36 $**) ; Northport
(**1 Emma Pl, Rous Head, North Fremantle ; adulte/
enfant 60/36 $**) ; Perth (**Pier 2, Barrack St Jetty ;**

uokka, Rottnest Island

adulte/enfant 80/46 $). Les prix s'entendent pour un aller-retour dans la journée, droit d'entrée sur l'île compris ; ajoutez 9 $ pour un retour décalé. Les horaires sont saisonniers. Différentes formules sont proposées, certaines comprenant la location de vélo et du matériel de snorkeling, les repas et les circuits. Le Mega Blast (adulte/enfant 69/36 $), une vedette rapide pour amateurs de sensations fortes, part de Fremantle chaque jour (de sept à mai).

Rottnest Fast Ferries (08-9246 1039 ; www.rottnestfastferries.com.au ; adulte/enfant 82/43 $). Au départ de Hillarys Boat Harbour (40 min, 3 fois/j) ; ajoutez 3 $ pour un retour décalé.

Comment circuler

VÉLO Vous pouvez réserver un vélo en ligne, ou le louer à votre arrivée, auprès de Rottnest Island Bike Hire (08-9292 5105 ; www.rottnestisland.com ; angle Bedford Ave et Welch Way ; 1 vitesse 1/2/3/4/5 jour(s) 20/31/40/48/56 $, plusieurs vitesses 27/43/54/65/76 $; 8h30-16h, 8h30-17h30 en été).

Rottnest Express propose aussi des vélos (1/2/3 jour(s) 28/41/56 $). L'antivol n'est pas fourni ; il peut arriver que des indélicats empruntent votre vélo...

BUS Une navette gratuite circule entreThomson Bay et les principales zones d'hébergement. Le bus Bayseeker (pass 1 journée adulte/enfant 13/5,50 $) fait le tour de l'île toutes les heures.

LE SUD-OUEST

Le bocage, les forêts, les rivières et la côte de la verdoyante pointe sud-ouest de l'Australie-Occidentale contrastent fortement avec le reste des terres en grande partie désolées et brûlées par le soleil de cet État. À terre, des domaines viticoles prestigieux attirent les visiteurs et de grands arbres ombragent les chemins et les routes pittoresques. En mer, des dauphins souffleurs et des baleines batifolent, tandis que des surfeurs cherchent la vague parfaite.

Vignobles de Margaret River

Avec ses merveilleuses routes de campagne ombragées d'arbres majestueux, ses plages aux fabuleux rouleaux et ses excellents vins (notamment chardonnays et bordeaux), Margaret River est notre région viticole préférée.

Yallingup et ses environs

Vous resterez bouche-bée lorsque se profilera la côte battue par les vagues. Entourée de plages magnifiques, Yallingup est le paradis des surfeurs, ainsi que des amateurs de vins.

À voir et à faire

GRATUIT **WARDAN CULTURAL CENTRE** Culture aborigène

(08-9756 6566 ; www.wardan.com.au ; Injidup Springs Rd ; adulte/enfant 15/8 $; dim, lun, mer et ven, fermé 15 juin-15 août). Fabriquez des outils en pierre, lancez un boomerang ou une lance,

Bouteilles de vin en vente, Wilyabrup

Surf dans le Sud-Ouest

Surnommées "Yals" (près de Yallingup) et "Margs" (autour de l'estuaire de la Margaret River), les plages situées entre le cap Naturaliste et le cap Leeuwin offrent de puissants "reef breaks" (vagues stables et régulières, se cassant sur un fond rocheux), qui se déroulent principalement vers la gauche.

À proximité de Dunsborough, les meilleurs spots se trouvent entre Eagle Bay et Bunker Bay. Près de Yallingup, signalons Three Bears, Rabbits (un "beach break" – vague sur fond de sable – au nord de Yallingup Beach), Yallingup, Injidup Car Park et Injidup Point. Tous les ans, la compétition de surf pro se tient aux abords de Margaret River Mouth et de Southside (appelé aussi "Suicides").

Procurez-vous une carte de surf (5,25 $) auprès de l'un des centres d'information des visiteurs des environs.

‹t partez en randonnée guidée dans
ɘ bush pour découvrir la culture des
Vardandi et leur usage des plantes pour la
:uisine, la médecine et leurs habitations.

\IGILGI CAVE Grotte
(☎08-9755 2152 ; www.geographebay.com ; 'allingup Caves Rd ; adulte/enfant 19/10 $; ⌚9h30-16h30). Entre Dunsborough ‹t Yallingup, cette grotte vieille le 500 000 ans est connue pour es formations calcaires. La visite ttes les 30 min) est semi-guidée.

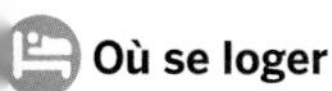

Où se loger

Smiths Beach Resort Complexe hôtelier $$$
(☎08-9750 1200 ; www.smithsbeachresort.com.au ; Smiths Beach Rd ; app à partir de 220 $; ❄ 🏊). Au bord d'une superbe plage, n ensemble d'appartements luxueux et neublés avec goût, de 1 à 4 chambres.

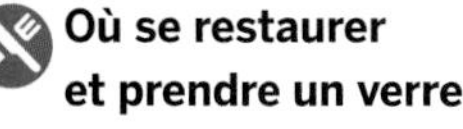

Où se restaurer et prendre un verre

LAMONT'S Domaine viticole, restaurant $$$
(☎08-9755 2434 ; www.lamonts.com.au ; Gunyulgup Valley Dr ; plats 39-41 $; ⌚déj j, dîner sam). Au milieu de son propre ac, dressé sur des pilotis, le Lamont's est idyllique pour un déjeuner, ou pour éguster quelques tapas, à accompagner 'un verre de vin.

Cowaramup et Wilyabrup

Cowaramup se résume à quelques boutiques alignées le long de Bussell Hwy, presque toutes consacrées, comme il se doit au cœur des vignes, à la gastronomie et au vin. Au nord-ouest, la zone rurale de Wilyabrup a vu naître l'industrie viticole de Margaret River dans les années 1960.

Où se loger

NOBLE GRAPE GUESTHOUSE B&B $$
(☎08-9755 5538 ; www.noblegrape.com.au ; 29 Bussell Hwy, Cowaramup ; s 130-150 $, d 150-165 $; ❄). Tient plus du motel haut de gamme que d'un B&B traditionnel. Chambres intimistes, chacune avec sa petite cour ; four à micro-ondes, lecteur de DVD.

Où se restaurer et prendre un verre

VASSE FELIX Domaine viticole, restaurant $$$
(☎08-9756 5050 ; www.vassefelix.com.au ; angle Caves Rd et Harmans Rd South ; plats 35-39 $; ⌚déj). Le restaurant de ce domaine viticole est considéré comme le meilleur de la région. Des sculptures émaillent le site, et la galerie exposant des œuvres de la collection Holmes à Court vaut à elle seule le détour. Le vin, apprécié et primé, est superbe.

KNEE DEEP IN MARGARET RIVER Domaine viticole, restaurant $$
(08-9755 6776 ; www.kneedeepwines.com.au ; 61 Johnson Rd ; plats 32-37 $; déj). Quelques plats seulement au menu, sublimant les produits régionaux de saison, servis dans un pavillon ouvert parmi les vignes. Grande qualité des plats et du service.

Margaret River

Très touristique, Margaret River a néanmoins gardé une atmosphère de petite ville rurale. Après 17h, heure de fermeture des domaines viticoles, elle reste l'un des rares endroits encore un tant soit peu animé.

Où se loger

RIVERGLEN CHALETS Appartements $$
(08-9757 2101 ; www.riverglenchalets.com.au ; Carters Rd ; chalets 155-280 $;). Au nord de la ville, de confortables chalets tout équipés, d'un bon rapport qualité/prix. Leurs vérandas s'ouvrent sur le bush et certainsont un accès pour les handicapés.

PRIDEAU'S Motel $$
(0438 587 180 ; www.prideaus.com.au ; 31 Fearn Ave ; ch 145-185 $;). À ce prix et si bien situé dans le centre, on s'attend à un motel de catégorie moyenne, mais le Prideau, qui en a pourtant bien l'allure extérieure, surprend par son élégance. Pimpants studios, fraîchement rénovés, s'ouvrant sur de petites cours.

Bridgefield
B&B $$
(08-9757 3007 ; www.bridgefield.com.au ; 73 Bussell Hwy ; ch 130-160 $;). Ce relais de diligence du XIXe siècle est devenu un superbe B&B. Chambres tout en lambris, hautes de plafond et dallées, avec anciennes baignoires à pied.

Où se restaurer et prendre un verre

SETTLER'S TAVERN Pub
(www.settlerstavern.com ; 114 Bussell Hwy ; 11h-24h lun-sam, 11h-22h dim). Musique live presque chaque soir, bons plats de pub et longue carte des vins.

MUST Restaurant, bar $$
(08-9758 8877 ; www.must.com.au ; 107 Bussell Hwy ; plats 30-38 $, déj 2/3 plats 33/44 $; déj et dîner). Appartenant à la même enseigne que notre restaurant préféré de Perth, cet établissement de Margaret River ne déçoit pas. Excellent service et assiettes de charcuterie exceptionnelles. À l'étage, 4 chambres (180 $/nuit).

Renseignements

Centre d'information des visiteurs (08-9780 5911 ; www.margaretriver.com ; 100 Bussell Hwy ; 9h-17h)

Comment circuler

Margaret River Beach Bus (08-9757 9532 ; www.mrlodge.com.au). Ce minibus circule entre la ville et les plages de Prevelly (10 $, 3/j) ; été seulement, et sur réservation.

LA CÔTE SUD

Se tenir debout sur les falaises de la sauvage côte sud, tandis que les vagues s'écrasent avec fracas en contrebas, est une expérience intense. Les jours calmes, c'est la beauté de la mer de toutes les nuances bleu-vert qui émerveille, ainsi que la blancheur étincelante des plages désertes.

Depuis/vers la côte sud

Skywest (1300 66 00 88 ; www.skywest.com.au) assure des vols quotidiens de Perth à Albany (70 min) et à Esperance (1 heure 45).

Walpole et Nornalup

Les deux paisibles bras de mer (*inlets*) de Walpole et de Nornalup sont des points de départ parfaits pour explorer la région boisée de la Walpole Wilderness Area. Cette immense étendue sauvage, au littoral accidenté, englobe plusieurs parcs nationaux, des parcs maritimes, des réserves naturelles et des zones de forêts protégées, le tout représentant 3 630 km^2 (c'est-à-dire plus que la superficie des îles Samoa et de 57 autres pays dans le monde).

TAOLMOR | DREAMSTIME.COM ©

À ne pas manquer Walpole-Nornalup National Park

Dans ce parc poussent des arbres géants tels que des *tingles* rouges, jaunes et Rates et, plus près du littoral, des *Corymbia ficifolia* (gommiers) aux bouquets de fleurs rouges. La **Valley of the Giants Tree Top Walk** (adulte/enfant 10/5 $; 9h-16h15), une passerelle de 600 m de long, permet aux visiteurs de monter depuis la "vallée des Géants" jusque dans la canopée. Véritable prouesse technique, elle atteint 40 m de hauteur à son point le plus élevé. Elle est conçue pour se balancer légèrement avec la brise, ce qui peut provoquer le vertige. Sur la terre ferme, vous pourrez vous promener sur l'**Ancient Empire boardwalk**, un chemin de planches qui serpente au pied des vénérables *tingles* rouges, dont certains peuvent atteindre 16 m de circonférence.

D'excellents sentiers de randonnée sillonnent les environs, dont un tronçon de la **Bibbulmun Track**, qui passe par Walpole pour rejoindre Coalmine Beach. Il existe aussi de nombreuses routes panoramiques, notamment la **Knoll Drive**, à 3 km à l'est de Walpole, la **Valley of the Giants Rd** et une route qui traverse un paysage bucolique pour rejoindre le **Mt Frankland**. On peut en faire l'ascension pour jouir du panorama, ou faire le tour de sa base à pied. En face de la Knoll Dr, la Hilltop Rd mène à un **gigantesque tingle**, puis continue vers la **Circular Pool**, sur la Frankland River, très appréciée des amateurs de canoë.

À mi-chemin entre Nornalup et Peaceful Bay, les **Conspicuous Cliffs** ("remarquables falaises") sont idéals pour observer les baleines (juil-nov). Le site comprend un chemin en planches menant à un belvédère et un sentier escarpé (800 m) descendant à la plage.

Circuits organisés

WOW WILDERNESS ECOCRUISES Croisières sur la rivière (08-9840 1036 ; www.wowwilderness.com.au ; adulte/enfant 40/15 $). Outre un paysage magnifique, vous découvrirez la richesse écologique de la région à travers des anecdotes sur les villages aborigènes, les pêcheurs de saumon et les pirates naufragés. La croisière de 2 heures 30 part chaque jour à 10h ; réservez au centre d'information des visiteurs.

Naturally Walpole Eco Tours 4x4
(☎08-9840 1019 ; www.naturallywalpole.com.au). Circuits d'une demi-journée dans la nature autour de Walpole (adulte/enfant 75/40 $).

Où se loger et se restaurer

RIVERSIDE RETREAT Chalets **$$**
(☎08-9840 1255 ; www.riversideretreat.com.au ; South Coast Hwy, Nornalup ; chalets 140-260 $). En retrait de la route, sur les berges de la superbe Frankland River, des chalets tout équipés, avec un poêle à bois pour l'hiver et des courts de tennis et des canoës pour les beaux jours. Excellente option.

NORNALUP RIVERSIDE CHALETS Chalets **$$**
(☎08-9840 1107 ; www.walpole.org.au/nornalupriversidechalets ; Riverside Dr, Nornalup ; chalets 85-170 $). Ces chalets tout équipés, confortables et lumineux, sont à deux pas de la Frankland River. Vous pourrez pêcher. Espacés, ils préservent l'intimité.

Thurlby Herb Farm Café $
(www.thurlbyherb.com.au ; 3 Gardiner Rd ; plats 13-18 $; 9h-17h lun-ven). Cette ferme distille des huiles essentielles et fabrique des produits à base de plantes aromatiques, dont des savons. Son café, qui ouvre sur un jardin, propose des déjeuners légers ou des gâteaux.

Renseignements

Centre d'information des visiteurs (☎08-9840 1111 ; www.walpole.com.au ; South Coast Hwy, Walpole ; 9h-17h ; @)

Denmark

Les premiers adeptes d'une vie alternative ont découvert le cadre idyllique de Denmark il y a environ 20 ans, attirés par ses plages, le fleuve, le bras de mer abrité et l'arrière-pays boisé et vallonné.

Bénéficiant de la douceur du climat qui produit les excellents vins du "Great Southern", la ville possède quelques vignobles réputés, dont **Howard Park** (www.howardparkwines.com.au ; Scotsdale Rd ; 10h-16h) et **Forest Hill** (www.foresthillwines.com.au ; angle South Coast Hwy et Myers Rd ; 10h-17h).

À gauche Elephant Rocks et Greens Pool, Denmark
Ci-dessous En canoë, Walpole
PHOTOGRAPHES : (À GAUCHE) WAYNE WALTON/LONELY PLANET IMAGES © ; (CI-DESSOUS) MARTIN ROBINSON/ LONELY PLANET IMAGES ©

À voir et à faire

Les surfeurs et les pêcheurs à la ligne se rendent directement à **Ocean Beach**, une plage à la beauté sauvage. Mike Neunuebel, un instructeur local agréé, donne des **cours de surf** (08-9848 2057 ; cours individuel 2 heures équipement inclus 80 $).

Les marcheurs suivront le **Mokare Heritage Trail** (un itinéraire de 3 km le long de la Denmark River) ou le **Wilson Inlet Trail** (12 km aller-retour, au départ de l'embouchure du fleuve), qui constitue un tronçon du plus long **Nornalup Trail**. Pour une belle vue d'ensemble sur la côte, mettez le cap sur le **Mt Shadforth Lookout** (point de vue).

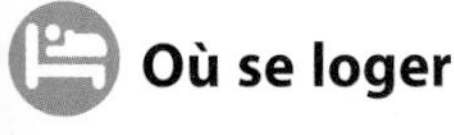

Où se loger

CAPE HOWE COTTAGES Cottages **$$**
(08-9845 1295 ; www.capehowe.com.au ; 322 Tennessee Rd South ; cottages 160-270 $;). Pour qui aime la solitude, ces 5 cottages dans le bush au sud-est de Denmark (en retrait de Lower Denmark Rd) sont vraiment parfaits. Ils sont tous différents, mais notre préféré est celui qui se trouve à seulement 1,5 km de Lowlands Beach, la plage qu'affectionnent les dauphins, et qui est particulièrement confortable.

SENSATIONAL HEIGHTS B&B **$$**
(08-9840 9000 ; www.sensationalheightsbandb.com.au ; 159 Suttons Rd ; ch 175-260 $;). Comme son nom l'indique, ce B&B est situé au sommet d'une colline (en retrait de Scotsdale Rd) et offre, naturellement, une vue sensationnelle sur les paysages alentour. Flambant neuf, l'établissement affiche un décor contemporain de très bon goût, propose des équipements rutilants, du linge de lit luxueux et des lits ultraconfortables.

Excursion à Mandalay Beach

À 13 km à l'ouest de Walpole, à la hauteur de Crystal Springs, une route gravillonnée de 8 km mène à **Mandalay Beach**, où le *Mandalay*, un trois-mâts norvégien, s'échoua sur la plage en 1911. Environ tous les 10 ans, à mesure que le sable s'accumule pour être ensuite érodé par les tempêtes, l'épave resurgit, fantomatique, dans une eau peu profonde où l'on peut marcher à marée basse. Cette plage superbe, souvent déserte, est accessible par un impressionnant chemin en planches à travers les falaises et les dunes de sable.

Où se restaurer et prendre un verre

Denmark Bakery Boulangerie $
(Strickland St ; tourtes 5-6 $; 7h-17h). Cette boulangerie primée fabrique des tourtes succulentes et un pain excellent.

Southern End Brasserie, restaurant
(www.denmarkbrewery.com.au ; 427 Mt Shadforth Rd ; 11h30-16h30 jeu-lun). Abritant la brasserie Denmark Brews & Ales, qui produit "la bière avec vue" ("*the brew with a view*"), cet établissement sert aussi une large gamme de bières importées et de vins locaux sur sa terrasse, au sommet de la colline.

Renseignements

Centre d'information des visiteurs (08-9848 2055 ; www.denmark.com.au ; 73 South Coast Hwy ; 9h-17h). Renferme le "plus grand baromètre du monde" dans une tour sur mesure.

Albany

Fondée peu avant Perth en 1826, Albany, la plus ancienne colonie européenne de l'État, est désormais le principal pôle commercial de la région sud. Elle associe un vieux quartier colonial majestueux, tombant lentement en décrépitude, à un front de mer en pleine réhabilitation ambitieuse et à une prolifération anarchique de galeries commerciales et d'établissements de restauration rapide. Moins ambivalente, la côte est uniformément spectaculaire.

MIDDLETON BEACH ET EMU BEACH Plages
Juste après le promontoire à l'est du centre-ville, en face de King George Sound, ces deux superbes plages qui n'en forment qu'une sont parfaites pour les familles – d'humains et de baleines. En hiver, il n'est pas rare de voir les mères accompagnées de leur baleineau, parfois même de deux ou trois d'âges différents. Après Emu Point, dans Oyster Harbour, vous trouverez des pontons pour la baignade dans des eaux encore plus calmes.

WESTERN AUSTRALIAN MUSEUM – ALBANY Musée
(www.museum.wa.gov.au ; Residency Rd ; dons appréciés ; 10h-16h30 jeu-mar). Cette antenne du musée de l'État d'Australie-Occidentale comporte une section découverte pour les enfants, une exposition sur les phares et une galerie. Elle comprend aussi l'ancienne demeure du magistrat résident (1850), qui abrite aujourd'hui un musée évoquant l'histoire des marins et des Minang Noongar, et présente la faune et la flore locales.

OBSERVATION DES BALEINES Observation des baleines
Après 1978, année qui marqua la fin de la pêche à la baleine, les cétacés revinrent peu à peu dans les eaux d'Albany. On peut

les apercevoir depuis la plage de juillet à mi-octobre, mais si vous voulez les voir de plus près, **Albany Dolphin & Whale Cruises** (☎0428 429 876 ; www.whales.com.au ; adulte/enfant 80/45 $) et **Albany Whale Tours** (☎08-9845 1068 ; www.albanywhaletours.com.au ; adulte/enfant 75/40 $) organisent des circuits d'observation en saison.

PLONGÉE Plongée

Albany est devenue l'une des destinations les plus recherchées par les plongeurs, depuis que le navire de guerre **HMAS Perth** (www.hmasperth.com.au) a été coulé en 2001. **Dive Locker Albany** (☎08-9842 6886 ; www.albanydive.com.au ; 114 York St) et **Southcoast Diving Supplies** (☎08-9841 7176 ; www.divealbany.com.au ; 84b Serpentine Rd) vous montreront le monde sous-marin.

Renseignements

Centre d'information des visiteurs (☎08-9841 9290 ; www.amazingalbany.com ; Proudlove Pde ; 9h-17h)

Environs d'Albany

À voir

WHALE WORLD MUSEUM Musée

(☎08-9844 4019 ; www.whaleworld.org ; Frenchman Bay Rd ; adulte/enfant 25/10 $; 9h-17h). Lorsque la Cheynes Beach Whaling Station, la station d'équarrissage de baleines, a cessé ses activités en novembre 1978, qui aurait imaginé que les touristes se presseraient sur ses quais, autrefois sanglants, pour guetter les baleines passant à un jet de harpon de l'ancien abattoir ! Le musée présente des films sur la vie marine et l'exploitation baleinière. On y voit aussi des squelettes, des harpons, des maquettes de baleiniers et des fanons sculptés (*scrimshaw*). Visite guidée gratuite toutes les heures, à partir de 10h.

GRATUIT **TORNDIRRUP NATIONAL PARK** Parc national

(Frenchman Bay Rd). Englobant presque toute la péninsule, qui s'étire jusqu'aux confins sud de King George Sound, ce parc national est renommé pour ses falaises battues par les vents. Le **Gap** est une crevasse entre de gigantesques murs de granit, où viennent bouillonner les vagues. Tout près, le **Natural Bridge**, le pont naturel, est un autre site que son nom suffit à décrire. Plus à l'est, les **Blowholes** (cavités dans la roche par lesquelles la mer s'engouffre pour en ressortir en un puissant jet) sont spectaculaires par gros temps et justifient les 78 marches escarpées nécessaires pour y descendre et en remonter.

Esperance

Esperance est une paisible petite ville surplombant la Bay of Isles et ses eaux turquoise bordées de plages immaculées. Son magnifique isolement,

Twilight Cove (p. 332), Esperance

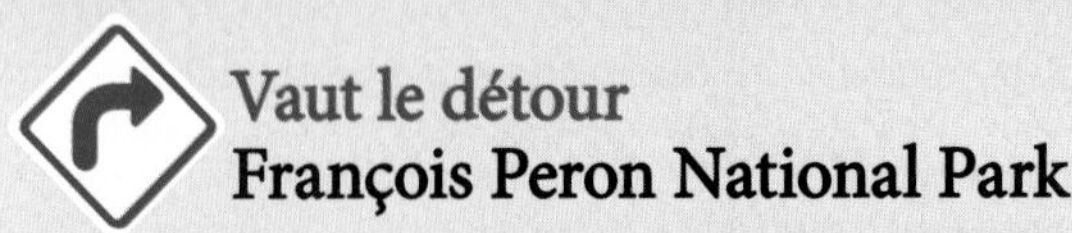

Vaut le détour François Peron National Park

Couvrant toute la péninsule au nord de Denham, ce parc englobe une région caractérisée par ses broussailles basses, ses lacs salés et ses dunes de sable rouge habitées par le bilby (*Macrotis lagotis*), une espèce rare de marsupial, le léipoa ocellé (*malleefowl*), un oiseau au plumage ocellé, et le woma ou python de Ramsay. L'excellent **Wanamalu Trail** (3 km aller-retour) suit le sommet de la falaise entre Cape Peron et Skipjack Point. En contrebas, on peut observer la vie marine dans des eaux cristallines. Entrée du parc : 11 $/véhicule. Circuits organisés depuis Denham ou Monkey Mia à partir de 180 $ – tarif pour lequel on peut louer un 4x4 à Denham.

son atmosphère décontractée et son esprit communautaire attirent des inconditionnels, telles ces familles de Perth qui accomplissent avec leurs enfants un long périple jusqu'ici pour les vacances.

Dans la baie, l'archipel de la Recherche (Recherche Archipelago) peut être sauvage et venteux ou offrir des paysages charmants et paisibles. Ses 105 îlots sont peuplés par des colonies d'otaries à fourrure et de manchots, et par d'innombrables oiseaux marins.

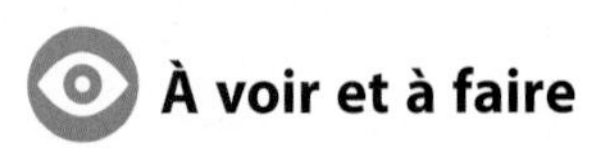

À voir et à faire

GREAT OCEAN DRIVE Route panoramique
Ne manquez pas de parcourir cette boucle de 40 km, bien balisée, qui vous réserve des panoramas spectaculaires. Partant du front de mer, elle suit en direction du sud-ouest un tronçon de côte époustouflant, passant par des plages prisées pour le surf et la baignade, dont **Blue Haven Beach** et **Twilight Cove**. Arrêtez-vous à l'**Observatory Point** et au point de vue de **Wireless Hill** pour admirer les rouleaux qui se brisent contre les falaises.

ESPERANCE MUSEUM Musée
(angle James St et Dempster St ; adulte/enfant 6/2 $; 13h30-16h30). Dans les vitrines s'entassent des collections hétéroclites (coquillages, grenouilles en céramique, raquettes de tennis, pots de chambre, etc.). Parmi les objets les plus volumineux, des bateaux, un wagon de voyageurs et les restes de la première station orbitale américaine Skylab, qui se désintégra en 1979 au-dessus de Balladonia, à l'est d'Esperance.

Circuits organisés

Mackenzie's Island Cruises Bateau
(08-9071 5757 ; www.woodyisland.com.au ; 71 The Esplanade ; tard tlj sept-mai). Un catamaran à moteur fait le tour d'Esperance Bay et de Woody Island (demi-journée/journée 88/139 $), permettant d'approcher des phoques, des otaries, des oies du cap Barren et, avec un peu de chance, des dauphins.

Kepa Kurl Eco Cultural Discovery Tours Culture aborigène
(08-9072 1688 ; www.kepakurl.com.au ; Museum Village). Explorez le pays sous l'angle aborigène. Appréciez l'art rupestre, les sources, les aliments du bush et les histoires millénaires (adulte/enfant 115/80 $, 4 pers minimum).

Où se loger

ESPERANCE B&B BY THE SEA B&B **$$**
(08-9071 5640 ; www.esperancebb.com ; 34 Stewart St ; s/d 110/150 $). Dans cette maison sur la plage, une aile est réservée aux hôtes ; vue époustouflante depuis la terrasse sur la Blue Haven Beach,

surtout au coucher du soleil. Tout proche de l'océan et à 5 min en voiture de Dempster St.

CLEARWATER MOTEL APARTMENTS Motel **$$**
(☎08-9071 3587 ; www.clearwatermotel.com.au ; 1a William St ; s 110 $, d 140-195 $; ❄). Chambres et appartements spacieux et lumineux, tout équipés et dotés de balcons. Barbecue commun. À deux pas de l'océan et de la ville.

Où se restaurer

TAYLOR STREET JETTY Café **$$**
(Taylor St Jetty ; déj 13-19 $, dîner 24-32 $; ⌚petit-déj, déj mer-lun, dîner jeu-lun ; 📶). Cet attrayant café sur la jetée sert des repas légers : tapas, fruits de mer et salades. Les habitants s'attardent aux tables sur la pelouse ou la terrasse couverte.

Renseignements

Centre d'information des visiteurs
(☎08-9083 1555 ; www.visitesperance.com ; angle Kemp St et Dempster St ; ⌚9h-17h lun-ven, 9h-14h sam, 9h-12h dim)

SHARK BAY

Classée au patrimoine mondial, la spectaculaire Shark Bay englobe plus de 1 500 km de côte intacte, jalonnée de péninsules dénudées et de plages de sable blanc, et bordée par une abondante vie marine, qui attirent des touristes du monde entier. Ses lagons turquoise et ses minces langues de terre aux plantes rabougries, marquant la pointe occidentale du continent, abritent l'un des écosystèmes les plus riches d'Australie-Occidentale.

Depuis/vers Shark Bay

AVION. L'aéroport de Shark Bay se situe entre Denham et Monkey Mia. Skippers le relie régulièrement à Perth.

BUS. L'arrêt Greyhound le plus proche est le relais routier Overlander, à 128 km de Shark Bay sur la North West Coastal Hwy (Rte 1). **Shark Bay Car Hire** (☎0427 483 032 ; www.carhire.net.au) assure un service de navette (65 $/pers ; pensez à réserver !) et loue des voitures/4x4 à partir de 40/185 $ par jour.

Si vous aimez… Les parcs nationaux

Si vous aimez le Francois Peron National Park, qui domine Shark Bay, vous devriez également apprécier :

1 YALGORUP NATIONAL PARK
À 50 km au sud de Mandurah, le Yalgorup National Park est constellé de lacs et de dunes. Ce parc magnifique est reconnu zone humide d'importance internationale pour les oiseaux aquatiques migrateurs. Sur les berges du lac Clifton, les géologues amateurs pourront admirer les surprenants thrombolites, sortes de roches vivantes.

2 WALPOLE-NORNALUP NATIONAL PARK
Sur la côte sud, promenez-vous au milieu des *tingles* géants (eucalyptus) sur la passerelle de la Valley of the Giants Tree Top Walk.

3 TORNDIRRUP NATIONAL PARK
Situé près d'Albany, au sud-ouest, Torndirrup est un parc côtier jalonné de gorges, de trous souffleurs, de ponts rocheux, de baies et de plages.

4 STIRLING RANGE NATIONAL PARK
Situé à 80 km au nord d'Albany, ce parc national de 1 156 km² est constitué d'une chaîne montagneuse de 10 km de large sur 65 km de long, résultat de la tectonique des plaques. Bluff Knoll (Bular Mai) en est le sommet le plus élevé au sud-ouest (1 095 m).

5 FITZGERALD RIVER NATIONAL PARK
À mi-chemin entre Albany et Esperance, ce petit bijou a été reconnu réserve de biosphère par l'Unesco. Il compte 22 espèces de mammifères protégées, 200 variétés d'oiseaux et 1 700 spécimens végétaux. Les fleurs sauvages sont nombreuses au printemps, mais fleurissent toute l'année.

MARTIN COHEN/LONELY PLANET IMAGES

À ne pas manquer Monkey Mia

La plage de **Monkey Mia** (adulte/enfant/famille 8/3/15 $), à 26 km au nord-est de Denham, doit sa renommée mondiale aux dauphins qui s'en approchent tous les matins. La première séance de nourrissage a lieu autour de 7h45, mais les dauphins arrivent généralement plus tôt. La jetée fait un bon point d'observation. Après cette première séance, restez dans les parages, car les dauphins reviennent généralement une deuxième, voire une troisième fois.

Le **centre d'information des visiteurs de Monkey** (☎08-9948 1366 ; ⏰8h-16h) offre un bon choix de publications et peut vous réserver un circuit.

CIRCUITS ORGANISÉS

WULA GUDA NYINDA ABORIGINAL CULTURAL TOURS Culture aborigène

(☎0429 708 847 ; www.wulaguda.com.au ; adulte/enfant 40/20 $). Le guide Darren "Capes" Capewell, tout en vous apprenant des rudiments de malgana, vous aide à identifier certains animaux et plantes utilisés par les Aborigènes pour se nourrir et se soigner. Les balades Didgeridoo Dreaming, le soir, sont magiques. Il y a aussi un circuit en kayak Saltwater Dreaming (3 heures ; adulte/enfant 90/50 $).

Aristocat II Croisières

(☎1800 030 427 ; www.monkey-mia.net ; croisière 2 heure 30 75 $). Confortable croisière sur un grand catamaran, où vous pourrez espérer voir des dugongs, des dauphins et des tortues caouannes. Visite de la ferme perlière **Blue Lagoon Pearl Farm**.

OÙ SE LOGER ET SE RESTAURER

MONKEY MIA DOLPHIN RESORT Complexe hôtelier $$$

(☎1800 653 611 ; www.monkeymia.com.au ; empl tente 15 $/pers, empl van en retrait/plage 37/50 $, dort/d 29/89 $, units jardin 238 $, villas front de mer 320 $; ❄@📶🏊). Merveilleusement situé et tenu par un personnel sympathique, ce complexe propose des chambres doubles pour petits budgets très correctes. Malheureusement, il est souvent bondé avec des voyageurs bruyants.

Denham

Jolie ville paisible, en bordure d'une plage frangée de palmiers et baignée d'eaux turquoise, à seulement 26 km de la fameuse plage de Monkey Mia, Denham constitue une bonne base pour visiter le Shark Bay Marine Park et la Peron Peninsula.

À voir et à faire

SHARK BAY WORLD HERITAGE DISCOVERY CENTRE Musée
(08-9948 1590 ; www.sharkbayinterpretivecentre.com.au ; 53 Knight Tce ; adulte/enfant 11/6 $; 9h-18h). L'un des meilleurs musées d'Australie-Occidentale : passionnantes expositions sur l'écosystème de Shark Bay, sa population aborigène et les premiers explorateurs et colons.

OCEAN PARK Aquarium
(08-9948 1765 ; www.oceanpark.com.au ; Shark Bay Rd ; adulte/enfant 17/12 $; 9h-17h). Merveilleusement située sur un cap, juste avant la ville, cette ferme aquacole tenue en famille possède un lagon artificiel où l'on peut observer des requins, des tortues, des raies pastenagues et des poissons (visite guidée 45 min). Le café (servant de l'alcool) offre une vue magnifique. On vous propose aussi des circuits de la journée en 4x4, avec marche dans le bush et snorkeling au François Peron National Park (180 $) et à Steep Point (350 $).

Si vous aimez... Le monde sous-marin

Si vous aimez la plongée et le snorkeling au Ningaloo Marine Park, vous devriez aimer :

1 GERALDTON
Les Houtman Abrolhohos Islands forment un archipel de 122 îles coralliennes à 60 km au large de Geraldton. Les coraux *Acropora* abondent dans les fonds sous-marins qui, grâce au courant chaud de Leeuwin, voient prospérer un mélange spectaculaire de poissons des milieux tropicaux et tempérés.

2 BUSSELTON
À Geographe Bay, à 230 km au sud de Perth, la plongée se pratique en particulier sur le Four Mile Reef – un récif calcaire de 40 km à 6,5 km au large –, ainsi que sur l'épave du HMAS *Swan*, coulé au large de Dunsborough.

3 ALBANY
Albany est devenue une destination recherchée par les plongeurs depuis le sabordage volontaire, en 2001, du navire de guerre HMAS *Perth*, destiné à créer des récifs artificiels. Ces récifs coralliens tempérés et tropicaux hébergent les étranges dragons des mers feuillus.

4 ESPERANCE
Dans l'archipel de la Recherche, au large d'Esperance, plongez en quête de l'épave du *Sanko Harvest*. Vous aurez peut-être la chance de voir des dauphins.

Circuits organisés

AUSSIE OFF ROAD TOURS En 4x4
(0429 929 175 ; www.aussieoffroadtours.com.au). Ces excellents circuits gérés et conduits par des Aborigènes font la part belle à leur histoire et à leur culture. Entre autres : observation de la faune au crépuscule (90 $), journée entière au François Peron National Park (189 $), 2 jours en camping dans le parc François Peron (300 $) ou 2 jours à Steep Point (390 $).

SHARK BAY SCENIC FLIGHTS Vols panoramiques
(08-9948 1773 ; www.sharkbayair.com.au). Différents vols panoramiques, dont un survol de Monkey Mia (15 min, 55 $), ou de Steep Point et des falaises de Zuytdorp (40 min, 150 $). Également, vol vers/depuis Overlander Roadhouse (aller simple, 120 $).

Shark Bay Coaches & Tours Excursion
(08-9948 1081 ; www.sbcoaches.com ; bus/quad 80/80 $). Circuit en bus (demi-journée) vers tous les sites clés. Balade de 2 heures en quad vers différents endroits.

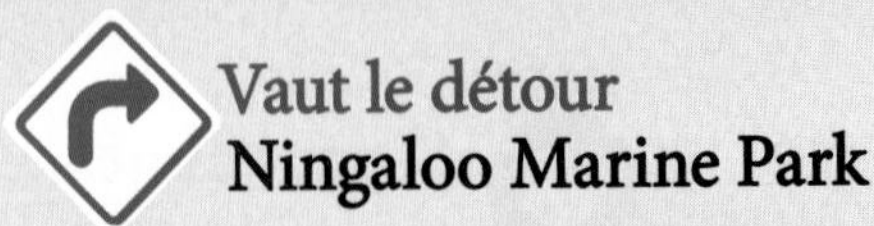

Vaut le détour
Ningaloo Marine Park

À deux heures de vol au nord de Perth, Ningaloo est le plus grand récif frangeant d'Australie. Située par endroits à 100 m seulement au large de la péninsule, cette barrière corallienne se révèle étonnamment accessible. Elle abrite une **flore et une faune marines** d'une fabuleuse diversité, notamment des requins, des raies mantas, des baleines à bosse, des tortues, des dugongs et des dauphins, sans parler de plus de 500 espèces de poissons.

Plus de 200 espèces de **coraux** durs ont été recensés dans le Ningaloo, du corail à croissance lente aux boules de corail et aux délicates variétés à branches. La période du frai, où les coraux hermaphrodites libèrent simultanément œufs et semence dans l'eau, se situe après les pleines et nouvelles lunes de février à mai, avec un pic généralement dans les 6 à 10 jours suivant les nouvelles lunes de mars et avril.

C'est ce frai qui attire le visiteur le plus populaire du parc, un mammifère sous-marin solitaire, le **requin-baleine** *(Rhiniodon typus)*. Ningaloo est l'un des rares endroits de la planète où ces géants pacifiques reviennent chaque année avec une précision d'horloge se nourrir de plancton et de petits poissons, ce qui en fait le paradis des biologistes marins et des touristes.

La plupart des gens viennent dans le Ningaloo Marine Park pour faire du **snorkeling**. Arrêtez-vous au **centre d'information des visiteurs de Milyering** (08-9949 2808 ; Yardie Creek Rd ; 9h-15h45) pour y récupérer des cartes et des renseignements sur les meilleurs spots et les conditions de plongée. Tenez compte de la carte des marées et soyez conscient de vos limites, car les courants peuvent être dangereux. La boutique à côté du centre loue l'équipement pour le snorkeling (10 $/j).

Il y a aussi de superbes sites de plongée avec bouteille à À Lighthouse Bay, le Labyrinth et à Blizzard Ridge.

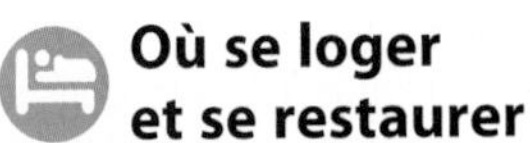

Où se loger et se restaurer

DENHAM SEASIDE TOURIST VILLAGE Caravaning **$$**
(1300 133 733 ; www.sharkbayfun.com ; Knight Tce ; empl sans élec/avec élec/avec sdb 29/34/42 $, d cabins 80 $, chalets 1/2 ch 120/130 $;). Au bord de l'eau, joli et ombragé, c'est certainement le plus beau terrain de caravaning de la ville. Si vous arrivez après 18h, téléphonez avant.

OCEANSIDE VILLAGE Cabins **$$**
(1800 680 600 ; www.oceanside.com.au ; 117 Knight Tce ; cabins 130-185 $;). Appartenant à des Hollandais, ces *cabins* bien équipées et impeccables ont des balcons ensoleillés et sont situées en face de la plage.

OLD PEARLER RESTAURANT Poisson **$$$**
(08-9948 1373 ; 71 Knight Tce ; repas 26-48 $; dîner lun-sam). Construit en briques de coquillages, ce restaurant plein de charme sert de sublimes poissons et fruits de mer. Au menu figurent de l'empereur rouge local, du pêche-madame moucheté (*whiting*), de la langouste, des crevettes et du calamar, tous grillés (pas de friture).

Renseignements

Centre d'information des visiteurs de Shark Bay (08-9948 1590 ; www.sharkbaywa.com.au ; 53 Knight Tce ; 9h-18h). Dans le hall du Discovery Centre. Bonne source d'information sur le parc, il effectue aussi les réservations d'hébergement et de circuits. Délivre les permis (gratuits) de camper dans le bush pour le South Peron.

Ailleurs en Australie : le best of

Canberra (p. 338)

La capitale australienne ne se limite pas à ses bâtiments administratifs. Commencez par ses musées.

Adélaïde et Kangaroo Island (p. 340)

Adélaïde ne manque pas de style, de culture... et de pubs. Au large, "KI" constitue un fabuleux spectacle naturel.

Tasmanie et Port Arthur (p. 343)

L'île-État vous présente ses bagnes, son patrimoine naturel et un remarquable musée.

En haut : Bébé phoque, Kangaroo Island (p. 342)
En bas : Port Arthur (p. 345)

PHOTOGRAPHE : (EN HAUT) CHRISTOPHER GROENHOUT/LONELY PLANET IMAGES ©; (EN BAS) KRZYSZTOF DYDYNSKI/LONELY PLANET IMAGES ©

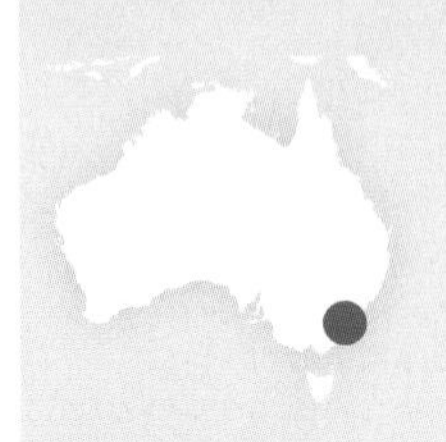

Canberra

CHRISTOPHER GROENHOUT/LONELY PLANET IMAGES ©

LES INCONTOURNABLES

1. **National Museum of Australia** (photo ci-dessus). Découvrez la quintessence de l'art australien.
2. **National Gallery of Australia** Arpentez les couloirs de la création artistique.
3. **Australian War Memorial** Saluez les glorieux disparus.

Canberra

La ville de Canberra illustre les aspirations de la jeune nation australienne : son paysage urbain a été conçu pour mettre en valeur ses institutions démocratiques et culturelles. Elle est la destination idéale pour les amateurs de musées, qui présentent de superbes collections artistiques et historiques.

À voir

NATIONAL MUSEUM OF AUSTRALIA Musée
(**☎1800 026 132, 02-6208 5000 ; www.nma.gov.au ; Lawson Cres, Acton Peninsula ; entrée libre ; 9h-17h).** Conçu par Ashton Raggatt McDougall et Robert Peck von Hartel Trethowan, le National Museum recourt à la créativité, à la controverse, à l'humour et à la contradiction pour décomposer l'identité nationale et pousser les visiteurs à se forger leur propre opinion. Le personnel, nombreux, vous guide à travers les expositions ayant trait à la transformation de l'environnement, à la culture aborigène, aux emblèmes nationaux, etc. Des **visites guidées** (adulte/enfant 7,50/5,50 $) de 1 heure sont proposées.

NATIONAL GALLERY OF AUSTRALIA Musée
(**☎02-6240 6502 ; www.nga.gov.au ; Parkes Pl, Parkes ; accès libre à la collection permanente ; 10h-17h).** La National Gallery possède une collection impressionnante de plus de 100 000 œuvres, dans quatre grands domaines : l'art des Aborigènes et des insulaires du détroit de Torres, l'art australien (de la colonisation à nos jours), l'art asiatique et l'art international. Il vous sera proposé des **visites guidées** (11h et 14h) complètes, ainsi qu'une **visite** (11h jeu et dim) centrée sur l'art des Aborigènes et des insulaires du détroit de Torres. Les visiteurs non-voyants peuvent demander le *Braille Guide*.

AUSTRALIAN WAR MEMORIAL Musée
(**☎02-6243 4211 ; www.awm.gov.au ; Treloar Cres, Campbell ; entrée libre ; 10h-17h).** Dominant Anzac Parade et le lac Burley

Griffin, le Mémorial australien de la guerre est l'un des plus beaux musées du pays, et le plus visité. Des visites guidées gratuites de 1 heure 30 ont lieu chaque jour ; vous pourrez aussi acheter la brochure *Self-Guided Tour* (3 $).

PARLIAMENT HOUSE Édifice historique
(☎02-6277 5399 ; www.aph.gov.au ; entrée libre ; ⏲9h-17h). Le bâtiment du Parlement a été inauguré en 1988. Il s'agit d'une construction extravagante, qui a nécessité un budget de 1,1 milliard de dollars. Encastré dans Capital Hill, il est coiffé d'un toit herbeux surmonté d'une hampe haute de 81 m, où flotte un drapeau gigantesque !

Des **visites guidées** (⏲ttes les 30 min 9h-16h) gratuites de 45 min sont proposées quand l'Assemblée ne siège pas. Elles sont réduites à 20 min les autres jours, mais libre à vous de vous promener et d'observer le déroulement de la session depuis les galeries réservées au public.

Où se loger

DIAMANT Hotel de charme **$$$**
(☎02-6175 2222 ; www.diamant.com.au ; 15 Edinburgh Ave, Civic ; ch/ste à partir de 180/295 $; ❄📶). Hôtel de charme branché, niché dans un coin tranquille de Civic, non loin du Musée national. Ses 80 chambres traduisent un souci du détail – jolis carreaux dans la sdb, TV à écran plat, etc.

BRASSEY Hôtel **$$**
(☎02-6273 3766 ; www.brassey.net.au ; angle Belmore Gardens et Macquarie St, Barton ; s 175-192 $, d 190-207 $, petit-déj compris ; ❄📶). Bel hôtel historique, à deux pas du Parlement, de la National Gallery, d'autres musées et de la piscine Manuka. Vastes chambres décorées dans un style imposant inspiré des années 1920.

Où se restaurer

ITALIAN & SONS Italien **$$**
(☎02-6162 4888 ; 7 Lonsdale St, Braddon ; plats 23-32 $; ⏲déj mar-ven, dîner lun-sam). Sympathique restaurant récemment installé à la lisière de Civic, proposant des plats sophistiqués généreusement servis, ainsi que des pâtes et des pizzas cuites au feu de bois, le tout à base des meilleurs ingrédients.

Renseignements

Office du tourisme

Centre d'information des visiteurs de Canberra (Canberra Visitors Centre ; ☎1300 554 114, 02-6205 0044 ; www.visitcanberra.com.au ; 330 Northbourne Ave, Dickson ; ⏲9h-17h30 lun-ven, 9h-16h sam-dim)

Depuis/vers Canberra

Avion

L'aéroport international de Canberra (☎02-6275 2236) est desservi par Qantas (☎13 13 13, TTY – télétype – 1800 652 660 ; www.qantas.com.au ; Jolimont Centre, Northbourne Ave, Civic) et Virgin Australia (☎13 67 89 ; www.virginaustralia.com), qui assurent des vols directs pour Adélaïde, Brisbane, Melbourne et Sydney.

Bus

La gare routière inter-États (Interstate Bus Terminal) est située au Jolimont Centre.

Train

La gare de Kingston (Wentworth Ave) est le terminus ferroviaire de la ville. Les trains du réseau CountryLink circulent depuis/vers Sydney (56 $, 4 heures 30, 2/j).

Adélaïde et Kangaroo Island

DIANA MAYFIELD/LONELY PLANET IMAGES ©

LES INCONTOURNABLES

1. **Central Market** Goûtez aux fromages, fruits et cafés dans toute leur splendeur.
2. **Kangaroo Island** (p. 342). Admirez le défilé des manchots.
3. **National Wine Centre of Australia** (photo ci-dessus). Entourée de régions viticoles réputées (Barossa Valley, McLaren Vale, Clare Valley), Adélaïde est l'endroit rêvé pour déguster un vin australien.

Adélaïde

Sophistiquée, cultivée et détendue, telle est l'image que projette Adélaïde, clin d'œil à l'époque de la colonisation libre sans le fardeau de "colonie pénitentiaire". Des saveurs multiculturelles inspirent les restaurants ; les pubs, les arts et la musique profitent d'une ambiance dynamique, et des festivals se succèdent toute l'année.

À voir

La plupart des principaux sites sont accessibles à pied du centre-ville et beaucoup jalonnent North Tce.

CENTRAL MARKET Marché

(www.adelaidecentralmarket.com.au ; entre Grote St et Gouger St ; 7h-17h30 mar, 9h-17h30 mer-jeu, 7h-21h ven, 7h-15h sam). Les quelque 250 étals du superbe marché central permettent de satisfaire les envies culinaires les plus simples et les plus folles : une saucisse sans gluten à la Gourmet Sausage Shop, un morceau de stilton anglais à la Smelly Cheese Shop, un yaourt aux myrtilles à la Yoghurt Shop... vous ne parviendrez pas à résister !

GRATUIT **ART GALLERY OF SOUTH AUSTRALIA** Galerie d'art

(www.artgallery.sa.gov.au ; North Tce ; 10h-17h). Passez quelques heures dans cette galerie voûtée qui présente les grands noms de l'art australien. Audioguides gratuits de la collection australienne et visites guidées gratuites tous les jours à 11h et à 14h.

GRATUIT **NATIONAL WINE CENTRE OF AUSTRALIA** Centre viticole

(www.wineaustralia.com.au ; angle Botanic Rd et Hackney Rd ; dégustation à partir de 10 $; 9h-17h lun-ven, 10h-17h sam-dim). Ce centre bien agencé propose une exposition interactive autoguidée "Wine Discovery Journey" (gratuite), ainsi que la dégustation (payante) de vins australiens. Des **visites guidées** gratuites de 30 min débutent tous les jours à 11h30.

HOLGER LEUE/LONELY PLANET IMAGES ©

À ne pas manquer Flinders Chase National Park

Occupant la pointe ouest de l'île, le **Flinders Chase National Park** (www.environment.sa.gov.au ; entrée adulte/enfant/tarif réduit/famille 9/5,50/7/24,50 $) est un superbe parc national. Faisant jadis partie d'une ferme, **Rocky River** est un véritable foyer de vie sauvage, comptant des kangourous, des wallabies et des oies de Cape Barren qui aiment courtiser les visiteurs.

De Rocky River, une route court vers le sud jusqu'à un **phare** isolé de 1906 au sommet du **cap du Couedic**. Une promenade en planches descend jusqu'à l'**Admirals Arch**, une arche immense creusée par les flots, et continue vers une colonie d'otaries à fourrure de Nouvelle-Zélande.

À Kirkpatrick Point, à quelques kilomètres à l'est du cap du Couedic, les **Remarkable Rocks**, des rochers de granit sculptés par l'érosion, coiffent un dôme rocheux qui plonge dans l'océan, 75 m plus bas.

Où se loger

CLARION HOTEL SOHO Hôtel **$$**

(08-8412 5600 ; www.clarionhotelsoho.com.au ; 264 Flinders St ; d 145-590 $;). *Oh ! lala !* Ses 30 suites somptueuses (certaines avec spa, la plupart avec balcon) s'agrémentent de beaux draps, de ports pour iPod et de sdb en marbre italien. À cela s'ajoutent le service en chambre 24h/24 et un fabuleux restaurant.

HOTEL RICHMOND Hôtel **$$**

(08-8223 4444 ; www.hotelrichmond.com.au ; 128 Rundle Mall ; d avec petit-déj à partir de 165 $;). Ce bel hôtel occupe un majestueux bâtiment des années 1920, au milieu de Rundle Mall. Il propose des chambres au décor moderne minimaliste avec de grands lits, des meubles en chêne de style italien, ainsi que des sdb en marbre et, chose rare, des fenêtres qui ouvrent. Films, journaux et accès à la salle de gymnastique.

Où se restaurer

MESA LUNGA Méditerranéen **$$**
(☎08-8410 7617 ; www.mesalunga.com ; angle Gouger St et Morphett St ; tapas 4-25 $, plats 17-28 $; ⏲déj ven et dim, dîner mar-dim). Tapas et bonnes pizzas.

Renseignements

Office du tourisme

South Australian Visitor & Travel Centre (☎1300 764 227 ; www.southaustralia.com ; 18 King William St ; ⏲8h30-17h lun-ven, 9h-14h sam-dim)

Depuis/vers Adélaïde

Avion

L'aéroport d'Adélaïde (www.aal.com.au ; 1 James Schofield Dr, Adelaide Airport) relie de nombreuses villes par des vols réguliers.

Bus

Adelaide Central Bus Station (www.cityofadelaide.com.au ; 85 Franklin St). Bus régionaux et nationaux.

Train

Gare ferroviaire inter-États, l'Adelaide Parklands Terminal (www.gsr.com.au ; Railway Tce, Keswick) se situe à 1 km au sud-ouest du centre-ville.

Kangaroo Island

L'île est devenue une destination prisée où les amoureux de la nature côtoient des phoques, des oiseaux, des dauphins, des échidnés et des kangourous.

À voir et à faire

Le Kangaroo Island Penguin Centre (www.kipenguincentre.com.au ; Kingscote Wharf ; adulte/enfant/famille 17/6/40 $; ⏲visites 20h30 et 21h30 oct-jan et mars, 19h30 et 20h30 avr-oct, fermé fév) organise des visites de 1 heure de ses aquariums d'eau de mer et de la colonie locale de manchots, avec observation des étoiles par temps clair.

Le **Seal Bay Conservation Park** (☎08-8553 4460 ; www.environment.sa.gov.au/sealbay ; South Coast Rd ; visites tarif adulte/enfant/réduit/famille sans guide 12,50/8/10/35 $, avec guide 22,50/16,50/22/75 $, tombée de la nuit 50/30/40/136 $; ⏲visites 9h-16h15 tte l'année, jusqu'à 17h15 déc-fév) vous convie à saluer une colonie de lions de mer sur la plage.

Où se loger et se restaurer

AURORA OZONE HOTEL Hôtel **$$**
(☎1800 083 133, 08-8553 2011 ; www.aurorareresorts.com.au ; angle Commercial St et Kingscote Tce, Kingscote ; d motel/ste à partir de 139/231 $, app 1/2/3 lits à partir de 293/505/597 $; ❄@📶🏊). Pub centenaire avec des suites et des appartements dans une nouvelle aile. Bistrot avec grillades, poissons et vins de l'île.

KANGAROO ISLAND WILDERNESS RETREAT Hôtel **$$**
(☎08-8559 7275 ; www.kiwr.com ; South Coast Rd ; d 190-530 $; ❄@). Des wallabies viennent paître dans la cour chaque soir ! Bar-restaurant et dîner (28-35 $).

Renseignements

Centre d'information des visiteurs de Gateway (☎08-8553 1185 ; www.tourkangarooisland.com.au ; Howard Dr, Penneshaw; ⏲9h-17h lun-ven, 10h-16h sam et dim)

Depuis/vers Kangaroo Island

Avion

Regional Express (www.regionalexpress.com.au). Vols quotidiens entre Adélaïde et Kingscote.

Bus

Sealink (www.sealink.com.au) assure 2 services entre Adélaïde Central Station et Cape Jervis.

Ferry

Sealink (www.sealink.com.au) relie Cape Jervis et Penneshaw sur KI – au moins 3 car-ferries par jour

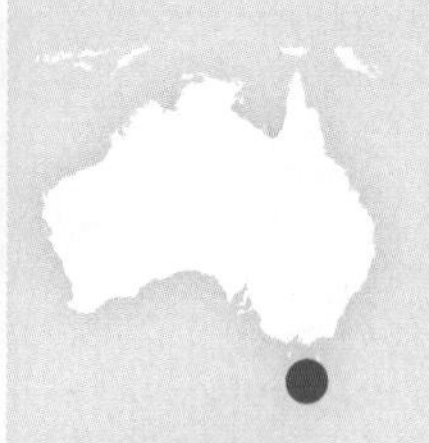

Tasmanie et Port Arthur

LES INCONTOURNABLES

1. **MONA** (photo ci-dessus). Le nouveau Museum of Old and New Art de Hobart est épatant !
2. **Salamanca Market** Flânez entre les étals le samedi matin.
3. **Port Arthur** (p. 345). Admirez le paysage somptueux et profitez du silence.

Hobart

Hobart, deuxième ville la plus ancienne d'Australie et capitale d'État la plus méridionale, s'étend au pied du Mt Wellington sur les rives de la Derwent River. Au riche patrimoine colonial et à la beauté naturelle s'ajoutent une ambiance détendue et joyeuse, des festivals, d'excellents restaurants et des bars chics et branchés.

À voir

SALAMANCA PLACE Secteur historique

La rangée d'entrepôts en grès de 4 étages dans Sullivans Cove constitue un bel exemple d'architecture coloniale et le quartier historique urbain le mieux conservé du pays. Les années 1970 ont vu fleurir la notion de patrimoine en Tasmanie, encourageant la rénovation d'entrepôts, de maisons, de restaurants, de cafés et de boutiques. Depuis 1972, le samedi matin, babas ccol et artisans locaux vendent leur production au **Salamanca Market** (8h30-15h sam).

MONA Musée

Le **Museum of Old and New Art** (MONA; 03-6277 9900; www.mona.net.au ; plus de 16 ans 20 $; 10h-18h mer-lun) est décrit par son propriétaire, David Walsh, comme un "Disneyland subversif pour adultes". Les extraordinaires installations sont réparties sur 3 niveaux souterrains, cachés dans une paroi rocheuse. Des antiquités côtoient des œuvres plus récentes, comme *Snake* de Sidney Nolan et *Untitled* (toutes deux en photo ci-contre), de Jannis Kounellis.

Où se loger

ASTOR PRIVATE HOTEL Hôtel **$$**

(03-6234 6611 ; www.astorprivatehotel.com.au ; 157 Macquarie St ; s à partir de 77 $, d 93-140 $, petit-déj compris ;). Vaste hôtel des années 1920, l'Astor possède des fenêtres à vitraux, des meubles anciens et des plafonds ornés de roses.

GRANT DIXON/LONELY PLANET IMAGES

À ne pas manquer Cradle Mountain-Lake St Clair National Park

La Tasmanie est connue mondialement pour la fabuleuse région de **Cradle Mountain-Lake St Clair**, d'une superficie de 168 000 ha et classée au patrimoine mondial. La région englobe le Mt Ossa (1 617 m), point culminant de la Tasmanie, et le Lake St Clair, le lac naturel le plus profond d'Australie (167 m).

Le **centre d'information des visiteurs de Cradle Mountain** (03-6492 1110 ; www.parks.tas.gov.au ; Cradle Mountain Rd ; 8h-17h, horaires réduits hiver) fournit des informations exhaustives sur la randonnée (y compris sur les pass du parc national et de l'Overland Track et sur l'enregistrement) et présente des expositions pédagogiques sur la faune, la flore et l'histoire du parc.

HENRY JONES ART HOTEL Hôtel de charme **$$$**
(03-6210 7700 ; www.thehenryjones.com ; 25 Hunter St ; d 320-420 $, ste 400-850 $; @). Ouvert en 2004, le Henry Jones est devenu un symbole d'élégance sans être intimidant. Installé au bord de l'eau dans une fabrique de confitures restaurée, il comprend des équipements luxueux, avec bar, restaurant et café au rez-de-chaussée.

Où se restaurer

GARAGISTES Australien moderne **$$$**
(03-6231 0558 ; www.garagistes.com.au ; 103 Murray St ; dim déj 65 $, dîner petites assiettes 17-32 $; déj dim, dîner mer-sam). L'excellent Garagistes sert des petites assiettes novatrices dans une salle simple et superbe. Chaudement recommandé, le déjeuner dominical se compose de 4 plats.

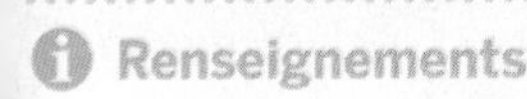

Renseignements

Office du tourisme

Centre des visiteurs de Hobart (☎03-6230 8233 ; www.hobarttravelcentre.com.au ; angle Davey St et Elizabeth St ; ⏰8h30-17h30 lun-ven, 9h-17h sam-dim et jours fériés)

Port Arthur

Entre 1830 et 1877, 12 500 convicts purgèrent leur peine à Port Arthur, devenu le centre d'un réseau de pénitenciers sur la péninsule. Bien que Port Arthur soit aujourd'hui un site touristique majeur, avec plus de 300 000 visiteurs chaque année, la bourgade reste un endroit lugubre, hanté par le passé.

Le centre des visiteurs au **Port Arthur Historic Site** (☎03-6251 2310, 1800 659 101 ; www.portarthur.org.au ; Arthur Hwy ; adulte/enfant à partir de 30/15 $; ⏰visites guidées et bâtiments 9h-17h, jardins 8h30-crépuscule) comprend un comptoir d'informationr, un café, un restaurant et une boutique de souvenirs.

D'intéressantes visites guidées (comprises dans le prix d'entrée) partent régulièrement du centre des visiteurs. Très prisé, l'**Historic Ghost Tour** (☎1800 659 101 ; adulte/enfant 22/12 $), un circuit de 1 heure 30 à la lanterne, part tous les soirs au crépuscule du centre des visiteurs ; réservation indispensable.

Depuis/vers Hobart

Avion

L'aéroport de Hobart (☎03-6216 1600 ; www.hobartairpt.com.au) se situe à Cambridge, à 16 km à l'est de la ville. Vols entre la Tasmanie et le continent australien:

Jetstar (☎13 15 38; www.jetstar.com.au)

Qantas (☎13 13 13; www.qantas.com.au)

Virgin Australia (☎13 67 89; www.virginaustralia.com)

Bateau

Spirit of Tasmania (☎1800 634 906 ; www.spiritoftasmania.com.au) possède 2 car-ferries qui effectuent la traversée de nuit (environ 10 heures) entre Melbourne et Devonport dans les deux sens.

En savoir plus

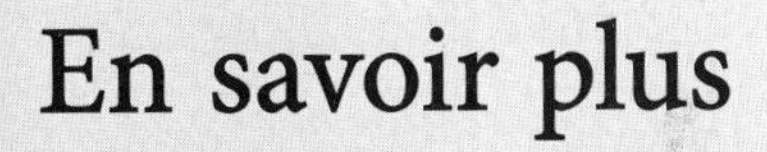

Panneau de signalisation, péninsule de Mornington, Victoria

L'Australie aujourd'hui

> *Partout au pays, vous entendrez des gens parler du temps qu'il fait et des perturbations climatiques.*

Bondi Beach (p. 75), Sydney

Religions
(% de la population)

Sur 100 personnes en Australie

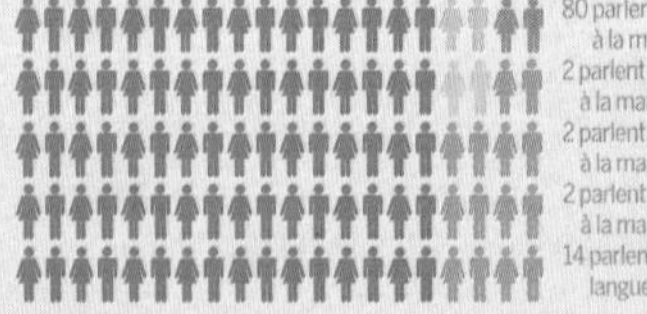

Population au km²

≈ 3 personnes

AUSTRALIE FRANCE NOUVELLE-ZÉLANDE

Les Australiens

L'Australie s'est forgé une identité géographique et culturelle unique au fil des millénaires. Séparé de l'ancien continent du Gondwana il y a plus de 45 millions d'années, le territoire, sujet aux catastrophes naturelles, a fait son jeu des incendies ravageurs, des longues périodes de sécheresse et des inondations destructrices pour dessiner l'un des reliefs les plus spectaculaires de la planète. Les Australiens en sont la meilleure preuve. Derrière leur opiniâtreté se cachent une exubérance et un sens de l'hospitalité qui vous mettront à l'aise en un rien de temps.

Tout le monde en parle

Partout au pays, vous entendrez des gens parler du temps qu'il fait et des perturbations climatiques. Si l'Australie a toujours été le pays des extrêmes, les événements récents n'ont fait qu'en renforcer l'idée. Une décennie de sécheresse, dont le paroxysme fut la série d'incendies du bush dans l'État du Victoria (le "Samedi noir" de 2009), n'a pris fin que

OLIVER STREWE/LONELY PLANET IMAGES ©

pour voir des inondations massives dans l'est de l'Australie. En 2011, les pluies diluviennes ont repris tandis que le cyclone Yasi, de catégorie 5, dévastait le Queensland. Les déserts du centre sont verts, le plus grand lac du pays, le lac Eyre, déborde (ce qui n'arrive qu'une ou deux fois par siècle), mais la sécheresse persiste en Australie-Occidentale.

État d'esprit

Bien sûr, chaque État fait face à ses problèmes locaux. Le Queensland continue sa lutte contre les effets dévastateurs des terribles inondations et du cyclone Yasi.

En Nouvelle-Galles du Sud, la défaillance de l'économie, du système des transports et des infrastructures fait monter les tensions. Le gouvernement australien travailliste, au pouvoir depuis 1995, a été évincé en 2011.

Au Victoria, en dehors des incendies de bush et des inondations, la coûteuse usine de dessalement en cours de construction à Wonthaggi fait l'objet de controverses depuis que la sécheresse n'est plus un problème actuel. Quant aux centrales électriques à charbon de la Latrobe Valley, qui fournissent 85% de l'électricité du Victoria, elles contribuent fortement à l'augmentation des émissions de gaz à effet de serre.

Dans le Territoire du Nord, le gouvernement essaie d'endiguer la délinquance juvénile, avec, notamment, la création d'un centre de détention pour les jeunes à Alice Springs et des centres d'hébergement pour accueillir les jeunes. Les problèmes de drogue, de violences familiales et les statistiques alarmantes sur la santé restent un fléau qui ternit l'image des communautés aborigènes.

L'Australie-Occidentale est une région plus difficile à cerner : toujours soumise aux aléas de la sécheresse, elle voit néanmoins exploser son économie grâce à ses gigantesques richesses minérales. Le revenu familial moyen est ici plus élevé que partout ailleurs au pays. Ici, personne ne veut évidemment entendre parler d'un impôt minier prélevé par le gouvernement fédéral...

L'Australie du Sud – l'État le plus sec du pays – est en train de ressentir les effets positifs de toute cette pluie qui tombe plus au nord. Le Murray, un fleuve puissant, connaît à nouveau un important débit après des années de salinisation et de dégradation de l'habitat.

Enfin, en Tasmanie, les écologistes et les autorités gouvernementales s'affrontent depuis des décennies au sujet de l'exploitation forestière et de l'énergie hydroélectrique. Des arbres ou des emplois ? Des emplois ou des arbres ? Le "peace deal" (accord de paix), signé en 2010 entre la compagnie forestière Gunns et les groupes de protection, a abouti à un moratoire dans l'exploitation du bois des forêts primaires de Tasmanie.

Histoire

Michael Cathcart

Drapeaux aborigènes et australiens quand le Premier ministre présenta des excuses officielles aux Aborigènes en 2007 (p. 3

TIM BARKER/LONELY PLANET I

Au lever du soleil, l'orage est passé. Zachary Hicks, à demi endormi, garde un œil distrait sur la progression du navire britannique Endeavour *lorsqu'une vision miraculeuse le sort de sa torpeur. Il appelle le capitaine, James Cook. Dans l'air vif du petit matin, ce 19 avril 1770, se dresse devant eux un territoire qui ne figure sur aucune carte, un pays de collines boisées et de vallées tranquilles. Les jours suivants, James Cook esquisse la première carte européenne de la côte orientale de l'Australie.*

Deux semaines plus tard, le capitaine se rend sur une plage étroite, accompagné d'un détachement d'hommes. Tandis qu'ils regagnent la rive, deux Aborigènes apparaissent, les menaçant de leurs lances. James Cook les abat de son mousquet. Le temps passe ; les Aborigènes et les Britanniques s'observent avec méfiance. L'*Endeavour* constitue une véritable annexe flottante de la Royal Society, la grande société scientifique londonienne. Des ingénieurs, des scientifiques, un astronome et un riche botaniste, Joseph Banks, figurent

60 000-35 000 av. J.-C.

Les premiers Aborigènes arrivent par la mer dans le nord de l'Australie.

au nombre des passagers. Les botanistes, Banks en tête, s'émerveillent de l'abondance des plantes inconnues qu'ils collectent en parcourant le territoire des Aborigènes.

Le lieu où James Cook et son équipage ont accosté est appelé Kurnell par les Aborigènes. Le capitaine préfère lui attribuer un nom étranger : Stringer Bay et plus tard Botany Bay (baie de la Botanique).

À l'extrême nord du cap York, le bleu de l'océan ouvre vers l'ouest, comme une promesse de retour pour l'*Endeavour* et son équipage. C'est ici que le capitaine Cook choisit une petite île vallonnée ("Possession Island", île de la Possession) pour planter le drapeau de la Couronne britannique, l'Union Jack. Sous les salves des armes à feu, il revendique la moitié orientale du continent au nom du roi George III.

Cook ne pense pas prendre la terre appartenant aux Aborigènes, sur lesquels il porte un regard idéalisé. Il écrit : "Ils sont, de loin, plus heureux que les Européens. Ils se jugent riches de tout ce qui est nécessaire à la vie et ne sont encombrés d'aucune surabondance." Par son patriotisme, il vise avant tout à contenir les ambitions expansionnistes des Français et des Hollandais qui ont visité, au cours des deux siècles précédents, une grande partie des côtes occidentale et méridionale. D'ailleurs, la moitié occidentale de l'Australie porte le nom de Nouvelle-Hollande.

L'arrivée des convicts

En 1788, soit 18 ans après Cook, les Anglais reviennent, bien décidés à s'y installer. Une flotte de 11 navires chargés d'armes, d'outils, de matériaux de construction et de bétail transporte 751 convicts (forçats ou bagnards condamnés à la déportation), ainsi que des soldats, des officiers et leurs épouses, au nombre de 250 environ. Cette Première Flotte (First Fleet) disparate est placée sous le commandement du capitaine de la Royal Navy, Arthur Phillip, un homme qui allie zèle et humanité. Phillip jette l'ancre à Botany Bay. Toutefois, le paradis perdu de Banks le plonge dans le désarroi. Phillip part donc à la recherche d'un lieu plus accueillant. Après avoir remonté la côte, il pénètre, le cœur battant, dans l'un des plus beaux ports naturels au monde. Dans une petite anse, sur le territoire des Eora, il établit la première colonie pénitentiaire britannique en terre australienne. Il donne au site le nom du ministre de l'Intérieur, Lord Sydney.

Selon les instructions officielles, Phillip doit prendre possession du territoire sans faire usage de violence. Parmi les Aborigènes que le gouverneur Philip utilisa comme intermédiaires figurait un influent Eora, du nom de Bennelong, qui adopta les coutumes et manières des Blancs. Durant de nombreuses années, après son retour à Sydney, Bennelong vécut dans une hutte construite pour lui sur une langue de terre aujourd'hui connue sous le nom de Bennelong Point, à l'emplacement de l'Opéra de Sydney. Les Aborigènes n'en sont pas moins anéantis par la perte d'une partie de leur territoire. Des centaines d'entre eux succombent à la variole et nombre de survivants, y compris Bennelong, sombrent alors dans l'alcoolisme et le désespoir.

En 1803, des officiers anglais établissent une seconde colonie pénitentiaire à Van Diemen's Land (Terre de Van Diemen, l'actuelle Tasmanie). Les récidivistes sont emprisonnés dans la lugubre prison de Port Arthur, près de Hobart, où la magnifique côte sauvage fait office de "pénitencier naturel".

1606

Le Hollandais Willem Janszoon est le premier navigateur à débarquer sur le sol australien.

1770

James Cook réclame la côte est de l'Australie au nom de l'Angleterre.

1788

Le capitaine Arthur Phillip et la Première Flotte, constituée de 11 bateaux et de 1 350 personnes, accostent à Botany Bay.

Des fers à la liberté

Sydney et les autres colonies sont tributaires de l'approvisionnement par bateau. Soucieuses d'accroître la production, les autorités concèdent des terres aux soldats, aux officiers et aux anciens convicts émancipés. Après trois décennies difficiles, les fermes finissent par se développer. John MacArthur, prêt à tout pour réussir, s'impose comme le plus irascible des nouveaux propriétaires terriens. Avec son énergique épouse, Elizabeth, il introduit l'élevage du mouton mérinos dans sa propriété près de Sydney.

MacArthur est un membre influent des "Rum Corps". Cette clique d'officiers puissante pratique une politique d'intimidation à l'encontre des gouverneurs (dont William Bligh, célèbre capitaine du *Bounty*) et s'enrichit grâce au contrôle exercé sur le commerce à Sydney, et notamment sur celui du rhum. En 1810, Lachlan Macquarie met finalement un terme aux trafics. Ce nouveau gouverneur supervise le tracé des principales rues de la ville moderne de Sydney, fait construire plusieurs édifices majeurs – souvent conçus par Francis Greenway, convict et architecte de talent – et pose les bases d'une société civile.

Macquarie se fit également le défenseur des droits des convicts émancipés, leur allouant des terres et en nommant plusieurs dans la fonction publique. En Angleterre, l'Australie est désormais synonyme de terre bon marché et d'abondantes perspectives de travail. Guidés par l'appât du gain, des esprits aventureux prennent la mer.

Deux nouvelles colonies : Melbourne et Adélaïde

Dans les prairies plus fraîches de Tasmanie, les éleveurs de moutons prospèrent. En quête de nouveaux territoires, ils se lancent, dans les années 1820, dans une guerre sanglante contre les Aborigènes, qu'ils conduisent au bord de l'extinction. En 1835, un jeune éleveur ambitieux, John Batman, rejoint Port Phillip Bay sur le continent. Sur la rive de la Yarra, il choisit l'emplacement de la future Melbourne et écrit, dans son journal, cette phrase

La longue marche vers Ballarat

La réputation de Robe remonte à la ruée vers l'or des années 1850 dans le Victoria, lorsque le gouvernement de l'État imposa une taxe de 10 $ aux chercheurs d'or chinois. Pour contourner l'impôt, des milliers de Chinois débarquèrent dans cette petite ville d'Australie du Sud, avant de parcourir à pied les 400 km jusqu'à Bendigo et Ballarat. Quelque 10 000 d'entre eux y arrivèrent en 1857. Cette immigration massive cessa dès que le gouvernement de l'État gratifia à son tour les travailleurs chinois d'un impôt.

Aujourd'hui encore, les quartiers chinois animés et fréquentés des grandes villes, tout comme les restaurants chinois dans tout le pays, attestent de la présence de ce peuple dans la société australienne depuis les années 1850.

1835

John Batman conclut un accord foncier avec la nation Kulin. Création de la colonie de Melbourne la même année.

1851

Ruée vers l'or dans le centre du Victoria. Des gens accourent du monde entier. Début de la démocratie dans les colonies orientales.

1880

Ned Kelly est condamné à la pendaison, accédant au statut de héros populaire.

L'armure de Ned Kelly, Old Melbourne Gaol (p. 213)

devenue célèbre : "Voici le lieu idéal pour un village."
Il parvient à convaincre les Aborigènes de lui "vendre" leur territoire (soit 250 000 ha) en échange d'une malle remplie de couvertures, de couteaux et autres babioles. De retour à Sydney, le gouverneur Bourke déclara le contrat non valide, pas parce qu'il n'était pas équitable, mais parce que la terre appartenait officiellement à la Couronne britannique.

À la même époque, une société britannique privée s'établit à Adélaïde, en Australie du Sud. Très religieuse, elle revendique une absence totale de lien avec les convicts et vise à financer une aide à l'émigration pour les paysans pauvres britanniques, grâce à l'argent rapporté par la vente de terres à des colons aisés. Une fois immigrés, ces paysans nécessiteux peuvent à leur tour acheter des parcelles à la compagnie pour financer la venue d'autres travailleurs.

Les meilleures... Histoires de convicts

1 Port Arthur Historic Site (p. 345)

2 Museum of Sydney (p. 68)

3 Hyde Park Barracks Museum (p. 69)

4 Argyle Cut (p. 68)

L'or et la rébellion

La déportation de convicts dans l'est de l'Australie cesse dans les années 1840. En 1851, de l'or est découvert en Nouvelle-Galles du Sud et à Ballarat. La nouvelle frappe la colonie, tel un cyclone. Des hommes jeunes et quelques femmes, toutes classes sociales confondues, se ruent vers les gisements aurifères. Ils sont vite rejoints par un afflux extraordinaire de chercheurs d'or, de bistrotiers et de prostituées. Le gouverneur britannique du Victoria s'alarme de la désintégration du système de classes sociales victorien. Pour faire face à la nécessité de maintenir la loi et l'ordre sur les sites miniers, il impose aux mineurs l'achat d'un onéreux permis mensuel.

Toutefois, l'or exerce un attrait démesuré, et dans l'excitation ambiante, les mineurs tolèrent dans un premier temps la brutalité des soldats chargés du contrôle des permis. Le vent de la révolte se lève quand, au bout de trois ans, les gisements de Ballarat sont épuisés. Les chercheurs d'or, qui avancent péniblement dans des trous d'eau profonds, finissent par se dresser contre un système brutal et corrompu, et contre le mépris dont ils font l'objet. Sous la houlette de l'Irlandais Peter Lalor, ils hissent leur propre drapeau, la Croix du Sud, et jurent de défendre leurs droits et leurs libertés. Ils prennent les armes et élèvent des barricades à Eureka, où ils s'installent pour attendre la réaction des autorités.

Elle arrive le dimanche 3 décembre 1854, avant l'aube. La bataille, brutale et inégale, ne dure que quinze terribles minutes ; elle se solde par la mort de 30 mineurs et 5 soldats. Mais la démocratie est déjà en route. L'opinion publique prend la défense des chercheurs d'or. En effet, dans les colonies orientales, la création de Parlements démocratiques est déjà amorcée, avec le soutien des autorités britanniques.

1901
Les colonies australiennes se constituent en fédération. Le Parlement fédéral siège à Melbourne.

1915
Le 25 avril, l'Anzac se joint à la campagne britannique en Turquie : un fiasco militaire à l'origine d'une véritable légende patriotique.

Pendant ce temps, à l'Ouest…

L'Australie-Occidentale a quelque 50 ans de retard sur les colonies orientales. Perth, qui a été fondée en 1829, voit son développement freiné par son isolement, la résistance des Aborigènes et l'aridité du climat. En 1880, la découverte de filons d'or lui apporte l'espoir d'un enrichissement possible. L'Ouest vient tout juste d'accéder à l'autonomie. Le tout nouveau Premier ministre, John Forrest, est un explorateur énergique. Il a conscience que la réussite de l'industrie minière dépend du maintien par les autorités d'un port de premier plan, d'un réseau ferroviaire efficace et de ressources en eau suffisantes. Faisant fi des menaces des entrepreneurs privés, il nomme le brillant C. Y. O'Connor au poste d'ingénieur en chef, chargé de la conception et de la mise en œuvre des différents chantiers gouvernementaux.

L'identité nationale

Le Commonwealth of Australia est fondé le 1er janvier 1901. Dans une volonté de consolider la composante britannique et nord-européenne du pays, et de prévenir l'entrée d'immigrés jugés non désirables – populations asiatiques et des îles du Pacifique en tête –, les membres du nouveau Parlement fédéral, réunis à Melbourne, adoptent sans tarder la Loi de restriction relative à l'immigration (Immigration Restriction Act). Cette loi est à l'origine de ce que l'on appellera officieusement la "politique de l'Australie blanche".

Soldats devant le Shrine of Remembrance, érigé en souvenir des soldats du Victoria morts à la guerre, Melbourne

1939
Le Premier ministre Robert Menzies annonce l'entrée en guerre de l'Australie aux côtés de la Grande-Bretagne.

1942
Les Japonais bombardent Darwin – la première et la plus destructrice des attaques aériennes sur cette ville.

1945
Le nouveau slogan de l'Australie : "Populate or Perish !" Pendant près de 30 ans, le pays accueille plus de 2 millions d'immigrés.

La bataille de l'eau de l'ingénieur O'Connor

L'ingénieur Charles Yelverton O'Connor joua un grand rôle dans la survie de la colonie d'Australie-Occidentale. Il fit construire un aqueduc de 560 km et plusieurs grosses stations de pompage qui permirent d'acheminer l'eau depuis la côte jusqu'aux arides champs aurifères autour de Kalgoorlie. En 1902, accusé de corruption et d'utilisation impropre des fonds publics, O'Connor partit à cheval jusque dans les flots de South Fremantle et se tira une balle dans la tête. Une statue solitaire se dresse à l'endroit du drame. Son grand aqueduc continue d'alimenter en eau les villes aurifères du centre de l'Australie-Occidentale.

Pour les étrangers accueillis sur le territoire – les Blancs –, l'Australie constitue en revanche une société modèle, protégée par l'Empire britannique. En 1902, les femmes blanches obtiennent le droit de vote dans les élections fédérales. Grâce à une série de mesures radicales, le gouvernement crée un système de protection sociale et garantit le maintien des salaires. L'expression *Australian settlement* ("solution australienne") désigne ce mélange de dynamique capitaliste et de compassion socialiste.

Les débuts sur la scène mondiale

Isolés du reste du monde, vivant sur la frange côtière d'un territoire hostile et aride, la plupart des Australiens trouvent du réconfort dans leur appartenance à l'Empire britannique. Lorsque la guerre éclate en Europe en 1914, des milliers d'Australiens se rallient à l'Empire. Le 25 avril 1915, le Corps d'armée australien et néo-zélandais (Anzac) connaît son baptême du feu aux côtés des troupes britanniques et françaises sur la péninsule de Gallipoli (Turquie), dans la bataille des Dardanelles. À la fin de l'année, quand le Conseil de guerre britannique décide de mettre un terme à ce qui tourne au fiasco militaire, 8 141 Australiens sont tombés au combat. La Force impériale australienne ne tarde pas à rejoindre l'Europe et le front occidental. En tout, 60 000 Australiens périront pendant la Première Guerre mondiale.

Dans les années 1920, le vent du changement souffle sur l'Australie. Sur fond de querelle entre radicaux et réactionnaires, l'Australie traverse la décennie à vive allure. Jusqu'au krach boursier de 1929. Après l'effondrement des cours mondiaux du blé et de la laine, un foyer sur trois plonge dans le chômage, la misère et aussi la honte.

En guerre contre le Japon

La reprise économique commence en 1933. En 1939, la vie n'est guère perturbée en Australie lorsqu'Hitler précipite l'Europe dans une nouvelle guerre. Bien qu'ils craignent depuis longtemps une attaque nipponne, les habitants se croient protégés par la marine britannique. Mais, en décembre 1941, le Japon bombarde la flotte américaine à Pearl

1956

Aux Jeux olympiques de Melbourne, le jeune champion d'athlétisme Ron Clarke allume la vasque olympique.

1965

La décision de Menzies d'engager les troupes australiennes aux côtés des Américains dans la guerre du Vietnam divise le pays.

1967

Lors d'un référendum national, véritable plébiscite, la citoyenneté australienne est accordée aux Aborigènes.

Les meilleures… Ambiances historiques

1 The Rocks, Sydney (p. 67)

2 Salamanca Place, Hobart (p. 343)

3 Fremantle, Australie-Occidentale (p. 317)

4 Katoomba, Nouvelle-Galles du Sud (p. 103)

Harbor. Quelques semaines plus tard, l'"imprenable" base navale britannique de Singapour est anéantie à son tour. En peu de temps, des milliers d'hommes, Australiens et soldats des troupes alliées confondus, sont capturés et envoyés dans les camps de prisonniers nippons.

Face à la progression des Japonais en Asie du Sud-Est et en Papouasie-Nouvelle-Guinée, les Britanniques annoncent qu'ils ne sont pas en mesure de défendre l'Australie. Le général MacArthur, à la tête des troupes américaines, voit dans l'Australie une base idéale pour mener des opérations dans le Pacifique. Au fil de combats violents, les forces alliées parviennent à repousser les Japonais. Mais ce sont bien les États-Unis, et non l'Empire britannique, qui sauvent l'Australie.

Une paix visionnaire

À la fin de la Seconde Guerre mondiale, un nouveau slogan retentit : "Populate or Perish !" ("Peupler ou périr"). Le gouvernement se lance dans une politique d'immigration à grande échelle. Des immigrés arrivent de Grande-Bretagne, mais aussi de pays non anglophones – Grecs, Italiens, Serbes, Croates et Hollandais, mais aussi Turcs, peuplent l'Australie.

En plus de la demande accrue du marché mondial pour les produits de base (laine, viande et blé), des postes étaient créés dans des manufactures et dans le secteur des travaux publics, notamment pour la construction du vaste complexe hydroélectrique des Snowy Mountains, près de Canberra.

Le cricket et sa légende

En 1932, la tournée de l'équipe anglaise en Australie est ternie par l'application d'une tactique contestée par les Australiens : le *bodyline*. Pour déstabiliser le batteur star des Australiens, Donald Bradman, doté d'une frappe dévastatrice, l'équipe anglaise et leur capitaine Douglas Jardine introduisent cette nouvelle technique de lancer, d'une violence extrême. La brutalité de l'affrontement, qui provoque une crise diplomatique entre les deux pays, entrera dans la légende australienne. Bradman poursuivra ses exploits jusqu'en 1948, où il achèvera sa carrière sur une moyenne inégalée de 99,94 runs marqués par manche.

1975
Dans un contexte de réformes et d'inflation, le gouverneur général sir John Kerr dissout le gouvernement de Whitlam.

1992
Avec l'arrêt Mabo, la Haute Cour fédérale reconnaît les droits fonciers traditionnels des Aborigènes.

2000
Succès des Jeux olympiques de Sydney. Cathy Freeman remporte la médaille d'or du 400 m.

Robert Menzies, leader du Parti libéral d'Australie (United Australia Party) et Premier ministre pendant 19 ans, joue un rôle primordial dans cette période de prospérité. Imprégné de tradition britanniques, Menzies s'oppose fermement au communisme. Quand la guerre froide gagne l'Asie, l'Australie et la Nouvelle-Zélande scellent, en 1951, une alliance militaire avec les États-Unis et instaurent le traité de sécurité du Conseil du Pacifique (Anzus). Menzies envoie des troupes pour soutenir les États-Unis, enlisés dans le bourbier vietnamien. Lorsqu'il se retire l'année suivante, il laisse un héritage difficile.

Le Parti travailliste accède au pouvoir en 1972, sous la direction d'Edward Gough Whitlam. En l'espace de quatre ans, le nouveau gouvernement abolit la conscription et instaure la gratuité de l'enseignement universitaire, un système de santé universel et gratuit, le divorce par consentement mutuel et la parité salariale. En outre, il admet le principe du droit à la terre des Aborigènes. C'est l'avènement du multiculturalisme, qui reconnaît l'apport des langues, des idées et des cultures du million d'immigrants originaires de pays non anglophones.

Cependant, en 1975, inflation et scandales viennent déstabiliser le gouvernement de Whitlam. À la fin de l'année, le gouverneur général le démet de ses fonctions.

Les meilleurs… Musées d'histoire

1 Rocks Discovery Museum (p. 68)

2 Melbourne Museum (p. 221)

3 Western Australian Museum – Perth (p. 306)

4 Queensland Museum (p. 133)

De nouveaux défis

Les effets de deux siècles de développement ont aussi commencé à se faire sentir sur l'environnement – tant sur les ressources en eau que sur les forêts et les océans.

Sous la mandature de John Howard, Premier ministre de 1996 à 2007, l'Australie entame un rapprochement avec les États-Unis, en s'engageant à leurs côtés dans la guerre en Irak. Le gouvernement de Howard se distingue par sa grande fermeté à l'égard des demandeurs d'asile, son refus de reconnaître la réalité des changements climatiques et ses réformes hostiles aux syndicats. Quant au Premier ministre, il affiche un manque d'empathie criant à l'égard du peuple aborigène. Si les Australiens les plus progressistes sont plongés dans la consternation, la croissance économique assure à Howard le soutien de la classe moyenne.

En 2007, Howard est renversé par les travaillistes emmenés par Kevin Rudd. Dès son arrivée au pouvoir, cet ancien diplomate présente des excuses officielles aux Aborigènes pour les injustices dont ils ont été victimes pendant deux siècles. Le nouveau gouvernement de Rudd s'engage aussi à mener des réformes dans le domaine de l'environnement et de l'éducation, mais il se heurte à la crise de 2008. Dès juin 2010, Rudd perd le pouvoir. Le nouveau Premier ministre, Julia Gillard, doit aujourd'hui faire face, à l'instar des autres dirigeants mondiaux, à trois grands problèmes : les perturbations climatiques, la diminution des ressources pétrolières et la crise économique.

2007

Kevin Rudd, élu Premier ministre, inaugure une nouvelle ligne politique en présentant des excuses au peuple aborigène.

2010

Kevin Rudd est évincé du poste de Premier ministre, Julia Gillard lui succède.

Voyager en famille

Wet 'n' Wild (p. 130), Gold Coast

RICHARD I'ANSON/LONELY PLANET IMAGES

"C'est quand qu'on arrive ?" Un seul mot d'ordre pour passer de bonnes vacances avec ses enfants : organisation. Tout est là. Si vous prévoyez de faire de la route en famille, ne sous-estimez pas les distances. Si les grands espaces font la joie des parents stressés, ils sont rarement appréciés par les enfants. Les grandes villes et la côte est, en revanche, réservent d'innombrables activités à nos chères frimousses, dotées d'une curiosité débordante et d'une énergie sans limite.

Le guide *Voyager avec ses enfants* (2010), publié par Lonely Planet, regorge de renseignements utiles. Dans la plupart des centres-villes, des espaces publics sont prévus pour changer les bébés ; consultez l'office du tourisme local pour plus de renseignements. En général, les Australiens acceptent sans problème qu'on allaite ou qu'on change son bébé en public. Bien sûr, certains verront toujours cela d'un mauvais œil.

Les hôtels haut de gamme et beaucoup d'hôtels de catégorie moyenne sont parfaitement équipés pour accueillir les familles, tandis que les B&B sont souvent exempts de la moindre présence enfantine. Si certains cafés et restaurants ne proposent pas de menus enfant, d'autres offrent des chaises hautes et des formules spéciales ou servent volontiers des petites portions.

Si vous souhaitez passer quelques heures sans bambin, adressez-vous aux nombreuses agences de baby-sitting, dont vous trouverez la liste aux rubriques "*Baby Sitters*" et "*Child Care Centres*" des pages jaunes de l'annuaire (*Yellow Pages*) ou à la mairie.

Les enfants et les familles bénéficient de réductions pouvant aller jusqu'à 50% sur le prix des hôtels, des excursions et des billets d'entrée, ainsi que dans les transports. Selon les cas, le tarif enfant s'applique à un moins de 12 ans ou un moins de 18 ans. Pour les hébergements, les réductions sont le plus souvent réservées aux moins de 12 ans qui partagent la chambre de leurs parents. Sur les principales compagnies aériennes, les bébés voyagent gratuitement, à condition de ne pas occuper de siège. Le tarif enfant s'applique généralement entre 2 et 11 ans.

L'Australie jouit d'un excellent système de santé et les produits tels que le lait en poudre et les couches jetables sont très largement disponibles dans les centres urbains et régionaux. La plupart des agences de location de voitures proposent des sièges pour enfants moyennant 18 $ environ pour trois jours, avec des frais additionnels par journée supplémentaire.

Les meilleurs... Sites avec des enfants

1 Parcs à thème de la Gold Coast (p. 130)

2 Sydney Aquarium (p. 71)

3 Un match de l'AFL au MCG (p. 220)

4 Territory Wildlife Park (p. 279)

5 Australia Zoo (p. 155)

6 Sydney Ferries (p. 80)

À voir et à faire

Le pays ne manque pas de distractions pour les enfants. De nombreux musées, zoos, aquariums et villages de pionniers présentent des expositions consacrées à l'histoire, à la nature ou aux sciences et destinées aux plus jeunes. Bien entendu, les activités de plein air rencontrent un franc succès. Dans ce guide, vous trouverez des suggestions pour occuper vos enfants à Sydney (p. 80), Melbourne (p. 226), Perth (p. 315) et Brisbane (p. 139).

En pratique

- **Espace change** Dans nombre de villes et les grands centres commerciaux
- **Lits enfant** Dans les établissements de catégories moyenne et supérieure
- **Santé** Voir la section correspondante (p. 392)
- **Chaises hautes** Dans de nombreux restaurants, tout comme les réhausseurs
- **Couches** Largement disponibles
- **Poussettes** Les gens vous aideront, y compris dans les transports publics
- **Transports** Tous les transports publics sont accessibles aux jeunes passagers

Environnement

Tim Flannery

Femelle de kangourou géant avec son petit dans sa poche

MITCH REARDON/LONELY PLANET IMAGE

La faune et la flore australiennes sont certainement parmi les plus étranges qui soient. Et pour cause : voici au moins 45 millions d'années que l'Australie est séparée du reste de la planète.

Reliés par des bandes de terre, les autres continents ont pu s'échanger leurs espèces au cours des différentes époques. Il y a encore 15 000 ans, on pouvait aller par voie de terre de l'Afrique à la Terre de Feu en passant par l'Asie et les Amériques. Mais pas par l'Australie. Les oiseaux, mammifères, reptiles et végétaux de cette île-continent à part ont donc suivi une évolution distincte, dont résulte une nature aussi singulière que diversifiée.

Si vous restez peu de temps en Australie, il vous faudra peut-être sortir des sentiers battus pour profiter de l'extraordinaire richesse de l'environnement australien. Toutefois, certaines régions, comme Sydney, ont conservé des fragments de leur environnement originel à portée de main. Mais avant d'en profiter, donnez-vous la peine de comprendre le mode de fonctionnement de cette nature particulière.

Un environnement unique

La nature australienne résulte principalement de deux facteurs fondamentaux : un sol et un climat uniques. Ce n'est peut-être pas évident, mais les sols australiens ont joué un rôle essentiel dans le développement de la vie. Sur d'autres continents, la qualité des sols résulte notamment de l'activité volcanique, sismique ou glaciaire, intervenue à des époques géologiques récentes.

Au cours des époques récentes, ces processus de formation des sols n'ont pratiquement pas eu lieu en Australie. Seuls les volcans ont joué un rôle, mais ils couvrent moins de 2% de la surface du continent. Depuis 90 millions d'années – alors que régnaient encore les dinosaures –, l'Australie semble plongée dans une sorte de léthargie géologique. Trop plate, trop chaude et trop sèche pour permettre la formation de glaciers, elle est en outre dotée d'une croûte terrestre trop ancienne et trop épaisse pour être transpercée par des volcans ou plissée par des montagnes.

Dans ces conditions, le renouvellement du sol est impossible. En outre, la pluie a pour effet de laver le sol existant de ses richesses. La plupart des chaînes de montagnes australiennes remontent à plus de 90 millions d'années, ce qui explique la présence de vastes étendues de sable d'où surgissent leurs "ossements". Il s'agit d'un sol ancien et infertile.

L'Australie est tout aussi singulière en matière de climat. Sur la majeure partie de la planète, en dehors des régions tropicales humides, la vie suit le rythme des saisons – de l'été à l'hiver, des pluies à la sécheresse. De fait, presque toute l'Australie est soumise à l'enchaînement des saisons – parfois très marquées –, mais celui-ci n'est pas le seul facteur d'importance. Ainsi observe-t-on qu'en dépit de la neige et des températures qui chutent en hiver, seuls quelques arbres perdent leurs feuilles et peu d'animaux hibernent. La vie doit ici se soumettre à un phénomène climatique bien plus puissant : El Niño.

Ce courant marin entraîne de façon cyclique des périodes d'inondations et de sécheresse dans le pays. Même le Murray, le plus large des fleuves australiens, peut mesurer plus d'un kilomètre une année et se traverser à gué l'année suivante. Les effets d'El Niño s'ajoutent à la pauvreté du sol pour dicter leur loi. Comme on peut s'y attendre avec les effets d'El Niño, les espèces migratrices et les reproducteurs saisonniers sont rares parmi les oiseaux australiens. Beaucoup se reproduisent pendant les périodes de précipitations ; la plupart sont nomades et suivent la pluie à travers le continent.

Les meilleurs... Sites naturels de Sydney

1 Sydney Harbour National Park (p. 64)

2 Bondi to Coogee Clifftop Walk (p. 75)

3 Royal National Park (p. 98)

4 Ku-ring-gai Chase National Park (p. 77)

Fleurs

Impressionnez les Australiens par votre connaissance des emblèmes floraux des différents États et territoires du pays : Waratah (Nouvelle-Galles du Sud), Royal Bluebell (Territoire de la Capitale australienne), Cooktown Orchid (Queensland), Common Heath (Victoria), eucalyptus commun ou gommier bleu (Tasmanie), Sturt's Desert Pea (Australie du Sud), Sturt's Desert Rose (Territoire du Nord) et pattes de kangourou rouges et vertes (Australie-Occidentale).

Requins : même pas peur !

Même si vous avez la phobie des requins, ne vous laissez pas impressionner : l'Australie n'a connu en moyenne qu'une attaque mortelle par an depuis 1791. Il s'agit d'un chiffre particulièrement bas si l'on considère le nombre de plages du pays et leur fréquentation. Sydney, en particulier, détient à ce titre un record funeste. Les attaques ont culminé entre 1920 et 1940, mais, depuis l'installation de filets de protection en 1937, les requins n'ont fait qu'une victime, en 1963. Depuis, il devient si rare d'apercevoir un aileron que l'événement figure immanquablement au journal du soir. Bref, baignez-vous sans crainte, sachant que le risque d'être renversé par un bus est beaucoup plus élevé que celui de revivre un épisode des *Dents de la mer*.

Faune et efficacité énergétique

L'Australie est évidemment connue pour ses kangourous et autres marsupiaux. On peut se demander pourquoi le kangourou est le seul grand mammifère du monde à avancer par bonds. En réalité, il s'agit du meilleur moyen de se déplacer à une vitesse moyenne : l'énergie nécessaire pour bondir est stockée dans les tendons des jambes, alors que les intestins font office de pistons, vidant et remplissant les poumons sans avoir à activer les muscles de la cage thoracique.

Grâce à leur faible demande en énergie, les marsupiaux consomment un cinquième de nourriture de moins que les mammifères placentaires (des chauves-souris aux rats en passant par les baleines et l'homme). Certains animaux ont même poussé leur rendement à l'extrême. Dans les parcs nationaux et les zoos, vous remarquerez sans doute le regard absent, comme vide, des koalas. Il y a quelques années, des biologistes ont affirmé que le koala était la seule créature vivante dont le cerveau ne remplissait pas la boîte crânienne. Ce cerveau, de la taille d'une noix racornie, flotterait au milieu du liquide crânien. Mais d'autres chercheurs ont contesté cette découverte. Selon eux, les organes étudiés pourraient avoir rétréci, en raison de la mollesse du cerveau du koala. Toutefois, cerveau mou ou tête vide, il ne fait aucun doute que le koala n'est pas l'Einstein du règne animal, et l'on pense désormais que cette espèce aurait sacrifié son cerveau au profit de l'efficacité ! Les cerveaux sont très énergivores – ainsi, le cerveau humain, qui pèse environ 2% du poids du corps, utilise 20% de l'énergie produite. Les koalas se nourrissent de feuilles d'eucalyptus, qui sont tellement toxiques qu'ils doivent dépenser 20% de leur énergie à en digérer les toxines. Il en reste donc peu pour alimenter le cerveau.

Le plus proche parent du koala, le wombat (dont il existe trois espèces), dispose au contraire d'un gros cerveau pour un marsupial. Cette créature, qui peut atteindre 35 kg, revendique le titre de plus gros fouisseur herbivore de la planète. Le wombat peut rester sous terre pendant une semaine et survivre avec un tiers de la nourriture nécessaire à un mouton de taille équivalente.

Deux monotrèmes (mammifères ovipares) uniques vivent en Australie : l'échidné, à mi-chemin entre le hérisson, en plus gros et plus piquant, le fourmilier et l'ornithorynque, animal semi-aquatique à la queue de castor, aux pattes palmées et à la mâchoire cornée en bec de canard. Si l'on voit fréquemment le premier le long des sentiers du bush, le furtif ornithorynque ne se montre qu'à l'aube et au crépuscule dans les cours d'eau tranquilles.

Littérature et cinéma

Une librairie de Melbourne

MICHAEL COYNE

Si les Australiens manifestent de façon exubérante leur passion du sport, ils aiment également l'art, la littérature et le cinéma. Le pays a cependant encore du chemin à faire avant d'accéder au statut de locomotive culturelle. L'Australie, qui s'est tout d'abord appuyée sur la scène artistique européenne, a su évoluer et s'imposer grâce notamment aux apports du multiculturalisme.

Littérature

Les histoires et ballades des débuts de la postcolonisation ont mythifié la dureté de la vie des pionniers. Le nationalisme en était l'un des thèmes moteurs, surtout à la fin du XIXe et au début du XXe siècle.

Le nationalisme du bush

A. B. Paterson, dit "Banjo", s'imposa comme le poète du bush. Il est notamment l'auteur du très populaire *The Man From Snowy River* (*L'Homme de la rivière d'argent*) et de la fameuse *Waltzing Matilda*, qui, mise en musique, finit par devenir l'hymne national officieux du pays. Henry Lawson explora des thèmes plus sociaux et produisit une œuvre plus politique. Quant à Barbara Baynton, elle décrivit dans *Bush Stories* la lutte des femmes australiennes et l'âpreté de leurs conditions de vie. Ces trois auteurs participèrent au fameux *Bulletin*,

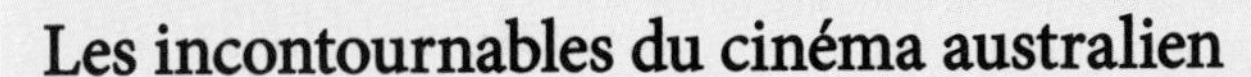

Les incontournables du cinéma australien

Ces films vous permettront de découvrir des aspects très différents de la société et de la culture australiennes, ainsi que des pages marquantes de l'histoire du pays (voir aussi p. 47).

- *Pique-nique à Hanging Rock* (1975, de Peter Weir). Ce film inclassable, dont l'action se déroule en 1900, fait une large place au paysage australien.
- *La Complainte de Jimmie Blacksmith* (1978, de Fred Schepisi). Le sentiment de décalage d'un jeune aborigène qui tente de se fondre dans la société des Blancs.
- *Héros ou salopards* (1980, de Bruce Beresford). Ce chef-d'œuvre traite de guerre et de justice. Avec les derniers jours de la guerre des Boers en toile de fond.
- *Gallipoli* (1982, de Peter Weir). Un film majeur traitant de la campagne militaire de Gallipoli sur un plan historique et humain.
- *Le Chemin de la liberté* (2002, de Phillip Noyce). Un film inspiré d'une histoire vraie, celle de trois enfants aborigènes, arrachés à leur famille, qui parcoururent 2 400 km le long d'une barrière "anti-lapins" pour rentrer chez eux.
- *Ned Kelly* (2003, de Gregor Jordan). L'histoire du célèbre héros hors-la-loi australien, né en 1855, qui fonde un gang qui sème le trouble de 1878 à 1880.

Héros ou salopards (1980), de Bruce Beresford, mythifications du mâle australien engagé pour l'Empire britannique. À la surprise générale, *Mad Max* (1979) et *Mad Max 2* (1981), films de George Miller ancrés dans la culture automobile du pays, eurent un vif succès à l'étranger et lancèrent la carrière de Mel Gibson.

Au début des années 1980, *Crocodile Dundee* (1986), de Peter Faiman et avec Paul Hogan, ne fit rien pour arranger l'image de l'Australien du bush. À la fin des années 1980 et 1990, les projecteurs se braquèrent sur les banlieues, revisitant les mythes et les clichés australiens. Les meilleurs du genre sont *Muriel* (1994), de P. J. Hogan, et *The Castle* (1997), de Rob Sitch. Parallèlement, des films puissants, comme *Ghost of the Civil Dead* (1990), film carcéral hyperréaliste de John Hillcoat, et *Sweetie* (1989), de la Néo-Zélandaise Jane Campion, montrèrent que le cinéma australien n'excellait pas que dans l'autodérision.

Ces dernières années, la plupart des films produits ont délaissé les clichés éculés de l'Australien bourru au profit de l'exploration de la diversité culturelle du pays – *Australia* (2008), film à grand spectacle de Baz Luhrmann avec Nicole Kidman, pourrait bien faire exception à la règle. Les histoires aborigènes ont trouvé le chemin des salles obscures, avec des films tels que *Sous les nuages* (*Beneath Clouds*, 2002), d'Ivan Sen, *Le Chemin de la liberté* (*Rabbit-proof Fence*, 2002), de Phillip Noyce, et *Samson et Delilah* (2009), premier long-métrage de Warwick Thornton et Caméra d'or du Festival de Cannes 2009. Les stéréotypes culturels et sexuels continuent à s'éroder avec des drames intimistes explorant la condition humaine comme *Lantana* (2001), de Ray Lawrence, et *Le Feu sous la peau* (*Suburban Mayhem*, 2007), de Paul Goldman. En outre, le cinéma australien s'est également imposé dans le domaine du film d'animation avec *Happy Feet* (2006), de George Miller, immense succès au box-office, et le plus subtil *Harvie Crumpet* (2003), d'Adam Elliot, oscar du meilleur court-métrage d'animation. Le dernier film d'Adam Elliot, le remarquable *Mary et Max*, a remporté le cristal du Festival international d'animation d'Annecy en 2009.

Musique

Concert au Woodford Folk Festival, Queensland

SIMON FOALE / LONELY PLANET IMAGES

Le rock australien est né dans le climat conservateur des années 1970, alimenté par la scène musicale florissante des pubs et popularisé par l'énorme succès de Countdown, *une émission de télévision australienne qui mettait en avant des groupes locaux.*

La scène populaire et rock

En 1980, l'album du groupe AC/DC, Back in Black, s'est vendu à 10 millions d'exemplaires rien qu'aux États-Unis. Cold Chisel a également débuté à la même période. Avec leur look typique australien et leur rock fervent, ils ont connu un succès instantané – Cold Chisel et East sont leurs meilleurs albums. La première incursion de Paul Kelly dans la musique date aussi de cette époque. Son album solo de ballades folk, Post (1985), lui a assuré une place dans les annales. Le groupe politico-pop Midnight Oil a occupé la tête des classements à l'époque de Diesel & Dust (1987). Quant aux Go Betweens, l'une des réussites artistiques majeures de la musique australienne, ils ont duré une décennie, avant de se séparer en 1989. Nick Cave and the Bad Seeds font partie des nombreux groupes à avoir percé en Australie dans les années 1980, avant de partir à l'étranger. La sortie de l'album Kick, en 1987, a permis à INXS d'atteindre la renommée internationale.

Vers la fin des années 1980, époque où l'émission musicale *Countdown* a commencé

à s'essouffler, la scène populaire a vu le rock céder la place à la chanson commerciale. Kylie Minogue s'est alors lancée avec *Locomotion*, en 1987, rencontrant le succès que l'on sait. Quant à John Farnham, son *Whispering Jack*, sorti en 1986, reste l'album qui s'est le mieux vendu de toute l'histoire australienne.

Depuis les années 1990

Le panorama musical des années 1990 a été dominé par des remix lounge et des rythmes électroniques. Le début du deuxième millénaire s'est en revanche traduit par une renaissance du rock. Le groupe melbournien Jet s'est alors imposé comme le fer de lance du mouvement. D'autres formations, comme Augie March, Wolfmother, The Drones, Powderfinger, The Vines, You Am I et Eskimo Joe occupent également la scène musicale. Le trio Hilltop Hoods, originaire d'Adélaïde, est devenu le groupe de hip-hop le plus vendu dans le pays.

Depuis quelques années, la scène australienne est le reflet du multiculturalisme du pays. La musique rend désormais hommage aux racines du rock tout en se construisant une nouvelle identité. The Presets, Architecture In Helsinki et Sneaky Sound System enflamment les pistes de danse, tandis que Empire of the Sun s'inscrit dans une démarche plus progressiste.

La musique folk a évolué avec des artistes comme The John Butler Trio, Xavier Rudd, Pete Murray et The Waifs, dont les sons reflètent un aspect plus rural de la vie australienne. Au carrefour de plusieurs genres, The Cat Empire symbolisent un melting-pot culturel.

La country traditionnelle produit des artistes comme Keith Urban (Mr Nicole Kidman), Lee Kernaghan et Kasey Chambers, tandis que la country alternative est représentée par de grands talents comme le Warumpi Band (*Too Much Harmony*), Tex, Don & Charlie et Tim Rogers (country-pop alternative). Le terme "jazz" englobe toute la diversité de la scène de l'improvisation. Parmi les jazzmen traditionnels, citons Don Burrows, James Morrison, Vince Jones et Paul Grabowsky. Les Necks pratiquent quant à eux un jazz lancinant et hypnotisant.

La musique aborigène contemporaine est dynamique. Jimmy Little, le leader de la country-folk, a débuté sa carrière dans les années 1950 ; il a obtenu en 2004 la distinction d'un Lifetime Achievement. Le succès de la musique aborigène auprès du grand public, qui remonte aux années 1990, doit beaucoup à l'immense popularité de Yothu Yindi et du titre *Treaty*, extrait du très bon album *Tribal Voice* (1991). Archie Roach est surtout connu pour ses albums *Journey* (2007), son dernier en date, et *Charcoal Lane* (1992), sans doute son meilleur. L'irrésistible chanteur/conteur Kev Carmody, qui compte plus d'une corde à son arc, et Christine Anu, sont également deux talents à ne pas rater. Marshall Whyler et Ash Dargan, musiciens aborigènes, composent une musique fascinante associant didjeridoo, trance et électro. En 2008, Geoffrey Gurrumul Yunupingu, aveugle de naissance, a fait sensation avec son album *Gurrumul*, chanté dans diverses langues aborigènes.

Pour connaître les dates des festivals, voir le chapitre *L'agenda* (p. 42) et la rubrique *Fêtes et festivals* des chapitres régionaux.

Les meilleures... Musiques d'Australie

1 *Sunrise Over Sea* (The John Butler Trio, 2004). Du reggae aux airs à fredonner au coin du feu.

2 *Between Last Night and Us* (The Audreys, 2006). Country alternative.

3 *Wolfmother* (Wolfmother, 2006). Définitivement rock.

4 *Runaways* (The Art of Fighting, 2007). Quartet de Melbourne.

5 *Gurrumul* (Geoffrey Gurrumul Yunupingu, 2008). Artiste à la voix envoûtante.

Art aborigène

Peinture "pointilliste" aborigène, Territoire du Nord

OLIVER STREWE/LONELY PLANET IMAGES ©

L'Australie est à la tête d'un vaste patrimoine d'art aborigène : peintures sur toile et sur batik et sculptures sur bois du centre du pays, peintures sur écorce de la Terre d'Arnhem, ou encore sculptures et sérigraphies des îles Tiwi. Le fil conducteur de ces œuvres est le lien ancestral entre les Aborigènes et leur terre, entaché par les tragédies survenues depuis la colonisation européenne. Pourtant, le sentiment qui prime est la force et la créativité de la culture aborigène.

Art rupestre

La Terre d'Arnhem, dans l'extrême nord de l'Australie, possède un riche patrimoine artistique. Selon les dernières conclusions scientifiques, les premières peintures rupestres locales remonteraient à 60 000 ans.

Ici, au cœur de l'une des plus importantes collections d'art rupestre au monde, les œuvres vont des empreintes de mains à la représentation d'animaux, de personnes, de créatures mythologiques et de navires européens, dépeignant l'évolution du cadre et des modes de vie au fil des millénaires. Parfois, les œuvres se concentrent dans de vastes galeries, certaines peintures se superposant à des œuvres plus anciennes. D'autres sites sont gardés secrets, car ils sont sacrés aux yeux de leurs gardiens aborigènes.

L'art rupestre du Kimberley, en Australie-Occidentale, est connu pour ses représentations de Wandjina, figures

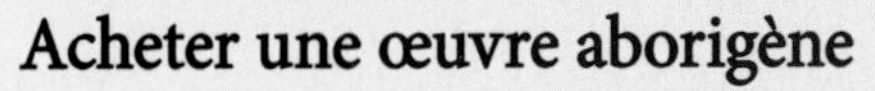

Acheter une œuvre aborigène

L'acquisition d'une œuvre aborigène permet de développer un lien fort avec l'Australie. Pour les artistes aborigènes, la peinture représente une activité majeure, tant sur le plan culturel qu'économique. N'achetez pas de produits importés, aimants de réfrigérateurs, boomerangs et autres didjeridoos. Assurez-vous que vous avez à faire à un revendeur agréé qui vend des œuvres originales. Si la galerie ne rémunère pas ses artistes à l'avance, demandez quelle part de la somme reviendra exactement à l'artiste et à la communauté.

Pour vous assurer de l'authenticité d'une œuvre, demandez des précisions concernant l'artiste : si le commerçant est incapable de vous les fournir, inutile d'insister. Une pièce authentique doit être accompagnée d'un certificat mentionnant le nom de l'artiste, son groupe linguistique et sa communauté, le titre de l'œuvre ainsi que les conditions de sa réalisation.

Vous pouvez aussi vérifier que la galerie est répertoriée en contactant un organisme comme l'**Australian Commercial Galleries Association** (www.acga.com.au). Si possible, effectuez vos achats directement auprès des centres d'art aborigènes ou de leurs points de vente en ville (www.ankaaa.org.au, www.aboriginalart.org). Cet achat vous coûtera moins cher et constituera un gage d'authenticité. Cela vous permettra aussi de mieux comprendre dans quel contexte les œuvres ont été réalisées.

ancestrales venues du ciel et de la mer et synonymes de fertilité. Selon les Aborigènes, les Wandjina maîtrisaient les éléments et seraient responsables de la formation des caractéristiques naturelles du pays.

Dans le Queensland, les superbes galeries d'art rupestre de Quinkan, sur la péninsule du cap York, sont parmi les plus remarquables du pays. Les Quinkan y sont représentés de deux façons : le Timara, sec et longiligne, et l'Imjim, sorte de crocodile à la queue terminée par une protubérance.

On peut également admirer des exemples d'art rupestre à Sydney, sur les falaises au nord et au sud de la plage de Bondi.

Peinture

Dans le Centre, la peinture s'est développée au point de devenir une source de revenus importante pour les communautés aborigènes. C'est aussi un outil pédagogique grâce auquel les enfants découvrent les différents aspects de la religion et des rites.

Dans le désert occidental, la peinture "pointilliste" (*dot painting*), dérive partiellement des fresques réalisées sur le sol avec des pigments d'origine végétale, au centre de danses et de chants. Les pointillés sont aussi utilisés pour souligner les objets peints sur la roche et mettre en valeur les caractéristiques géographiques ou végétales.

Les *dot paintings* relatent l'histoire d'un Dreaming. Le Dreaming est un concept complexe qui fonde la spiritualité aborigène, incorporant la création du monde et les énergies spirituelles qui nous entourent. Chaque histoire est un conte issu du Dreaming, mélange de légende, de mythe, de tradition et de loi.

Les symboles sont largement utilisés, mais la signification de chaque peinture est connue uniquement de l'artiste et de ses proches. Chaque clan a sa propre interprétation de l'œuvre. Ainsi, les histoires sacrées peuvent être rendues publiques, tout en conservant un sens profond accessible aux seuls initiés.

Peinture sur écorce

La peinture sur écorce est partie intégrante du patrimoine culturel des Aborigènes de la Terre d'Arnhem. Il est difficile de dater la première utilisation de l'écorce, en particulier en raison de son caractère éphémère. En outre, ces peintures n'ont jamais eu vocation à constituer des témoignages durables d'une époque.

L'écorce provient du *stringy bark* (*Eucalyptus tetradonta*) et les pigments naturels principalement utilisés sont le rouge et le jaune (ocres), le blanc (kaolin) et le noir (anthracite). Ces derniers donnent à la peinture un remarquable fini souple et terreux.

L'utilisation de la technique du *rarrk* (croisillons) est caractéristique de la peinture sur écorce de la Terre d'Arnhem. Ces motifs sont propres à chacun des clans et s'inspirent de peintures corporelles reproduites de génération en génération. On peut aussi distinguer ces peintures en fonction de leur région d'origine : représentations naturalistes et arrière-plans primaires à l'ouest, motifs géométriques et abstraits à l'est.

Les meilleures ... Œuvres aborigènes

1 Art rupestre à Ubirr et à Nourlangie, Kakadu National Park (p. 281)

2 Ian Potter Centre : National Gallery of Victoria Australia (p. 212)

3 Art Gallery of Western Australia (p. 306)

4 Art Gallery of New South Wales (p. 70)

5 Galeries d'art de Darwin (p. 269)

Peinture contemporaine

Le travail des artistes aborigènes, citadins ou ruraux, constitue parfois un constat sans appel. Les œuvres mettent souvent l'accent sur les terribles injustices subies au cours des deux siècles passés et soulèvent de nombreuses questions : dépossession, accès à la langue, pratiques culturelles, territoire, culture aborigène moderne et place de l'artiste dans une société postcoloniale.

À la fin des années 1980, des artistes de la communauté Utopia, au nord-est d'Alice Springs, et de Ngukurr, près de Roper Bar au sud-est de la Terre d'Arnhem, ont commencé à produire des œuvres spectaculaires en utilisant la technique de la peinture acrylique sur toile, des matériaux largement répandus dans des secteurs touristiques comme Alice Springs, et dans les boutiques et galeries d'autres grandes villes.

L'art contemporain de l'est du Kimberley porte parfois la trace des œuvres aborigènes du Centre australien, héritage des déplacements forcés de populations dans les années 1970.

Art et artisanat aborigènes

Les objets conçus à des fins pratiques ou rituelles, comme les armes et les instruments de musique, comportent souvent des éléments symboliques complexes.

L'objet artisanal le plus vendu de nos jours est le didjeridoo – à l'origine, un instrument rituel utilisé par les Aborigènes de la Terre d'Arnhem – et le boomerang, arme de chasse formée d'une lame de bois courbé. Les boomerangs sont tous conçus sur le même modèle, mais il existe quantité de formes, de tailles, de styles et de bois différents.

L'artisanat à base de fibre et le tissage sont fréquemment pratiqués par les femmes, même si, dans certaines régions, les hommes réalisent parfois des objets tissés, tels des outils de chasse. Traditionnellement, les fils sont à base d'écorce, d'herbe, de feuilles, de racines et autres matériaux, filés à la main et teints avec des pigments naturels, puis tissés pour en faire des sacs, des paniers, des vêtements, des filets de pêche, etc.

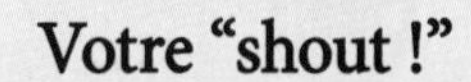

Votre “shout !”

Dans les pubs et autres bars, il est d’usage de payer sa tournée (*shouting*) à tour de rôle. Ne partez pas avant d’avoir réglé la vôtre ! Une fois les boissons servies, il est d'usage de porter un toast (“*Cheers !*”) Les Australiens trinquent en se regardant droit dans les yeux... sous peine de connaître sept ans de mauvais sexe.

Les *pints* (42,5 ou 56,8 cl, selon l’endroit), qui ont tendance à se réchauffer rapidement l’été, ont la faveur d’une génération plus âgée.

Cafés et café

On consomme désormais fréquemment du café en Australie. Presque tous les bars sont équipés de machines à expresso, on trouve des torréfacteurs partout et au moins un *barista* (spécialiste du café) digne de ce nom dans la majorité des villes. Sydney et Melbourne ont vu naître un véritable engouement lié au café, mais c’est sans conteste Melbourne qui s’impose comme la capitale australienne de cet or noir. Pour en faire l’expérience, il suffit de se promener dans le centre-ville.

Sport

Fans du club de football de Sydney, Melbourne Cricket Ground (p. 220)

Les Australiens ont un goût de la compétition très prononcé. Ils aiment se mesurer aux grandes nations sportives du monde entier et cela, dans tous les domaines. Avec parfois de réels succès – une belle prouesse pour un pays de seulement 21,5 millions d'habitants. Mais c'est surtout le football qui déchaîne les passions.

Australian Rules Football

Le sport le plus regardé à la télévision, est l'Australian Rules Football ("Aussie Rules" appelé aussi "*footy*" ; football australien), une forme de rugby à 18 joueurs, qui se joue sur un terrain ovale et dont les rencontres prennent la forme de guerres tribales. Provenant à l'origine du Victoria, l'**Australian Football League** (AFL; www.afl.com.au) s'est répandu en Australie du Sud, en Nouvelle-Galles du Sud, en Australie-Occidentale et dans le Queensland. Les dégagements longs, les drops et les collisions brutales constituent les aspects les plus spectaculaires du jeu. Le public participe activement, avec des *Baaall !!!* repris en chœur par 50 000 spectateurs.

Rugby

Sport vedette au nord du Murray, le rugby à XIII (Rugby League), qu'encadre la National Rugby League (NRL ; www.nrl.com.au), a pour

Les meilleures... Rencontres sportives

1 Les matchs de football de l'AFL au MCG (p. 220)

2 Apprendre à surfer à Byron Bay (p. 123)

3 Cricket au Sydney Cricket Ground (p. 92)

4 Regarder la Melbourne Cup dans un pub (p. 45)

principale compétition annuelle le State of Origin, qui oppose la Nouvelle-Galles du Sud et le Queensland. Si vous avez l'occasion d'assister à l'un de ces matchs, vous pourrez réviser la loi de Newton : une masse en mouvement dans une direction donnée ne peut être arrêtée que par l'application d'une force égale et opposée. Un spectacle à couper le souffle !

L'équipe australienne de rugby à XV (Rugby Union ; bien plus connu dans le monde), les Wallabies, a remporté la Coupe du monde en 1991 et en 1999, mais l'a laissée à l'Angleterre en 2003 et n'a pas réussi à figurer parmi les quatre premiers en 2007. À la Coupe du monde de 2011, elle a perdu le match pour la troisième place face au pays de Galles.

Football

L'équipe nationale de football (appelé ici soccer), les Socceroos, est finalement parvenue à se qualifier pour la Coupe du monde de 2006 et de 2010, après avoir échoué de justesse 32 années durant. Malgré des résultats mitigés, elle continue de faire la fierté des Australiens. Depuis quelques années, la A-League (www.a-league.com.au) réussit à former des talents pour la compétition nationale, d'où une popularité accrue.

Cricket

L'équipe australienne de cricket a dominé le cricket traditionnel et le cricket "à la journée" pendant une bonne partie des années 2000 en occupant la première place du classement international. Mais, depuis le départ à la retraite de joueurs d'exception comme Shane Warne, Glenn McGrath et Adam Gilchrist, la situation n'est plus aussi glorieuse et les défaites récentes contre l'Angleterre, l'ennemi de toujours, ont attristé le pays tout entier.

Tennis

En janvier, les chaussures de tennis fondent littéralement lors de l'Open d'Australie (www.ausopen.com.au) à Melbourne. Figurant parmi les quatre tournois du Grand Chelem, cette épreuve attire plus de spectateurs étrangers que tout autre événement sportif. Pour cette compétition, qu'un Australien a remportée pour la dernière fois en 1976, Lleyton Hewitt a longtemps incarné tous les espoirs du pays, mais la période faste de l'ancien numéro 1 mondial semble aujourd'hui révolue. Chez les dames, l'athlétique Samantha Stosur grimpe petit à petit dans le classement.

Courses hippiques

Le premier mardi de novembre, le pays entier retient son souffle pour la fameuse course hippique de la Melbourne Cup (www.racingvictoria.net.au). À Melbourne, c'est même l'occasion de prendre un jour de repos, puisque la journée est fériée. Phar Lap reste le vainqueur le plus célèbre. Après avoir gagné la course en 1930, le cheval succomba à un mal mystérieux en Amérique. Dernière star en date, Makybe Diva a remporté trois victoires d'affilée et pris sa retraite en 2005. Consultez le site du Victorian Racing Club (www.vrc.net.au) pour connaître tous les détails sur les prochaines courses hippiques.

Activités de plein air

Larapinta Trail, West MacDonnell National Park (p. 281), Territoire du Nord

TONY WHEELER/LONELY PLANET IMAGES ©

L'Australie est par sa nature même une terre d'aventure. Grâce à sa vaste superficie, l'île-continent offre un choix quasi infini d'activités de plein air. Ses paysages de toute beauté invitent à se surpasser et à passer de bons moments. Chacun peut à son gré s'élancer sur des sentiers de randonnée ou sur des pistes de ski, s'enfoncer dans la mer à la rencontre des coraux ou dompter les vagues sur une planche.

Randonnée dans le bush (bushwalking)

Le bushwalking est extrêmement populaire. La meilleure période varie d'un État à l'autre, mais la règle générale veut que, plus on va vers le nord, plus le climat est tropical et humide. Préférez donc la période de juin à août dans le Nord et l'été suivi du début de l'automne (de décembre à mars) dans le Sud.

Les nombreux parcs nationaux offrent de magnifiques sentiers de randonnée. On peut ainsi parcourir l'Overland Track et le South Coast Track, en Tasmanie, l'Australian Alps Walking Track, la Great Ocean Walk et la Great South West Walk, dans le Victoria, le Bibbulmun Track, en Australie-Occidentale, ainsi que le Thorsborne Trail, sur Hinchinbrook Island et la Great Walk, dans l'arrière-pays de la Gold Coast, dans le Queensland.

Les meilleurs… Spots de surf

1 Byron Bay, Nouvelle-Galles du Sud (p. 122)

2 Bells Beach, Victoria (p. 246)

3 Burleigh Heads, Queensland (p. 129)

4 Margaret River, Australie-Occidentale (p. 325)

5 Northern Beaches à Sydney, Nouvelle-Galles du Sud (p. 77)

En Nouvelle-Galles du Sud, il est possible de faire des randonnées entre Sydney et Newcastle sur la Great North Walk, sur le sentier côtier du Royal National Park, le Six Foot Track (42 km) ou le Mt Kosciuszko. À Sydney, procurez-vous le *Sydney Best Harbour & Coastal Walks*, qui comprend notamment la randonnée de Bondi à Coogee (6 km) et la Manly Scenic Walkway (10 km).

En Australie du Sud, l'épique Heysen Trail s'étire sur 1 200 km. Le Territoire du Nord englobe le majestueux Larapinta Trail et des pistes isolées dans le Nitmiluk (Katherine Gorge) National Park.

Les magasins spécialisés sont de bonnes sources d'information. Visitez aussi les sites Internet des différents organismes officiels chargés de la gestion des parcs nationaux. Enfin, Lonely Planet publie le guide *Walking in Australia*.

Cyclotourisme

Il existe de nombreux itinéraires à vélo à découvrir en une journée, un week-end ou même plusieurs semaines.

Le Victoria se prête particulièrement bien au cyclotourisme et au VTT. Les excursions les plus longues dans cet État sont le Murray to the Mountains Rail Trail et l'East Gippsland Rail Trail. Un réseau complet de pistes longe des lignes ferroviaires désaffectées ; **Railtrails Australia** (www.railtrails.org.au) en fournit un descriptif – en incluant aussi d'autres itinéraires.

En Australie-Occidentale, le Munda Biddi Mountain Bike Trail invite à pédaler sur 900 km, tout comme le Mawson Trail, en Australie du Sud.

Pour un vélo de ville ou un VTT, comptez environ 20 $/heure et 40 $/jour (hors réductions de certains hébergements bon marché), plus une caution qui varie de 50 à 200 $ selon la durée de la location.

Le site Internet **Bicycles Network Australia** (www.bicycles.net.au) est très pratique. Lonely Planet publie également en anglais le guide *Cycling Australia*.

Randonner en toute sécurité

Avant de partir en randonnée, prenez en considération les points suivants :

- Veillez à payer tous les frais d'entrée et à vous procurer tous les permis requis.
- Renseignez-vous sur l'itinéraire – état, conditions environnementales, spécificité du terrain, etc. – auprès des administrations des parcs par exemple, et demandez conseil aux randonneurs locaux expérimentés.
- Informez-vous sur les règlements et les usages concernant la faune et la flore.
- Ne partez pas dans des régions et sur des sentiers si vous n'en êtes pas capable.
- Sachez que les conditions climatiques et le terrain varient beaucoup d'une région à l'autre, voire d'un chemin à l'autre. Les intempéries peuvent modifier considérablement l'état des pistes. Prévoyez du matériel et des vêtements adaptés.

Plongée et snorkeling

Des cours de plongée PADI (Professional Association of Diving Instructors) sont proposés dans tout le pays et notamment sur la côte est, où on en trouve un peu partout. Les tarifs sont relativement abordables : pour un cours PADI de 2 à 5 jours, comptez entre 300 et 800 $. Une solution encore moins onéreuse consiste à louer tout simplement un masque, des palmes et un tuba pour pratiquer le snorkeling.

Au nord de Sydney, essayez Broughton Island, près de Port Stephens. Plus au nord, Fish Rock Cave est un spot réputé, avec des coquillages, une multitude de poissons-clowns et des baleines à bosse. Vous pourrez nager avec des requins-taureaux aux Pinnacles, près de Forster, et avec des requins-léopards à la Julian Rocks Marine Reserve, près de Byron Bay. Coffs Harbour et Byron Bay ont de bonnes écoles de plongée. Sur la côte sud, Jervis Bay, Montague Island et Merimbula comptent parmi les spots les plus prisés.

La Grande Barrière de corail compte un nombre incalculable de sites de plongée plus extraordinaires les uns que les autres. Vous trouverez des récifs coralliens au large de certaines plages du continent et autour de plusieurs îles. Le matériel de snorkeling est souvent fourni pendant les excursions sur la Grande Barrière de corail.

En Australie-Occidentale, le Ningaloo Reef est tout aussi intéressant que les récifs de la côte est, les touristes en moins.

Ski et snowboard

L'Australie se targue d'une petite industrie du ski florissante ; les stations se situent à la frontière entre la Nouvelle-Galles du Sud et le Victoria. La saison s'étend de la mi-juin à début septembre et les chutes de neige sont imprévisibles. Les meilleurs domaines skiables sont dans le Kosciuszko National Park, en Nouvelle-Galles du Sud, et à Mt Buller, à Falls Creek et à Mt Hotham, dans le High Country du Victoria. Le ski de fond est pratiqué ; la plupart des stations proposent des cours et louent l'équipement.

Skiing Australia (www.skiingaustralia.org.au) a des liens vers les stations et les clubs.

Apollo Bay (p. 248), Great Ocean Road, Victoria

Chère, très chère baleine

Longtemps ressource économique essentielle dans une grande partie de l'Australie méridionale, la chasse à la baleine a été interdite en Australie en 1979. Parmi les espèces les plus touchées, citons la baleine à bosse, la baleine bleue, la baleine franche australe et le cachalot tués en masse pour leur huile et leurs os.

Ces dernières années, les grands mammifères ont effectué un retour prudent dans la baie de Sydney et l'estuaire de la Derwent River. L'observation des baleines s'est transformée en activité touristique lucrative dans les grandes régions de migration comme Victor Harbor et Head of Bight (Australie du Sud), Warrnambool (Victoria) ou au large de Sydney. Si vous en apercevez une, tenez-vous à distance : l'homme leur doit bien un peu de tranquillité.

Surf

Des vagues de renommée mondiale déferlent sur toute l'Australie, notamment sur la Gold Coast du Queensland, tout le long du littoral de la Nouvelle-Galles du Sud et sur les plages du Victoria et de la Tasmanie. Les boutiques spécialisées proposent généralement un service de location de planches et des renseignements sur les écoles de surf.

La Nouvelle-Galles du Sud, avec 2 137 km de littoral et 721 plages donnant sur l'océan, est sans conteste un paradis pour les surfeurs. Crescent Head est la capitale australienne du long board, mais vous pourrez également perfectionner votre *hang ten* à Lennox Head et à Byron Bay, plus au nord. La côte sud de la Nouvelle-Galles du Sud est très bien pourvue en spots de surf, notamment vers Wollongong et Merimbula.

Vous trouverez d'excellentes vagues sur la côte sud-est du Queensland, notamment à Coolangatta, à Burleigh Heads, à Surfers Paradise, à North Stradbroke Island et à Noosa.

Exposé à la houle de l'océan Austral, le littoral du Victoria est idéal. Les surfeurs du monde entier se retrouvent à Torquay et c'est à la plage voisine de Bells Beach qu'est organisée chaque année la Rip Curl Pro. Les moins expérimentés pourront se rabattre sur les écoles de surf d'Anglesea, de Lorne et de Phillip Island. Enfin, le sud de l'Australie-Occidentale, avec Margaret River, est connu des surfeurs du monde entier.

Observation de la faune

La majorité des parcs nationaux protègent des espèces endémiques, souvent nocturnes. L'Australie compte une grande diversité d'oiseaux, notamment aquatiques. Canberra possède l'avifaune la plus abondante de toutes les villes australiennes. Dans le Territoire du Nord, les meilleurs parcs pour observer la faune se trouvent dans le Nord tropical, notamment à Kakadu – où vous pourrez admirer oiseaux et crocodiles. En Nouvelle-Galles du Sud, vous verrez des ornithorynques et des écureuils volants au New England National Park, ainsi que 120 espèces d'oiseaux au Dorrigo National Park. Le Border Ranges National Park abrite le quart de toutes les espèces d'oiseaux du pays. Le Willandra National Park abrite une faune variée, et les koalas ne manquent pas autour de Port Macquarie. L'Australie-Occidentale est également plébiscitée par les ornithologues. Le Wilsons Promontory National Park (Victoria) est riche d'animaux, dont les wombats. En Australie du Sud, filez tout droit vers le Flinders Chase National Park. Au Queensland, vous verrez des tortues, des oiseaux et des pademelons à Malanda, plus d'oiseaux encore à Cape Tribulation, des koalas à Magnetic Island, des dingos à Fraser Island et des casoars dans la Daintree. En Tasmanie, Maria Island accueille une riche avifaune ; les espèces endémiques prospèrent au Mt William National Park, au Mt Field National Park et sur Bruny Island.

Carnet pratique

La redoutable méduse-boîte, dotée de tentacules venimeux (p. 393)

Infos utiles

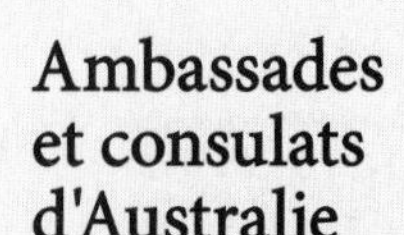

Ambassades et consulats d'Australie

Le site du **Department of Foreign Affairs & Trade** (ministère des Affaires étrangères et du Commerce ; www.dfat.gov.au) donne la liste des représentations diplomatiques à l'étranger.

Pour des informations sur les visas, voir la rubrique *Formalités et visas*, p. XXX ; sachez que la plupart des demandes se font désormais via Internet.

Voici quelques représentations diplomatiques australiennes :

France Paris **(ambassade ; 01 40 59 33 00 ; www.france.embassy.gov.au ; 4 rue Jean-Rey, 75724 Paris Cedex 15 ; lun-ven 9h-17h)**. Toutes les demandes de visa sont prises en charge par l'ambassade d'Australie en Espagne.

Belgique Bruxelles **(ambassade ; 02 286 05 00 ; www.belgium.embassy.gov.au ; rue Guimard 6-8, 1040 Bruxelles ; lun-ven 8h30-17h)**. Comme pour la France, les demandes de visa sont prises en charge par l'ambassade d'Australie en Espagne.

Espagne Madrid **(ambassade ; 91 353 6600 ; www.spain.embassy.gov.au ; immigration.madrid@dfat.gov.au ; Torre Espacio, 24e ét, Paseo de la Castellana, 259 D, 28046 Madrid)**

Suisse Genève **(consulat général ; 0 22 799 9100 ; www.geneva.mission.gov.au ; chemin des Fins 2, CP 102, 1211 Genève 19 ; lun-ven 9h-17h)**. Le consulat général à Genève ne délivre pas de visa. Les demandes sont prises en charge par l'ambassade d'Australie à Berlin (**49-30 223 89 181 ; www.germany.embassy.gov.au ; Wallstrasse 76-79, 10179 Berlin ;** service des visas **lun, mer, ven 9h-11h)**.

Canada Ottawa **(consulat général ; 613 236 0841 ; www.canada.embassy.gov.au ; suite 710, 50 rue O'Connor, Ottawa, ON K1P 6L2 ; lun-jeu 8h30-17h, ven 8h30-16h30 ;** service des visas **1 905 280 1437 ; lun-ven 10h-17h)**. Consulats à Toronto et Vancouver.

Argent

CARTES BANCAIRES

La carte bancaire est sans conteste le mode de paiement le plus pratique. Elle est très répandue en Australie. Les cartes telles que Visa et MasterCard sont acceptées dans tous les commerces, de l'auberge de jeunesse au tour-opérateur et à l'agence de location de voiture – où elles sont même essentielles pour déposer une caution. Elles permettent aussi de retirer de l'argent dans les DAB. Les cartes de type Diners Club et American Express ne sont pas acceptées partout. Des frais vous seront sûrement facturés sur vos opérations et vos retraits. Ceux-ci variant selon les banques, renseignez-vous auprès de votre agence avant de partir.

Numéros à contacter en cas de perte :

American Express (**1300 132 639**)

MasterCard (**1800 120 113**)

Visa (**1800 450 346**)

CHANGE

Les banques ainsi que les bureaux de change agréés (American Express, Travelex, etc.) des grandes villes changent les devises étrangères et les chèques de voyage.

CHÈQUES DE VOYAGE

Comme les cartes bancaires internationales sont acceptées partout en Australie, les chèques de voyage sont assez superflus. Les agents Amex (American Express) et Travelex changent cependant leurs chèques de voyage, tout comme les principales banques. Munissez-vous de votre passeport. Il n'y a pas de restriction particulière à l'importation ou à l'exportation de chèques de voyage.

DISTRIBUTEURS AUTOMATIQUES DE BILLETS (DAB), EFTPOS ET COMPTES EN BANQUE

La plupart des banques ANZ, Commonwealth, National Australia Bank, Westpac et leurs banques affiliées, sont dotées de DAB accessibles 24h/24. Bien sûr, vous ne trouverez pas de DAB partout, et surtout pas dans les petites localités. La plupart des DAB acceptent les cartes d'autres banques et sont reliés aux réseaux internationaux.

L'Eftpos (Electronic Funds Transfer at Point of Sale) est un service très pratique, adopté par de nombreuses sociétés australiennes, qui vous permet d'utiliser votre carte bancaire pour régler directement des services ou des achats et, souvent, pour retirer des espèces. Ce service est disponible presque partout, même dans des relais routiers situés à des kilomètres de la banque la plus proche. Comme pour les DAB, votre code secret est nécessaire.

N'oubliez pas que des frais s'appliquent sur les retraits d'argent dans les DAB ou avec le système Eftpos. Ils peuvent être assez élevés. Renseignez-vous auprès de votre banque.

MONNAIE

L'unité monétaire est le dollar australien ($ dans ce guide), divisé en 100 cents (c). Il existe des pièces de 5, 10, 20 et 50 c, et de 1 et 2 $, ainsi que des billets de 5, 10, 20, 50 et 100 $. Les plus petites pièces en circulation sont celles de 5 c, mais comme les prix sont toujours indiqués au cent près, ils sont arrondis aux 5 c supérieurs au moment de payer.

Toute somme en espèces égale ou supérieure à 10 000 dollars australiens (ou l'équivalent, quelle que soit la devise) doit être déclarée, à l'arrivée comme au départ.

L'Australie pratique

- Journaux : Les principaux quotidiens australiens sont le *Sydney Morning Herald* (Sydney), l'*Age* (Melbourne) et *Australian* (national).
- Radio : ABC (www.abc.net.au/radio) est une radio incontournable. Vous pourrez écouter RFI (www.rfi.fr) à Melbourne et à Sydney (151.450 FM).
- TV : Les grandes chaînes de télévision sont ABC (sans publicité), SBS (chaîne publique multiculturelle) et les chaînes privées Seven, Nine et Ten, auxquelles s'ajoutent des chaînes numériques.
- DVD : Les DVD vendus en Australie peuvent être visionnés sur des lecteurs de DVD zone 4 (le Canada est en zone 1, l'Europe en zone 2).
- Électricité : Pour brancher vos appareils électriques, vous devrez les équiper d'un adaptateur pour prise à trois fiches (240 V, 50 Hz). Voir p. 375.
- Le système métrique est en usage pour les poids et mesures.

Sauf indication contraire, tous les tarifs mentionnés dans ce guide sont exprimés en dollars australiens. Pour avoir une idée du coût de la vie sur place, reportez-vous p. 49.

TAXES ET REMBOURSEMENTS

La taxe sur les biens et services (Goods and Services Tax ou GST, équivalent de la TVA) est une taxe de 10% appliquée à tous les biens et services (hébergement, restauration, transports, appareils électriques, livres, meubles, vêtements, etc.), à l'exception, notamment, des denrées de base (lait, pain, fruits et légumes). D'après la loi, la taxe est incluse dans les tarifs mentionnés ; tous les prix indiqués dans ce guide la prennent donc en compte. Les voyages internationaux par air et par mer au départ et à destination de l'Australie ne sont pas soumis à cette taxe, pas plus que les billets pour des vols intérieurs achetés à l'étranger par des non-Australiens.

Si vous achetez des produits neufs ou d'occasion d'une valeur totale d'au moins 300 $ chez un même marchand, et dans les 30 jours précédant votre départ d'Australie, vous pouvez demander le remboursement de la GST ou de la taxe de compensation sur les vins (Wine Equalisation Tax, WET) dans le cadre du Plan de remboursement aux touristes (Tourist Refund Scheme, TRS). Vous devrez pouvoir porter, sur vous ou en bagage à main dans l'avion ou le bateau, les marchandises concernées – il existe des conditions particulières pour les articles de grandes tailles et pour ceux qui ne peuvent pas être emportés à bord en raison des mesures de sécurité dans les avions. Notez que le remboursement intervient

Climat

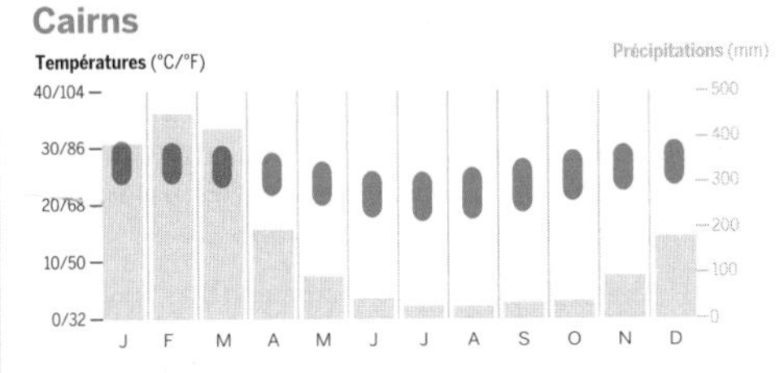

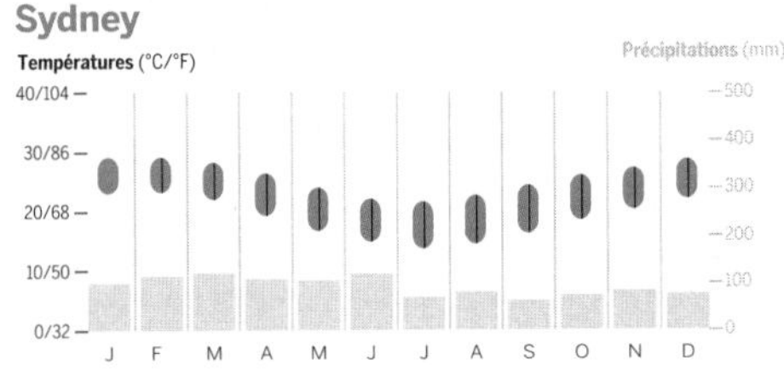

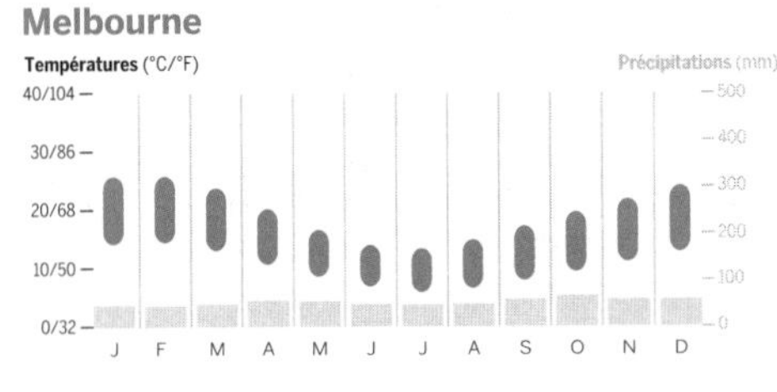

aussi sur les produits achetés chez plusieurs fournisseurs, à condition d'avoir dépensé au moins 300 $ chez chacun d'entre eux. Pour plus de détails, contactez l'**Australian Customs Service** (Service des douanes australiennes ; ☎ 1300 363 263, 02-6275 6666 ; www.customs.gov.au).

Assurance

Il est conseillé de souscrire une police d'assurance qui vous couvrira en cas d'annulation de votre voyage, de vol, de perte de vos affaires, de maladie ou encore d'accident. Vérifiez notamment que les "sports à risques", comme la plongée, la moto ou même la randonnée ne sont pas exclus de votre contrat, ou encore que le rapatriement médical d'urgence, en ambulance ou en avion, est couvert.

Faites-vous préciser si votre assurance réglera directement vos éventuels frais médicaux ou s'ils seront remboursés plus tard – conservez bien les justificatifs dans tous les cas. Pour des précisions, lire la rubrique *Assurance santé* (p. 392).

Le fait d'acquérir un véhicule dans un autre pays ne signifie pas nécessairement que vous serez protégé par votre propre assurance, voir p. 402.

Vous pouvez contracter une assurance voyage internationale sur www.lonelyplanet.com/travel_services et l'étendre ou la solliciter à tout moment, même une fois dans le pays.

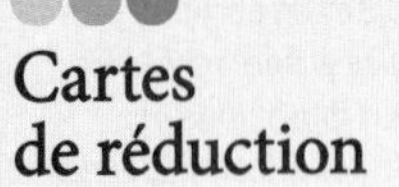

Cartes de réduction

CARTE ÉTUDIANT ET CARTE JEUNE

L'**International Student Travel Confederation** (ISTC ; www.istc.org) est à l'origine de la carte d'identité internationale des étudiants (en France l'ISIC ; www.isic.tm.fr), reconnue dans le monde entier. Réservée aux étudiants à plein temps de plus de 12 ans, elle permet de bénéficier de réductions sur les hébergements, les transports et l'accès à des sites touristiques.

L'ISTC émet également la carte jeune internationale de voyage (International Youth Travel Card, IYTC ; www.istc.org), délivrée aux moins de 26 ans qui ne sont pas étudiants à temps plein et assortie des mêmes avantages que la carte ISIC.

Les professeurs peuvent demander une carte de professeur internationale (International Teacher Identity Card, ITIC ; www.isic-academic.org/p-visuel_ITIC.html).

Ces trois cartes sont disponibles dans les agences de voyages pour étudiants.

CARTES SENIORS

Les seniors ont souvent droit à des réductions. Les retraités étrangers bénéficient d'un rabais d'au moins 10% sur la plupart des bus express Greyhound.

Douane

Pour toute information sur les règlements douaniers, contactez l'**Australian Customs Service** (☎ 1300 363 263, 02-6275 6666; www.customs.gov.au).

La plupart des articles peuvent être importés sans taxe en Australie, à condition qu'ils soient destinés à un usage personnel et que vous les remportiez avec vous à votre départ.

QUOTA HORS TAXE (PAR PERSONNE)

Alcool	2,25 l (plus de 18 ans)
Cigarettes	250 cigarettes (plus de 18 ans)
Produits divers	Jusqu'à 900 $ (450 $ pour les moins de 18 ans)

Les douaniers prennent leur tâche très au sérieux. Tous les bagages sont passés aux rayons X ou au détecteur. Si vous vous abstenez de déclarer des articles interdits, vous risquez une lourde amende (immédiate) ou des poursuites judiciaires pouvant se solder par des amendes encore plus substantielles – et jusqu'à 10 ans d'emprisonnement. Pour plus d'informations sur les règles de quarantaine, communiquez avec l'**Australian Quarantine and Inspection Service** (AQIS ; ☎ 1800 020 504, 02-6272 3933 ; www.aqis.gov.au).

À votre arrivée et à votre départ, vous devrez déclarer tous les produits d'origine animale et même végétale (cuillères en bois, chapeaux de paille, etc.). Si vous êtes en possession d'un souvenir acheté dans un autre pays, celui-ci sera inspecté, même s'il n'est pas strictement interdit sur le territoire australien. Certains objets nécessitent un traitement spécial avant d'être acceptés. Les produits frais et les fleurs sont également interdits, et des restrictions s'appliquent au passage des fruits et légumes d'un État à l'autre.

Vous devez déclarer tout médicament délivré sur ordonnance et l'apporter dans son emballage d'origine. Une lettre de votre médecin décrivant votre pathologie et le traitement prescrit peut être utile. Si vous transportez seringues et aiguilles, leur nécessité médicale doit être attestée par le praticien.

Il est interdit d'importer de la drogue. Des chiens renifleurs sont en service dans les aéroports, que ce soit dans les salles d'arrivée des passagers ou des bagages.

Quarantaine inter-États

Sur le territoire australien, vous remarquerez (principalement dans les aéroports, les gares et aux frontières des États) des panneaux avertissant du danger éventuel à transporter d'une région à l'autre des fruits, des légumes et des plantes pouvant être atteints de maladies ou infectés par des insectes nuisibles. Les drosophiles, les thrips des cucurbitacées, le phylloxéra et les nématodes à kyste de la pomme de terre, pour n'en citer que quelques-uns, sévissent davantage dans certaines zones et les autorités s'emploient à limiter leur propagation.

Des postes de quarantaine se tiennent à la limite de certains États et parfois ailleurs sur le territoire. Bien que le contrôle repose souvent sur la simple déclaration des intéressés, les agents en charge sont habilités à fouiller les véhicules à la recherche de produits non signalés. Comme ils confisquent généralement les denrées fraîches, mieux vaut faire son marché après !

Électricité

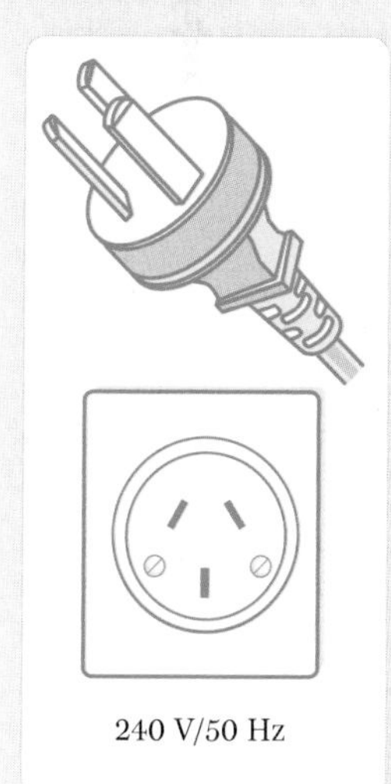

240 V/50 Hz

Formalités et visas

Tous les visiteurs doivent être munis d'un visa pour entrer

en Australie. L'ambassade d'Australie à Paris et à Bruxelles ne traitant plus les demandes de visas, les citoyens français et belges feront leur demande par voie électronique auprès du service des visas de l'ambassade d'Australie en Espagne. Les Suisses devront s'adresser à l'ambassade d'Australie à Berlin. Pour les coordonnées des ambassades, reportez-vous p. 382.

Vous obtiendrez des renseignements complémentaires sur le site Internet du **Department of Immigration & Citizenship (ministère de l'Immigration et de la Citoyenneté ; ☎ 13 18 81 ; www.immi.gov.au).**

Enfin, vous pouvez obtenir des renseignements en français sur les différents types de visas en composant le ☎ 0019052801437 (🕓 lun-ven 16h-23h depuis la France et la Belgique, coût d'un appel international, 10h-17h depuis le Canada) ou le ☎ 01 82 88 23 04 (🕓 lun-ven 10h-17h).

EVISITOR

Les Français, les Belges, les Suisses, ainsi que les ressortissants de la plupart des pays de l'Union européenne, ont droit au visa électronique eVisitor de 3 mois maximum, délivré gratuitement et valable pour une période de 12 mois. Ce visa s'obtient sur Internet et il est conseillé d'en faire la demande au moins 2 semaines avant le départ (www.immi.gov.au/e_visa/evisitor.htm). Il s'agit d'un document électronique, lié à votre numéro de passeport ; aucun tampon ne sera appliqué sur ce dernier.

AUTORISATION ÉLECTRONIQUE DE VOYAGE (ELECTRONIC TRAVEL AUTHORITY ; ETA)

Les citoyens du Canada, à l'instar de ceux des États-Unis et d'autres pays qui ne bénéficient pas du système de visa eVisitor, peuvent demander une ETA pour un voyage de tourisme ou d'affaires allant jusqu'à 3 mois. Valable 12 mois, l'ETA s'obtient sur le site www.eta.immi.gov.au, moyennant la somme de 20 $.

VISA TOURISTIQUE (VISA 676)

Si l'eVisitor ou l'ETA couvrent les voyages de courte durée, vous devrez demander un visa touristique pour passer plus de 3 mois en Australie. Ce visa (Standard *Tourist Visa* ; 105 €), valable pour une période allant jusqu'à 12 mois, pour une ou parfois plusieurs entrées dans le pays, peut être demandé en ligne sur www.immi.gov.au/e_visa/e676.htm.

VISA VACANCES-TRAVAIL (WORKING HOLIDAY VISA, VISA 417)

Les Français, les Belges et les Canadiens, entre autres, sont éligibles au visa Vacances-Travail, qui permet aux 18-30 ans de financer des vacances en Australie par des emplois de courte durée.

Le détenteur d'un visa Vacances-Travail peut travailler dans tous les domaines d'activités. En revanche, il ne peut pas occuper un emploi (ou un stage) pour une période supérieure à 6 mois. De même, il n'est pas autorisé à étudier pendant plus de 4 mois. Il ne s'agit donc ni d'un visa de travail, ni d'un visa d'études.

Le visa Vacances-Travail est accordé pour une période de 12 mois. Les demandes doivent être effectuées de l'étranger, dans les 12 mois précédant le départ, en ligne ou par courrier. Vous devrez prouver que vous possédez un billet d'avion pour le retour ou une somme suffisante pour l'acheter. Prévoyez au minimum 6 jours de traitement – il est conseillé de s'y prendre suffisamment tôt. Le visa coûte environ 235 $ (150 €).

Handicapés

L'attention portée aux handicapés et aux personnes à mobilité réduite en Australie ne cesse de croître. Les nouveaux hébergements doivent répondre aux impératifs fixés par la loi, et les tour-opérateurs, s'abstenir de toute discrimination. Quantité de sites touristiques, notamment les parcs nationaux, sont accessibles en fauteuil roulant et commencent à répondre aux besoins des visiteurs malvoyants ou malentendants. Contactez-les à l'avance pour savoir ce qu'il en est. Dans la plupart des capitales, des agences de voyages disposent de véhicules adaptés. Si les hébergements sont désormais mieux équipés, nombre d'établissements anciens (particulièrement ceux qui sont "historiques") n'ont pas encore effectué les aménagements adéquats.

RENSEIGNEMENTS

En France, contactez l'**APF (Association des paralysés de France ; ☎ 01 40 78 69 00 ; www.apf.asso.fr ; 17 bd Auguste-**

Blanqui, 75013 Paris) fournit des informations utiles sur les voyages accessibles. Deux sites Internet dédiés aux personnes handicapées comportent une rubrique consacrée au voyage. Il s'agit de **Yanous** (www.yanous.com) et de **Handica** (www.handica.com).

Parmi les agences de voyages spécialisées :

En France :

Access Tourisme Service (☎ 02 38 74 28 40 ; fax 02 38 74 28 50 ; www.access-tourisme.com ; 8 rue Saint-Loup, 45130 Charsonville)

En Australie :

Access Travel Australia (www.ebility.com/travel). Quantité d'informations pratiques destinées aux voyageurs handicapés, dont une liste des tour-opérateurs et hébergements.

Deaf Australia (www.deafau.org.au). Malentendants.

National Information Communication & Awareness Network (Nican) www.nican.com.au. Hébergements, sports et activités de loisirs accessibles aux handicapés, transports et tour-opérateurs spécialisés.

National Public Toilet Map (www.toiletmap.gov.au). Recense plus de 14 000 toilettes publiques à travers l'Australie, notamment celles accessibles en fauteuil roulant.

Vision Australia (www.visionaustralia.org.au). Malvoyants.

AVION

Sur **Qantas** (☎ 13 13 13 ; www.qantas.com.au), un voyageur handicapé et son accompagnateur bénéficient d'un tarif réduit en classe économique ; pour connaître les conditions et obtenir le formulaire d'inscription, contactez Nican (ci-dessus). Les chiens guides d'aveugles voyagent gratuitement sur **Qantas**, **Jetstar** (☎ 13 15 38 ; www.jetstar.com.au), **Virgin Australia** (☎ 13 67 89 ; www.virginaustralia.com.au) et les compagnies affiliées. Les grands aéroports du pays offrent des rampes d'accès aux terminaux, des toilettes accessibles et des fauteuils roulants (*skychairs*) pour acheminer les passagers jusqu'aux avions.

TRAIN

En Nouvelle-Galles du Sud, les trains XPT de CountryLink comptent au moins une voiture (généralement la voiture-bar) disposant d'un espace pour un fauteuil roulant et de toilettes accessibles. Le Tilt Train de Queensland Rails (Brisbane-Cairns) possède une voiture pour les fauteuils roulants.

Les trains de banlieue de Melbourne sont accessibles et les chiens guides d'aveugles et de malentendants sont autorisés dans tous les transports publics du Victoria. **Metlink** (☎ 13 16 38 ; www.metlinkmelbourne.com.au) offre en outre aux déficients visuels un pass gratuit pour les transports à Melbourne.

Conseils aux voyageurs

La plupart des gouvernements mettent en ligne les dernières informations sur votre destination. Consultez notamment les sites suivants :

- **Ministère des Affaires étrangères français** (www.diplomatie.gouv.fr)
- **Ministère des Affaires étrangères de Belgique** (http://diplomatie.belgium.be/fr/)
- **Département fédéral des Affaires étrangères suisse** (www.eda.admin.ch/eda/fr)
- **Ministère des Affaires étrangères du Canada** (www.voyage.gc.ca)

Hébergement

Il est aisé de trouver à se loger en Australie, grâce à une grande diversité d'hébergements, des campings aux auberges de jeunesse, en passant par les petites guesthouses, les chambres à la ferme et les grands complexes hôteliers, sans oublier les hôtels et motels.

Les adresses indiquées dans ce guide sont classées en fonction du prix, de la moins chère à la plus onéreuse (petits budgets, catégories moyenne et supérieure), Sélectionnées selon des critères variés – décor, ambiance, propreté, confort, emplacement ou rapport qualité/prix –, elles apparaissent dans l'ordre de préférence de l'auteur.

ÉCHELLE DE PRIX

Petits budgets ($)	Moins de 100 $
Catégorie moyenne ($$)	100-200 $
Catégorie supérieure ($$$)	Plus de 200 $

Très souvent, les tarifs varient selon la saison. En général, ils atteignent leur maximum en été (déc-fév) et notamment pendant les vacances scolaires et les jours fériés. Le reste du temps, vous pourrez bénéficier de réductions. L'Australie centrale, le Top End et les stations de ski font exception à la règle : là, c'est l'été qui marque la basse saison.

Sauf mention contraire, les prix indiqués dans ce guide valent pour la saison estivale, par opposition aux pics tarifaires des fêtes de fin d'année, de Pâques et des vacances scolaires (voir p. 381). Dans les grandes zones touristiques, la demande est plus forte entre le vendredi soir et le dimanche, et le coût des hébergements s'en ressent.

BED & BREAKFAST (B&B)

Des B&B (parfois appelés guesthouses) ouvrent tous les jours, qu'il s'agisse de petites maisons (cottages), de granges reconverties, de vieilles demeures rénovées, d'élégantes maisons de campagne, de *cabins* (petits bungalows) en bord de mer ou encore de chambres chez l'habitant. Dans les régions attirant les touristes le temps d'un week-end – petites villes pittoresques, domaines viticoles, régions forestières telles que les Blue Mountains et les Dandenongs –, ces établissements vous demanderont une jolie somme pour y séjourner du vendredi au dimanche en haute saison. Les prix font en général partie de la catégorie moyenne, mais ils peuvent être bien plus élevés. Les offices du tourisme locaux disposent souvent d'une liste d'adresses.

Sites Internet :

Bed & Breakfast Accommodation in Australia (BABS ; www.babs.com.au)

Bed & Breakfast Farmstay and Accommodation Australia (www.australianbedandbreakfast.com.au)

OZ Bed & Breakfast (www.ozbedandbreakfast.com)

HÔTELS ET MOTELS

Mis à part les pubs, les hôtels implantés dans les villes et les lieux touristiques sont généralement de vastes établissements d'affaires gérés par de grandes chaînes, qui renferment des chambres tout confort, modernes et réparties sur plusieurs étages. D'importantes remises peuvent être consenties en période creuse.

Si vous cherchez un hébergement confortable de catégorie petits budgets ou moyenne, optez pour un motel. Sachez que le prix d'une simple est rarement moins cher que celui d'une double : mieux vaut se présenter à deux ou à trois. La plupart des motels occupent des bâtiments récents. Parmi les prestations : clim, sdb, réfrigérateur, TV, nécessaire à thé et à café. Attendez-vous à payer entre 80 et 150 $ la nuit.

Agences de réservation :

Last Minute (www.lastminute.com.au)

Quickbeds (www.quickbeds.com.au)

Wotif (www.wotif.com.au)

PUBS

En Australie, certains pubs font aussi hôtel. Beaucoup, construits pendant les périodes de croissance économique, figurent parmi les bâtiments les plus imposants de la ville. Si certains ont été rénovés, la plupart louent de petites chambres fatiguées, avec une salle de bains placée dans le couloir. Ils sont généralement bon marché et central. Si vous avez le sommeil léger, évitez les chambres au-dessus du bar.

Les pubs louent des simples/doubles avec sdb commune à partir de 50/80 $ environ (davantage avec sdb privative).

Heure locale

L'Australie se partage en trois fuseaux horaires.

Le Western Standard Time (GMT + 8 heures) couvre l'Australie-Occidentale ; le Central Standard Time (GMT + 9 heures 30) le Territoire du Nord et l'Australie du Sud ; et l'Eastern Standard Time (GMT + 10 heures) la Tasmanie, le Victoria, la Nouvelle-Galles du Sud, le Territoire de la Capitale australienne et le Queensland. Il existe quelques rares exceptions : ainsi, Broken Hill (Nouvelle-

Galles du Sud) est à l'heure du Centre.

Elle est en vigueur dans certains États entre octobre et début avril (on avance alors les montres de 1 heure). L'Australie-Occidentale, le Territoire du Nord et le Queensland ne l'appliquent pas, tandis qu'en Tasmanie, elle commence un mois plus tôt.

Heures d'ouverture

Les heures d'ouverture varient légèrement d'un État ou d'un territoire à l'autre. Notez que la quasi-totalité des sites touristiques sont fermés le jour de Noël et beaucoup le 1er janvier et le Vendredi saint.

Banques 9h30-16h30 lun-ven ; parfois jusqu'à 17h ven. Certaines grandes agences fonctionnent de 8h à 18h en semaine et jusqu'à 21h le vendredi.

Bureaux de poste 9h-17h lun-ven et souvent jusqu'à 12h sam. On peut également acheter des timbres dans les kiosques à journaux et les nombreuses boutiques Australia Post.

Commerces 9h-17h lun-ven, 9h-12h ou 17h sam. L'ouverture le dimanche est répandue dans les grandes villes, les zones urbaines et les destinations touristiques. En ville, les magasins font souvent des nocturnes jusqu'à 21h, en général le jeudi ou le vendredi. La plupart des supermarchés restent ouverts jusqu'à 20h, et parfois 24h/24. Les épiceries (*milk bars* ou *convenience stores*) ferment tard le soir.

Restaurants Petit-déjeuner 8h-10h30 ; déjeuner 12h-15h ; dîner 18h ou 19h-22h. Réservations pour dîner le soir : entre 19h et 20h.

Homosexualité

L'Australie est une destination très prisée par la communauté homosexuelle. À Sydney, la médiatisation faite autour du Gay & Lesbian Mardi Gras a considérablement encouragé le "tourisme rose". Dans tout le pays, et surtout sur la côte est, des tour-opérateurs, des agences de voyages et des hébergements se font un point d'honneur à accueillir chaleureusement les homosexuels.

D'une manière générale, les Australiens ont l'esprit ouvert, mais plus on s'enfonce dans les terres, plus on est susceptible de se heurter à des comportements homophobes. Cela étant dit, des villes comme Alice Springs et Darwin abritent des communautés gays dynamiques. Jadis bastion du conservatisme, la Tasmanie promeut désormais le tourisme homosexuel. Tous les États autorisent les rapports homosexuels, mais l'âge du consentement varie.

Principales fêtes gays et lesbiennes dans le pays :

Midsumma Festival (www.midsumma.org.au). À Melbourne de mi-janvier à mi-février.

Sydney Gay & Lesbian Mardi Gras (www.mardigras.org.au). Tous les ans en février et mars.

Pride March et Perth Pride (www.pridewa.asn.au). Les deux en octobre à Perth.

Feast (www.feast.org.au). En novembre à Adélaïde.

PUBLICATIONS ET CONTACTS

Dans les grandes villes, vous trouverez des publications homosexuelles dans les lieux de sortie et chez les marchands de journaux implantés dans les quartiers gays et lesbiens. On peut citer notamment *DNA*, *Lesbians on the Loose*, le mensuel *Queensland Pride* et le bimensuel *Blue*, ainsi que les publications gratuites *OutinPerth* à Perth et *Blaze*, à Adélaïde.

Sites Internet d'informations générales :

Gay and Lesbian Counselling & Community Services of Australia (GLCCS ; www.glccs.org.au)

Gay and Lesbian Tourism Australia (Galta; www.galta.com.au)

Pinkboard (www.pinkboard.com.au)

Internet (accès)

Vous n'aurez pas de mal à vous connecter en Australie.

SE CONNECTER

L'Australie utilise des prises téléphoniques de type RJ-45 et des prises Telstra EXI-160 à quatre broches. Vous trouverez un adaptateur, dans des magasins d'électronique comme Tandy et Dick Smith. Il vous faudra aussi un adaptateur de prise électrique pour brancher votre ordinateur. Pour pallier les difficultés de branchement de votre modem, le mieux est d'acheter un modèle "international" dans votre pays ou un modem australien sur place.

CYBERCAFÉS

La plupart des cybercafés australiens disposent du haut débit. Vous en trouverez dans les villes de taille moyenne et les lieux touristiques. Les tarifs s'échelonnent de 3 $/heure dans certaines enseignes de King's Cross, à Sydney, à 10 $/heure dans les régions éloignées. Comptez en moyenne 6 $/heure, avec en général au moins 10 minutes de connexion.

FOURNISSEURS D'ACCÈS INTERNET

Si vous avez emporté votre ordinateur portable et que vous souhaitez vous connecter à un fournisseur d'accès local (ISP ou Internet Service Provider), vous n'aurez que l'embarras du choix. Toutefois, certains ne couvrent que les grandes villes ou certaines régions. Assurez-vous que le prestataire fournit des numéros d'accès locaux pour les lieux où vous avez l'intention de vous connecter. Cela vous évitera de devoir passer des appels longue distance facturés à la durée. Depuis une chambre d'hôtel, composez le 0 avant votre numéro de connexion pour disposer d'un accès à une ligne extérieure. Parmi les fournisseurs d'accès :

Australia On Line (☎ 1300 650 661 ; www.ozonline.com.au)

Dodo (☎ 13 36 36 ; www.dodo.com.au)

iinet (☎ 13 19 17 ; www.iinet.net.au)

iPrimus (☎ 13 17 89 ; www.iprimus.com.au)

Optus (☎ 1800 780 219 ; www.optus.com.au)

Telstra BigPond (☎ 13 76 63 ; www.bigpond.com)

WI-FI

En ville, un nombre croissant d'hôtels, de cafés et de bars proposent un accès Wi-Fi – surtout à Sydney et à Melbourne. Ce service est parfois payant. Les sites Internet suivants vous aideront à trouver des adresses :

Azure Wireless (www.azure.com.au)

Free WiFi (www.freewifi.com.au)

Wi-Fi HotSpotList (www.wi-fihotspotlist.com/browse/au)

Jours fériés

Voici une liste des principaux jours fériés (ceux qui sont spécifiques à une ville ou à une zone sont indiqués par un *). Les dates peuvent varier d'un État à l'autre ; renseignez-vous sur place.

DANS TOUT LE PAYS

Nouvel An 1er janvier

Australia Day 26 janvier, fête nationale

Pâques (du Vendredi saint au lundi de Pâques compris) mars/avril

Anzac Day 25 avril, hommage rendu à l'Anzac, qui combattit aux côtés des Alliés pendant la Première Guerre mondiale

Anniversaire de la Reine (sauf en Australie-Occidentale) 2e lundi de juin

Anniversaire de la Reine (Australie-Occidentale) dernier lundi de septembre

Noël 25 décembre

Boxing Day 26 décembre

ACT (TERRITOIRE DE LA CAPITALE AUSTRALIENNE)

Canberra Day 2e lundi de mars

Bank Holiday 1er lundi d'août

Fête du Travail (Labour Day) 1er lundi d'octobre

AUSTRALIE-OCCIDENTALE

Fête du Travail 1er lundi de mars

Foundation Day 1er lundi de juin

AUSTRALIE DU SUD

Adelaide Cup Day 3e lundi de mai

Fête du Travail 1er lundi d'octobre

Proclamation Day le dernier lundi ou mardi de décembre

NOUVELLE-GALLES DU SUD

Bank Holiday 1er lundi d'août

Fête du Travail 1er lundi d'octobre

QUEENSLAND

Fête du Travail 1er lundi de mai

RNA Show Day* (Brisbane) 2e ou 3e mercredi d'août

TASMANIE

Regatta Day* (Hobart) 14 février

Launceston Cup Day* dernier mercredi de février

Eight Hours Day 1er lundi de mars

Bank Holiday le mardi après Pâques

King Island Show* 1er mardi de mars

Launceston Show Day* le jeudi précédant le 2e samedi d'octobre

Hobart Show Day* le jeudi précédant le 4e samedi d'octobre

Recreation Day* (dans le nord de la Tasmanie) 1er lundi de novembre

TERRITOIRE DU NORD

May Day 1er lundi de mai

Show Day* (Alice Springs) 1er vendredi de juillet ; (Tennant Creek) 2e vendredi de juillet ; (Katherine) 3e vendredi de juillet ; (Darwin) 4e vendredi de juillet

Picnic Day 1er lundi d'août

VICTORIA

Fête du Travail 2e lundi de mars

Melbourne Cup Day 1er mardi de novembre

VACANCES SCOLAIRES

La période de Noël (mi-déc à fin jan) est incluse dans les grandes vacances d'été – les transports et les hébergements sont bondés et les files d'attente s'allongent devant les sites touristiques.

Il existe trois périodes de congés scolaires plus courtes, dont les dates varient selon les États : durant les deux premières semaines d'avril, de fin juin à mi-juillet et de fin septembre à début octobre.

Bien que les dates de vacances ne soient pas les mêmes à travers le pays, les hébergements dans les zones très touristiques comme les côtes nord et sud de la Nouvelle-Galles du Sud, ainsi que la Gold Coast et la Sunshine Coast du Queensland, n'en affichent pas moins complet.

Offices du tourisme

L'industrie touristique australienne se montre extrêmement productive. Sur place, vous ressortirez des offices du tourisme ployant sous le poids des brochures, cartes et autres dépliants. Vous glanerez également quantité d'informations détaillées sur Internet.

L'**Australian Tourist Commission** (www.australia.com) est l'organisme national chargé de la promotion du tourisme en Australie et à l'étranger.

OFFICES DU TOURISME EN AUSTRALIE

Une multitude d'offices régionaux et locaux se chargent de l'information des voyageurs. Dans ce guide, les principaux offices du tourisme des États et des territoires sont indiqués dans le paragraphe introductif des chapitres régionaux. En outre, toutes les grandes villes d'Australie, ou presque, ont leur propre office du tourisme. Si vous réservez un hébergement ou un circuit, sachez que le personnel (souvent composé de bénévoles) vous indiquera généralement les entreprises qui paient pour être membres de l'association touristique locale. Les coordonnées de ces centres d'information des visiteurs figurent à la rubrique *Renseignements* des villes.

OFFICE DU TOURISME À L'ÉTRANGER

Il n'existe pas d'office du tourisme d'Australie en France, en Belgique ou en Suisse. Toutefois, le site Internet de l'office du tourisme australien, **Tourism Australia** (www.tourism.australia.com), en français et mis à jour régulièrement, est une mine d'informations – il comprend des brochures téléchargeables, dont le *Guide officiel de l'Australie*. Au Canada, contactez **Tourism Australia** (☎ 416-572 7708 ; suite 272, 1920 rue Yonge, Toronto M4S 3E2).

L'**ambassade d'Australie en France** (voir les coordonnées p. XXX) donne, sur son site Internet, des liens vers les différents sites touristiques des États et territoires australiens.

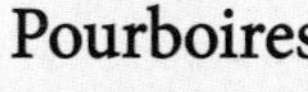

Pourboires

Les Australiens laissent volontiers un pourboire dans les restaurants et les cafés plutôt chics – mais ce n'est pas obligatoire. Comptez en général 5 à 10% de l'addition. Les chauffeurs de taxi apprécient que l'on arrondisse le prix de la course.

Santé

Les hôpitaux et les soins médicaux sont de grande qualité en Australie. Les maladies tropicales telles que le paludisme et la fièvre jaune y sont inconnues, de même que celles qui sont liées aux conditions sanitaires telles que le choléra et la typhoïde. L'isolement du pays et des règles de quarantaine strictes limitent certaines affections transmises par les animaux.

Assurez-vous que vous êtes en bonne santé avant de partir. Si vous suivez un traitement, emportez vos médicaments dans leurs boîtes d'origine et prenez votre ordonnance (avec le nom du principe actif). Si vous utilisez des seringues ou des aiguilles, munissez-vous d'une prescription justifiant leur usage.

VACCINS

Plus vous vous éloignez des circuits classiques, plus il faut prendre des précautions. Faites inscrire vos vaccinations dans un carnet international de vaccinations ("*yellow booklet*" en Australie) que vous pourrez vous procurer auprès d'un médecin ou d'un centre.

Planifiez vos vaccinations à l'avance (au moins 6 semaines avant le départ), car certaines demandent des rappels ou sont incompatibles entre elles. Les vaccins ont des durées d'efficacité très variables ; certains sont contre-indiqués pour les femmes enceintes.

Le **ministère français des Affaires étrangères** (www.diplomatie.gouv.fr/voyageurs) effectue une veille sanitaire et met régulièrement en ligne des recommandations concernant les vaccinations.

Quelques centres de vaccination :

Centre médical de l'Institut Pasteur (☎0 890 71 08 11 ; www.pasteur.fr/sante ; 209-211 rue de Vaugirard, 75015 Paris)

Air France (☎01 43 17 22 00 ; http://centredevaccination-airfrance-paris.com ; 148 rue de l'Université, 75007 Paris)

Centre de vaccinations ISBA (☎04 72 76 88 66 ; www.isbasante.com ; 7 rue Jean-Marie-Chavant, 69007 Lyon). Autres centres en France. Coordonnées sur le site Internet.

Hôpital Nord – Centre de santé des voyageurs (☎04 91 96 89 11 ; www.ap-hm.fr/mit ; Pavillon des maladies infectieuses et tropicales, chemin des Bourrely, 13915 Marseille Cedex 20).

ASSURANCE SANTÉ

Une assurance est essentielle. N'oubliez pas que les dépenses de santé peuvent représenter des sommes considérables, surtout en cas de rapatriement. Prenez avec vous tous les documents relatifs à l'assurance, ainsi que les numéros de téléphone à appeler en cas d'urgence. Vérifiez avant de partir si votre assurance réglera directement les frais médicaux encourus à l'étranger ou s'ils seront remboursés après, et si l'assurance couvre les frais d'ambulance et le rapatriement médical d'urgence par avion. En Australie, les consultations doivent être réglées sur-le-champ. Gardez les reçus détaillant les soins.

Avant de souscrire une police d'assurance, vérifiez que vous ne bénéficiez pas déjà d'une assistance par le biais d'une carte de crédit, d'une mutuelle ou d'une assurance automobile.

SANTÉ SUR INTERNET

Avant de partir, vous pouvez consulter les conseils en ligne du **ministère de la Santé** (www.sante.gouv.fr) ou celui du **Comité d'informations médicales** (Cimed ; www.cimed.org), qui présente des fiches en ligne sur les vaccinations requises et les risques sanitaires de chaque pays. Au Canada, connectez-vous à l'**Agence de la santé publique du Canada** (www.santepublique.gc.ca).

Vous trouverez plusieurs liens sur le site de **Lonely Planet** (www.lonelyplanet.fr), à la rubrique *Ressources*.

DISPONIBILITÉ DES SOINS MÉDICAUX

L'Australie possède un excellent système de santé. Les établissements publics sont complétés par des cliniques et des hôpitaux privés. Les villes principales comptent des centres publics ou spécialisés pour les femmes et les enfants.

Dans toute l'Australie, des pharmacies délivrent un certain nombre de médicaments sans ordonnance : analgésiques, antihistaminiques (pour les allergies) et soins pour la peau.

Depuis septembre 2009, les ressortissants belges peuvent bénéficier de soins médicaux publics australiens (Medicare) grâce à la convention signée entre les deux pays. Renseignez-vous sur www.medicareaustralia.gov.au/public/migrants/visitors et sur le site de l'**ambassade de Belgique à Canberra** (www.diplomatie.be/canberrafr) à la rubrique *Traités*.

Si vous suivez un traitement régulier, apportez un stock suffisant pour votre séjour. Ceci inclut la pilule contraceptive, les médicaments pour traiter l'asthme et toutes les catégories d'antibiotiques.

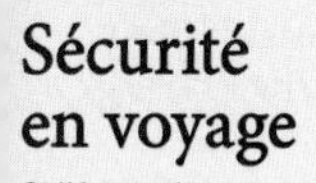

Sécurité en voyage

Si l'Australie est un pays relativement sûr en termes de criminalité, les catastrophes naturelles ont, en revanche, causé beaucoup de dégâts ces dernières années. Début 2011, des feux de bush, inondations et cyclones ont ravagé une partie du Queensland, de la Nouvelle-Galles du Sud, du Victoria et de l'Australie-Occidentale. Toutefois, en prenant en considération les avertissements des autorités locales et en évitant les zones touchées, vous ne devriez pas rencontrer de problèmes.

D'une manière générale, plus on s'éloigne des grandes villes, plus le machisme s'accentue. Même si cela n'a rien d'une règle absolue !

Il est déconseillé aux femmes de faire de l'auto-stop sans être accompagnée d'un homme.

Animaux et autres petites bêtes

Si vous êtes d'une nature pessimiste, peut-être focaliserez-vous votre attention sur tout ce qui, en Australie, mord, pique, brûle, gèle ou vole… Dans les faits, les désagréments se limitent le plus souvent à quelques mouches et moustiques agaçants. Alors, pas de panique !

ARAIGNÉES

L'Australie compte plusieurs araignées venimeuses, dont les morsures se traitent généralement à l'aide d'un sérum anti-venin. L'araignée à toile-entonnoir (*funnel-web spider*) est une espèce mortelle présente en Nouvelle-Galles du Sud, y compris à Sydney. Sa morsure se soigne comme celle d'un serpent. Méfiez-vous aussi de l'araignée à dos rouge (*redback spider*), répandue dans tout le pays, qui provoque douleurs, nausée et transpiration. En cas de morsure, appliquez de la glace et consultez un médecin.

CROCODILES

Sur la côte nord, les crocodiles marins (*salties*) constituent un réel danger. Ils peuplent également les estuaires, les rivières et les fleuves, parfois loin à l'intérieur des terres. Avant de piquer une tête dans un rivière ou un *billabong* (trou d'eau), guettez les panneaux d'avertissement et renseignez-vous auprès des gardes forestiers ou des habitants.

MÉDUSES-BOÎTES

Dotée de tentacules venimeux mesurant jusqu'à 3 m de long, la méduse-boîte (*sea wasp* ou *stinger*) évolue dans les eaux tropicales australiennes. On peut être piqué à tout moment de l'année, mais plus fréquemment à la saison humide, d'octobre à mars, où il est déconseillé de se baigner. Des filets anti-méduses équipent certaines plages. En cas de piqûre, nettoyez la peau avec du vinaigre et filez à l'hôpital.

REQUINS

Fortement médiatisées, les attaques de requins ne sont pourtant pas plus nombreuses en Australie que dans les autres pays au littoral étendu. Renseignez-vous auprès des équipes de sauveteurs locales sur les risques encourus.

SERPENTS

L'Australie abrite un grand nombre de serpents venimeux, surtout des serpents bruns et des serpents-tigres. Néanmoins, peu sont agressifs et, à moins de marcher dessus ou de les titiller, vous ne risquez guère d'être mordu. Le cas échéant, il faut bander étroitement le membre et l'immobiliser avec une attelle avant d'aller consulter un médecin.

Téléphone

Les compagnies de téléphone australiennes sont :

Telstra (www.telstra.com.au). Principal opérateur de téléphonie fixe et mobile.

Optus (www.optus.com.au). Grand concurrent de Telstra sur les deux marchés.

Vodafone (www.vodafone.com.au). Téléphonie mobile.

Virgin (www.virginmobile.com.au). Téléphonie mobile.

3 (www.three.com.au). Téléphonie mobile.

APPELS INTERNATIONAUX

On peut obtenir l'international (ISD, ou International Subscriber Dialling) depuis la plupart des cabines téléphoniques en composant un code qui varie selon la carte téléphonique choisie – de même que le coût. Des cartes téléphoniques internationales sont en vente dans les cybercafés et les petites épiceries. Vérifiez que vous ne devrez pas payer une surtaxe à chaque appel en regardant les mentions en petits caractères.

Les tarifs des appels internationaux passés depuis des téléphones fixes en Australie sont peu élevés. Si vous devez souscrire un abonnement, n'hésitez pas à comparer les offres. Vous trouverez la liste des compagnies de téléphonie dans les pages jaunes de l'annuaire (*Yellow Pages*).

Pour passer un appel en PCV ou avec une carte de crédit, contactez le **Country Direct service** (☎1800 801 800), qui pourra vous mettre en relation avec des opérateurs situés dans près de 60 pays.

Pour téléphoner à l'étranger depuis l'Australie, faites d'abord le code d'accès international (☎0011 ou ☎0018), suivi de l'indicatif du pays (☎33 pour la France, ☎32 pour la Belgique, ☎41 pour la Suisse, ☎1 pour le Canada), puis du numéro de votre correspondant sans l'éventuel 0 initial. Certains opérateurs vous demanderont de composer un code spécial pour accéder à leurs services.

Pour téléphoner en Australie depuis l'étranger, composez le code d'accès international en vigueur dans votre pays (☎00 pour la France, la Belgique et la Suisse, ☎011 pour le Canada), le ☎61 (indicatif de l'Australie), puis le numéro souhaité, sans le 0 initial de l'indicatif de l'État u du territoire.

APPELS LOCAUX

Les communications locales coûtent de 15 à 30 c à partir d'un téléphone privé et 50 c depuis une cabine téléphonique, quelle que soit la durée de la conversation. Les appels vers un téléphone portable sont plus chers et facturés à la durée.

APPELS LONGUE DISTANCE ET INDICATIFS TÉLÉPHONIQUES

Les appels longue distance (au-delà de 50 km) se divisent en quatre zones (STD ou Subscriber Trunk Dialling). Ils peuvent être passés depuis toutes les cabines téléphoniques et coûtent moins cher aux heures creuses, généralement entre 19h et 7h et le week-end.

Voici les principaux indicatifs :

ÉTAT/TERRITOIRE	INDICATIF
ACT (Territoire de la Capitale australienne)	☎02
Nouvelle-Galles du Sud	☎02
Territoire du Nord	☎08
Queensland	☎07
Australie du Sud	☎08
Tasmanie	☎03
Victoria	☎03
Australie-Occidentale	☎08

Les indicatifs téléphoniques ne coïncident pas

Numéros importants

En Australie, les numéros de téléphone se composent d'un indicatif régional à deux chiffres suivi de huit chiffres (sans le "0" initial).

Indicatif du pays	☎61
Code d'accès international	☎0011
Urgence (ambulance, pompiers, police)	☎000
Conditions de circulation	☎13 27 01
Renseignements	☎1223

nécessairement avec les frontières des États ; par exemple, dans certaines zones isolées de la Nouvelle-Galles du Sud, on utilise les indicatifs des États voisins.

CARTES TÉLÉPHONIQUES ET TÉLÉPHONES PUBLICS

Il existe toute une gamme de cartes téléphoniques vendues à prix fixe (10 $, 20 $, etc.) chez les marchands de journaux, ainsi que dans les auberges de jeunesse et les bureaux de poste. Certains téléphones publics acceptent aussi les cartes de crédit ; les vieux appareils à pièces se font de plus en plus rares.

RENSEIGNEMENTS ET NUMÉROS VERTS

Les numéros qui commencent par ☎190 correspondent généralement à des services de renseignements enregistrés, facturés entre 35 c et 5 $ la minute (davantage à partir d'un téléphone portable ou d'une cabine).

Pour appeler en PCV depuis un téléphone public ou privé, tapez ☎1800 738 3773 ou ☎12 550. Les numéros d'appel gratuits (*toll-free*) débutent par ☎1800 ; ils ne sont pas toujours accessibles depuis certaines régions ou d'un téléphone portable. Les communications vers les numéros commençant par ☎13 ou ☎1300 sont facturées au prix d'un appel local. Certains de ces numéros ne fonctionnent que dans un État ou une zone longue distance. Les numéros en ☎1800, ☎13 ou ☎1300 ne sont pas accessibles depuis l'étranger.

TÉLÉPHONES PORTABLES

Numéros Les numéros commençant par ☎04xx sont des numéros de portables. Les réseaux de téléphonie mobile GSM et 3G offrent leurs services à plus de 90% de la population, mais laissent de vastes zones sans couverture. La réception est bonne sur la côte est, dans le Sud-Est et dans le Sud-Ouest, mais ailleurs (sauf dans les grandes villes), elle devient sporadique ou inexistante – malgré des améliorations.

Le réseau numérique australien est compatible avec les GSM 900 et 1800 (en vigueur en Europe). Il est facile et peu cher de se connecter à court terme, grâce au système prépayé des principaux fournisseurs : Telstra, Optus, Vodafone, Virgin et 3.

Transports

Depuis/vers l'Australie

C'est un véritable voyage aux antipodes qu'effectue le touriste occidental en se rendant en Australie. Une fois sur place, les distances entre les grandes villes (sans parler d'une côte à l'autre) sont gigantesques, exigeant au moins 1 à 2 heures d'avion ou plusieurs jours de voiture ou de bus. Les vols intérieurs sont abordables, comparés au coût d'une location de voiture et de l'essence.

ENTRER EN AUSTRALIE

Entrer en Australie ne pose pas de difficultés particulières. À votre arrivée et à votre départ, vous devrez notamment déclarer tous produits d'origine animale et végétale ; voir p. 385 pour les formalités et les règlements douaniers.

Passeports

Vous devez disposer d'un passeport en cours de validité et d'un visa (p. 385).

VOIE AÉRIENNE

Il est aisé de comparer les prix et d'acheter son billet en ligne pour un aller simple ou un aller-retour à dates fixes. Toutefois, passer par une agence de voyages peut permettre de profiter d'offres spéciales et de conseils avisés. Sachez que vous pourrez bénéficier d'une assurance voyage si vous réglez votre billet avec une carte bancaire ; renseignez-vous auprès de votre banque.

Une rude concurrence sur le marché aérien a donné naissance à une offre tarifaire étendue. Cependant, que vous veniez d'Europe ou d'Amérique du Nord, les prix des billets restent relativement élevés.

Il n'existe aucun vol direct, sur aucune compagnie, entre l'Europe et l'Australie.

Aéroports

L'Australie compte plusieurs aéroports internationaux, ceux de Sydney et Melbourne étant les plus actifs.

Voyage et changement climatique

Tous les moyens de transport fonctionnant à l'énergie fossile génèrent du CO_2 – la principale cause du changement climatique induit par l'homme. L'industrie du voyage est aujourd'hui dépendante des avions. Si ceux-ci ne consomment pas nécessairement plus de carburant par kilomètre et par personne que la plupart des voitures, ils parcourent en revanche des distances bien plus grandes et relâchent quantité de particules et de gaz à effet de serre dans les couches supérieures de l'atmosphère. De nombreux sites Internet utilisent des "compteurs de carbone" permettant aux voyageurs de compenser le niveau des gaz à effet de serre dont ils sont responsables par une contribution financière à des projets respectueux de l'environnement. Lonely Planet "compense" les émissions de tout son personnel et de ses auteurs.

Adélaïde (☎ 08-8308 9211 ; www.adelaideairport.com.au)

Brisbane (☎ 07-3406 3000 ; www.bne.com.au)

Cairns (☎ 07-4080 6703 ; www.cairnsairport.com)

Darwin (☎ 08-8920 1811 ; www.ntapl.com.au)

Melbourne (☎ 03-9297 1600 ; www.melbourneairport.com.au). Tullamarine.

Perth (☎ 08-9478 8888 ; www.perthairport.net.au)

Sydney (Kingsford Smith ; ☎ 02-9667 9111 ; www.sydneyairport.com.au)

Depuis/vers la France

À titre indicatif, le prix d'un aller-retour entre Paris et Sydney (ou Melbourne) débute à environ 900 € (avec au moins 1 escale), selon le mois et la compagnie aérienne ; le prix moyen se situant autour de 1 250 €. Comptez au minimum 22 heures de trajet.

Voici des adresses de transporteurs et d'agences proposant des vols vers l'Australie. Pour des voyages et circuits organisés (certains proposent aussi des vols secs), voir p. 397.

Qantas (☎ 0 811 980 002 ; www.qantas.com)

Air France (☎ 36 54 ; www.airfrance.fr)

Air China (☎ 01 42 66 66 88 ; www.airchina.fr)

Bourse des voyages (☎ 0 892 888 949 ; www.bourse-des-voyages.com)

British Airways (☎ 0 825 825 400 ; www.britishairways.com)

Les Connaisseurs du Voyage (Paris ☎ 01 53 95 27 00 ; Marseille ☎ 04 91 92 08 91 ; www.connaisseursvoyage.fr)

Nouvelles Frontières (☎ 0 825 000 825 ou 0 825 000 747 ; www.nouvelles-frontieres.fr)

Thomas Cook (☎ 0 826 826 777 ; www.thomascook.fr)

Voyageurs du Monde (☎ 0 892 235 656 ; www.vdm.com)

Depuis/vers la Belgique

Au moment de nos recherches, le prix d'un aller-retour entre Bruxelles et Sydney (ou Melbourne) débutait à environ 900 € (avec au moins 1 escale).

Brussels Airlines n'a aucune offre vers l'Australie.

Voici quelques adresses utiles :

Qantas (☎ 02 745 44 99 ; www.qantas.com)

Airstop (☎ 070 233 188 ; www.airstop.be)

British Airways (☎ 02 717 32 17 ; www.britishairways.com)

Connections (☎ 070 23 33 13 ; www.connections.be)

Gigatours Voyages Éole (☎ 070 22 44 32 ; www.voyageseole.be)

Depuis/vers la Suisse

Le prix d'un aller-retour entre Genève ou Zurich et Sydney (ou Melbourne) débute à environ 1 200 FS (avec au moins 1 escale).

Quelques adresses utiles :

Qantas (☎ 022 567 51 61 ; www.qantas.com)

Swiss (☎ 848 700 700 ; www.swiss.com)

Airways (☎ 0848 845 845 ; www.britishairways.com)

STA Travel (☎ 0900 450 402 ; www.statravel.ch)

Depuis/vers le Canada

Le prix d'un aller-retour entre Montréal (ou Toronto) et Sydney (ou Melbourne) commence à environ 1 600 $C (avec 1 ou 2 escales), et 1 200 $C en partant de

Vancouver – certains vols sont directs depuis Vancouver. Pour un vol Montréal-Sydney, comptez au moins 22 heures (1 escale).

Quelques agences utiles :

Qantas (☎ 1 800 227 4500 ; www.qantas.com)

Air Canada (☎ 888 247 2262 ou ou 1 514 393-3333 ; www.aircanada.ca)

Airlineticketsdirect.com (☎ 905 283 6036 ; www.airlineticketsdirect.com)

Expedia (☎ 1 888 397 3342 ou 1 613 780 1386 ; www.expedia.ca)

Travelocity (☎ 800 457 8010 ; www.travelocity.ca)

Voyages Campus (☎ 1 800 667 2887 ou 1 514 735 8794 ; www.voyagescampus.com/fr)

Voyages organisés

De nombreux tour-opérateurs proposent des circuits et des séjours en Australie. La plupart offrent la possibilité de voyages à la carte ou bien accompagnés de guides francophones ou anglophones. Qu'il s'agisse de formules en groupe ou en individuel, les prix sont généralement élevés. Ils descendent rarement en dessous de 2 000 € par personne pour un séjour d'une quinzaine de jours et peuvent atteindre plusieurs milliers d'euros.

Voici quelques agences, spécialistes de l'Australie, ou ayant inscrit l'île-continent à leur catalogue. Plusieurs fournissent des renseignements sur les visas, notamment le visa Vacances-Travail. Certaines s'occupent gracieusement de faire les démarches pour votre visa si vous réservez chez eux. Vous trouverez les coordonnées de prestataires locaux dans les chapitres régionaux.

SPÉCIALISTES DE L'AUSTRALIE ET GÉNÉRALISTES

Antipodes Voyages (☎ 02-640 23 23; www.antipodes.be ; av. Louise 483 b56 Louizalaan, 1050 Bruxelles)

Asia (☎ 01 44 51 50 10 ; www.asia.fr ; 1 rue Dante, 75005 Paris)

Australie à la carte (Paris ☎ 01 53 68 90 78 ; www.australie-a-la-carte.com ; 29 rue de Clichy, 75009 Paris ; Genève ☎ 022 786 14 86 ; 76 rue des Eaux Vives, 1207 Genève)

Australie Autrement (☎ 01 40 46 99 15 ; www.australieautrement.com ; 5 rue Domat, 75005 Paris)

Australie Tours (☎ 01 53 70 23 45 ; www.australietours.com ; 25 avenue Raymond-Poincaré, 75116 Paris)

Légendes australiennes (☎ 0 825 134 500 ; www.legendesaustraliennes.com)

Voyageurs du Monde (☎ 0 892 23 56 56 ; www.vdm.com ; Paris ☎ 01 42 86 16 00 ; 55 rue Sainte-Anne, 75002 Paris ; Belgique ☎ 02 543 95 50 ; 23 chaussée de Charleroi, 1060 Bruxelles ; Suisse ☎ 022 518 04 94 ; 19 rue de la Rôtisserie, 1204 Genève).

Vous pouvez également contacter :

e-Australie.com (☎ 01 43 25 51 93 ; www.e-australie.com ; 4 rue Domat 75005 Paris)

Objectif Australie (☎ 04 78 30 10 24 ; www.objectif-australie.fr ; 11 rue Gentil, 69002 Lyon)

Un monde Australie (☎ 0 892 23 55 54 ; www.unmondeaustralie.com ; 24 rue Chauchat, 75009 Paris)

Vacances Australie/ Le Cercle des Vacances (☎ 01 40 15 15 16 ; www.vacancesaustralie.com ; 4 rue Gomboust, 75001 Paris)

VOYAGES CULTURELS

Arts et vie (☎ 01 40 43 20 21 ; www.artsetvie.com ; 251 rue de Vaugirard, 75015 Paris)

Clio (☎ 01 53 68 82 82 ; www.clio.fr ; 34 rue du Hameau, 75015 Paris)

RANDONNÉE, PLONGÉE ET AUTRES SÉJOURS SPORTIFS

Allibert (France ☎ 04 76 45 50 50 ; agences à Paris, Chapareillan, Toulouse et Chamonix ; Belgique ☎ 02 526 92 90 ; Suisse ☎ 022 849 85 51 ; www.allibert-trekking.com)

Aventuria (☎ 0821 029 941 ; www.aventuria.com ; 213 bd Raspail, 75014 Paris)

Nomade Aventure (☎ 0 825 701 702 ; www.nomade-aventure.com ; 40 rue de la Montagne-Sainte-Geneviève, 75005 Paris)

Océanes (☎ 04 42 52 82 40 ; www.oceanes.com ; 531 rue Paul-Julien, 13100 Le Tholonet)

Ultramarina (Nantes ☎ 0 825 02 98 02 ; www.ultramarina.com ; 2 ter rue des Olivettes, 44032 Nantes ; Genève ☎ 022 786

14 86 ; 76 rue des Eaux Vives, 1207 Genève ; Belgique ☎ 04 344 34 30 ; 64 rue Sous l'eau, B-4020 Liège)

Comment circuler

AVION

L'Australie est si vaste que vous devrez sans doute prendre l'avion au moins une fois si vous souhaitez changer de région ou si votre temps est limité. **STA Travel** (☎ 13 47 82 ; www.statravel.com.au) et **Flight Centre** (☎ 13 31 33 ; www.flightcentre.com.au) possèdent des agences dans toute l'Australie. Vous pouvez aussi acheter des billets directement auprès des compagnies aériennes mentionnées ci-après ou sur www.travel.com.au.

Compagnies aériennes en Australie

Qantas (☎ 13 13 13 ; www.qantas.com.au) et **Virgin Australia** (☎ 13 67 89 ; www.virginaustralia.com), les principales compagnies intérieures, à la fois sûres et performantes, desservent régulièrement les grands centres urbains. **Jetstar** (☎ 13 15 38 ; www.jetstar.com.au) et **Tiger Airways** (☎ 03-9999 2888 ; www.tigerairways.com), filiales à bas prix de Qantas et Singapore Airlines respectivement, assurent des liaisons entre la plupart des capitales des États australiens.

Pour les petites compagnies couvrant des lignes plus locales, voir les chapitres régionaux.

BUS

Grâce au vaste réseau routier australien, le bus est un moyen économique et fiable de voyager. Sachez néanmoins qu'il peut être exténuant de faire de très longues distances. La plupart des bus sont équipés de la climatisation, de toilettes et de lecteurs vidéo ; tous sont non-fumeurs. Les petites localités ne possèdent pas de gare routière à proprement parler ; les arrêts s'effectuent généralement devant la poste, un kiosque à journaux ou un magasin.

Greyhound Australia (☎ 1300 473 946 ; www.greyhound.com.au) dessert tout le pays, à l'exception notable de la plaine de Nullarbor entre Adélaïde et Perth. Les billets coûtent environ 5% de moins via Internet ; en revanche, ceux achetés par téléphone sont majorés de 4 $.

Autres compagnies longue distance :

Firefly Express (☎ 1300 730 740 ; www.fireflyexpress.com.au). Relie Sydney, Canberra, Melbourne et Adélaïde.

Premier Motor Service (☎ 13 34 10 ; www.premierms.com.au). Circule sur la côte est entre Cairns et Melbourne.

V/Line (☎ 13 61 96 ; www.vline.com.au). Relie le Victoria à la Nouvelle-Galles du Sud, l'Australie du Sud et le Territoire de la Capitale australienne.

Bus pour backpackers

Certains tour-opérateurs proposant des circuits aux voyageurs à petit budget permettent d'aller d'un point A à un point B (en faisant parfois escale à votre guise). Des réductions sont habituellement consenties aux membres des organisations d'auberges de jeunesse.

Adventure Tours Australia (☎ 1800 068 886 ; www.adventuretours.com.au). Circuits économiques dans tous les États, comme la formule "Red Centre" de 2 jours avec départ/arrivée à Alice Springs, incluant Uluru, Kata Tjuta et Kings Canyon (490 $), ainsi qu'un itinéraire de 10 jours entre Perth et Broome (1 545 $).

Autopia Tours (☎ 03-9419 8878 ; www.autopiatours.com.au). Des excursions de 3 jours le long de la Great Ocean Road entre Melbourne et Adélaïde ou Sydney (395 $).

Groovy Grape Getaways Australia (☎ 1800 661 177 ; www.groovygrape.com.au). Cette compagnie d'Australie du Sud propose des circuits de 3 jours en petit groupe de Melbourne à Adélaïde par la Great Ocean Road (355 $) et des itinéraires de 7 jours d'Adélaïde à Alice Springs via Uluru (895 $).

Nullarbor Traveller (☎ 1800 816 858 ; www.the-traveller.com.au). Cette petite agence écocertifiée organise des voyages en minibus à travers la plaine de Nullarbor, dont 10 jours d'Adélaïde à Perth pour 1 495 $ – avec repas, entrées des parcs nationaux, bushwalking, surf et observation des baleines.

Oz Experience (☎ 1800 555 287 ; www.ozexperience.com). Un service de forfait convivial couvrant l'est de l'Australie. Vous ne pourrez pas revenir sur vos pas, mais les forfaits

Principaux itinéraires de bus et de train

sont valables jusqu'à 6 mois pour un nombre d'escales illimité. La formule Sydney-Cairns coûte 495 $, le pass "Fish Hook" de Sydney ou Melbourne à Darwin 1 475 $.

Forfaits de bus

Les détenteurs des cartes YHA, VIP et Nomads, et d'autres organisations, bénéficient généralement d'une réduction de 10% sur les forfaits Greyhound mentionnés p. 398. Consultez le site www.greyhound.com.au/australia-bus-pass.

PASS EXPLORER

Les pass Explorer, qui permettent de monter et de descendre où l'on veut (*hop-on, hop-off*), n'offrent pas la possibilité de revenir sur ses pas, contrairement aux Pass Kilometre (voir p. 400) ; en revanche, ils vous reviendront généralement moins cher. La durée de validité dépend de la distance parcourue.

Avec le forfait "Aussie Highlights" (1 864 $), vous circulerez dans la moitié est du pays, au départ de Sydney et en passant par Melbourne, Adélaïde, Coober Pedy, Alice Springs, Darwin, Cairns, Townsville, les Whitsunday Islands, Brisbane et Surfers Paradise. D'autres forfaits aller simple sont disponibles, comme le "Best of the Outback" (976 $), qui relie Sydney à Darwin via Melbourne, Adélaïde et Alice Springs.

PASS KILOMÈTRE

Ce pass, le plus simple du lot, donne droit à un kilométrage spécifique. Il débute à 500 km (105 $) et augmente par tranche de 1 000 à 2 000 km (2 239 $), jusqu'à un maximum de 25 000 km (2 585 $). Valable 12 mois, il permet de voyager n'importe où et de s'arrêter aussi souvent qu'on le désire. Téléphonez au moins un jour à l'avance pour réserver votre siège.

Classes

Il n'y a pas de système de classes dans les bus australiens.

Tarifs

Les prix ci-dessous représentent un aller simple au tarif standard sur quelques-uns des principaux axes.

TRAJET	TARIFS ADULTE/ ENFANT/RÉDUIT
Adélaïde-Darwin	595/540/560 $
Adélaïde-Melbourne	70/60/65 $
Brisbane-Cairns	260/220/250 $
Cairns-Sydney	410/350/370 $
Sydney-Brisbane	140/110/115 $
Sydney-Melbourne	65/60/60 $

COMPENSATION DES ÉMISSIONS DE CO_2

Plusieurs organisations ont mis au point des "calculateurs de carbone" qui permettent aux voyageurs de compenser les émissions de gaz à effet de serre dont ils sont responsables par une contribution financière. En voici quelques-unes qui sont basées en Australie :
CarbonNeutral (www.carbonneutral.com.au)
Carbon Planet (www.carbonplanet.com)
Elementree (www.elementree.com.au)
Greenfleet (www.greenfleet.com.au)

TRAIN

Voyager en train n'est ni très bon marché, ni très pratique, ni très rapide. Cela dit, le rail s'avère plus confortable que le bus et, sur certains longs trajets, son charme perdure. Les services ferroviaires de chaque État dépendent d'une compagnie publique ou privée. Pour plus de détails, voir les rubriques concernant les transports des chapitres régionaux.

Les trois principaux services inter-États dépendent de la **Great Southern Railways** (☎ 13 21 47 ; www.gsr.com.au). Il s'agit de l'*Indian Pacific*, entre Sydney et Perth, de l'*Overland*, entre Melbourne et Adélaïde, et du *Ghan*, d'Adélaïde à Darwin via Alice Springs. Citons aussi le *Sunlander* de **Queensland Rail** (☎ 1800 872 467 ; www.queenslandrail.com.au), entre Brisbane et Cairns, et les trains de **CountryLink** (☎ 13 22 32 ; www.countrylink.info) reliant Sydney à Brisbane, Melbourne et Canberra.

Forfaits

L'Ausrail Pass de **Great Southern Rail** (☎ 13 21 47 ; www.gsr.com.au) permet de voyager en place assise sur le réseau ferroviaire (services CountryLink et *Sunlander* inclus) pendant 6 mois de façon illimitée. Il coûte 990/890 $ pour un adulte lorsqu'on l'achète en Australie/à l'étranger, ce qui est peu onéreux compte tenu des distances que vous pourrez parcourir.

Le Rail Explorer Pass de Great Southern Rail (adulte 690 $), réservé aux visiteurs étrangers, autorise à voyager en place assise sur le *Ghan*, l'*Overland* et l'*Indian Pacific* durant 6 mois.

CountryLink (☎ 13 22 32 ; www.countrylink.info) propose deux forfaits. L'"East Coast Discovery Pass", valable 6 mois, permet d'aller de Melbourne à Cairns (ou inversement) avec un nombre d'arrêts illimité. Il coûte 450 $ pour l'ensemble de la ligne. Vous débourserez 370 $ pour le tronçon Sydney-Cairns et 280 $ pour la portion Brisbane-Cairns. Le Backtracker Pass, uniquement destiné aux ressortissants étrangers, offre la possibilité de profiter de l'ensemble du réseau CountryLink pour une durée variable (14 jours/1/3/6 mois 232/275/298/420 $ chacun).

Tarifs

Voici des exemples de prix standards pour un aller. Notez qu'il existe aussi des places assises à tarif réduit, généralement non remboursables et non modifiables, ainsi que des billets "backpackers" économiques. Mieux vaut réserver suffisamment tôt, car les premiers arrivés sont les premiers servis.

Adélaïde-Darwin Siège (*seat*) adulte/enfant 716/331 $; couchette (*cabin*) à partir de 1 372/876 $.

Adélaïde-Melbourne Siège adulte/enfant 90/45 $.

Adélaïde-Perth Siège adulte/enfant 716/286 $; couchette à partir de 1 402/913 $.

Brisbane-Cairns Siège adulte/enfant 214/157 $; couchette à partir de 420/252 $.

Sydney-Canberra Siège adulte/enfant 40/18 $.

Sydney-Brisbane Siège adulte/enfant 91/65 $.

Sydney-Melbourne Siège adulte/enfant 91/65 $.

Sydney-Perth Siège adulte/enfant 751/251 $, couchette à partir de 2 008/1 158 $.

VÉLO

L'Australie offre aussi bien des pistes cyclables dans les grandes villes que des milliers de kilomètres de bonnes routes de campagne. Il est aisé de parcourir de vastes plaines émaillées de douces collines. Les amateurs de VTT trouveront aussi moult parcours en forêt et sur les hauts plateaux.

Cartes routières Les cartes routières standards feront l'affaire, mais si vous voulez éviter les grands axes et les petites routes non bitumées, optez pour les cartes gouvernementales (au 1/250 000). Si vous parcourez de longues distances, il vous faudra bien sûr en utiliser plusieurs. Les cartes à l'échelle supérieure (au 1/1 000 000) sont disponibles dans les magasins spécialisés.

Conditions climatiques En été, prévoyez beaucoup d'eau. Portez un casque avec visière (ou une casquette en dessous), enduisez-vous de crème solaire et évitez de pédaler en plein milieu de journée. Dans le Sud, méfiez-vous du vent chaud qui transforme en véritable enfer la vie du cycliste se dirigeant vers le nord. Les vents de sud-est commencent à souffler en avril : vous roulerez vent arrière (en théorie) jusqu'à Darwin. En montagne, il peut faire très froid, d'où la nécessité d'apporter des vêtements appropriés.

Location On peut facilement louer un vélo dans les villes (voir les rubriques *Activités* des chapitres consacrés aux destinations). Pour une utilisation prolongée, il est toutefois plus avantageux d'en acheter un.

Réglementation Le port du casque est obligatoire dans tous les États. Autre obligation, votre vélo doit être pourvu d'un phare blanc à l'avant et rouge à l'arrière pour rouler de nuit.

Transports Si vous emportez votre propre vélo, renseignez-vous auprès de votre compagnie aérienne sur le coût, le démontage nécessaire et l'emballage requis. Sur place, les sociétés de bus exigeront le démontage de votre vélo, qui ne sera pas forcément transporté dans le même bus que vous.

Renseignements

La fédération nationale est la **Bicycle Federation of Australia** (☎ 02-6249 6761 ; www.bicycles.net.au). Dans chaque État ou territoire, un organisme pourra vous renseigner et vous mettre en contact avec les clubs cyclistes.

Bicycle New South Wales (☎ 02-9704 0800 ; www.bicyclensw.org.au). En Nouvelle-Galles du Sud.

Bicycle Queensland (☎ 07-3844 1144 ; www.bq.org.au)

Bicycle SA (☎ 08-8168 9999 ; www.bikesa.asn.au). En Australie du Sud.

Bicycle Tasmania (www.biketas.org.au)

Bicycle Transportation Alliance (☎ 08-9420 7210 ; www.btawa.org.au). En Australie-Occidentale.

Bicycle Victoria (☎ 03-8636 8888 ; www.bv.com.au)

Northern Territory Cycling Association (www.nt.cycling.org.au). Dans le Territoire du Nord.

Pedal Power ACT (☎ 02-6248 7995 ; www.pedalpower.org.au). Dans le Territoire de la Capitale australienne.

VOITURE ET MOTO

Avec ses vastes distances, ses longues routes et ses sites isolés, l'Australie est une destination de rêve pour un grand voyage en voiture, promesse d'une expérience inoubliable.

Permis de conduire

Ayez toujours sur vous votre permis de conduire ou votre permis de conduire international, en cours de validité.

Louer un véhicule

Les principales sociétés ont des agences dans les grandes villes, ce qui permet de ne pas avoir à retourner dans la localité de départ. La plupart exigent que le conducteur ait au moins 21 ans, mais l'âge minimal est parfois fixé à 18 ans, ou à 25 ans.

Quelques conseils :

- Lisez soigneusement le contrat dans son entier.
- Concernant la caution, certaines entreprises demandent une simple autorisation de prélèvement, d'autres retirent directement l'argent sur votre compte.

Dans ce cas, renseignez-vous pour savoir quand vous serez remboursé.

- Si le kilométrage n'est pas illimité, renseignez-vous sur le prix du kilomètre supplémentaire.
- Calculez ce que cela représente en plus par jour, et vérifiez s'il n'est pas plus intéressant de payer un supplément à la journée. Assurez-vous que votre assurance voyage vous couvre pour les accidents survenus avec un véhicule, et pour la franchise imposée par le loueur.
- Attention aux restrictions. Certaines sociétés ne couvrent pas les accidents n'impliquant pas d'autres véhicules – si vous rentrez dans un kangourou par exemple – ou ceux qui surviennent sur des routes non goudronnées (*unsealed roads*), même inévitables comme les voies d'accès des campings. Peuvent également être exclues certaines parties de la voiture telles que bas de caisse, pneus, pare-brise, etc.
- Avant de signer, faites le tour du véhicule pour noter les éventuels défauts, que vous ferez figurer sur le contrat.
- Renseignez-vous sur la marche à suivre en cas d'accident ou de panne.
- Dans la mesure du possible, rendez le véhicule lorsque l'agence est ouverte et insistez pour que l'inspection se fasse en votre présence.

Les sociétés de location ne manquent pas. Les sites suivants proposent des réductions de dernière minute :

Carhire.com (www.carhire.com.au)

Drive Now (www.drivenow.com.au)

Webjet (www.webjet.com.au)

4x4 et camping-car

Un petit 4x4, comme le Suzuki Vitara ou le Toyota Rav4, coûte entre 85 et 100 $ par jour. Un Toyota Landcruiser revient à 100 $ au minimum – avec l'assurance et un certain nombre de kilomètres (entre 100 et 200 km par jour, voire un kilométrage illimité).

Vérifiez attentivement les conditions d'assurance, notamment la franchise, car cela peut rapidement alourdir la note – dans le Territoire du Nord (NT), l'assurance revient souvent à 5 000 $, mais elle peut passer à 1 000 $ (voire à 0 $!) si vous versez un supplément d'environ 50 $ par jour. Même pour un 4x4, les assurances proposées par les compagnies ne couvrent pas nécessairement la conduite "hors piste", c'est-à-dire en dehors des routes bitumées et des chemins de terre entretenus.

Hertz, Budget et Avis louent des 4x4, avec possibilité de les rendre dans une autre ville – option valable entre les États de l'Est et le Territoire du Nord. D'autres enseignes proposent des camping-cars à partir de 70 $ (2 couchettes) ou 100 $ (4 couchettes) par jour, généralement pour une durée minimum de 5 jours, avec kilométrage illimité. En voici quelques-unes :

Apollo (☎ 1800 777 779 ; www.apollocamper.com)

Backpacker Campervans (☎ 1800 670 232 ; www.backpackercampervans.com)

Britz (☎ 1800 331 454 ; www.britz.com.au)

Maui (☎ 1300 363 800 ; www.maui.com.au)

Wicked Campers (☎ 1800 246 869 ; www.wickedcampers.com.au)

Assurance

Quand vous louez un véhicule, renseignez-vous sur votre responsabilité en cas d'accident. Plutôt que de risquer de payer des milliers de dollars, mieux vaut prendre une assurance auto complète ou – option la plus répandue – payer un supplément journalier pour bénéficier d'une réduction de franchise (*insurance excess reduction*). En cas d'accident, cette clause permet de réduire la franchise à quelques centaines de dollars – contre 2 000 à 5 000 $ autrement.

Attention, à moins de louer un 4x4, vous ne serez jamais couvert si vous empruntez des chemins de terre. La plupart des assurances proposées par les agences ne prennent pas en charge les bris de glace – notamment pour le pare-brise –, ni les problèmes de pneus.

Clubs automobiles

Les clubs automobiles, qui peuvent vous assister en cas de problème, sont également une bonne source d'information – assurance, législation, cartes routières, etc. L'adhésion, qui revient à 100 ou 150 $ environ, peut épargner bien des soucis en cas de panne ou d'accident. Si vous êtes membre d'un club automobile dans votre pays, vérifiez s'il existe un partenariat avec l'Australie. Les clubs automobiles ci-dessous offrent généralement les mêmes droits dans tous les États et territoires :

AAA (Australian Automobile Association ; ✆ 02-6247 7311 ; www.aaa.asn.au)

AANT (Automobile Association of the Northern Territory ; ✆ 08-8925 5901 ; www.aant.com.au)

NRMA (✆ 13 11 22 ; www.mynrma.com.au). NSW et ACT.

RAC (Royal Automobile Club of WA ; ✆ 13 17 03 ; www.rac.com.au)

RACQ (Royal Automobile Club of Queensland ; ✆ 13 19 05 ; www.racq.com.au)

RACT (Royal Automobile Club of Tasmania ; ✆ 13 27 22 ; www.ract.com.au)

RACV (Royal Automobile Club of Victoria ; ✆ 13 72 28 ; www.racv.com.au)

Code de la route

Les Australiens roulent à gauche et le volant est à droite.

Priorité à droite Souvenez-vous bien que la priorité est à droite, même aux (rares) carrefours dépourvus de signalisation.

Limite de vitesse En agglomération et en zone résidentielle, la vitesse est limitée à 50 km/h, et même parfois à 40 km/h. Près des écoles, la limite passe fréquemment à 25 km/h le matin et l'après-midi. Sur autoroute, la vitesse autorisée est généralement de 100 km/h ou 110 km/h – dans le Territoire du Nord, elle est de 110 km/h ou 130 km/h. Des radars et des caméras sont placés dans des lieux stratégiques.

Ceinture de sécurité Le port des ceintures de sécurité est obligatoire à l'avant, comme à l'arrière. Les enfants doivent être installés dans des sièges appropriés à leur âge.

Alcool au volant Les conducteurs ayant un taux d'alcoolémie supérieur à 0,05% sont passibles d'une lourde amende et d'un retrait de permis. La police réalise couramment des contrôles aléatoires d'alcoolémie et de drogue et peut contraindre pour cela n'importe quel automobiliste à s'arrêter.

Téléphone portable Il est interdit de téléphoner au volant, excepté avec un kit mains libres.

Stationnement

Il est souvent ardu de se garer dans les métropoles et les villes touristiques comme Byron Bay. Le stationnement est souvent payant et limité dans le temps. Le dépassement de la limite autorisée (même de quelques minutes) peut vous coûter entre 50 et 120 $. En cas de stationnement interdit, vous encourez la fourrière ou l'immobilisation du véhicule (regardez bien les panneaux). Dans les villes, les grands parkings sur plusieurs niveaux coûtent de 10 à 25 $ par jour.

État des routes

Les autoroutes à plusieurs voies sont rares en Australie, même si certaines sections comptent de 4 à 6 voies dans les zones particulièrement fréquentées, comme la Princes Hwy entre Murray Bridge et Adélaïde, une grande partie de la Pacific Hwy entre Sydney et Brisbane, ainsi que la Hume Hwy, la Princes Fwy et la Calder Fwy dans le Victoria. Ailleurs, les routes principales sont goudronnées et comptent deux voies. En outre, toute personne souhaitant découvrir le pays de plus près doit s'attendre à rencontrer des chemins de terre.

Le conducteur australien est généralement courtois, mais il faut se méfier de certains fous du volant dans les campagnes et les villes, ainsi que des conducteurs en état d'ébriété. La conduite sur terre peut aussi s'avérer délicate si vous n'en avez pas l'habitude.

Dangers et précautions

AU VOLANT

Attention à la fatigue et aux risques d'endormissement, surtout par temps chaud, quand vous parcourez de longues distances. Pensez à faire une pause toutes les 2 heures environ. Dégourdissez-vous les jambes et buvez un café ; changez de conducteur si vous le pouvez. Un téléphone mobile peut dépanner, même si le réseau ne couvre pas tout le pays. Soyez très vigilant quand vous doublez un *road train* (camion à plusieurs remorques) : assurez-vous d'avoir la place et la vitesse nécessaires. Sur les routes à deux voies, si un tel géant arrive en sens inverse, il est prudent de passer sur le bas-côté.

MOTO

À moto, méfiez-vous de la déshydratation due à l'air sec et chaud – emportez au moins 5 l d'eau lorsque vous voyagez sur les routes isolées du centre du pays et buvez régulièrement, même si vous n'avez pas soif. En Tasmanie et dans le Victoria, les hivers sont rigoureux et il peut pleuvoir à n'importe quelle période de l'année. Pensez à prendre des pièces de rechange et des outils, même si vous ne savez pas vous en servir (quelqu'un saura bien le faire à votre place). Emportez le manuel d'entretien de votre moto et des tendeurs de rechange pour attacher vos affaires.

ANIMAUX

Dans l'outback et le long des routes, vous verrez beaucoup de cadavres d'animaux. La plupart sont fauchés la nuit, par des voitures et des camions. C'est un véritable problème, surtout dans le Territoire du Nord, le Queensland, en Nouvelle-Galles du Sud, en Australie du Sud et en Tasmanie. De nombreux Australiens évitent de prendre la route après le coucher du soleil pour limiter les risques.

Il n'est pas rare de trouver des kangourous sur les routes de campagne – et des vaches et des moutons dans l'outback, où les clôtures n'existent pas. Inutile de dire que des animaux de cette taille peuvent faire de sérieux dégâts sur un véhicule ! Les kangourous se déplacent surtout à l'aube et au crépuscule, et souvent en groupe. Si vous en apercevez un, ralentissez : ses congénères ne sont sûrement pas loin.

En cas de collision avec une bête, placez-la sur le bas-côté. Vous préviendrez ainsi un nouvel accident. Si l'animal est seulement blessé et de petite taille (un bébé kangourou par exemple), enveloppez-le dans une serviette ou une couverture et appelez le centre de secours adéquat :

Fauna Rescue South Australia (☎ 08-8289 0896 ; www.faunarescue.org.au)

NSW Wildlife Information, Rescue and Education Service (WIRES ; ☎ 1300 094 737 ; www.wires.org.au)

Northern Territory Wildlife Rescue Hotline Darwin (☎ 0409 090 840) ; Katherine (☎ 0412 955 336) ; Alice Springs (☎ 0419 221 128)

Queensland Department of Environment & Resource Management (☎ 1300 130 372 ; www.derm.qld.gov.au)

Tasmania Parks & Wildlife Service Tasmania (☎ 1300 135 513 ; www.parks.tas.gov.au)

Western Australia Department of Environment & Conservation (☎ 08-9474 9055, urgences maritimes 08-9483 6462 ; www.dec.wa.gov.au)

Wildlife Victoria (☎ 1300 094 535 ; www.wildlifevictoria.org.au)

Essence

On peut s'approvisionner en carburant (diesel et sans plomb principalement) dans les stations des grands groupes internationaux. En revanche, le GPL (gaz de pétrole liquéfié, LPG en anglais) n'est pas toujours disponible dans les endroits les plus reculés – préférez les véhicules hybrides.

Les tarifs varient d'une région à l'autre. Lors de nos recherches, l'essence sans plomb oscillait entre 1,25 $ et 1,55 $ en ville. Les prix grimpent à la campagne : dans l'outback du Territoire du Nord et du Queensland, le litre peut atteindre 2,20 $. Même si certaines pompes sont très espacées dans l'outback, peu d'itinéraires nécessitent d'avoir un réservoir d'essence de très grande capacité. Sur les grands axes, vous trouverez une ville ou un relais routier tous les 150 ou 200 km. Beaucoup de stations-service fonctionnent 24h/24, mais pas toutes.

Renseignements pratiques

Australian Bureau of Meteorology (www.bom.gov.au)

Motorcycle Riders Association of Australia (MRAA; www.mraa.org.au)

NT Road Conditions Hotline (%1800 246 199; www.roadreport.nt.gov.au)

South Australia Road Conditions (%1300 361 033; www.transport.sa.gov.au)

Queensland Traffic & Travel Information (%13 19 40; http://highload.131940.qld.gov.au)

WA Road Conditions Hotline (☎ 13 81 38; www.mainroads.wa.gov.au)

En coulisses

Un mot de l'auteur

CHARLES RAWLINGS-WAY

Un immense merci à Maryanne pour le job et à Meg, coauteur chevronnée, avec qui j'ai couvert des tas de kilomètres pour mener à bien notre enquête. Je remercie également mes autres coauteurs et tout le personnel du bureau de Lonely Planet. Merci encore à ce bout de fil de fer qui m'a permis de rafistoler mon pot d'échappement dans l'outback de l'Australie du Sud, et à mes deux filles, grâce auxquelles j'ai bien rigolé et fait des haltes imprévues en chemin.

Remerciements

Données des cartes du climat adaptées de Peel MC, Finlayson BL & McMahon TA (2007) "Updated World Map of the Köppen-Geiger Climate Classification", Hydrology and Earth System Sciences, 11, 1633-44.

Photographie p. 134 : œuvre reproduite avec la permission de l'artiste Shirana Shahbazi et de la galerie Bob van Orsouw, Zurich ; photographie p. 343 : image reproduite avec la permission du Museum of Old and New Art (MONA).

Photographie de couverture : Uluru (Ayers Rock),Territoire du Nord, Paul Sinclair. Photographie 4e de couverture : Opéra de Sydney et le port, Glenn van der Knijff

La plupart des photos publiées dans ce guide sont disponibles auprès de notre agence photographique Lonely Planet Images : www.lonelyplanetimages.com.

À nos lecteurs

Muriel Buffiere, Priscille Meygret, Pierre-Louis Naud, Sandy Paliron, Joan Varnavant.

À propos de ce guide

Cette 2e édition française du guide *L'essentiel de l'Australie* est une traduction-adaptation de la 2e édition *Discover Australia* (en anglais), commandée par le bureau de Melbourne de Lonely Planet. Cet ouvrage a été coordonné par Charles Rawlings-Way, basé sur les recherches sur le terrain et rédigé par Jayne D'Arcy, Peter Dragicevich, Sarah Gilbert, Paul Harding, Catherine Le Nevez, Virginia Maxwell, Miriam Raphael, Regis St Louis, Steve Waters, Penny Watson et Meg Worby. Merci également aux personnes suivantes pour leur contribution à l'ouvrage : Michael Cathcart, Tim Flannery, le Dr Luc Paris (pour la rubrique *Santé*), Hugh Finlay (dont le texte a servi de base pour le chapitre *Art aborigène*), Gabi Mocatta et Olivia Pozzan. La première édition de ce guide a été coordonnée par Lindsay Brown.

Traduction Nathalie Berthet, Hind Boughedaoui, Thérèse de Cherisey, Florence Delahoche, Frédérique Hélion-Guerrini, Dominique Lavigne, Mélanie Marx, Pierre-Yves Raoult, Jeanne Robert et Bérengère Viennot
Direction éditoriale Didier Férat
Adaptation française Carole Haché
Responsable prépresse Jean-Noël Doan
Maquette Marie Dautet
Cartographie Nicolas Chauvet
Couverture Annabelle Henry
Merci à Dolorès Mora pour sa relecture attentive et à Émilie Leibig pour son minutieux travail de préparation du manuscrit anglais. Un grand merci à Dominique Spaety pour son soutien et à toute l'équipe du bureau de Paris. Enfin, merci à Clare Mercer, Tracey Kislingbury et Mark Walsh du bureau de Londres, ainsi qu'à Darren O'Connell, Chris Love, Craig Kilburn et Carol Jackson du bureau australien.

VOS RÉACTIONS ?

Vos commentaires nous sont très précieux et nous permettent d'améliorer constamment nos guides. Notre équipe lit toutes vos lettres avec la plus grande attention. Nous ne pouvons pas répondre individuellement à tous ceux qui nous écrivent, mais vos commentaires sont transmis aux auteurs concernés. Tous les lecteurs qui prennent la peine de nous communiquer des informations sont remerciés dans l'édition suivante, et ceux qui nous fournissent les renseignements les plus utiles se voient offrir un guide.

Pour nous faire part de vos réactions, prendre connaissance de notre catalogue et vous abonner à Comète, notre lettre d'information, consultez notre site web : www.lonelyplanet.fr

Nous reprenons parfois des extraits de notre courrier pour les publier dans nos produits, guides ou sites web. Si vous ne souhaitez pas que vos commentaires soient repris ou que votre nom apparaisse, merci de nous le préciser. Pour connaître notre politique en matière de confidentialité, connectez-vous à : www.lonelyplanet.fr/confidentialite/index.cfm.

Index

A

B

C

000 Pages de cartes

D

E

F

G

H

I

J

K

L

000 Pages de cartes

M

N

O

P

Q

R

000 Pages de cartes

S

T

U

Comment tiliser ce livre

Ces symboles vous aideront à identifier les différentes rubriques :

- À voir
- Activités
- Cours
- Circuits organisés
- Fêtes et festivals
- Où se loger
- Où se restaurer
- Où prendre un verre
- Où sortir
- Achats
- Renseignements/transports

Ces symboles vous donneront des informations essentielles au sein de chaque rubrique :

- Numéro de téléphone
- Horaires d'ouverture
- Parking
- Non-fumeurs
- Climatisation
- Accès Internet
- Wi-Fi
- Piscine
- Végétarien
- Menu en anglais
- Familles bienvenues
- Animaux acceptés
- Bus
- Ferry
- Métro
- Subway
- Tube (Londres)
- Tramway
- Train

La sélection apparaît dans l'ordre de préférence de l'auteur.

Les pictos pour se repérer :

GRATUIT Des sites libre d'accès

Les adresses écoresponsables

Nos auteurs ont sélectionné ces adresses pour leur engagement dans le développement durable – par leur soutien envers des communautés ou des producteurs locaux, leur fonctionnement écologique ou leur investissement dans des projets de protection de l'environnement.

Légende des cartes

À voir

- Plage
- Temple bouddhiste
- Château
- Église/cathédrale
- Temple hindou
- Mosquée
- Synagogue
- Monument
- Musée/galerie
- Ruines
- Vignoble
- Zoo
- Centre d'intérêt

Activités

- Plongée/snorkeling
- Canoë/kayak
- Ski
- Surf
- Piscine/baignade
- Randonnée
- Planche à voile
- Autres activités

Se loger

- Hébergement
- Camping

Se restaurer

- Restauration

Prendre un verre

- Bar
- Café

Sortir

- Spectacle

Achats

- Magasin

Renseignements

- Poste
- Point d'information

Transports

- Aéroport/aérodrome
- Poste frontière
- Bus
- Téléphérique/funiculaire
- Piste cyclable
- Ferry
- Métro
- Monorail
- Parking
- S-Bahn
- Taxi
- Train/rail
- Tramway
- Tube
- U-Bahn
- Autre moyen de transport

Routes

- Autoroute à péage
- Autoroute
- Nationale
- Départementale
- Cantonale
- Chemin
- Route non goudronnée
- Rue piétonne
- Escalier
- Tunnel
- Passerelle
- Promenade à pied
- Promenade à pied (variante)
- Sentier

Géographie

- Refuge/gîte
- Phare
- Point de vue
- Montagne/volcan
- Oasis
- Parc
- Col
- Aire de pique-nique
- Cascade

Population

- Capitale (pays)
- Capitale (État/province)
- Grande ville
- Petite ville/village

Limites et frontières

- Pays
- Province/État
- Contestée
- Région/banlieue
- Parc maritime
- Falaise/escarpement
- Rempart

Hydrographie

- Rivière
- Rivière intermittente
- Marais/mangrove
- Récif
- Canal
- Eau
- Lac asséché/salé/intermittent
- Glacier

Topographie

- Plage/désert
- Cimetière (chrétien)
- Cimetière (autre religion)
- Parc/forêt
- Terrain de sport
- Site (édifice)
- Site incontournable (édifice)

REGIS ST LOUIS

Brisbane et les plages de la côte est, Nord tropical du Queensland L'amour de Regis pour l'Australie l'a amené à sillonner le pays de long en large, des terres sauvages de l'Australie-Occidentale aux paysages tropicaux du Queensland. Lors de son dernier voyage, il a exploré la Brisbane bohème et branchée, visité les vignobles de Granite Belt et montré à ses filles les adorables koalas du Lone Pine Koala Sanctuary. Il a collaboré à une trentaine de titres Lonely Planet, dont *Queensland & the Great Barrier Reef.* Quand il ne crapahute pas à l'autre bout de la planète, Regis vit entre New York et Sydney.

Retrouvez Regis sur le site de Lonely Planet :
lonelyplanet.com/members/regisstlouis

STEVE WATERS

Perth et la côte ouest Steve a traversé pour la première fois l'Australie-Occidentale il y a 16 ans, au volant d'une vieille américaine déglinguée, et y retourne régulièrement depuis. Son périple de 17 600 km s'est traduit pas cinq pneus éclatés, la perte de plusieurs chapeaux et paires de lunettes de soleil et la rencontre avec un émeu imprudent sur la route entre Kalumburu et Cervantes. Également auteur du chapitre *Ouest de Sumatra* du guide *Indonésie*, il s'occupe en temps normal des bases de données au bureau Lonely Planet de Melbourne.

PENNY WATSON

Brisbane et les plages de la côte est Journaliste et auteur de récits de voyage à plein temps, Penny Watson a grandi en Nouvelle-Galles du Sud, et elle est aujourd'hui incollable sur la richesse de ses paysages. Résidant désormais à Hong Kong, elle participe pour la troisième fois au guide *Australie* de Lonely Planet et c'est déjà son quatrième ouvrage consacré à cette région exceptionnelle du pays. Pour en savoir plus sur ses récits de voyage, consultez son site www.pennywatson.com.au.

MEG WORBY

Uluru et le Centre Rouge, Best of du reste de l'Australie Après 10 ans d'absence, cette enfant d'Adélaïde a été inexorablement rattrapée par l'Australie du Sud, qu'elle a retrouvée presque inchangée, à l'exception de la région des vins et des Adelaide Hills, résolument tournées vers le futur. Dans le magnifique Territoire du Nord, elle a en revanche assisté au triomphe de la nature. Ancien membre de l'équipe langues et édition de Lonely Planet, Meg, participe ici à son sixième guide sur l'Australie.

CONTRIBUTIONS

Michael Cathcart est l'auteur du chapitre *Histoire*. Il enseigne l'histoire à l'Australian Centre de l'université de Melbourne. Animateur bien connu d'ABC Radio National, il a également présenté des programmes d'histoire sur ABC TV. Dans son dernier livre, *The Water Dreamers* (2009), il s'intéresse à la manière dont l'eau a façonné l'histoire de l'Australie.

Tim Flannery s'est chargé du chapitre *Environnement*. Scientifique, explorateur et écrivain, nommé Australien de l'année en 2007, il est l'auteur de plusieurs ouvrages primés, dont deux essais consacrés au changement climatique, *Les Faiseurs de pluie* (Points, 2007) et *Alerte rouge* (Editions Héloïse d'Ormesson, 2009), version simplifiée du premier. Tim Flannery vit à Sydney, où il est professeur à la faculté des sciences de la Macquarie University.

PETER DRAGICEVICH

Perth et la côte ouest Si son arrière-grand-père n'était pas mort sous un train dans des circonstances mystérieuses à Kalgoorlie, Peter aurait peut-être vu le jour en Australie-Occidentale. Au lieu de cela, sa famille s'est installée en Nouvelle-Zélande, où il a résidé jusqu'à ce que sa carrière journalistique le conduise en Australie à la fin des années 1990. Il a ensuite collaboré à une vingtaine de titres Lonely Planet, dont *Sydney* et *East Coast Australia*. Coauteur de *Perth & West Coast Australia*, il se rapproche peu à peu de son objectif : faire le tour du continent d'un livre à l'autre.

Retrouvez Peter sur le site de Lonely Planet :
lonelyplanet.com/members/peterdragicevich

SARAH GILBERT

Brisbane et les plages de la côte est, Best of du reste de l'Australie Sarah a grandi à Sydney et étudié à l'Australian National University de Canberra, avant d'aller vivre à Amsterdam, de faire ses premières armes dans les tabloïds de New York et de commencer à écrire sur les voyages à Buenos Aires. Elle a contribué depuis à plusieurs guides Lonely Planet. Naviguant entre Sydney et la capitale argentine, elle gagne sa vie comme journaliste indépendante et grâce à des recherches pour le cinéma et la télévision. Elle travaille actuellement à son premier livre.

PAUL HARDING

Melbourne et la Great Ocean Road Né à Melbourne et élevé à la campagne, Paul a passé les étés de son enfance au bord des lacs du Gippsland, avant d'aller camper et pêcher le long du Murray et de faire du ski à Mt Hotham. Depuis, il a voyagé à travers le monde et écrit à ce sujet, mais il considère toujours cette région d'Australie comme son point d'attache. Pour cette édition, Paul a parcouru la majeure partie de son Victoria natal et n'en est pas revenu de découvrir encore autant de trésors. Auteur et photographe indépendant, il a participé à une trentaine de guides Lonely Planet.

CATHERINE LE NEVEZ

Nord tropical du Queensland Déjà, lors de sa première collaboration avec Lonely Planet, Catherine avait parcouru le Queensland. Elle a aujourd'hui accompli sa mission tout en achevant son doctorat en écriture créative. Au cours de ses voyages à travers le continent, elle a effectué un périple de 65 000 km, tout en essuyant bravement deux cyclones. On lui doit plus d'une douzaine de guides de voyage, parmi lesquels *Queensland & the Great Barrier Reef* et *East Coast Australia* de Lonely Planet.

VIRGINIA MAXWELL

Sydney et les Blue Mountains Bien que née, élevée et basée à Melbourne, Virginia connaît Sydney comme sa poche et adore cette ville où elle a vécu et retourne fréquemment. Lorsqu'elle n'écrit pas sur le sujet, elle couvre notamment la Turquie et l'Italie pour le compte de Lonely Planet.

Retrouvez Virginia sur le site de Lonely Planet :
lonelyplanet.com/members/virginiamaxwell

MIRIAM RAPHAEL

Uluru et le Centre Rouge Depuis 2009, Miriam habite dans le Territoire du Nord, où elle travaille comme auteur et productrice de radio à Darwin, après avoir été reporter pour le journal d'Alice Springs. Elle profite au maximum du mode de vie local : virées dans le bush à bord d'un vieux 4x4 Nissan Patrol, sauts dans les trous d'eau et consommation assidue de bière. Voici son huitième guide Lonely Planet.

Les guides Lonely Planet

Une vieille voiture déglinguée, quelques dollars en poche et le goût de l'aventure, c'est tout ce dont Tony et Maureen Wheeler eurent besoin pour réaliser, en 1972, le voyage d'une vie : rallier l'Australie par voie terrestre via l'Europe et l'Asie. De retour après un périple harassant de plusieurs mois, forts de cette expérience formatrice, ils rédigèrent sur un coin de table leur premier guide, *Across Asia on the Cheap*, qui se vendit à 1 500 exemplaires en l'espace d'une semaine. Ainsi naquit Lonely Planet, qui possède aujourd'hui des bureaux à Melbourne, Londres et Oakland, et emploie plus de 600 personnes. Nous partageons l'opinion de Tony, pour qui un bon guide doit à la fois informer, éduquer et distraire.

Nos auteurs

CHARLES RAWLINGS-WAY

Auteur-coordinateur ; Uluru et le Centre Rouge, Best of du reste de l'Australie Enfant, Charles affrontait en short la fraîcheur de l'hiver tasmanien et en été, il comptait les jours qui le séparaient de son départ chez ses grands-parents à Adélaïde. Avec sa chaleur suffocante, ses piscines rafraîchissantes et ses quatre chaînes de télévision, cette ville faisait pour lui figure de paradis. Il a, depuis, élargi son horizon en voyageant dans chaque État et Territoire australien, en s'arrêtant notamment à Fremantle, Byron Bay, Fitzroy et sur la Great Ocean Road. Aujourd'hui,notre homme vit dans les Adelaide Hills et a développé un goût prononcé pour la Coopers Pale Ale. Guitariste rock sous-estimé et jeune papa en manque de sommeil, il signe là sa 22e collaboration à un guide Lonely Planet.

BRETT ATKINSON

Best of du reste de l'Australie Brett Atkinson aime les paysages spectaculaires, la population décontractée, la cuisine et le vin de Tasmanie. Au cours de l'enquête menée dans son État de prédilection, il a particulièrement apprécié la sauvage Bruny Island, la superbe péninsule de Tasman et les bières artisanales des pubs de Hobart. Basé à Auckland, Brett travaille pour Lonely Planet et explore aussi le monde comme auteur indépendant dans les domaines du voyage et de la gastronomie. Pour connaître son dernier coup de cœur culinaire et sa prochaine destination, consultez le site www.brett-atkinson.net.

JAYNE D'ARCY

Melbourne et la Great Ocean Road Grandir à Frankston, lointaine banlieue maritime de Melbourne, n'a pas eu pour Jayne que des inconvénients. Cela lui a donné envie d'aller voir ailleurs, et en premier lieu de découvrir les nombreux attraits de la capitale de l'État. Après avoir traîné le long de la Great Ocean Road durant ses études de journalisme et longuement travaillé dans une radio communautaire au Timor-Oriental, elle vit désormais avec sa famille dans la proche banlieue nord très animée de Melbourne.

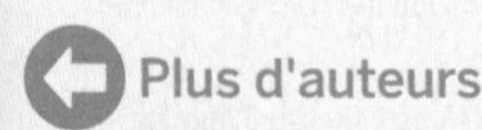

L'essentiel de l'Australie, 2e édition
Traduit et adapté de l'ouvrage *Discover Australia, 2nd edition, January 2012*

Dépôt légal Mai 2012
ISBN 978-2-81612-103-2
Imprimé par La Tipografica Varese, Italie
Réimpression 03, novembre 2013

En Voyage Éditions | un département